日本人の忘れもの

未来を拓く京都の集い

知恵会議

京都新聞

「忘」＝筆／森　清範　清水寺貫主
デザイン＝辻田和樹

未来を拓く京都の集い

季節や自然、そして、人との独特の距離感
暮らしに根付く知恵や工夫など
豊かな文化を創造してきた京都から、
「こころ　ここに」
日本に伝えたい思いがあります。

はじめに

山折哲雄　宗教学者

ちょうどこの「知恵会議」がはじめられたころ、だったと思う。たまたま海外から帰って機上から眼下を見おろすと、この国はどこまでも森林と山岳が広がっているのがわかった。そんな光景は、たとえばロンドンやパリの空港に近づいたときには、まず眺めることができない。エルサレムやモスクワの上空でも、デリーや西安でもお目にかかることはない。視野に入ってくるのは乾燥した景観や単調な草原の広がりぐらいのものだ。

ところが成田や関西の空港にむかって機首を下げていくとき、こんどは森林や山岳に代って、豊かな田園地帯が迫ってくる。農業革命以降の姿といっていいだろう。関東大平野、そして瀬戸内をとりまく里山や農村の暮しが目に入ってくる。そのときになってロンドンやパリの上空から見おろしたときの印象と、それが重なる。さらに地上に降下していくと、こんどは近代都市があらわれ、コンビナートをはじめとする工場群が近づいてくる。こうして飛行機がやっと滑走路にすべりこんで、ああ、日本列島は三層構造でできあがっているな、と気がつくのである。

さらに面白いことに、こんどは京都の都市形成が日本列島のそれにそっくりなことに気づく。東山、北山、西山などの森林に囲まれた盆地空間、山麓に広がる田園地帯、そして洛中にかたまる稠密な都市景観だ。

とすればこのような列島形成の三層構造は、おそらく日本人の意識の三層構造をつくりだしているのではないか。深層に流れる「縄文」的感性、中層に浸透する「弥生」的人間観、そして表層をカヴァーする「近代」的な価値観、である。ここで見落としてならないのは、この三層がたがいに他を排除しない、そして否定しない、重層化の構造になっているということだ。

相互包摂の関係といってもいい。そのため、戦争や激甚災害のような危機に直面すると、われわれの先祖たちはこの三層に横たわるそれぞれの価値観や世界観を柔軟に取りだして対処し、苦難をのりこえてきたのである。たとえば縄文的感性にひそむ無常観や自然観、弥生的心性に宿る勤勉や忍耐心、そして近代的価値観ににじみ出る儒教的合理主義などだ。

今日われわれは世界規模、地球規模の難題難問に直面している。これからは、日本列島において熟成されてきた三層構造の世界観や人間観が、意外なはたらきをするのではないか、と私は思っているのである。

日本人の忘れもの 知恵会議 [目次]

主催＝京都新聞　企画協力＝日商社

◎本書は京都新聞本紙に掲載された情報を書籍にまとめたものです。本文の情報は一部加筆修正をのぞき、原文のまま掲載しています。掲載されている氏名・肩書は掲載当時のものです。

喜びとは？　豊かさとは？　思いやりとは？　いたわりとは？
おきざりにしてしまった本当に大切にしなければならないもの。
その答えにさえ迷い、見いだせないでいる「日本人」。
知らず知らずのうちに見失ってしまった価値観。
気付けなくなった「思い」。動かなくなった「こころ」。
季節や自然、そして、人との独特の距離感から、
暮らしに根付く知恵や工夫など、
豊かな文化を創造してきた「京都」に、
見いだせない、その答えがあるような気がする。

「京都、こころ ここに」
「日本人の忘れもの」を見つめ、考える「知恵会議」から、
今、日本に伝えたい「思い」があります。

伝えたい思い

1人の「気付き」を10人に広げ、京都から日本人の本質を語ろう

市田ひろみ
服飾評論家

「きもの」とかかわる仕事を始めたのは、1963（昭和38）年ごろだから、すでに半世紀が過ぎたということになる。

最初のころは、着付け、帯結びという技術が主たるテーマだったが、やがて服飾史にひろがり、美術工芸も、私のテリトリーになった。

今では日本文化全般という、大きなフィールドの中で、学びつつ仕事をしている。

昨年11月。NHKから出演依頼があった。「生ける伝説　きわめびと」というタイトルだった。

「きわめびと」は、初めて聞く言葉だったのでディレクターに意図するところを聞いた。

「生涯　ひとすじの道をあゆみ　今なお、現役の人をさす造語です」ということだった。

11月4日朝、全国放送でオンエアされ反響も大きかった。

衣・食・住はその民族にとって、気候・風土、歴史、環境の中で集約され、形となって今日まで継承されて来た。

果たして、その民族の固有の文化を次世代に、どうして継承してゆけば良いのか。

太平洋戦争後の日本は、資源のない小国がただただ、真面目で誠実な『人間力』で復興して来たのだ。

しかし、その過程で、多くのものを一方で失いつつ、

けずりつつ、戦後68年。

そろそろ、日本人が忘れつつあるものを、みんなで思い出したいと思う。

1人の「気付き」を10人の「気付き」に、さらに、大勢の気付きにと今こそ京都から、日本人の本質を語りかけてゆきたいものだ。

私は、明治の親に育てられたことをとても感謝している。

恩 忘れたらあかん
弱いもんいじめしたらあかん
えばったらあかん
嘘 ついたらあかん
遅刻したらあかん
泣いたらあかん

また同じこと言うてると思いつつ、うるさいなあと思っていた親の小言はやがて子どもの骨肉の中にしみこんでいくものだ。

社会秩序が失われつつある今日。智恵を出しあって、文化の中心都市の役割を果たしていきたいと思う。

●いちだ・ひろみ／小学校6年間を、中国・上海市に居住。以後京都在住。京都府立大国文科卒。ＯＬのあと女優としてデビュー。その後、服飾指導研究。世界１０６都市で、きものショーなど文化交流を実施。また、きもの研究のかたわら世界の民族服のコレクター。女優として、「京都迷宮案内」おかみとして出演。緑茶、おにぎりなどＣＭ多数。

高千穂の秋元に伝わる夜神楽に日本人の豊かさを感じた

河瀬直美
映画作家

宮崎県の高千穂町に秋元という集落がある。高千穂と言えば天孫降臨の地として有名であるが、ご縁があってこの地で撮影する機会を得た。宮崎県は奈良県と神代の時代からつながっているであろうと思われるほどに、地名やその地に登場してくる歴史上の人物が同じである。現在でもこの場所へ来るのに奈良から半日以上かかるというのに、千年以上前の人はどうやって、どれくらいかかってここにやってきたのか、と不思議に思う。が、そこは楽天家の私である。千年前にこそドラえもんの「どこでもドア」が存在していたんじゃないだろうか、きっとそうだと自分を納得させる。誰もわからない古代のことである。楽しい想像を働かせても心のうちだけなら許されるだろう。

さて、この秋元という集落には百数十人の人々が暮らしているが、90%以上、そのほとんどの人が「飯干《いいほし》」という姓を名乗る。よく地方の集落では同じ名字の人が存在するが、これほどまでに飯干さんだらけだと、何か飯干一族の謎が隠されているような気もしてくる。かくいう私の河瀬という姓は、岐阜県の揖斐《いび》郡にある集落にたくさん存在する。集落のお墓に行けば「河瀬家」と名を刻んだ墓石だらけだ。単純にそれらの先祖をたどれば、同じ人に行き着くんじゃないかと不思議な感覚にもなる。

秋元には夜神楽《よかぐら》の伝統があって、11月の満月の日に夜通し33番の神楽を舞う行事や、それに伴う風習が残っている。その取材に訪れたのだが、神楽自体が素晴らしいのはもとより、この集落の人々の気質が素晴らしい。古来より自分と他者の間に垣根を作らず、すべての民は神様の子どものように生きとし生きてきたからだろうか。そこに集う観光客までもその行事の一部として認識し、歓迎し、もてなす姿勢がある。神楽を舞う「ほしゃどん」という氏子のみなさまは、一同に神楽を舞うことは神と一体になれる瞬間なのだという。その神楽を舞う場所を神庭《こうにわ》といって男性が中心になって場をしつらえてゆく。女性の仕事は皆のご飯をつくることだ。素朴な煮炊きものとお漬物、白ごはんやおうどんなのだがこれがまたおいしい。同じ釜の飯を食べる一体感からだろうか、そこに集う皆にその喜びが訪れる。ああ、これが日本だ。日本人の豊かさだと思う。経済優先、競争社会の中にあって他人を気遣う余裕のない時間の狭間に、現存するそれらに今年もたくさん出合ってゆきたいと願う。

●かわせ・なおみ／生まれ育った奈良を拠点に映画を創り続ける。一貫したリアリティーの追求は、ドキュメンタリー、フィクションの域を超え、カンヌ映画祭をはじめ、国内外で高い評価を受ける。映画監督の他、CM演出、エッセー執筆などジャンルにこだわらず活動を続け、故郷奈良において「なら国際映画祭」をオーガナイズしながら次世代の育成にも力を入れている。

「速成栽培」の時代だからこそ「温故知新」の本当の意味を

杭迫柏樹
書家

祇園甲部に秋の「温習会」があります。春の「都をどり」に対し、芸の真剣勝負といいますか、見終ったときにはすっかり疲れてしまいます。「温」の字は、大漢和辞典に、「温は尋なり」「温、習なり」という項があり、「温習会」の出典を知ったのですが、私がここで強調したいのは、孔子が「故きを温ねて新しきを知る」の「温」がなぜ「尋」を使わなかったかであります。

阿川弘之先生の著作『大人の見識』（新潮新書）には、『「古キヲタズネル」んだけど、ただ尋ねるのではなく、「アタタメタズネル」んだよと、孔子は言いたかったらしい。（中略）「温とは、肉をとろ火でたきしめて、スープをつくること。歴史に習熟し、そこから煮つめたスープのような知恵を獲得する。その知恵で以って新シキヲ知ル」――。

まさに東洋古代のwisdomそのものではありませんか。肉を煮つめていい味のスープを取ろうと思ったら、強火でやっちゃいけないんだ。歴史を学ぶのも、にわか勉強で手早く片付けようとしたのでは駄目だよ、孔子はそう言いたくて「温」の字を使ったというのが吉川幸次郎先生の御見解です。』とあります。

私は書人なので、３５００年の書の歴史を省みることもせず、はんらんする「何でもあり」の乱れた現代の文字文化に対する警鐘と受け取っていたのですが、一歩外に眼を向けると政治、経済はもちろん、文化、いや人生全てにわたっての黄信号であるとつくづく感じます。

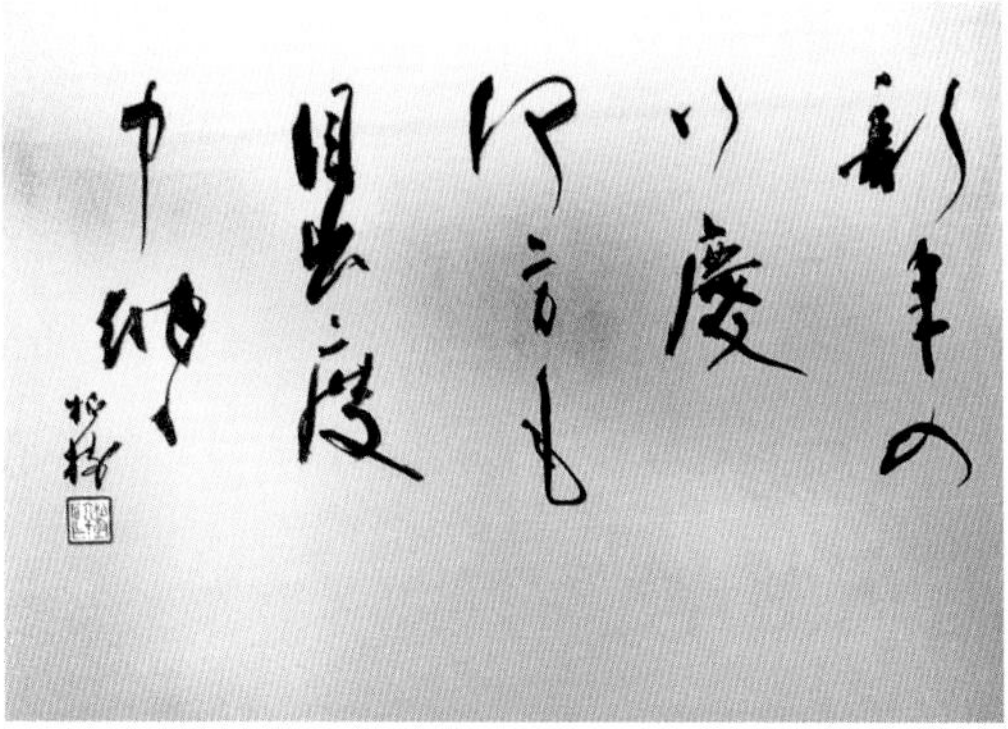

何でも手軽な「速成栽培」の時代だからこそ、じっくりとこの格言を味わい、全ての人が歴史をふり返って、正しい道を探り当てたいものです。
すばらしい歴史のその地で鉱脈の上に立ちながら、毎日、マスコミを賑《にぎ》わせているこの乱脈ぶりは、皮肉にも「最も高尚なものから、最も低俗なものが生まれるのは、仏の側に生臭坊主がいるのと同じ道理だ」と喝破された高村光太郎さんの名言が思い起こされます。
私は「手書き文字には魂が宿る」という原点から出発して、「文字の美しさは、一国の文化のバロメーター」の実現を目指して日々精進していきたいと思っています。

●くいせこ・はくじゅ／１９３４年、静岡県生まれ。京都学芸大（現教育大）美術科書専攻卒業。書家村上三島氏に師事。日展特選、日本芸術院賞など受賞多数。２０１２年12月に京都市文化功労者認定。13年11月には京都新聞大賞（文化学術賞）。日展常務理事、日本書芸院理事長。著書に『王羲之書法字典』や『書・心の風景 杭迫柏樹作品集』など。

中秋の名月の前後に街あげて灯り消してはどうか

小林一彦
京都産業大学
日本文化研究所所長

東山や嵐山の花灯路が、新しい京の風物詩として定着しつつある。電飾の数を競い合ったり、華美な人工色を強調せずに、街並みの陰影を際立たせ、ほんのりと控えめな灯《あか》りが脇役に徹しているおくゆかしさは、いかにも京都らしい。

昨年の秋、東山の名苑で月の出を待つ機会があった。庭の池をはさんだ樹木のその先には、借景がはるか比叡山まで広がっている。灯りらしき灯りは一つも見えない。「おそくいづる月にもあるかなあしひきの山のあなたも惜しむべらなり」（古今和歌集）の古歌が思い出される。近江でもさぞかし月を惜しんで引き留めているのだろう、京都の月の出が遅いなあ、というのだ。待ちくたびれる人々は、王朝の時代にもいたらしい。けれども贅沢《ぜいたく》に時を費やしてながめていると、目も暗さになれ、ほの明るさを徐々に増していく夜空と、逆に陰って山容をいちだんと濃く沈ませる東山との、微妙な陰影のあわいに引きこまれていく。いつのまにか誰も口を開かなくなった。足下からは秋の虫のすだく声が心地よい。やがて夜空にひろがっていたほの明るい微粒子が、ある山際の一点に急速に吸い寄せられたかと思うと、まばゆい光をまとった月が顔をのぞかせる。闇になれた目にはくらむばかり、神々しいまでの美しさである。かぐや姫の世の人々が見たのは、きっとこのような月ではなかったか。

谷崎潤一郎の『陰翳礼賛《いんえいらいさん》』は、日常の微妙な暗さの中に日本独特の美意識を認めた名著である。最近、翻訳書が海外でも評判を呼んでいると聞く。闇を駆逐せずに陰翳のまま残したことが、目を凝らすための視覚はもちろん、それ以上に、香りや風合い、手触り肌触り舌触りを重視する感覚を発達させ、独特の文化を育んだ。その点、現代人の五感は退化の一途をたどっている。子どもたちの将来も、文化の未来も心配だ。

環境省のCO_2削減ライトダウン運動が始まって久しい。京都や滋賀では、中秋の名月の前後に街をあげて灯りを消してはどうだろうか。防犯のための灯りは残しつつ、古典ブランドの「月」に、お金をかけずに街並みをライトアップしてもらうのである。リピーターの観光客も驚くような、月の光で影を帯びた、新しくて古い平安京や琵琶湖が出現するのではないか。陰影の文化を未来につなぐ機会としても、意味があるだろう。

●こばやし・かずひこ／１９６０年、栃木県生まれ。慶応義塾大大学院修了。京都産業大日本文化研究所所長。専門は日本古典文学。古典による観光振興をゼミのテーマに掲げ、２０１０年経済産業省主催「社会人基礎力育成グランプリ」で準大賞、優秀指導賞をダブル受賞するなど大学生の人材育成にも取り組む。

自然との共生や宗教心が生きる各地の伝統や文化の大切さを思う

金剛永謹
能楽金剛流宗家

紅葉の観光シーズンが過ぎ去った京都は、ひとときの落ち着きと静けさに包まれる。枯葉《かれは》が足元を舞い上がるなか、冷たい初冬の風に身を縮こませていると、本格的な京の底冷えの季節の到来を実感する。近年はめっきり少なくなったが、雪の日ともなれば、真っ白な雪を抱いた比叡山を望み、空気がピーンと張り詰めた銀世界の美しさに溜息《ためいき》がこぼれる。そして、いよいよ新年を迎える準備があちらこちらで始まると、町の雰囲気もどことなく華やかな熱気を帯びてくるのが感じられ、今年一年の無事を感謝し、明くる年の平安を祈りながら年越しを迎える。

新年を寿《ことほ》ぐ能楽の「翁《おきな》」という演目の中に「十二月往来」という特別な小書（特殊演出）がある。この小書がつくと、通常は一人翁が二人翁となり、正月から師走までの十二月ごとの風流を語り、翁之舞を相舞するという演出となる。

古来より人々は四季の移ろいを肌身で感じ、感謝の念を捧《ささ》げ、春夏秋冬それぞれの素晴らしさを讃《たた》え、季節感や自然との一体感を何よりも大切にしていたのだと思う。

それは日本独特の美意識や価値観を育み、さまざまな日本独自の文化・芸術を生み出した。能楽を大成した世阿弥は、新緑の新しい生命の息吹が溢れ出る瑞々《みずみず》しい花や、老木の枯れて散りゆく花を「時分の花」と言い表し、その花を追求したところに、能の美があり、人間の一生や生き方にも通じていると考えた。

　2013年の金剛能楽堂開館10周年記念の特別公演として、京都では40年ぶりとなる、山形県の「黒川能」公演が開催された。山形県鶴岡市黒川の里にある春日神社の神事能として、さまざまな時代の波を乗り越えながら一度も途絶えることなく500年以上にわたり、全て氏子たちの手によって連綿と守り伝えられてきた黒川能は、五流に属さず古い演式を数多く残す特異な能として独自の伝承を持ち、1976（昭和51）年に国指定の重要無形民俗文化財に指定されている。神前に奉納する神事能の特色が色濃く残る舞台祭の儀式から始まり、黒川の奥深い里ならではの大らかな詩情溢れる趣きと、ほとばしる熱い生命力に心打たれた。

　近年、東京一極集中がますます加速されていくなかで、この黒川能のように自然との共生や宗教心が生活に根強く生き続けている日本各地の伝統文化の大切さをあらためて思った。

●こんごう・ひさのり／1951年、二世金剛巖の長男として京都市に生まれる。56年『猩々』で初舞台。98年に金剛流26世宗家を継承。公益財団法人金剛能楽堂財団理事長。国内に限らず海外公演も多い。

日本人の花が評価される理由は花との向き合い方にある

笹岡隆甫
華道「未生流笹岡」家元

先日、森田りえ子画伯の屏風絵の前で、花手前を披露する機会を得た。あでやかな紅葉と青々とした松。その壮大な画面を前に、私はあえて小さな世界を描いてみた。朱色を帯びた根来《ねごろ》の高卓に置いた銅器の壺《つぼ》から、黄色い実をつけた仏手柑《ぶっしゅかん》の枝を流れるように振り出して。

各々の作品を背に、森田先生とのトークショーがはじまる。テーマは〝花〟だ。話が進むにつれ、日本画といけばなの共通点が浮き彫りになる。「花の顔は真正面を向けずに、横顔を見せて」、「交差して見える枝は、統一感を乱すので取り除く」、……。

制作中に作品を客観視する必要性にも話題は及ぶ。絵もいけばなも1枚の葉の輪郭にまで細かく気を配る。が、ディテールにこだわるあまり、全体像が目に入らなくなることも。そんなときは、一旦作品から離れて、もう一度別の視点から作品を見つめ直す。

先生のアトリエには大きな鏡が備え付けられているそうだ。鏡を通して作品を見れば、距離が倍以上に開き、さらには左右が反転するので、客観的に眺められるという。

日本人は、自国の文化に対して関心が低いと言われるが、外国人の目という〝鏡〟を通して日本文化を見れば、その魅力に気付いてもらえるのではないだろうか。

あるフラワーデザインスクールの校長が、こんな話をしてくれた。日本のフラワーデザイナーが海外で作品を披露すると、IKEBANAだと言われる。西洋由来のフラワーデザインでさえ、日本人の手にかかるとIKEBANAになる。これは、フランス人の料理や、オーストリア人の音楽のように、日本人の〝花〟は特別なものだと理解されている証拠だ、と。

海外で日本人の花が評価される理由は、花との向き合い方にあるのだと私は思う。日本人にとって花は、単に美を演出する道具ではない。満開の花だけを愛でるのではなく、つぼみの状態でいけあげ、その花の命のうつろいを見届ける中で、人生観や宇宙観を学んできた。日本人にとって、花は〝師〟である。

本年は、日本スイス国交樹立150周年。2月には、在スイス日本国大使館からの招聘《しょうへい》により、現地で花手前を披露する。海外の期待を裏切らないように、日本人の花への思いを伝えたい。

そして今、一つの夢を持っている。2020年、オリンピックの開会式で、日本の華道家の競演を世界に向けて発信したい。日本人にとって花が特別な存在であるということを、今一度思い出してもらうために。

◉ささおか・りゅうほ／1974年、京都生まれ。京都大工学部建築学科卒。京都ノートルダム女子大客員教授。京都いけばな協会常任理事。舞台芸術としてのいけばなの可能性を追求し、国内外で花手前（いけばなパフォーマンス）を披露。近著に『いけばな』（新潮新書）。『家庭画報』の巻頭で連載を担当中。

伝統の和食は真心で作り五感で味わうもの

杉本節子
奈良屋記念杉本家保存会 常務理事兼事務局長
料理研究家

「和食 日本人の伝統的な食文化」が昨年12月にユネスコ無形文化遺産に登録されてから、初めてのお正月を迎えました。

暦や年中行事を昔ながらに行う習慣が薄れている現代において、お正月は、一年中で最も和の文化を意識する行事といえるでしょう。そこには、お雑煮、おせち料理をはじめとする伝統的な和食が欠かせません。暮れに取りかかったその支度。食の多様化による「和食離れ」や原発事故で広がる「風評被害」、食材偽装問題など、日本の食をめぐる危うい現状を憂いつつ、無形文化遺産登録と来る年への希望に思いを巡らせながら小芋の皮をむきました。

料理は誰にでもできますが、食材一つ一つにふさわしい下ごしらえをし、おいしいと感じられる味つけをすることは、そうたやすいことではありません。幾度かの失敗と経験、食べる人への真心を込める思いとがぴたりと寄り添い合ったときに初めて、おいしさが生まれるのだと思います。私にとって、そうした味わいを持つ正月料理のひと品が、祖母の炊いてくれた黒豆です。

火鉢の残り火を上手に使いながら、ゆっくりと数日をかけ柔らかく煮上げてゆくのです。日ごとに元の豆の形にふくらんでゆく豆の一粒づつを口に含んでは、煮え加減や味の染み具合を何度も確かめている祖母の顔には、自分が大切に思う家族を思い浮かべる表情がありました。その祖母の胸の内にあったものこそが、真心というべきものであり、嘘いつわりのない「手作り」の味は、家庭の台所で生まれ継承されるべきものだということを教えられた気がします。和食は五感で味わう料理と言われますが、真心は、春の海のごとく、おだやかに五感に作用するもののように思えます。とはいえ、手作り離れも否めない現在、出来合いのものから真心は望めなくとも、自分の五感で味わうことは、誰にも邪魔されずにできることです。

お雑煮をいただくとき、漆塗りのお椀《わん》の口あたりを介して、糸花かつおの香り、白味噌《みそ》のまったりとした汁、真っ白な丸餅のもっちりと口中にまとわる食感は、まさに新玉の年を迎えるにふさわしいものです。そして、三種の祝い肴《さかな》を食《は》むとき、家族の口元にも聞くそのしめやかな響きに、毎年変わらぬこの静謐《せいひつ》な元旦のひとときを迎えた幸せを感じます。

先人が遺《のこ》した行いを紡ぎ、地道に続けることが和食の文化をつないでゆくことになるのではないかと思います。目まぐるしく変化を遂げる時代だからこそ、お正月と伝統の和食を大切にする心を持ち続けたいものです。

●すぎもと・せつこ／京都市生まれ。（公財）奈良屋記念杉本家保存会常務理事兼事務局長、料理研究家。生家の重要文化財「杉本家住宅」と京町衆の文化継承、京のおばんざいを主とした京都の伝統食の伝承に努める。2009年京都府あけぼの賞。12年京都府「きょうと食いく先生」認定。京の食文化ミュージアム「あじわい館」開館記念展示「京のおばんざい文化展」監修。

「もったいない」ということば
若い人に残していきたい

瀬戸内寂聴
作家

最近、「断捨離《だんしゃり》」とかいう言葉がはやっている。整理整頓をするため、身のまわりの物を捨てよという趣旨の同名の題の本がベストセラーになった結果のなりゆきである。またその本が、当たったこともあってか、同種の趣旨の整理整頓の方法やすすめの本が次々出版され、それらがまた相当に売れているという。何を隠そう。実は私もそれらの本が出ると、片っ端から買わずにいられない人間なのである。

私は整理整頓がまことに下手で、書斎なんか、いつでも、何度引っ越して新しくなっても、1カ月もしないうちに、足の踏み入れ場もないほど乱雑を極めてしまう。それでも、その乱雑さの中で、どの本や資料が、どのあたりの本や郵便物の山の下にあるか、私には分かっているのである。もちろん、それを取り出すたびに、高く積まれた物の山が崩れ落ち、さらに足の踏み場もなくなってしまう。スタッフの中には、生まれつき整頓の名人芸を備えた整理天才の人物もいるのだが、書斎だけはいじらせないので、きれいになりようもない。

整理整頓をすすめる本は、どれを読んでも「断捨離」

の精神を信奉していて、ものは片っ端から捨てろと教えている。この正月で数え93歳になった超高齢者の私の世代の者は、子どもの時から、米粒の中には神さまや仏さまがいらっしゃると大人に言われ、一粒の米でもうっかり洗い流そうものなら、「もったいない」と、母にどなりつけられたものである。小学生から女子大を出るまで「ものは捨てるな」と教えられ、廃物利用という言葉が、断捨離以上の流行語になって、煙草《たばこ》の箱さえ捨てずに、それで鍋敷きなど作ったものだ。毎回捨てる紙おむつなど想像したこともなく、古浴衣でおしめを作り、毎日それをたらいで洗うことが、母となった女の必須の仕事になった。

「捨ててこそ」という一遍上人の言葉に感動して40年前出家した私は、その時、一応身ひとつに身辺整理したが、40年の間には、もと以上に身のまわりに物が増え続けている。近づいた死までにこれを一掃できそうもない。やっぱり若い人たちに、「もったいない」という言葉を残していきたいと思っているこの頃である。

●せとうち・じゃくちょう／1922年、徳島市生まれ。東京女子大卒。代表作に『夏の終り』『美は乱調にあり』『源氏物語』（現代語訳、全10巻）、震災をテーマにした対談集『その後とその前』など多数。73年に得度し、天台宗僧正。2006年文化勲章受章。

伝承技術文化と美意識を現代生活に再生、覚醒しよう

龍村光峯
織物美術家

わが国の伝統的な美術工芸品は、古代から自然を愛で、慈しみ、自然と共に生きてきたわれわれ日本人の生活文化の精華である。1867年のパリ万国博に出品され、西欧の人々に大きな反響を巻き起こし、後にアール・ヌーボーや印象派などに影響を与えたのは、漆芸、陶芸、金工、木工そして版画などの西洋の概念でいう「装飾美術工芸品」であった。錦織をはじめとする絹織物もその中に含まれている。アール・ヌーボーの創始者であったサミュエル・ビングが予言した通り、わが国ではこの「生活文化のなかの芸術」、即ち伝統的美術工芸品は、明治以降衰退の一途をたどってきた。西洋化、近代化を急ぐ明治政府は、洋風の生活様式とともに、積極的に西洋の概念や制度を採り入れ、その結果現在にも続く、美術や工芸の諸制度が構築され、同時にそれらと伝統的なあり方との間に著しいそごを生じてきた。わが国では、江戸時代までアジア・アフリカなどの非西欧の世界がそうであるように「美術」や「工芸」の区別は無かったのだが、ここに絵画・彫刻などの「純粋美術」と工芸などの「応用美術」の区別が持ち込まれ、絵画・彫刻を上位概念とするヒエラルキー構造や、洋画・日本画の二重構造が出来上がり、伝統的な美術工芸品は「応用美術」として一段低く見られるようになったことが、衰退の原因の一つではないだろうか。われわれが今日「伝統」と呼んでい

るもの、あるいは「伝統」という概念そのものが、実は明治以降の近代化の産物であり、西欧列強の各国が近代国家の成立や民族主義の勃興《ぼっこう》のうねりのなかで、自国の文化を誇っているのを目前にした明治政府が、わが国にもこのような「伝統」が存在するということを世界に示すべく、意識的に、また文化政策として創出したものではないかということも考えられる。現在の伝統工芸の衰退は、明治以降の西欧化近代化によって生活様式が激変し、時に戦後のアメリカ化、あるいは最近ではグローバリズムによって、生活の根本から根絶《ねだ》やしにされてきたにも関わらず、その根枯《ねが》れを放置したまま対症療法的に「伝統産業」や「伝統工芸」という枠組みが作られ、特殊化され、非日常的なものとなって、本来のあるべき姿を見失ってきたからではないだろうか。「本来のあるべき姿」とは、今はまだ僅《わず》かに命脈を保つ優れた伝承技術文化と自然に育まれ、磨き抜かれた美意識を現代の生活様式の真っ只中《ただなか》に再生し、覚醒させること、時代と真正面から向き合い、しっかりと伝統的土壌に根を下ろしつつ、創造的で完成度の高い作品を作り出すことではないだろうか。

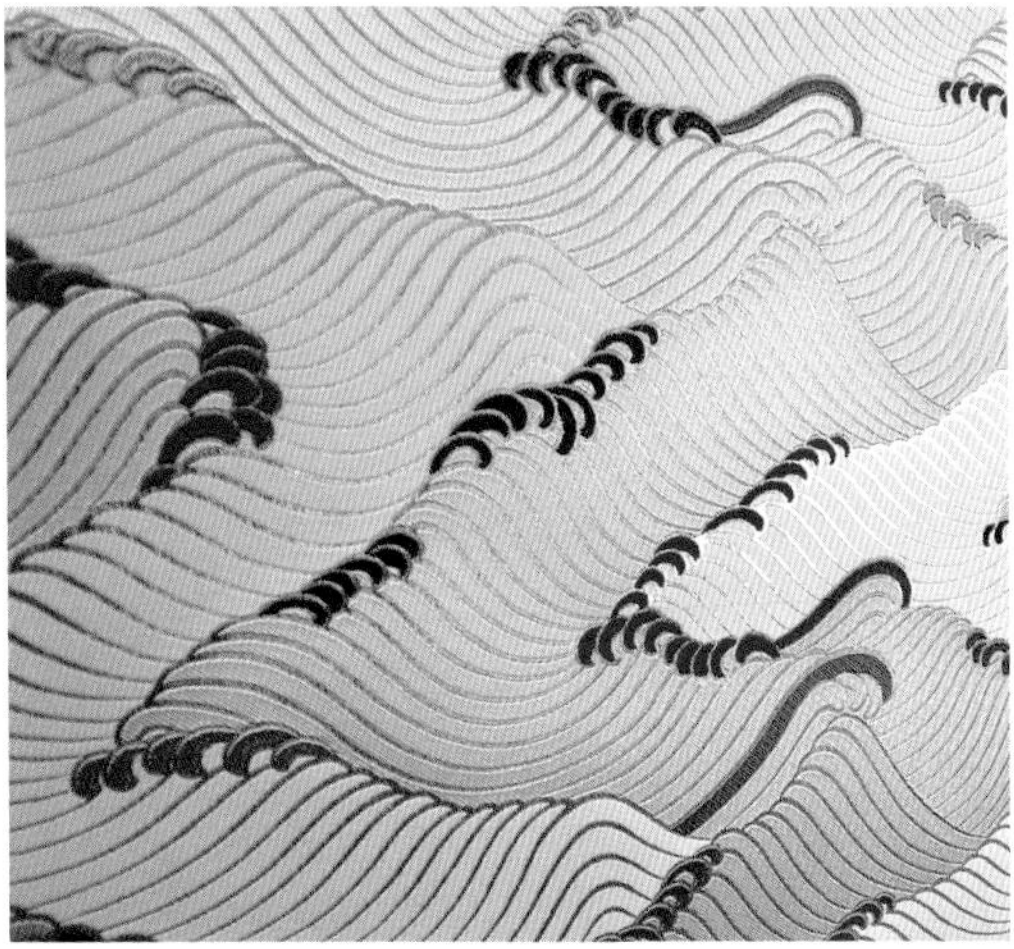

●たつむら・こうほう／１９４６年、宝塚市生まれ。71年、早稲田大文学部卒業。76年、龍村平蔵織物美術研究所設立。94年、古代織物の復元、技術保存を目的に「日本伝統織物保存研究会」を設立、理事長として正倉院裂『緑地花鳥獣文錦』などを復元する。代表作に旧大蔵省三田会議所納入タペストリー『和の集』、国立京都迎賓館主賓室タペストリー『暈繝段文（一対）』など。

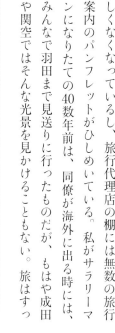

旅の本来の意味失った効率本位の現代社会

建畠 哲
京都市立芸術大学学長

「旅」が日本人の忘れものだというと、とんでもない、誰もが今ほど盛んに旅をする時代はないはずだという反論が即座に返ってきそうだ。確かに海外出張は少しも珍しくなくなっているし、旅行代理店の棚には無数の旅行案内のパンフレットがひしめいている。私がサラリーマンになりたての40数年前は、同僚が海外に出る時には、みんなで羽田まで見送りに行ったものだが、もはや成田や関空ではそんな光景を見かけることもない。旅はすっかり日常茶飯事と化してしまっているのだ。

みんなが頻繁《ひんぱん》に旅をするというのは結構な話ではある。出張やパック旅行は「旅」に入らないなどと分かったようなことをいうつもりもない。ただ問題なのは、旅がともすれば効率本位になり、移動時間は余計な時間と思われてしまいがちなことだ。出発地から目的地へとピンポイントで回るだけの旅になってしまっているのである。

旅とは本来からすれば、移動すること自体に意味があったはずである。旅人とはいうならば移動から生まれる物語に身をゆだねようとしている人であり、当然ながら目指す場所に到着するまでの時間が短ければ短いほどいいというものではない。その本来の意味が飛行機や新幹線といった文明の利器、悪くいえば「スピードというオブセッションに憑《と》りつかれた妖怪」の登場によって逆転され、理不尽にも移動時間の短縮が「自己的化」されてしまっているというわけだ。

私は毎週のように新幹線のお世話になっているから文句を言えた義理ではないのだが、このたとえようもなく便利な乗り物によって、十返舎一九の『膝栗毛』をはじめとする数多くの物語を育んできた東海道の旅は、今や単なる日帰り出張の往復時間に成り下がってしまったように思える。目下喧伝《けんでん》されているリニア新幹線なるものは、それをさらに通勤時間に過ぎぬものへと貶《おとし》めてしまうに相違ない。スピードのオブセッションは地上からすべからく旅を放逐しつつあるのである。

もっとも、最近では老若を問わずトレッキングや自転車旅行を試みる人たちが増えつつあるとも聞く。別段、時代に逆らおうというわけではなく、自然体でスローライフ（和製英語らしいが）を楽しもうというゆったりした姿勢が、かえって好もしい。
だが……。どうやら私自身には旅の回復を大きな顔をして主張する資格はなさそうだ。白状すれば、私はこの原稿を締切りに追われて新幹線の車中で書いているのである。京都駅に着くまでに、メールで送信しなければ……。
ああ、なんというせわしない旅！

●たてはた・あきら／1947年、京都市生まれ。美術評論家。早稲田大学文学部卒。京都市立芸術大学長。多摩美術大学教授、国立国際美術館長などを経て現職。90年、93年のベネチアビエンナーレ展日本館コミッショナー。2001年の横浜トリエンナーレ、10年のあいちトリエンナーレの芸術監督。詩人としては昨年『死語のレッスン』で萩原朔太郎賞を受賞。

自然の豊かさ、生活の豊かさは何気ない日常のなかにこそある

永田和宏
京都産業大学
総合生命科学部教授

昨年『近代秀歌』（岩波新書）という本を出した。近代の短歌の中で、たとえ歌人でなくても、これだけは知っておいて欲しいと思う歌を百首紹介し、鑑賞したものである。それを書いていく過程で、「歌の持つ力」というものを改めて感じるとともに、歌を日常の場に取り戻してやることの大切さを思った。

短歌・和歌と聞くとどうしても難しいもの、正座して読まねばならないものなどと考えがちなのではないだろうか。古典和歌以来、また近代の歌人たちが、身を削るようにして作ってきた多くの作品に対する敬意はもちろん払われなければならないが、一方で歌を堅苦しいもの、襟を正して読まなければならないものと考えられると、歌がかわいそうだと思うのである。

白玉の歯にしみとほる秋の夜の
酒はしづかに飲むべかりけり　　若山牧水

友人たちと飲みながら、誰からともなく牧水の酒の話になる。「牧水は一日に一升なんて、自分では言っていたが、ほんとはもっとはるかに多かったんだって」と言うやつがいると、「死んでも三日くらいは死斑が現われなかったそうだ、なにしろアルコール漬けなんだから」なんて応じるやつがいる。こんな話題が飛び交う飲み会なら、出てみたいものだと思う。

京都はどこを歩いても、歌枕に出会うことのできる地

である。こんなに恵まれた場所は他にはない。歌枕がなぜ意味をもつのか。それは私たちがその場所が詠《うた》われた歌を知っているからである。

清水へ祇園をよぎる桜月夜《さくらづきよ》
こよひ逢ふ人みなうつくしき
与謝野晶子

という一首が、ふと頭をよぎるとき、自分が歩いているその場の風景は、少しだけ違ってみえてくるはずである。

歌を知っているとはそういうことである。知っているからといって、何を得するわけでもないが、「あ、この場所を詠ったあの歌があった」とふと思うだけで、平板な風景がにわかに自分のほうへ立ちあがってくる。

草の名前をひとつ知っているだけで、その道は親しいものになる。漠然と雑草と意識していたときには気付かなかった自然の懐かしさが感じられるものである。植物の名前をひとつ覚える、近現代の歌を一首覚える、そのことによって、自然は、そして場所は自分にとって特別な意味を持ったものになるのである。自然の豊かさ、生活の豊かさとは、実はそんな何気ない日常のなかにこそあるのではないだろうか。

●ながた・かずひろ／1947年、滋賀県生まれ。京都大理学部卒。京都大再生医科学研究所教授を経て、現職。大学在学中に本格的に短歌を始め、芸術選奨文部科学大臣賞や斉藤茂吉短歌文学賞など受賞多数。2009年、紫綬褒章。短歌結社「塔」主宰。近著に『近代秀歌』など。

「いのち」から「いのち」へ 畏敬の念を持ち、国境なき祈りを

仲田順和
総本山醍醐寺座主

京都―この古い都の永い歴史、時の流れは、私たちに多くの夢とときめきをもたらします。水の都と呼ばれるように、清らかな澄んだ川の流れ。その源には都を囲む山々があり、折々の語らいと祈りを秘めています。神々が集い、諸仏諸菩薩が雲集し、人々の生活を通して文学、芸術が生まれ、多くの「いのち」が育まれきた大きな神秘性を持つ豊かな舞台です。舞台は、人の「いのち」の向こう側にある心を生かす所です。

今、この舞台を前に深く「いのち」を考えるとき、「いのち」を一言でいうならば、自分自身が使える時間です。自分自身に与えられた時間、これが「いのち」です。そしてこの「いのち」には、〝目に見える「いのち」〟と〝目に見えない「いのち」〟があります。〝目に見える「いのち」〟は、自分が生きているこの「いのち」です。この「いのち」は自分自身が感じることができる「いのち」です。また〝目に見えない「いのち」〟とは、私たちと同じように、自分に与えられた時間を使い切った人々の「いのち」です。

父母の「いのち」であり、祖父祖母の「いのち」でありましょう。それを私たちは、ご先祖様と呼び、衆生《しゅじょう》の「いのち」と表現しています。西方へ旅立った多くの人々の「いのち」、これが〝目に見えない「いのち」〟です。この〝目に見えない「いのち」〟に呼びかけること

により、自分の心のたたずまいをただすことができます。〝目に見える「いのち」〟に対する祈りを「ご祈願」と呼び、〝目に見えない「いのち」〟に対する祈りを「ご廻向《えこう》」と呼びます。廻向は追善とか追福という言葉でも表されています。

そして、この祈りの世界で、今日なお祈り続けることができるのは、人は自然の中で生き、「縁」をもって大きな弧を描きながら「いのち」から「いのち」へと受け継がれる循環の尊さがもたらすものです。この尊さに対して、畏敬の念を持って自分自身を社会に明らかにし続けることが大切です。

今世界の人々は、この地に古《いにしえ》の神秘性豊かな心を求めて、大きな舞台に触れたいと京都を訪れます。私は、この京都から世界の人々に向かって、国境を越えた祈りとして

「いのち」に心寄せ合いましょう。
「いのち」に対して手を合わせ
「いのち」に対して祈りましょう。

を提言し、「国境なき祈り」とし、世界の和平を願います。

●なかだ・じゅんな／１９３４年、東京都生まれ。大正大大学院にて仏教原典を中心に研究を進める。57年、品川寺に入山、出家。68年、品川寺住職となり、85年より総本山醍醐寺執行長となり、２０１０年、総本山醍醐寺座主・三宝院門跡となる。医療法人洛和会理事、学校法人日本女子大、森村学園、真言宗洛南学園の評議員を務めている。

過去からのメッセージを若い人たちに伝えたい

永田　萠
絵本作家
イラストレーター

今までさほど意識してこなかったのだが、昨年あたりから師にあたる方たちとの別れが続き、同時に新しい命との出会いも多くなり、自分が過去と未来をつなぐ年齢になったのだと考えるようになった。

過去から教えを受けた多くのことを、未来につなげなければならないと思う、と言っても、それはあまりにも広範囲になるのでまずは専門分野からということで、大学では画学生たちに、絵本の近代史に残る戦前戦後の作家たちについて講義をしている。その折、必ずふれるのは時代背景だ。その時代を作家たちがどう生きて描き続けたかを伝えるのは、とても重要だ。二つの大きな戦争のあったこの100年間に多くの名作絵本が生まれ、中には今も読まれ続けている本も多くある。

時代は大きく変わったけれど、作者が絵本に込めたメッセージと読者が絵本に求めるものは変わらない。それは愛だ。人が人を思いやり大切にする、愛にあふれた平和な世界。その大切さを幼い人に知ってほしいと作家たちは物語に絵を添えて絵本にした。そして絵本を手にとった大人たちは、それを子どもたちに読み聞かせてきた。

愛や平和を語ることが困難な時代には絵本も抹殺《まっさつ》されかけたが、その志は確かな方法で受けつがれている。

学生たちには自分の言葉と自分の方法で、未来に向けてこの志をつなげてほしいと伝えている。彼らに今すぐできることではないことはよく分かるし、大人が熱を込めて語ることはたいてい、うっとうしく思うものだということも知っている。なぜなら私もかつて同じことを思ったから。それでも「話してもムダかもしれない」と思う気持ちをおさえて言葉にするのは、若い私に多くの師がそうしてくれたからだ。それがどれほど貴重なメッセージだったかが、今ごろになってようやく分かる。ということなら、どんなにうるさがられても、過去からのメッセージに私自身の思いを加えて話すのは義務だと思う。

日本ならではの美意識やよいしきたり。人としての誇りや矜持《きょうじ》。平和な社会や温かい家庭。過去が大切にしてきたものを未来に失うことのないようにと強く願う。そしてそれを守るために戦ってくれた人たちの人生や残した仕事を、絵本史を通じてこれからも伝えていきたい。

●ながた・もえ／1949年、兵庫県生まれ。成安造形大客員教授。カラーインクの透明感のある鮮やかな色彩を生かし、独特の画法で手がけた絵本や画集、エッセーは150冊を超える。87年ボローニャ国際児童図書展グラフィック賞を受賞。京都市中京区に「ギャラリー妖精村」を主宰。

「しあわせ」は相互の働きかけで生まれるもの

中西　進
京都市中央図書館館長

私は『日本人の忘れもの』と題する著作（ウェッジ刊）を3冊も出版したので、ずいぶんたくさんの「忘れもの」を数え上げてきたように思うが、一つ一つの事例よりもっと根本的なことを考えるべきだと、いまは考えている。

それは日本人が日本語によって認識し合ってきたことを、日本語という、紛れもない日本人の思惟《しい》の現われを通して確認することだと思う。

たとえば、日本人は幸福をどう考えていたか。幸福とは中国人の考えだから、この言葉からは何も見えて来ないが、日本人が幸福を「しあわせ」と言ったことから考えると、幸福が二つのものの相互の働きかけによって生まれるものだと考えていたことが分かる。

「しあわせ」とは「為合《しあ》わせ」。お互いの行動の出合いに幸福感を感じていたことがわかる。お互いとは、もっとも単純に言えば隣人同士だろう。この間にはお互いに対する善意や好意の向け合いがあって、幸福な人間関係ができるという信念が必要となる。一方的に他人に期待を寄せていては、一向に幸福にはならない。

あるいは、苛酷な運命に見舞われても、運命への働きかけによって、運命はこちらに好意を寄せてくれることになる。「果報は寝て待て」とばかりに何もしないと、ついに幸福にはなれないというのが「しあわせ」に込めた日本人の心だった。

こうした意志力、双方向的なベクトルの幸福の力学、それを日本人は忘れているのではないか。日本人をとかく受身的で、穏やかな民族だと考えるほうが、多数派ではないだろうか。

どうしてどうして、日本人はそんなに消極的だったり、諦めやすい集団ではなかったのである。

この一つをとってみても日本人は誇り高く自らを持し、紳士的に相手にも善意を期待する伝統を堅持していきたいと私は考える。

ノーブレスオブリージー高貴なる者が持つマイナスもいとわないことが必要であろう。

もちろん上に述べたように、相手も高貴な心の持ち主でなければ、善意は踏みにじられるだけだろうが、そこにあえて善意を求めるところに、誇り高い日本の特質が存在するのだといえる。

●なかにし・すすむ／1929年、東京都生まれ。東京大ならびに同大学院で日本文学を学ぶ。国際日本文化研究センター教授、京都市立芸術大学長、日本学術会議会員、日本比較文学会会長などを歴任し、現在、全国大学国語国文学会会長。70年日本学士院賞、2013年文化勲章受章。『中西進著作集』（全36巻）など著書多数。

床の間に秘められてきた日本の心を失ってはならない

中村昌生
京都工芸繊維大学名誉教授

幼い頃、床の間に上がると叱られた。戦後、日本住宅から封建性を追放しよう、と前衛の建築家たちが叫んだ。それでも床の間はなくならなかった。しかし床の間のない住宅が広がっていることは事実である。

床の間には、掛物（書画）を掛け、花を生ける。季節によって、また迎える客によって趣向をかえる。確かに床の間は飾りの場所である。

中世の書院造《づくり》という住宅様式のなかで「座敷飾」の作法が出来上がっていた。そこでは押板《おしいた》と呼ばれた所に掛物が掛けられた。床の間は一段高く畳を敷いた上段のことであった。書院造では、付書院《つけしょいん》や違棚《ちがいだな》も設けられ飾りに使われた。

茶をもてなす遊びである茶の湯でも、簡素ながら座敷飾をして客を迎えることを定めとした。そのために設けられたのは、押板でなく、身分の高い人がすわる形をした床の間であった。そこに掛物を掛け、花を生けた。

言うまでもなく、茶室は、亭主が客を招いて、客の前でお茶をたてて、もてなす座敷である。客を床前の上座《かみざ》に迎え、亭主が下座《げざ》にすわるのは当然である。亭主が謙《へりくだ》り、客を敬うことによって、客と亭主が心の触れ合う「直心《じきしん》の交わり」に高めよう、というのが茶の湯のもて

なしである。

昔は大切な掛物は張付《はりつけ》壁に掛けるものであった。土壁に掛物を掛ける道を開いたのは千利休であった。「荒壁に掛物面白し」という言葉が伝えられている。やがて床の上段を圧縮した、奥行きのない壁床も現れた。壁床になっても、茶室における床の存在意義に変わりはない。

こうした茶室の床が、書院造にもとり入れられるようになり、押板の呼称はしだいに忘れられていった。そして民家や一般の住宅にも、主たる座敷には、茶室の床の間が設けられるようになった。

町家の奥庭に面した座敷、そこは庭から客を招き入れる構えにつくられている。それもながい座敷の伝統である。そして床の間が設けられている。これはただの飾りの場ではない。この座敷に客を迎える座と、亭主の座《すわ》る座、上座と下座の秩序が成り立っているのである。亭主は「謙虚」な心構えで、客を迎える。このもてなしの道理を忘れては、日本の誇る和食文化も「もてなし」に生かすことはできない。床の間は、亭主と客を結ぶ絆であり、そこに秘められてきた、自然への畏敬にも通じる「日本の心」を失ってはならないと思う。

●なかむら・まさお／１９２７年、愛知県生まれ。京都工芸繊維大名誉教授。福井工業大名誉教授。桂離宮整備懇談会委員、文化財保護審議会専門委員、京都迎賓館伝統的技能活用委員会委員長などを歴任。一般社団法人「伝統を未来につなげる会」代表理事。91年日本芸術院賞、98年京都市文化功労者、２００５年京都府文化特別功労賞受賞。近著に『和の佇まいを』（宮帯出版）。

内から外への中間の「軒遊び」大人も見直し、楽しもう

民俗学者、柳田国男氏の「軒遊び」という言葉は、幼児教育を専攻していた学生のときに聞きかじったことはあったけれど、今ごろになって、心に響いて聞こえている。なんとも、ゆかしい言葉だ。氏は、子どもが親のそばで過ごす内遊びから、外の生活へ出て行くちょうど中間を、「軒遊び」と名づけ、この時期が社会性を身につけていくうえで大切な成長段階であると説いている。

秦めぐみ
京都秦家主宰

「家に手があり愛情が豊富なれば、たいていは誰かがそれとなく見ている。眼に見えぬ長い紐《ひも》のようなものが、まだ小児の腰のあたりには付いているのである」そう書かれているのを読むうちに、自分の育った環境、幼いころ、この家や地域にあった気配が蘇《よみがえ》ってきた。

赤ん坊のころは、縁側に子猫といっしょに転がされていたと聞いているし、物心がついてからも、さりげない日常の営みの傍らに、やはり転がされていた気がする。その目の前を、正月、節句、お祭り、お盆、墓参りなど、年中行事は巡ってきた。折にふれ、人生の選択に際して、判断のよりどころとなっている心の根っこを作ってきたのは、複雑な商家の大所帯や、近所の大人たちのまなざし。同時にこのまなざしと共に受け止めたメッセージや、具体的な生活の仕方ではなかっただろうか。

軒は、自然素材で造られた日本家屋が、雨風を防ぐために屋根を長く伸ばして掛けることによってできた、家の内と外をゆるやかに結ぶ空間だ。庭を配した軒下の縁側は、毎日の生活の傍らにあって、自然を感じ季節感を確かめるオアシスであり、また、公道との境界の下屋は、個人と社会の接点としての役割を担ってきた。こうして、あらためて軒下の持つ意味を見つめなおしてみると、そこに、日本人独自の自然観や、社会とのコミュニケーションの在り方を見出すことができる。

しかし、季節の風が吹きぬける軒下のある日本家屋に替わって、現代は便利な機能優先型の暮らしにともなって、機密性の高い住宅やマンションが主流になっている。さらに、インターネットの普及により、私たちは自室に居ながら、買い物のできる便利さを得た。さてこの先の未来は、どのような社会が創られていくのだろうか。

12月29日、わが家ではお餅つきをする。最初のふた臼は、神さんに供える供え餅。つきたてのおろし餅に惹《ひ》かれて参加する大人も、子どもたちと一緒に「軒遊び」を楽しんでもらいたいと思っている。

●はた・めぐみ／1957年、京都市生まれ。生家秦家住宅は、18世紀半ばから近年まで薬種業を営んでいた商家で、明治2年上棟「表屋造り」の京町家。京都市有形文化財登録。96年から一般公開し、生活習慣や年中歳時など伝えながら維持保存に携わる。京都秦家主宰。

「我慢」のあとに来る満ち足りた解放感大切にしたい

広上淳一
京都市交響楽団
常任指揮者

電話を掛ける。番号を押す一音一音が電話の相手への距離を近づける足音。その足音が止まると耳元にはトゥルルルと扉をノックする呼び出し音が聞こえる。1コール、2コール、不安を感じ始めたとき、電話の向こうの扉が開き、待ち侘《わ》びた声が耳元に飛び込む。そして頭の中は、電話の相手の笑顔だけが広がる。呼び出し音が作るくすぐったい緊張の時間。声が耳に届いた瞬間に訪れる解放感。人々はこの緊張から解放までの「我慢に満ちた時間」に、「想像すること」を覚えるのです。

楽譜の指示以上に音を「溜める」「伸ばす」。そこにはその瞬間の感情が込められています。ライブには、溜めて伸びる音の束が作る空間のゆがみが生まれ、感情の起伏を作り出します。「溜める」「伸ばす」、この「じれったい」とさえ感じる「我慢に満ちた」時間を、日進月歩進むリアル現代の中、人々は見失い想像を忘れ殺伐とするのです。

携帯電話、メール、そしてソーシャルネットワークといわれるものの数々。どこにいても、リアルに探し追いかけられる時代。私たちは、いま何色にも染まらない時間「我慢に満ちた想像の時間」をどれだけ持つことができるのでしょう。楽譜の上の音符と音符の間にある空白。私たちは毎日どれだけ長い空白の時間を持たせてもらえているのでしょう。この空白の時間こそが、次にくる

「ときめき」への助走で、束縛されているように思う「我慢」こそ、とても自由で期待感高めることができる「至福の時間」だと思えてならないのですが。
スピード感が問われる時代は、人々の「我慢に満ちた想像の時間」を無駄だといわんばかりに奪い続けます。そして、その結果我慢できない人々を作り出し、思い通りにならない出来事に遭遇すると、その融通の利かぬ物を壊し、思いのままにならない人を傷つけてしまう。「我慢」という名の「次への想像に続く空白の時間」の存在を教わっていない人々は、自分色に染まらない時間に戸惑い、不安と不満で狂気と化してしまうのです。「何もない」時間。実は「何もないから想像できる」時間を、この俊足の世の中は忘れ去ってしまおうとしているのです。
無機質に「時」を進め「間」をなくした世の中に、私は逆らうように緩やかで分厚く、そして時には「無音」を伴う音楽を届けたいと願っています。音楽で操られた時間が作る、じれったさの後に満ち足りた解放感。音楽は、殺伐とした時間を潜り抜ける指針になりえると信じて。

●ひろかみ・じゅんいち／1958年、東京都生まれ。東京音楽大卒。東京音楽大教授。京都市立芸術大客員教授。84年第1回キリル・コンドラシン国際青年指揮者コンクールで優勝。ノールショピング交響楽団やリンブルク交響楽団の各首席指揮者、日本フィルハーモニー交響楽団正指揮者、コロンバス交響楽団音楽監督を歴任。2008年4月からは京都市交響楽団常任指揮者を務める。

家庭教育という聖域を死守し未来を担う子どもたちを守って

深見　茂
祇園祭山鉾連合会
顧問

新年にあたり、将来の展望を占うとは、どのような歴史観をもって望むかということだろう[1]。

そこで歴史観とは何かとなるのだが、一般には時間の流れをいかに解釈するか、の問題であるとされる。すなわち、⑴時間は永劫《えいごう》回帰する、というギリシャ的歴史観⑵時間は救済という一点を目指して無限上昇を続ける、というユダヤ的歴史観⑶時間は意味なく流れ続ける、という虚無主義など。⑴は反復を本質とするから、将来は過去に学べば分かるとされ、⑵は将来いつ、どのようにしてその一点、すなわち終末は到来するのか、という人間の思弁、つまり歴史哲学を生むとされ、⑶は展望なき将来、つまりデカダンスを生むとされる。

さて、戦後日本人はどのような歴史観を抱いて生きてきたか。私見だが、⑴と⑵の楽天的混淆体《こんこうたい》のような形の将来を展望してきたのではなかったか。つまり、「過去に学びつつ、いつの日か絶対自由の理想社会の完成」という終末を夢見て来たのではなかろうか。だが、21世紀の日本は、「過去を教訓とせず、いつの日か絶対不自由の暗黒社会の実現」という悲観的道をたどっているように思えてならない。京都新聞の年配読者たちも、しきりにそれを憂いている。「中学生の時（中略）教師の言った言葉（中略）『こんな憲法を持っていても、そのうちに戦争するようになりますよ。人間なんてアホやから』」（73歳男性。2013年11月15日付）、「私は（中略）『世が世ならば』とか『戦前なら不敬罪だ』とか言っていた国会議員に立腹（中略）。これらの議員諸氏は戦中戦後の経験があるのでしょうか。私は戦中派です。（中略）

そんな時代の庶民の苦労ひとつ知らないで、簡単に『世が世なら』という言葉を使って欲しくありません」（74歳女性。2013年11月16日付）。

　このような時代、必要なのは何であろう。革命か。否。かつてドイツのシラーという詩人は理想社会実現のための政治革命など無意味であると、18世紀末のあの流血革命全盛期において既に喝破し、いつの日か神の恩寵《おんちょう》によって到来するであろう理想社会を受け入れるにふさわしい人間の美的・道徳的教育の中に、人類の将来を賭けた。ただし、日本では学校教育など聖域ではないことを戦中派は痛感している。残る望みは、もはや家庭教育しかない。誠に迂遠な方法だが、どうか若い世代の方々が家庭教育という聖域を死守して、日本の未来を担う子どもたちを守っていただきたいと願うばかりである。

●ふかみ・しげる／1934年、京都市生まれ。大阪大文学研究科修士課程修了。専門はドイツ文学。96年に祇園祭山鉾連合会理事長に就任。以来、5期15年にわたって理事長を務めた。この間、祇園祭の文化的な地位の向上に尽力し、2009年9月にユネスコ無形文化遺産の登録を実現。大阪市大、滋賀県立大各名誉教授。祇園祭山鉾連合会顧問。

「ご飯、汁物、香の物」見直すことが日本の精神と伝統文化を支える

伏木 亨
京都大学大学院
農学研究科教授

「和食 日本人の伝統的な食文化」がユネスコ無形文化遺産に登録された。
「素直にうれしいけれど、でも、和食って具体的には何?」そんな声もちまたに溢れている。
　もちろん料亭の懐石料理だけが和食ではない。和食の骨格とも言うべき必須の要素は「ごはん、汁物、香の物」であろう。明治以降、海外からおびただしい種類の食材や料理が入ってきた。日本の食卓は、新しいもの好きだが頑固でもある。これら舶来ものをことごとく和風にアレンジしてきた。「ご飯、汁物、香の物」の骨格さえ整えばおかずは和風でなくとも立派な和食だと私は思う。和食の実践は困難ではない。今まで通りの食でよい。しかし、米や味噌や漬け物の消費量はこの4、50年ほどでいずれも半減している。和食の骨格が忘れ去られようとしているのではないか。
　和食は日本の精神を体現している。日本人にとっては、人間も食材もともに自然の一部であり、自然との一体感は強い。食べることは、自然の一部をいただいているものだ。だから、和食は自然を損なわずに、素材を生かすことを選んできた。純粋なうま味が得られる和食のだしが、食材を生かすための脇役として仕事をしてきた。一方、

欧米の料理人は、一生かけて自分のソースを創り上げたいと願っているという。自然の食材を独自のソースで征服したい。自然に対する視点の違いが料理に現れている。

　日本のようなアジアモンスーン地域の農業にとって、自然は征服するには手強すぎると農業に詳しい友人は言う。豊かな水や陽光をもたらす自然も、しばしば大水、

日照り、嵐や寒波などが、御しがたく牙をむく。自然は恐ろしい。源実朝の「時によりすぐれば民の嘆きなり八大龍王雨やめ給へ」（金槐集《きんかいしゅう》）にあるように、日本では、征服ではなく自然への畏敬が育まれてきた。

　和食の要素である「ご飯、汁物、香の物」を見直すことが、日本の精神と伝統文化を支えることに繋《つな》がる。和食が生きれば、だしや味噌《みそ》や醤油《しょうゆ》はもとより、日本酒も息を吹き返す。みりんも、納豆も元気になる。炭も塗りも陶器も畳も障子も、日本家屋さえも和食と無縁ではない。あちこちで、貴重な伝統が新芽を吹く。

　海外の料理人も、自然を敬う日本の料理の精神に注目しはじめている。未来は、大変身を遂げなければ生き抜けないものでもなさそうだ。むしろ、自国の文化を信じて、今まで通りを地道に繰り返すひたむきさにも、未来は光を当てているように思う。

●ふしき・とおる／１９５３年、京都府生まれ。75年、京都大農学部卒業、同大農学研究科教授。日本料理アカデミー理事。食品・栄養を中心として、おいしさの脳科学、自律神経と食品・香辛料の生理機能など、幅広い研究を行っている。２００８年日本栄養食糧学会賞、12年日本農芸化学会賞受賞。著書に『味覚と嗜好』など多数。

すべてに宿る大いなる「いのち」忘れずにいてほしい

森　清範
清水寺貫主

沼津市に本拠を置く静山会という広域異業種交流の親睦団体があります。大変楽しい会で、私が第三代名誉会長をしている関係から、定例会には毎回、法話をさせていただいております。この会に「不即不離《ふそくふり》」という会訓があります。初代名誉会長の中島玄奘老師が掲げましたもので、禅宗で重要視されている禅の三経の一つ、円覚《えんがく》経《きょう》に出てくる言葉ですが、この言葉にも使われている「即」という字は仏教で大切な字の一つであります。

「即」とは物事を相対的に捉えないということです。正反対に思えるものを二つに分けず、一つとして見ていくことを「即」といいます。般若心経に「色即是空《しきそくぜくう》」とあり、色と空という正反対の意味をもつ二つが一体となるのです。例えば、自動車にアクセルとブレーキがあるのと似ています。異質なものが同時にあるということです。自動車はアクセルとブレーキが相まって進行していきます。

物は豊かになりましたが、心がそれについていかないとよく言われます。物だけでも、また心だけでも駄目です。物心両方が大切です。この二つが「即」で結ばれ「物心一如《ぶっしんいちにょ》」として物事が円滑にいくのです。

皆さんよく耳にする言葉に「仏凡一体《ぶつぼんいったい》」というのがあ

ります。これも「仏」と「凡」とは異質のものです。これが一体とは、私に仏種が宿っていることの自覚です。「一切衆生悉有仏性《いっさいしゅじょうしつうぶっしょう》」であります。では、私に宿る仏とは何を指すのでしょうか。それは、いま生きているこの「いのち」そのものです。仏ほど尊く平等なるものはない、また命ほど尊厳なるものもない。

　私たちの体は、60兆もの細胞からなり、一瞬たりとも働きを休むことなく、互いに助け合い調和を保ちあっています。遺伝子工学の筑波大学名誉教授・村上和雄先生は「一個の細胞の中には大百科事典3000冊分もの遺伝子暗号が書かれている。生命が生まれる確率は、1億円の宝くじが連続して100万回当たるほどの偶然といった計算もある」と述べられ、それをサムシング・グレートとも申しておられます。私の心臓は私が動かしているわけではない、私ではない大きな力が動かしています。この偉大なるエネルギーこそ仏であります。

　この仏に畏敬の真心で手を合わすときこそ「即」で結ばれるときであります。現代は物にばかりとらわれがちですが、すべてに宿る大いなる「いのち」や心を忘れずにいてほしいものです。それが豊かな社会につながります。

●もり・せいはん／1940年、京都市生まれ。15歳で清水寺貫主大西良慶のもと得度、入寺。花園大卒業後、真福寺住職などを歴任。88年、清水寺貫主・北法相宗管長に就任。全国清水寺ネットワーク会議代表。著書に『人のこころ 観音の心―命こそ仏さま』『一文字説法 観音のこころ』など多数。

先人の愛した文化や道具を見直していきたい

森田りえ子
日本画家

先日、ブータン王国に滞在する機会があった。あの幸せ度世界一のブータン王国だ。国内では道路は未舗装で、交通手段がほとんどないが、突き抜けるような青空のもと、国王と王妃様が来日された際に身に着けておられた民族衣装（男性はゴ、女性はキラ）を着た老若男女は、急な坂道をすたすたと歩いていた。みんな元気にたくましく、そして楽しそうに…。

女性は長いスカートなので見えないが、男性は膝丈のゴに黒いハイソックスを履いていた。彼らの足はカモシカのように引き締まり、もちろん太った人は見当たらない。高校見学では、校庭に整然と並んだ生徒たちが真剣に民族舞踊を練習したり、道徳や仏教の授業に取り組んでいた。彼らのきらきらとした瞳が印象的だった。また、ふと見上げた夜空の降るような星のきらめきに、時空を超えて幼い頃に戻ったような不思議な懐かしさを感じた。

日本でも明治以前はこんな生活だったと思うが、モノに溢れた現代の日本に生きる私には新鮮な経験であった。

話は変わるが、最近知人の奥様から貴重な道具を頂いた。昔は「火なしコンロ」と呼ばれたらしいが、手作りの綿入りの大きなポットカバーと下に敷く布団のセットである。幸いにも手持ちの土鍋にぴったりのサイズだった。これが実に優れもので、土鍋に材料を投入後、沸騰するまで火にかけ、布団に載せカバーをかけるだけで一晩中じっくりと煮込み保温できる。カレー、おでん、シチューなど何でもＯＫ。そしてとてもおいしくでき、その名の通り火の心配や焦げ付きなどの失敗がない。なんて働きものの布団だと感激。すっかりはまってしまい、連日わが家では大活躍している。戦前は各家庭で利用されていたそうだが、私にとってはこれも新しい驚きだった。まさに省エネ、時短の便利グッズである。

このような昔の人々が利用し、今では忘れ去られた道具がまだまだあるはずだ。まずこの「火なしコンロ」を第一歩として、今後他のものも追及していこうと思っている。そろばんから電卓に、手紙からメールに、アナログからデジタルに、今やＩＴ産業一色の時代、先人の愛した文化や道具を見直していきたいとの思いが私の中で芽生えている。

●もりた・りえこ／１９５５年、神戸市生まれ。80年、京都市立芸術大大学院を修了。86年、第１回川端龍子大賞展大賞を受賞後、京都市芸術新人賞、京都府文化功労賞など数多くの賞を受賞。京都の伝統文化を受け継ぐ舞妓などを、卓越した描写力で表現。２０１３年、京都市立芸術大客員教授に就任。

異分野の人々が交流を深め、高齢者の恩恵を次世代に譲ろう

山折哲雄
宗教学者

知恵比べというのは頭の片隅にありましたけれども、「知恵会議」とは聞きなれぬ発想ですね。日本人の忘れものを再発見するために知恵を出し合おう、その知恵を実践に移していこう、そのための会議だと受け取りました。単に知恵を比べるのではない、――そういうところがまことに新鮮であり、気に入りました。その文殊の知恵を生み出すために、いったい何が必要だろうかと考えてみました。

さしあたり二つくらいのことが念頭に浮かびあがってきましたので、それを申し上げたいと思います。一つは、いろんな垣根を取り払い広い場所を切り開いてものを考え、異分野の方々同士で交流を深めることではないでしょうか。専門から入ってそこを脱けでるということが肝心で、できるだけ自然体で語り合うことではないかと漠然と考えております。

二つ目に頭に浮かんだのは、高齢者世代がこれからの若い世代に対して、いったい何をすることができるのか、何を残すことができるのか、そのような問題をこの会議の主要テーマにすることができればいいな、という思いであります。今日、私を含めた高齢者世代が国や自治体の財政から多大な恩恵を受けていることはご承知の通り

であります。そのこと自体は大変ありがたいことなのですが、もうそろそろその恩恵の多くの部分をこれからの世代に譲っていかなければならない時代に入っていると思うのであります。わかりやすく申しますと、高齢者世代が手にしている権威や権限、既得権を、できるだけすみやかに若い世代に譲っていくシステムを作っていくということではないでしょうか。

わが国の伝統には、古くから老人世代を大切にし尊重する「翁《おきな》」の思想や文化が根付いていました。しかし同時に、たいへん興味あることなのですが、老人は子どもたちのための肥やしになってその成長を下支え、助けるという文化も豊富に生み出してきました。そして、このところがもしかすると今日の高齢化社会の日本人が、見て見ぬふりをしている、最も大切な「忘れもの」ではないかと思っているのであります。

そのような状況をどのように転換していったらいいのか。今度の知恵会議が、言ってみれば次世代への欲望の贈与、子ども世代への欲望の譲渡ということを、どう現実のものとするか、といった方向で知恵を絞ることができれば、とてもいいなと考えている次第であります。

●やまおり・てつお／1931年、米国生まれ。岩手県出身。東北大大学院文化研究科博士課程修了。「宗教と現代社会」を終生のテーマとし、幅広いジャンルにわたり作品を発表。国立歴史民俗博物館教授、国際日本文化研究センター所長などを歴任。専攻は宗教学・思想史。『愛欲の精神史』で和辻哲郎文化賞を受賞。著書は『近代日本人の宗教意識』（岩波書店）など多数。

他者への思いやりは円滑な社会を営む根幹

山本兼一
作家

『利休にたずねよ』という小説を書くためにお茶の稽古会に通っていた。大徳寺の塔頭《たっちゅう》瑞峯院での会である。怠け者の生徒で、ほんの少しお茶の世界を垣間見せていただいただけで、今はもう失礼させていただいている。

稽古に通っているときは、お正月の初釜にも出させてもらった。

床に梅が生けてあった。枝の先の一輪だけが、ちょうど具合よく咲いていた。

「うまく咲いた枝をよくお見つけになられましたね」

お茶の先生に話しかけると、淡く笑ってうなずかれた。

「年末のうちに一枝切っておいて、部屋で温度調節しましてね、一輪だけ咲かせたのですよ」

先生がご自宅の庭の梅の枝を切ったのは初釜の3週間前。それを花瓶にさし、毎日蕾《つぼみ》の具合を観察し、日なたの縁側に置いたり、寒い日陰に置いたりして温度を調整し、1月半ばの初釜のその日にぴたりと咲かせたのだとおっしゃった。偶然の美だと思っていたのだが、それは人の丹精がなした技だった。

稽古会にほんの2、3年通わせていただいただけの私には、お茶のこころを語る資格などない。それでも、このエピソードでお分かりいただけるように、お茶をなさる方は、お客さまをお迎えするにあたって、見えない陰の部分で大変な努力をなさっているのだと知った。それは、そのまま私たちが普段の暮らしのなかで忘れていることである。

「おもてなし」という言葉は大流行してしまったので素直には使いにくいが、その底にはお客さまへの思いやりのこころがなくてはなるまい。

そして、客の側にも、迎えてくれる亭主を思いやるこころがなければならない。一輪だけちょうど咲いている梅の枝がなぜ、そこにあるのか。偶然、そんな風に咲いた枝をわざわざ見つけてきたのか……。

どんな背景があったか想像が及ばないにしても、そこにはお客に楽しんでもらおうという思いやりのこころがはたらいているはずである。

思いやりは、人間が円滑な社会を営むための根幹である。他人のこころを思いやることができなければ、そもそものコミュニケーションからして滑らかには進まない。

●やまもと・けんいち／1956年、京都市生まれ。同志社大文学部美学及芸術学専攻卒業。出版社勤務の後、フリーライターを経て作家に転身。長編デビュー作は2002年の『白鷹伝』、04年に『火天の城』で松本清張賞、09年には『利休にたずねよ』で直木賞受賞。

伝統の新年の行事を思い出し物語を伝えていきたい

冷泉貴実子
冷泉家時雨亭文庫
常務理事

旧暦の正月は、立春前後、すなわち1月下旬から2月の上旬の頃だった。今年は1月31日が旧暦の1月1日に当たる。その頃になると朝が少し早く明け、陽《ひ》が落ちるのが少し遅くなる。まさに春の訪れだ。

子丑寅卯《ねうしとらう》の十二支がすべての基準であった頃、一番初めの子《ね》はめでたきものだった。

立春から後の最初の子《ね》の日、春の光に誘われて、人々は野山に出かける。京の周辺はまだ枯木《かれき》ばかり。昔の人は枯木に死を連想し、美を感じなかった。その中にときわの緑の葉を持つ松を見たとき、これこそ神が宿っていると感じた。

特に、若松には生命の喜びを見たのだろう。その若松を根のまま掘り起こし、家に持ち帰り門松とした。子《ね》の日の根引き松という。現在でもわが家では、根引き松の門松を使う。また初釜の薯蕷饅頭《じょうよまんじゅう》に若松の焼印が押されている所以《ゆえん》でもある。

樹木は枯木ばかりだけれど、野には緑が萌《も》え始める。早春に、京の周辺の野に花はない。そもそも野の花というとき、現在私たちはスイトピーやチューリップなど春の花を思うが、それはすべて外来種。日本では、野の花と言うとき、ススキや萩など秋の花を指すのが本来であった。

春の野は、花に代わって緑の菜、野菜である。セリ、ナズナ、ゴギョウ、ハコベラ、ホトケノザ、スズナ、スズシロ、春の七草。ビニールハウスでの野菜栽培などなかった昔、初春にわずかに萌え出した緑の菜を摘むのは、喜びだったに相違ない。

これを新春、初めて食べるのが七草粥《がゆ》である。今では、お節を食べ飽きた身体に、ヘルシーな七草粥をなんて言うが、かつては萌え出した緑が、何にも代えることのできないご馳走《ちそう》だったのだ。

現代私たちは、年々正月行事から遠ざかっていくように思う。代わってイルミネーションのクリスマスばかりが盛大になっている。もう一度、長い伝統の新年の行事を思い出そう。かと言って、現実に山に若松を採りに行くのも不可能だし、皆がそこら一帯の山菜を漁《あさ》るのも問題である。でも、物語を伝えることはできるのではないかと思う。若松のお菓子を見たら、子《ね》の日の遊びのことを話せるのが、日本人の教養というものである。

●れいぜい・きみこ／藤原俊成・定家父子を祖とする冷泉家の24代為任氏の長女として生まれる。25代為人氏夫人。平安時代から続く冷泉家の建築および古文書などの文化財を将来にわたり総合的かつ恒久的に継承保存していくことを目的に設立された、冷泉家時雨亭文庫にて常務理事を務める。同事務局長。冷泉流歌道を指導している。

いま、発信する京都のこころ

［交流会］２０１４年３月／総本山醍醐寺

いま、発信する京都のこころ

（2014年4月30日掲載）

対談　彬子女王殿下
仲田順和　総本山醍醐寺座主

――京都での暮らしや活動を通して、まちの印象をどのように感じておられますか。

仲田座主◉京都を囲む山々や、河川のきれいな水には、神様や仏様が宿っていると昔から伝えられてきました。この神秘性とともに、碁盤の目のような区画で育まれた独自の文化が、京都には脈々と受け継がれていますね。私はこの地の自然や風土、まちの温かさに触れ、多くを学ぶことができたと感じています。

　京都は平安時代の日本文学を育んだまちでもありますね。特に、都を舞台にした紫式部の『源氏物語』は、美しい日本語の源泉として知られ、日本人の心を繊細に表現した名作です。素晴らしい環境があってこそ生まれた作品ではないでしょうか。

彬子さま◉私はいま、数年かけて『源氏物語』を原文で読んでいるところです。本当に美しい文章で、読むだけで当時の情景が頭に浮かびます。作品の中で、自分を責めることはあっても周りの人は責めない表現をされているなど、筆者の思想も魅力的です。
　紫式部は、遠い歴史上の人物だと思っていましたが、私が京都で住まいしている場所の近くに彼女のお墓があると分かり、とても身近に感じられました。このまちはどこを歩いていても、必ず、何かの史跡にたどり着きますので、その歴史や物語に思いをはせられるのがいいですね。まち全体が大きな舞台のような気がいたします。

――彬子さまが京都にいらっしゃったいきさつをお聞かせいただけますか。

彬子さま◉私は東京で生まれ育ち、大学卒業後、イギリスのオックスフォード大に留学しました。専攻は日本美術で、大英博物館にボランティアとして通いながら、海外に渡った日本美術コレクションの研究をしておりました。そこに立命館大アート・リサーチセンターの先生や学生さんたちが来られ、同大学で進めておられる浮世絵のデジタル化プロジェクトのお話を伺うなど交流させていただく機会が多くありました。そのときのご縁もあり、博士課程を修了して帰国後、立命館大でポスドク（博士研究員）として採用していただき、2年半、日本美術研究やデジタル化のプロジェクトなどに取り組みました。
　現在は、銀閣寺の研修道場美術研究員として、茶・花・香をはじめとする東山文化の理念を継承し、現代に伝えていくべく、さまざまな講座の企画や、道場で発行する機関誌の編集をしております。研究論文は一部の方しか読まれませんが、講座やイベントは一般向けなので、大きな反応をいただけるのがうれしいですね。

――美術品のデジタル化というお話がありましたが、醍醐寺も膨大な文化財をお持ちで、先駆的にデジタルアーカイブを始められましたね。

仲田座主◉当寺に伝わる文化財の目録調査は1910（明治43）年に始まり、以来100年にわたって『醍醐寺文書聖教《しょうぎょう》目録』として作成を続けてきました。20年ほど前から目録のデジタル化に着手し、地道にデータベー

彬子さま

子どもたちに日本文化伝えたい

仲田座主

「結縁・随縁・尊縁」忘れないで

スの構築に取り組んでいます。デジタル化によって、どこにいても見られるだけでなく、文化財の保存状態や修復などの管理にも役立つでしょう。今では醍醐寺で開発した文化財管理システムが、文化庁や国立の博物館、東大寺などで広く利用されています。とはいえ、文化財のデジタル化に取り組むお寺はまだ少なく、技術面以外に理解の壁もあるようで、普及には時間がかかりそうです。自分が当たり前だと思う物事ほど、その価値や理由を他人に説明するのは難しいものですね。

彬子さま◉「なぜそうするのか」を伝えることは、文化や風習の伝承においても大切です。例えば、茶道の作法はややこしく見えますが、所作が一番美しく見えるように組み立てられていることが分かると、難しさは感じなくなり、自然の流れでお茶をたてられるようになります。一見すると意味がないようなことも、理由や成り立ちを知ると、きちんと取り組み、伝承していこうという気持ちになるでしょう。特に京都には、無駄に見えていても、多くの意味合いや知恵が含まれ、理解を深めることで価値に気付くような物事がたくさんあると感じます。

仲田座主◉美術品や文化財も、つくられた背景や意味を知ると、より一層、価値が分かるものです。例えば、ギリシャの女神像は衣服の裾が風になびいており、そういう作風だと思っていましたが、実際にギリシャへ行くと風がとても強く、その風土から生まれた造形なのだと合点がいきました。

伝統文化を継承するためにはデジタルデータも有用ですが、根幹にある背景や古人の思いを一緒に伝えていくことも忘れてはなりませんね。

―では、醍醐寺に伝わる教えや背景はどのようなものでしょうか。

仲田座主◉醍醐寺は８７４（貞観16）年に聖宝理源大師《しょうぼうりげんだいし》が上醍醐の山上に准胝《じゅんてい》・如意輪《にょいりん》の両観音像を安置したことに始まります。

当寺に信仰を寄せた醍醐天皇は、新しい命を授かるよう観音様に祈り、病の苦しみや痛みから逃れて命がすく

初めに醍醐寺僧侶が出仕して法要が営まれた

すくと育つよう薬師如来像を造立され、一歩を踏み出す強い心が持てるよう五大明王像を祭られました。この3つの祈りは、縁を結び、縁に従い、縁を大切にする「結縁《けちえん》・随縁《ずいえん》・尊縁《そんえん》」の考えにも通じます。現代の日本人の多くは、これらの縁を忘れかけているのではないでしょうか。

醍醐天皇が崩御された後、ご冥福を祈り、これらの信仰を受け継ぐために、穏子皇后とご子息の朱雀・村上天皇が境内に五重塔を建立されました。自分の命が使える時間を十分に生かし、命を全うされた方にも祈りをささげる、いわば、見える命・見えない命の両方を尊ぶことで、自分のたたずまいが形成されるのだと、醍醐寺に残る仏像や建築などから教えられた気がいたします。

――祈りや思いが文化財を通じて、時を超え、いまに伝わったのですね。彬子さまが発起人となって創設された心游舎《しんゆうしゃ》は、どのような活動をされているのですか。

彬子さま◉子どもたちに日本文化を伝えるため、201

2（平成24）年に心游舎（京都府八幡市）を発足させました。昨今は核家族化で祖父母との同居も少なく、子どもが本物の日本文化に触れる機会が減っています。加えて、昔は神社やお寺で子どもが遊び、地域の風習や礼儀作法など多くを学びましたが、いまの子どもたちにとって社寺は非日常の遠い存在になってしまいました。

そこで現在、社寺を舞台として、日本文化を子どもたちに伝えるワークショップを企画・運営しています。石清水八幡宮での御花神饌《おはなしんせん》（和紙の造花）づくり、太宰府天満宮の幼稚園での和菓子づくりは毎年開催しています。最近では、福島県立美術館で日本画の岩絵の具を使った塗り絵をするなど全国的に活動しています。

子どもたちの笑顔や「また来たい」という感想が何よりの励みです。楽しかった思い出は心に残りますから、彼らが日本文化に触れた記憶を思い出すことで、文化を大切にする心の育成につながるでしょう。

デジタルの「記録」を残すことも必要ですが、100年後も変わらずにデータが見られるとは限りません。伝統文化を継承するために、人々の心に「記憶」の種をまくことも続けていきたいですね。

◎彬子女王殿下（あきこじょおうでんか）
1981年生まれ。故寛仁さまの長女。2004年から10年まで英国オックスフォード大マートン・コレッジに留学、博士号取得。現在、慈照寺研修道場に勤務するとともに、京都市立芸術大芸術資源研究センター特別招聘研究員や法政大国際日本学研究所客員所員を務める。また12年4月、子どもたちに日本文化を伝えるため、発起人の代表として「心游舎」（13年4月より一般社団法人化）を創設。http://shinyusha.jp/

◎仲田順和（なかだ・じゅんな）
1934年、東京都生まれ。大正大大学院で仏教原典を中心に研究を進める。57年、品川寺に入山、出家。68年、品川寺住職となり、85年より総本山醍醐寺執行長となり、2010年、総本山醍醐寺座主・三宝院門跡となる。医療法人洛和会理事、学校法人日本女子大、森村学園、真言宗洛南学園の評議員を務めている。

伝えていかなければならないこと、
つないでいかなければならない大切なものがある。
暮らしの中で育まれる知恵や工夫。
そこに生まれる喜びや豊かさ。人への思いやりやいたわり。
動かなくなった「こころ」。気付けなくなった「思い」。
「日本人」がおきざりにしてしまった自分自身、
見失ってしまった価値観を取り戻すための手掛かりが
季節や自然を生活に取り入れる独特の距離感から
文化を創造する「京都」にあるような気がする。

京都、「こころ ここに」
「日本人の忘れもの」を見つめる「知恵会議」から、
今、日本に伝えたい「こころ」があります。

こころ、ここに

日本人の忘れもの 知恵会議 2015

パラソフィアに生かされる伝統の技と京都の自然

池坊由紀
華道家元池坊
次期家元

今年は文化の当たり年だ。琳派は光悦村が拓《ひら》かれてから400年を迎える。また3月からは、京都国際現代芸術祭「パラソフィア」が約2カ月にわたって開催される。パラソフィアとは「別の、逆の、対抗的な」という意味を持つパラと、英知や学問体系を意味するソフィアによる造語である。伝統文化の地、京都でなぜ現代芸術なのかという質問は野暮《やぼ》だ。伝統を尊びながらも革新を好み変化を続けていく、いかにも京都らしい選択といえる。

実は、これは京都の経済界が主導となって大きな道筋を作ったところに、その特異性がある。90年代初頭より企業メセナが盛んになり、現代では企業の社会的責務として環境や文化活動に力を注いでいるところも多い。しかしながら今回は個々の単位ではないところが稀有《けう》な例だ。長い歴史を振り返ってみると、経済は常に文化と切り離せない関係にあり、そこから良い芸術作品や大きなうねりが生まれてきた。経済的保護のない中で苦悩の果てに絞り出されるような形で、作家が生命を削り取るかのような傑作が生まれたときもあった。

パラソフィアにおける今回の経済界の関わり方は、あらためて文化芸術が人を呼び、街を活性化させ、経済効果が大きいことを再確認させ、文化そのものがまさに経済であることを示唆している。うれしいのは参加する作家の中で、笹本晃氏が西陣織や鍛冶の職人たちの体の動きを調査して、パフォーマンスとインスタレーション（空間展示）の表現に生かそうとしていることだ。彼女は、刃物鍛冶の現場を見に行き、インスピレーションを得たという。同じ道具でも、金属を熱して鍛造する過程で、

職人の経験値により出来栄えは異なる。ものづくりは、奥が深く美しい。

いけばなはもとよりさまざまな文化芸術の素材となり、その造形や風情からインスピレーションを与えてきた自然。そして長い修練があってこそ作り出される匠《たくみ》の技に、現代アーティストのまなざしが注がれる。現代と伝統は決して相反するものではなく、一連の線上にあって、それは人によって、時代によって行ったり来たりできるものだ。また、芸術家によって生み出される作品群と職人によるものづくりも、実はとても親しい関係にある。パラソフィアという大きな枠組みの行事に、私たちの日常の、地道に見える営みに支えられた伝統の技が生かされる。そして、そこに母体となった京都の自然がある。その意味と幸せを考えたい。

●いけのぼう・ゆき／小野妹子を道祖として仰ぎ、室町時代にその理念を確立させた華道家元池坊の次期家元。「いのちをいかす」という池坊いけばなの心を通した多彩な活動を展開。２０１３年にはハーバード大においてワークショップを、またニューヨーク国連本部において献花を行う。アイスランド共和国名誉領事。

先人たちの尊い思いを未来を担う若い人も忘れないで

伊東久重
有職御人形司

私の作る人形は御所人形である。江戸時代に天皇をはじめ、公家や門跡寺院、大名家に愛された人形である。その多くは天皇に拝謁《はいえつ》するため御所に参内した方に下賜《かし》され、日本各地に広がったことからその名がついたと言われている。

私の生まれ育った家は職住一体で、祖父母も両親もずっと仕事場にいたので、私はいつも人形に囲まれていた。「家を継ぐんやったら、先祖の作った人形を修復できなあかん。大事に持ってくれたはる方に申し訳ない」。祖父からこう言い渡されたのは、父が亡くなり家を継ぐと心に誓った大学2年の夏であった。先祖の作った人形を修復するということは、代々の者の技法を習得しなければならない。その日から先祖の作った人形の修復と自分の人形の制作を始めた。私の家の御所人形は最も難しいといわれる木彫法である。どんなに破損しても修復できる木彫法で作った人形は、何代にもわたりかわいがってもらえる。

ある日、工房に90歳を過ぎたお婆《ばあ》さんが訪ねて来られ、祖父の作った御所人形を修復してほしいとのこと。子どものころに母親から買ってもらった人形で、ずっと大切にしてきて、先の大戦で家を強制疎開で立ち退かされたときも、この人形は離さず持って出たという。そして、今度結婚する孫娘にあげたいので修復してほしいとのことであった。もちろん二つ返事でお受けしたのは言うまでもない。傷や汚れを取り、化粧直しをして人形は往時の姿によみがえった。受け取りに来られたお婆さんはじめご家族の笑顔に接し、あらためて祖父の教えを思い出した。先祖の人形を修復することの大切さを知ったのである。この人形がお婆さんの思い出とともにお孫さんと生き続けてくれることを願っている。

私は国内をはじめ海外でも個展をするが、いつも京都を題材にした人形を数多く出品する。京都の情景を題材にした作品は、海外でも非常に好評である。これは人形のみならず京都で作られる工芸品はどことなく品格があり、華があるように感じる。やはり、長く都があった京都ならではの大きな力だと思わずにはいられない。この大きな力は、平安京遷都以後、幾多の戦乱や大火災で社寺や市中などが大打撃を被り、伝統ある行事や豊かな文化が衰退しそうな危機に瀕《ひん》しながらも、その都度、修復を重ね復興させてきた京都の先人たちの尊い思いの賜物であると思っている。混沌《こんとん》とした世の中であるが、この先人たちの尊い思いを、未来を担う若い人も忘れないでほしいと願っている。

●いとう・ひさしげ／1944年、京都市生まれ。12世伊東久重を継承後、伝統的な木彫法による御所人形の制作、修復を始める。佐川美術館、美術館「えき」KYOTO、北村美術館、海峡ドラマシップなど国内外で展覧会を開催。今年3月に東京銀座和光ホールで個展を開催予定。主な収蔵先は、皇居、東宮御所、京都迎賓館など。同志社女子大非常勤講師。

人が爽やかに生きてゆくためには「打たれ強さ」がなにより必要だ

井波律子
中国文学者

昨年、春秋戦国《しゅんじゅうせんごく》時代から近現代まで、約3千年にわたる中国史のなかで、政治や文化などさまざまな分野で活躍した人々をとりあげた、『中国人物伝』（全4巻）を刊行した。主要な人物だけでも100名を超え、その生き方は各人各様であるが、生涯を通じて順風満帆という人物などほとんどなく、不遇や逆境を乗り越え、たくましく生きた人が多い。

例えば、儒家思想の祖孔子《こうし》（前551～前479）は、晩年、自らの政治思想を受け入れてくれる君主を求めて大勢の弟子を引き連れ、足かけ14年にわたって諸国をめぐる遊説の旅を続けた。しかし、その願いはかなわず、68歳のとき、母国の魯《ろ》に帰り、5年後、73歳で死去するまで、弟子の教育と古典の編纂《へんさん》に専念する日々を送った。孔子はこうして長く続いた不遇の晩年を、決してめげることなく、不屈の精神力をもって明朗闊達に切り抜けた。その姿は『論語』にも生き生きと映し出されている。

ずっと時代が下り、三国志世界の英雄である曹操《そうそう》（155～220）や劉備《りゅうび》（161～223）にしても、まさに波瀾《はらん》万丈、激しい浮き沈みを繰り返した。一見、強力そのものの曹操も何度も予期せぬ大敗北を喫しているし、劉備にいたっては負けてばかりといってもいいくらいだ。しかし、彼らは敗北の底から不死鳥のように蘇《よみがえ》り、すばやく態勢を立て直して、最後まで戦い続けた。彼らは真に戦う者の突き抜けたような明るさと、けっして諦めない強靱《きょうじん》な反発力によって、困難な状況を次々に突破していったのである。

もっとも、積極果敢に危機や不遇に立ち向かう生き方とはうらはらに、意に染まない状況から一歩身を引き、自前の道を模索する生き方もある。はるかに時代が下った北宋《ほくそう》初期、北宋に滅ぼされた江南の国、呉越《ごえつ》に生まれた詩人林逋《りんぽ》（967〜1028）もその一人だ。林逋は亡国の出身者としてのこだわりを捨てきれず、中年にいたるや、故郷である杭州の西湖の畔で隠遁生活に入った。林逋は頑強に政治や社会とは一切関わりを持たず、鶴をわが子、小鹿を召使い、愛してやまなかった梅を妻に見立てて、彼らと楽しく共生した。ちなみに、林逋には、艶なる美女のように梅をたたえ歌った優れた詩がある。

こうした人々の生の軌跡をたどるとき、人が爽やかに生きてゆくためには、なまじなことではへこたれない「打たれ強さ」が、なにより必要だとあらためて思うばかりである。

●いなみ・りつこ／富山県生まれ。京都大大学院博士課程修了。国際日本文化研究センター教授を経て、同名誉教授。専門は中国文学。2007年、桑原武夫学芸賞受賞。著書に『中国の五大小説 上下』『論語入門』『一陽来復』『中国名言集 一日一言』『中国名詩集』『中国侠客列伝』『中国人物伝』（全4巻）、翻訳に『三国志演義』（全4巻）、『世説新語』（全5巻）など。

「和をもって尊しとする」民族の街並みとは思えない光景

井上章一
国際日本文化研究センター教授

日本人は欧米人に比べ自我《じが》が弱い、とよく言われる。場の気配をおもんぱかり、強い自己主張はなるべく控えようとする。周囲に合わせ、主体性を埋没させやすいきらいがあると、しばしば語られる。

ひところは「空気の読めない」人をＫＹといって、迷惑そうに扱った。あるいは「和をもって尊しとする」ことが、民族の美徳として持ち上げられたりもする。自我が弱いという通俗的な日本人論にも、いくらかは妥当性があるのかもしれない。

しかし、都市の街並みへ目を向けると、そうともいえない光景が目に入る。市中のメーンストリートを挟む建築群に、全体的な調和があるとは言いがたい。むしろその逆で、それぞれの建物がてんでばらばらに建っている。色も形も大きさも、まったく統一が取れていない。「和をもって尊しとする」民族の街並みとは思えない光景が、繰り広げられている。

ヨーロッパの古い街に、こういう乱れは見られない。彼《か》の地では、たいていの建物が全体的な統一性を乱さないように整えられている。地権者や建築家の主体性が突出することは許されない。

京都は、日本の中だと、まだ街並みの調和を重んじる方だろう。そんな京都でも、ローマやパリと比べれば、ずっと乱雑に見える。建築に関する限り、自己主張が強いのは、間違いなく日本の方である。

だが、明治大正期あたりの古写真を眺めていると、また話は違ってくる。四条通のような繁華街でも、そう街並みは乱れていない。2階建ての木造家屋が軒を連ね、全体の調和が取れている様子を見て取れる。そう、かつての建物は隣近所に色も形も合わせていた。街並みの中で、自分を際立たせようとはしていない。ヨーロッパ並みに建築的な自我を抑え、全体的な調和を図っていた。

日本の街並みが統一感を失い出したのは、比較的新しい。それぞれの建築が自己主張を強め出したのは、中高層ビルの時代になってからである。

今、日本は国際的な舞台で活躍する建築家を大勢送り出している。勝手なデザインを許容し合う街並みが、こういう人材を育んだのだというしかない。それはそれで、結構めでたいことなのだと思うようにしようか。

●いのうえ・しょういち／1955年、京都市生まれ。京都大大学院建築学専攻修士課程修了。80年同大人文科学研究所助手、87年国際日本文化研究センター助教授を経て、2002年から現職。研究分野は建築、歴史、文化、風俗と幅広い。主な著書に『霊柩車の誕生』『美人論』『つくられた桂離宮神話』『伊勢神宮 魅惑の日本建築』など。近著に『現代の建築家』。

普通の暮らしを続けることで京の心意気を、世界に誇りたい

井上八千代
京舞井上流五世家元

名残の紅葉を愛でるころ、顔見世のまねきが上がると、にわかに気忙《きぜわ》しくなり、あっという間に「事始め」となります。

12月13日、新年の準備を始める日で、歳徳《としとく》の神様をお招きするともいわれます。私どもでは、京舞のお弟子さんたちが、一年の御礼と翌年もよろしくとの御挨拶にお見えになります。祇園の芸舞妓《まいこ》も次々に訪れ、皆さまからいただいた御鏡餅を雛《ひな》壇に並べます。おうつりに、御祝儀の舞扇を、名取は翌年の干支《えと》や勅題《ちょくだい》にちなんだもの、それ以外の方には、稽古扇を差し上げる習わしです。

以前には商家でも、別家から本家へとやり取りがあったと聞きますが、今では祇園に残る、師走の京の風物詩といわれているようです。神仏をお迎えするための「煤《すす》払い」や、門松や薪《まき》の準備に山へ入ることも、事始めの行事です。先代がお飾り用の御幣《ごへい》を作るため鋏《はさみ》を入れていたのもこの日でした。

終《しま》い弘法、冬至、終い天神を経て、除夜の鐘を聞き、

瞬く間に初春を迎えます。お正月はそれぞれの家のしきたりや好みで、お正月飾りはもちろん、お雑煮一つをとってもこだわりがあるでしょう。

京都には数多くの神社仏閣があり、それにつれて、さまざまな祭りや法会があります。町方の暮らしの中にも、四季の移ろいにつれて、自然な形で影響を与え、京の人々は、各々が、年中行事に沿って動いているように思われます。

私も、年を経るごとに、京の四季の彩りに心魅かれ、人に添い、自然に添い、それらを身の内に取り込むことによって、舞に命が宿ると信じてまいりました。

自然の恵みをいとおしみ、今ある喜びを感謝するとともに、幸多からんと祈りを捧げる気持ちは、昔も今も同じでしょう。

そうこうするうち、今までおろそかにしがちであった年中行事を、先人の知恵を見つめ直し、大切にしたいと思うようになりました。連綿と続く普通の暮らしを続けることで、京の心意気を、世界に誇りたいと思います。

●いのうえ・やちよ／京舞井上流五世家元。観世流能楽師片山幽雪（九世片山九郎右衛門）の長女として京都に生まれる。祖母井上愛子（四世井上八千代）に師事。1970年井上流名取となる。芸術選奨文部大臣賞、日本芸術院賞などを受賞。2000年五世井上八千代を襲名。13年紫綬褒章を受章。同年、日本芸術院会員となる。

忘れられた道徳の重要性に日本人は気付き始めた

梅原　猛
哲学者

私は少年時代、山本有三の小説を愛読したが、彼の小説『真実一路』の冒頭にある「真実一路の旅なれど真実、鈴振り、思い出す」という言葉が深く心に残った。彼は自己の人生を真実一路の旅であったと振り返ったのであろう。

ところが、たしか私が『地獄の思想』を書いた1967年ごろ、思いがけなく山本氏から「一度会いたい」という手紙をいただいたが、私は丁重にお断りした。日本を日中戦争・太平洋戦争に駆り立てた戦前の国家主義から、戦後の民主主義、社会主義への転換を易々と行った大人たちが信用できなかったからである。

そしてニーチェやハイデッガー、あるいは太宰治や坂口安吾の影響を受け、ニヒリズムの病にかかっていた戦後の私には、自己の人生を真実一路の旅と考えるような人間は偽善者としか思えなかった。

その後、私は真・善・美のうち真と美については情熱的に語ってきたが、善についてはほとんど語っていない。私ばかりではない。ほぼ同時代の三島由紀夫も吉本隆明も、道徳について声高に語ることはなかった。

日本人は、仏教や儒教の影響を受けた道徳心を無意識のうちに受け継いでいると思われる。30年ほど前、私は国際日本文化研究センター創設準備のために一年ほど東京で単身赴任生活を送ったが、その間、三度ほどタクシーの中に財布を忘れた。しかし三度とも財布は警察署に届けられていた。海外では、落とした財布が返ってくることはほとんどないという。日本人は潜在的に高い道徳心をもっているのである。

それにもかかわらず、戦後の日本人は意識的には宗教も道徳も信じず、ひたすら豊かな生活を求めるエコノミックアニマルとまで揶揄《やゆ》されるほどになった。それゆえ学校においては道徳が教えられず、道徳教育の復活には今なお多くの知識人が懐疑的なのである。おそらく、世界の文明国のなかで宗教教育や道徳教育が行われていないのは日本くらいであろう。山本有三のように真実一路の道徳的な旅を奨励する鈴を振る人はまったくいなくなったのである。

しかしこのような道徳の不在が今や大きな問題となってきている。政治家や官僚の不祥事は後を絶たず、近年、犯罪は悪質・巧妙化する一方である。

ようやく日本人は、忘れられた道徳の重要性に気付き始めたのである。

●うめはら・たけし／1925年、仙台市生まれ。京都市立芸術大学長、国際日本文化研究センター初代所長を歴任し、現在同センター顧問。東日本大震災復興構想会議特別顧問を務めた。『スーパー歌舞伎』原作でも知られる。10月に『親鸞「四つの謎」を解く』を刊行。

仏教は問われています
見失ったものを取り戻したい

江里康慧
佛師

仏教とはお釈迦《しゃか》様の悟りの境地に導く教えのはずです。それはとてもシンプルなはずです。でも、現実には8万4千の法門あり、といわれるほどに多くの宗派や教義、教学があり、難解で近寄りがたいものになっています。仏像も然り、最初はお釈迦様のお像だけでしたが数多《あまた》の仏、菩薩《ぼさつ》、明王、天のお像が見られます。思いますに煩悩や執着と呼ばれる自我《じが》が「ポキッ」と折れないために多数の法門、数多の仏像が生まれてきたと申せましょう。だから人は永遠に悩みや苦しみを抱え続けてゆくのです。

お釈迦様の時代、仏教では悟りの境地に至るには出家が第一義と考えられました。釈尊が歩まれた道をひたすら辿《たど》ることが重んじられたからでしょう。

釈尊のご入滅後、心の支えを失った在家信者の人々は、お釈迦様のお心は「悉皆成仏《しっかいじょうぶつ》」、つまり、すべての人が救われるはず、と考えた人たちの中から西暦紀元前後頃に大乗仏教は興ってきました。それまでの厳しい修行によってのみ救われると教える上座部中心の教団の中から興った大乗仏教は、仏教における一大革命であったと申せます。厳しい修行はもちろん大切ですが、その修行は家庭や仕事を持つ在家の人たちにはかないません。ですから悉皆成仏の心に添っているとは申せません。

仏師の世界では徒弟制度が大切にされてきました。師匠の下に入門し、師匠と起居をともにする修行の中で「木の中に仏はすでにおわします」「仏師はただ余分なところを払うだけだ」と教わります。つまり仏性はすでに、わが心の奥底に備わっている、という意味なのでしょう。こうした内観、内省による新たな道が開かれたのです。

学校の日本史で教わった飛鳥時代、奈良時代、平安時代、鎌倉時代の時代区分はそのまま、その時代に生きた人々の心のうねりと重なります。人の心に仏教という小さな灯がともされ、人から人に伝えられて、やがて隆盛のときを迎えますが、やがて形骸化し、翳《かげ》りが見られ、衰退の途を辿ります。仏教を見失って、世の中が「五濁《ごじょく》悪世《あくせ》」や「末世」へと荒廃しますと、仏教を違った角度から説く方が現れました。後の世に祖師や宗祖、中興と讃えられる方々です。こうして8万4千の法門が生まれてきたのだと思います。それは我執《がしゅう》がポキッと折れないから、ただそれだけのことだったのではないでしょうか。

いま、仏教は問われています。見失ったもの、置き忘れたものを取り戻したいものです。

●えり・こうけい／1943年、佛師・江里宗平の長男として京都に生まれる。京都市立日吉ケ丘高校美術課程彫刻科卒業後、松久朋琳・宗琳師に入門。89年、三千院から大仏師号を賜る。2003年、京都府文化功労賞、07年に(財)仏教伝道協会から第41回仏教伝道文化賞を受賞。著書に『仏像に聞く』『仏師という生き方』『京都の仏師が語る 眼福の仏像』など。

家を丈夫にして暮らすことが私たちに今必要な新年の計

尾池和夫
京都造形芸術大学学長

祇園御霊会《ごりょうえ》の初見は、『祇園本縁雑実記』にある。「貞観十一年天下大疫の時」と記録されている。そのころの国の数に相当する66本の矛を立てて6月14日、神輿《みこし》を神泉苑に送って祭った。これを祇園御霊会と呼んだ。

西暦紀元の８００年代、日本列島は大変な大地の活動期であった。理科年表から拾い出してみれば、８１８年(弘仁9年7月)、マグニチュード７・５の地震が関東諸国を震わせて以来、８２７年に京都地震、８３０年の出羽地震、８４１年の伊豆地震、また８５０年出羽の地震と続き、８６８年、兵庫県山崎断層が動いた。

そして８６９年7月13日(貞観11年5月26日)、三陸沿岸を巨大地震による大津波が襲った。今の祇園祭の原型といわれる祇園御霊会の祭りが挙行された日の2週間ちょっと前に、２０１１年3月11日の大津波に匹敵すると言われる、三陸の大津波が起こったのである。そしてさらに、８７８年に関東諸国の大地震、８８０年出雲の地震と続き、８８７年8月26日(仁和3年7月30日)、五畿七道を揺るがす南海トラフの巨大地震が起こった。

一方、富士山はそのころ爆発を繰り返し、８６４年6月から８６６年にかけて噴火活動が続き、青木ケ原溶岩大地を形成した。そのころ、富士山だけではなく、日本列島の多くの火山が噴火していた。

　天満宮に祀《まつ》られ、学問の神様と言われる菅原道真が、日本で最初に地震のカタログを編集したのが、この貞観の時代であり、政《まつりごと》の頂点に立つ人の仕事が地震に関する仕事であったということこそ、そのころの地震活動のすさまじさを教えてくれているのである。

　貞観11年、東北の太平洋岸を襲った大津波の状況が早馬で都に伝えられ、祭りの用意をして御霊会が行われたと考えれば、6月14日の祇園御霊会の開催の日付が理解できると、私は思うようになった。
　今、私たちは貞観の時代の地震活動期の再来に遭遇しているのかもしれない。これから先、富士山が噴火し、内陸の活断層で大規模地震が起こり、やがて2038年と予測されている南海トラフの巨大地震を迎えることになる。せっかくの長期予測を大切にして、南海トラフの巨大地震の前の内陸の地震活動期での震災を軽減するため、家を丈夫にして暮らすことが、私たちに今必要な、新年の計ではないだろうか。

●おいけ・かずお／京都造形芸術大学長、日本ジオパーク委員会委員長、東京で生まれ高知で育った。専攻は地震学。1963年京都大卒業後、京都大助手、助教授、教授、2003年12月京都大第24代総長、13年4月から現職。著書に『日本地震列島』『新版活動期に入った地震列島』『日本列島の巨大地震』『四季の地球科学』『天地人』など。

「文化都市」京都を築くためにも心を整え町を整える強い意志を

佐々木丞平
京都国立博物館館長

2020年は東京五輪・パラリンピックが開催されるが、京都は文化都市としての格をさらに上げていくために本腰を入れていかなければならないだろう。ところで、われわれが「ああ、いかにも文化の香りのする町」と実感できる都市の姿はどのようなものなのだろう。それは恐らく極めて身近な体験からも理解できる。仮に町に一歩足を踏み入れたとしよう。そこでたまたま出会った子どもがいかにも礼儀正しく、尋ねたことにきちんと答えてくれた。あるいはたまたま乗ったタクシーの運転手さんがとても親切だった、となると、そこに住む人々のモラル教育が行き渡っていると感じる。空気も非常に綺麗《きれい》だとなるとその都市が環境問題にとても敏感に取り組んでいるのだろうと想像させる。さらに町並みがとても美しい、あるいは家々の窓や門前に綺麗な花の姿も垣間見られるとなると、都市計画がきちんとしていて住人の美しい町造りへの関心も高いのだろうと感じもする。歴史遺産がきちんと整備され、美術館、博物館、音楽ホールや能楽堂といった文化施設も充実しているとなると、文化に対する意識も高いと感じる。そしてその都市の住民が自らの町に対してきちんとした誇りを持ち、華美ではないが物質的満足と精神的満足の程よいバランスの中で

生活しているといった都市と住民の姿を見ると、それを見ている側までが幸せな気分になる。文化都市の条件とは、例えばこうした都市の姿なのかも知れない。

翻って現実の京都はどうであろうか。子どもに対するモラル教育は十分であるか。町を美しくしようと、景観条例なども整備されてきたが、今なお町の至る所に電線が張り巡らされて景観を損なっているのでは。車の排気ガスがなお空気を汚してはいないか。京都を特徴付ける歴史遺産の維持管理は十分であるのか。京都の町に誇りを持ち遠来の客を心から迎える心の準備が十分にできているか。こうした文化都市であるべき条件をよくよく考えてみると、その達成度はまだまだ不十分で、こうした文化都市としての条件を成し遂げるための意思と真剣度をもう1ランク上げなければならないだろう。

孔子が言っているように、人に親切で素直で慎み深く、人を広く愛し、平和を愛し、人の幸福を願い、そしてそうした人としての心が整ったその先に文化は花開く。本当の意味での「文化都市」京都を築くためにも、一人一人が心を整え町を整える強い意志を持ち、臨んでいく時が来ているように思える。

●ささき・じょうへい／1941年、兵庫県生まれ。京都大学大学院文学研究科博士課程修了、文学博士。京都府教育庁技官、文化庁調査官、京都大学大学院文学研究科教授を経て、2005年4月より現職。主な著書に『古画総覧』『与謝蕪村』『池大雅』『浦上玉堂』『円山応挙研究』など。1997年国華賞、日本学士院賞、2000年フンボルト賞、2013年京都市文化功労者受賞。

琳派400年の年を迎え「私淑」の伝統を現代に生かそう

佐藤敬二
京都精華大学
デザイン学部教授

今年は琳派400年の年といわれていますが、1615年に本阿弥光悦《ほんあみこうえつ》が家康から洛北「鷹ケ峰《たかがみね》」の地を与えられ、法華宗のユートピアである工藝《こうげい》村を開いてから400年なのです。400年前の1615年はどのような年だったのか。大坂の役・夏の陣で徳川氏が豊臣氏を滅ぼしました。関ケ原の戦い（1600年）後も、豊臣秀頼は大坂城に住み、莫大な軍用金を持ち、徳川の天下にとって恐るべき存在でした。家康は1615年に猛攻をかけ大阪城は落城し、豊臣家は滅びました。また同年、織田信長・豊臣秀吉に仕え利休の一番弟子であった古田織部は、利休の死後2代将軍秀忠の茶道教授となり徳川家の文化顧問的存在でしたが、大坂の役で豊臣方との和平を進言したことから内通したとして自刃させられます。

当時、長谷川等伯など法華宗には文化人が多く、一大宗教勢力である浄土真宗・一向宗と対立したといわれます。信長が石山本願寺と長年戦争をした状況を知っている家康は、法華宗を奨励し、一向宗の対抗勢力として育てたのではないでしょうか。

そのような中で、光悦や俵屋宗達《たわらやそうたつ》の富裕な町衆芸術ともいえる造形は、幕府御用達の狩野派とは別様の芸術活動として花開きます。狩野派には粉本といわれる手本があり、師匠から弟子に直伝される画風は、まだ見ぬ虎や架空の動物も描くことができました。対して光琳派の人々はそれぞれ私淑《ししゅく》（直接教えを受けていないが、その人を慕い、その言動や画風を模範として学ぶこと）し、光悦の没後100年ごとに尾形光琳《おがたこうりん》・乾山《けんざん》、酒井抱一《さかいほういつ》、鈴木《すずき》其一《きいつ》、神坂雪佳《かみさかせっか》と天才的な絵師・デザイナーが誕生しました。それらの人々は1970年代になり琳派と呼ばれます。

明治まで工藝と美術の別はなく、琳派の人々は能や謡曲、和歌など生活文化に根差した絵師でした。衣・食・住にわたる生活の場で、「装飾」と「機能」の造形を行い、生活様式の創造をしてきました。「工藝」と「デザイン」のコラボレーションは琳派に始まったのです。発注者と受注者が明確で、現在の5W1H（いつ、どこで、誰が、何を、なぜ、どのように）がはっきりしていたのです。

現在のマニュアルに沿った教育、また狩野派のように手取り足取り伝習をしなくても、本人の感性が優れ、目利きで熟達する努力をすれば、憧れの先達に私淑するだけで、文化や技術は伝承されてきたことを思い出すべきでしょう。現代の生活において私たちはそのことを常に思い出し、肝に銘じて造形やデザイン活動をしなければならないと思います。

●さとう・けいじ／1948年、京都生まれ。京都市立芸大卒。京都市工業技術センター（現、産業技術研究所）研究部長を経て現職。意匠学会副会長。日本デザイン学会、民俗芸術学会、茶の湯文化学会、生活文化史学会などに所属。専門は伝統産業論、デザイン論、素材論、近代工芸史。伝統的工芸品産業産地委員、京都市伝統産業振興センター（ふれあい館）理事。

未来の人々に恥じないものを作らなければと思う

諏訪蘇山
陶芸家

昨年のこと。長次郎の茶碗《ちゃわん》二碗をガラス越しに見た。お茶碗の外側のラインや内側の削り具合、肌合いなど、そこには千利休と長次郎からの密度の濃いメッセージがいっぱい詰まっているようで、穴があくほど眺めていた。あるお家にお茶事に呼ばれたときには、江戸時代の美しい蒔絵《まきえ》が施された棗《なつめ》を手に取らせていただいた。その細かい蒔絵は緻密な一本一本の線に一分の隙もなく、人間の手でこういうことができるんだと、あらためてその技術に敬服した。そして、どんな職人さんが作ったのだろうとも思った。若い良い目の職人さんかそれとも熟練のベテラン職人さんか。

　作品に作家の名前が刻まれていることはあるが、職人たちの名前は刻まれていない。けれど、その技術は確実に刻まれ、その作品がある限り何百年も生き続ける。そんな人々が日本の美を支えてきたのだ。

　今は大量生産大量消費の時代。お店には物が溢れている。最近は早く壊れるように作られているのだとか…。ショッピングセンターに大量の商品が置かれているのを見ると、この品物たちはこの先どうなるのだろうと少し怖くなったりする。この品物たちが今の日本を支えているのだろうか。

　この豊かな時代は、戦後の貧しい時代を生きてきた私の両親の世代が、子どもたちに豊かな暮らしをさせられるようにと必死になって働いて築き上げてくれたのだと思う。もう十分に豊かになった今、未来に向けてどういう理想を掲げてこの国を造《つく》っていけばいいのだろうか。

毎日ゴミの分別をしながら、エコノミーとエコロジーについても考える。この二つはなかなか折り合いが付かないらしい。この先、エコロジーがエコノミーを支える時代になっていくのか。

土を焼いて焼き物にしてしまうと、土には返らない。失敗作を割る度に、この欠片《かけら》たちはどこかの埋め立て地へ送られて、何かの役に立っているだろうかと心配になる。何を作るにしても常に未来への責任を感じていかなければならないし、未来の人々に恥じないようなものを作らなければと思う。百年後、二百年後の人たちが、私の作品を手に取った時どう思うだろうか、何百年も大事にされてきた作品を見ながらそんなことを考えた。

工業製品でも、美術品と呼ばれる物でも、貴重な地球の資源を消費している、言い換えれば、地球が育んだ命をいただき、新しい命を吹き込むのだから、その材料にもその作品の行く末にも、責任を持って物を作れているか常に問い続けたい。

●すわ・そざん／1970年、京都生まれ。父3代諏訪蘇山・母12代中村宗哲の三女。京都市立銅駝美術工芸高校漆芸科卒。成安女子短期大造形芸術科映像専攻卒。京都府立陶工高等技術専門校成形科・研究科修了。京都市伝統産業技術者講習陶磁器コース修了。2002年、4代諏訪蘇山を襲名。04年から各地にて諏訪蘇山展を開催。

「いただきます」「ごちそうさま」感謝の気持ちがこもった尊い言葉

髙橋英一
瓢亭14代当主

日本語にしかない「いただきます」と「ごちそうさま」のさりげない大切さを、いま一度考えてみるのはいかがでしょうか。

飽食の時代といわれる現在、あらゆる食材が全国各地から、いや、世界中から手軽に取り寄せられる時代となりました。稀少価値の物から高級な食材までいろんな手段で手に入ります。

私は小学校に入学した年に終戦となり、最後の国民小学校の生徒でした。

料理屋でありながら食材が手に入らず、商売どころか家族が食べる米も十分に無く、毎日さつま芋《いも》のツルで増量した「芋ヅル粥《がゆ》」を食べていたツルの色の美しさを今でもはっきり覚えています。そんなとき、たまにいただくさつま芋がすごいご馳走《ちそう》で、皆で手を合わせて「いただきます」とかぶりついた感激はあの時代ならではのことで、食べ物に対する感謝の念は純粋だったと時折思いおこします。

今ではデパ地下の食料品売場で欲しい物は何でも手に入り、また、コンビニなどでは、よくぞここまで安く出来るなと思える弁当が出回っています。これらには全て賞味期限が定められ、少しでも過ぎると廃棄処分になるという、実にもったいない日常が現実です。自分たちの若いころは食べ物がいたんでいるかどうかは、自分の鼻で確かめ舌で判断したもので、賞味期限の言葉すら知らなかったと思います。

「お正月」何と心地よい響きの言葉でしょう。昔は店屋さんもほとんどが休みで、それぞれ家族はのんびりと祝ったものです。入るものは違っても母親が作ったおせち料理の数々。手間暇かけて作った中身は質素でも愛情のこもったもので、その周囲には楽しい一家団欒《だんらん》の姿がありました。

また、銘々のお膳や雑煮椀《わん》にも家紋が入っていて、箸袋にはそれぞれ個人の名前が書いてあり、これを前にすると、新しい年を迎えて気持ちが引き締まる思いになります。そして一同お屠蘇《とそ》で新年を祝い、手を合わせ「いただきます」とおせち料理を楽しみます。

この何気なく使う日常の一言を深く考えると日本人の持つ心の豊かさ、穏やかさがよく表れていると思います。

おせち料理も今やデパートで買うものといわれるほど、数多くの料理屋の見本が並び、選び放題。天然物の食材が減少してきているこの時代に、いま一度食料品に思いを込めて、食後に合わせる手のひらに「ごちそうさま」と、素直な気持を再発見するのも小さな日本文化ではないでしょうか。

なぜならばこのひと言は、日本語でしか言い表わせない感謝の気持ちがいっぱいこもった尊い言葉なのですから。

●たかはし・えいいち／1939年、京都市生まれ。同志社大卒業後、東京、大阪の料理店で修業。64年、瓢亭に戻り67年、14代主人を継承。京都料理芽生会会長、全国芽生会連合会理事長、京都料理組合組合長、日本料理アカデミー会長を歴任。京名物百味会会長。著書に『瓢亭の四季』『京都・瓢亭―懐石の器とこころ』『瓢亭の点心入門』『もてなしの美学―旬の器』など。

常《とこ》永《と》遠《わ》の都＝京都に誇りを抱いて

田中恆清
石清水八幡宮宮司

平成27（２０１５）年の新春を言寿《ことほ》ぎ、世界の平安を心よりお祈りいたします。

さて、今から21年前の平成６（１９９４）年、京都では平安建都１２００年の奉祝事業や行事がさまざま企画され、世界に例のない悠久の都として、その歴史を顧みて、日本の歴史や伝統文化の中心にあった平安京を思い、大いに誇りとしたことでありました。

私ども京都府下約１６００社の神社関係者は、この好機に次代に引き継がれる記念事業を企画し、そのメーンとして同年10月28日に盛大な記念式典を挙行しました。永遠に歌い継いでいただきたいとの熱い思いを込めて、著名な堀井康明氏に作詞を、そして作曲を現在も音楽界で大活躍中の青島広志氏に依頼し、平安京頌歌《しょうか》「常永遠」を制作。当日の式典において、オペラやミュージカルなどで幅広く活躍されている2期会出身の山本隆則氏の歌唱によって初披露したのでありました。

その歌詞にはこう記されています。

移りゆく時の最中《もなか》に　ゆるぎなく城なす山や、紫に
古昔《いにしえ》の面影《おもかげ》映す　悠久の流れの水や、明らかに　美しき、
この山河に守られて　延暦の遠き御代より

星移り、人は変れど　百年《ももとせ》を十《とお》と重ねて尚《なお》余る　歴史の中に「永遠」の名を保つ　都、京都　次の世も、又、次の世も常永遠に　美しき山河に守られて　平安の名にふさわしく　平らけく、安らけくあれ

私たち京都府民は、この歌詞にあるように、次の世も、

また次の世も、常永遠に美しき山河に守られて平安の名にふさわしく、平らかで安らかな「千年の都・京都」に誇りを持ち続け、その成熟した伝統文化を永遠に守り伝えると同時に、さらにこの時代に新たな創造を加え、世界に名だたる古都として新旧相和して素晴らしい景観を保護し、新しい時代を切り開いていきたいものであります。

そして歴史や伝統文化の精神的支柱としての神仏和合の宗教都市として、これからも多くの人々の穏やかな信仰心を育む平安な故郷として、次代を担う若人たちにその永遠の継承を心より期待したいと思います。

結びに、最も古きものの中に最も新しきものを生み出すエネルギーは、古都・京都にこそあります。伝統とは単に守るだけではなく、その時代に生きる人々の息吹を積み重ねてゆくことが大切だと思います。

◉たなか・つねきよ／1944年、京都府生まれ。69年、國學院大神道学専攻科修了。平安神宮権禰宜、石清水八幡宮権禰宜・禰宜・権宮司を経て、2001年、石清水八幡宮宮司に就任。02年、京都府神社庁長、04年、神社本庁副総長を務め、10年、神社本庁総長に就任。

政治的結び付きは壊れやすいが文化による結び付きは生き続ける

田端泰子
京都橘大学
名誉教授

千年の都・京都には、日本人が心引かれるさまざまな文化の香りが詰まっている。戦国期から織豊《しょくほう》政権期にかけて登場した武将、明智光秀と細川藤孝《ふじたか》が引かれた共通する京の文化は、茶の湯と連歌である。藤孝はこのほか、和歌に優れ、「古今和歌集」の秘伝である「古今伝授」に多大な功績を残した武将であった。

二人の出会いは織田信長が足利義昭と手を結んだときであり、光秀は信長の「奏者」として、藤孝は越前まで義昭に付き従った家臣として、両主君を握手させる役割を務めた。その信長が義昭と訣別《けつべつ》して以後、藤孝も信長の家臣となる。信長から坂本と近江志賀郡の統治を任された光秀と、山城西岡《にしのおか》の勝龍寺城を拠点に「桂川西地」を「一職《いっしき》」に安堵された藤孝は、吉田神社祠官吉田兼和《かねかず》（兼見《かねみ》）や里村紹巴《じょうは》などとともに、茶の湯・連歌・古典研究で親交を深める。

吉田兼和は公家であるが、信長が岐阜や安土から入京する際には、いち早くその知らせを光秀から受け取り、山科や大津まで迎えに出て時の権力者との交誼《こうぎ》を深める努力をする。こうして文化を通じてのつながり・友情は互いの政治的立場の補強に役立てられた。

吉田兼和の光秀との親交は、本能寺の変で断たれた。その後、兼和はもともと親友であり趣味の点でも息の合う藤孝との親交をいっそう厚くする。秀吉時代、藤孝は子息忠興《ただおき》とともに西岡を離れ、丹後を領国とする大名に転身したが、京に出てきた藤孝とともに兼和は、茶の湯や連歌を楽しみ、大坂城の秀吉を訪れたりしている。さらに藤孝の娘で先に一色義有《いっしきよしあり》に嫁していた伊弥（伊也とも）が先夫を失うと、その娘の再婚相手として白羽の矢を立てられたのは、兼和の子息兼治《かねはる》であった。伊弥が幸

せな再婚生活を手に入れたのは、父親同士の厚い友情のたまものといえよう。細川忠興が豊後杵築《きつき》を拝領したり、豊前中津、筑前小倉に移封されたときも、藤孝の武将としての功績、古今伝授での功績《いほう》がたたえられた。

藤孝は晩年おもに京都に住んでいる。京都の中でも親友のいる吉田の地に居を定めている。武将としてよりも文化に没頭することこそ、自らの生き方であると心に決めたからであろう。

こうした三人の生き方を見たとき、光秀・藤孝・兼和を結び付けた絆は、趣味や文化であったことが明らかになる。政治情勢の変化で交友関係は破られるが、文化による親交の絆は情勢の変化を超えて、脈々と友情として続いた。政治的結び付きは壊れやすいが文化による結び付きは友情として子孫の代まで生き続けるのである。

●たばた・やすこ／神戸市生まれ。京都大文学部卒。専門は日本中世史、女性史。1980年、京都橘女子大（現京都橘大）教授、2004年に同大学長に就任。11年から現職。著書に『日本中世の社会と女性』『山内一豊と千代』『乳母の力』など多数。

〝何か〟に対する畏怖の念を持ち続けて欲しいと願う

中島貞夫
映画監督

今日もテレビや新聞は、連続放火事件やわが子殺しを報じている。何のためらいも無く年配者をだます「オレオレ詐欺」は一向に減らず、その年配者も遺産金欲しさに夫を毒殺する。どれもが己が欲望を抑えることができぬままに突っ走った犯罪行為…。それが人間よ、と言ってしまえばそれまでだが、かつて日本人はこうした破廉恥な行為に走ろうとするときに、ふとどこかに歯止めの装置を持っていたはずではなかったのか。

いつの折だったか、しかとした記憶にないが、この装置について倉本聰とこんな会話を交したことがあった。

〝何か良からぬことをしようとすると、ふっと何かに見られてるって気がしてさ〟

〝俺もだ。そう、誰かじゃなくて何かなんだけど…。そんなこと感ずるなんて、古いのかねえ、俺たち…〟

30年ほど前になるが、『瀬降り物語』という映画を撮った折のことだ。大自然の織りなす四季の変化を狙うため、四国は四万十川の源流に近い山中にプレハブを建て、京都との間を行ったり来たりはあったものの、一年を掛けて撮影をした作品だった。内容は昭和初期までは残存していた山の民をめぐるドラマで、テーマは、〝お天道（アノ）さんにはかなわねえ〟だった。〝アノさん〟とは自然の摂理と解してもらってよいが、人里離れた山中を生活の場にする彼らにとって、自然はさまざまな恵みを与えてくれる場であると同時に、畏怖すべきものでもあった。当然のことながらわれわれの撮影も、雨の日は雨の、雪の日は雪のシーンをと、アノさんに従ってのみ可能だった。

浅学を顧みずに言えば仏教伝来以前から、日本人は祖先崇拝とともに、自然に神を見ていたという。山川草木は言うに及ばず、森羅万象に神を見た日本人。それはとりも直さず、自然とその摂理への畏怖の念がそうさせたに違いない。しかも何時《いつ》のころからか日本人は、忘れてしまっているようだ。文化文明依存への急傾斜、それに伴う過度の合理主義・個人主義の矛盾、その行き着く先は、厳しい格差社会の出現であり、抑制不能の欲望の肥大化である。そうした風潮を今こそ日本人は、いにしえより抱き続けて来た〝何か〟に対する畏怖の念を、それがご先祖さまであろうと、アノさんであろうと、何か分からぬままの〝何か〟であろうと、その眼差《まなざ》しがどこからか自分に向けられているという、畏怖の念だけは忘れることなく持ち続けて欲しいと願うばかりだ。

●なかじま・さだお／1934年、千葉県生まれ。映画監督。東京大卒業と同時に東映京都撮影所配属。『くノ一忍法』（64）で監督デビュー。やくざ、任侠、時代劇、文芸ものなど作品は多様。代表作は『日本の首領』3部作、『序の舞』（インド国際映画祭監督賞）、『極道の妻たち』シリーズほか。京都市文化功労賞、京都府文化功労賞、牧野省三賞ほか受賞歴も多い。

私たちがともに立つ場所は〝聖なる空間〟です

仲田順和
総本山醍醐寺座主

大きなうねりの中、世界が音もなくひびわれていく現実を前に、2015年の新春を迎えました。

ちょうど15年前、21世紀を迎えたとき、世界は、過去の100年は〝戦争の時代〟〝経済の時代〟であったと反省し、これから来る100年は〝言語や宗教が重んじられる時代〟、〝心の時代〟、「心」を中心に世界・社会が動けば、平和な安らぎに満ちた社会が構築されると考えました。そんな中で、少なくとも自分の意に反したこと、社会通念に反した事象が起こると、人々は口々に「心の荒廃」という言葉をもって、問題を処理しようと行動してきました。そして、今日も行動しつつあります。止めどもなく続く社会のうねりの中、足早に過ぎゆく日々に追いつくことができない今日このごろです。

ここで強く感じるのは、現実を前に、伝統的な知識の枠組みを再検討し、枠を乗り越えた新たな思想の構築の模索がヨーロッパ社会に起きて、その広がりを見ることができることです。それは、人間観や、宗教観の根源的な問い直しにほかなりません。

ご一緒に考えましょう。

日本社会の一隅で一生懸命に生きている人々の叫びかけも、世界の知識人の発言も、人間観・宗教観の根源的発言にほかありません。私たちは、まず反省しなくてはならない二つの問題があります。一つは「日本の伝統、東洋の物の見方の無視と忘却」。もう一つは「似ても似つかない西洋化」。この二つです。

人間生活の中で理性的な判断を分別と考えるならば、分別は欠くことのできない人間生活の営みです。この分別が、一人の神様の上に立っての判断と、東洋を中心とする相対的価値判断の上での分別とは大きな差があります。東洋の立場からなら、世界中に伝承されてきた知識の枠組みを超えることのできる可能性を示唆します。

そして何よりも新しい教育の中で、絶対的価値観を分母として、分別を分子としてのものの考え方に流されていることです。もう一度勇気を出して、素直な気持ちで、私たちの伝統、ものの見方を再検討しましょう。そうしたら、人間を中心としての社会が見えると思います。

「自己は、物でなく、場所である」

これは、京都大学の西田幾多郎先生の言葉です。その場所に立って自己の情緒を高めることから再出発してみませんか。多くの人に場の提供はできます。ともに立つこともできます。そして、そこから人間性、宗教的情緒をともに味わうことができます。私たちがともに立つ場所は〝聖なる空間〟です。

●なかだ・じゅんな／1934年、東京都生まれ。大正大大学院にて仏教原典を中心に研究を進める。57年、品川寺に入山、出家。68年、品川寺住職となり、85年より総本山醍醐寺執行長となり、2010年、総本山醍醐寺座主・三宝院門跡となる。医療法人洛和会理事、学校法人日本女子大、森村学園、真言宗洛南学園の評議員を務めている。

原爆を受けた日本人
命の尊さを忘れてはならない

中西 進
京都市中央図書館館長

そもそも忘れものとは、気軽に考えているからついつい忘れ、忘れても気に留めないことから起こるのだろう。

要するにさして大事なものとも思わず、忘れたことに気付いても、取り返そうとする心がないからである。そこで、「忘れもの」の最大の忘れものは、心だということになる。

いみじくも「忘」という字は「亡《わす》れる心」と書く。万事の忘れものの根底にある心遣いを取り戻すことが、いま最大の急務ではないか。

では古き良き日本の心とは何か。誰もが知っている日本的な心の出発点は「和」にあった。一人一人の心の安らぎ、社会の安寧《あんねい》、国家の平和、これらを求めることが豊かな自然に育まれ、相互に尊敬を交わしつつ、みずみずしい海洋の中で生業《なりわい》に励む日本人が、いつしか念願としたものであった。

その第一の宣言が7世紀初めの聖徳太子による「十七条の憲法」であり、とりわけ第一条の「和をもって貴しとなす」であった。

しかもこの宣言が前年までの外国との泥沼戦争を停止し、国政を整える宣言であったことを思うと、1946年制定の現行の憲法にまで1300年間を隔てて、両者は相呼応する。

これがわが「大和《やまと》の心」であった。

だから昨年、ノーベル平和賞の有力候補に「憲法第九条」が挙げられて話題になったときも、私は第九条という一つの事柄より、そもそも日本の久しい基幹的な平和の精神として評価されたかった。

しかし残念ながら受賞できなかった基本に、世界が日本を好戦的な国と見ている点があるのではないか。

倭寇《わこう》、壬辰倭乱《じんしんわらん》（文禄慶長の役）、第二次世界大戦と思い起こすとそれもやむを得ない。まさに日本は「和」の心を忘れて久しいのである。

しかし、だからこそいま、日本は「和」の貴さを取り戻さなければならない。戦争とは殺し合いのことだ。大人は子どもに人の物を盗んではいけない、人を殺してはいけないと教えながら、一方で国を守るためなら大量殺人も認めるというのだろうか。

武力戦争だけが戦争ではない。国を愛する手段は、戦争にしかないというなら、これはもう政治でも外交でもないだろう。

そして、何よりも人間の命は尊い。原爆を受けた日本人は、決して命の尊さを忘れてはならない。いや忘れないばかりか、全世界に命の尊厳を訴え続ける責任がある。

●なかにし・すすむ／1929年、東京都生まれ。東京大ならびに同大学院で日本文学を学ぶ。国際日本文化研究センター教授、大阪府立女子大学長、京都市立芸術大学長、日本学術会議会員、日本比較文学会会長などを歴任し、現在、全国大学国語国文学会会長、インド・ナーランド大ボードメンバー。70年日本学士院賞、2013年文化勲章受章。『中西進著作集』（全36巻）など著書多数。

子どもたちと美にふれ大人も世界を広げよう

羽田　登
染色工芸家

幼児教育がますます盛んだが、情操教育はまだまだ不十分だと思う。水泳やバレエ、サッカーなど身体を動かすことやピアノやバイオリンなどの楽器は、幼いころから始めた方がいいといわれているが、なによりも大切にしたいのは、美しいものを観て心が動く、面白くて楽しくてたまらなくなって笑いが込み上げてくる、というような体験を、たっぷりすることだと思う。

美しくて、面白くて、楽しいことはいろいろとあるが、私の専門は美術工芸なので、まずは美術館、博物館だ。京都にはたくさんの美術館や博物館があり、企画展や館蔵品展などで、美しいもの、面白そうなもの、歴史的に価値のあるものなど、いろんな種類のいわゆる宝物を常に観ることができる。そして、ほとんどの館が、子どもの体験を大切にしている。例えば、京都市美術館も、京都国立近代美術館も、京都国立博物館も、館蔵品展は高校生以下または18歳未満は無料。企画展も中学生以下は無料だ。未就学児も入館できる。もちろん、子どもだけで出かけることは難しいから、大人の協力が必要だ。多くの館は70歳以上は無料となるので、ぜひ、お孫さんを連れてお出かけになることをおすすめしたい。

ここで大人に求められることの第一は、子どもたちに知識を教えることではなく、人に迷惑をかけずに感動を味わうという、館内での振る舞い方を教えることだ。静かに、まずはざっと観てまわるだけでいい。子どもの興味を引いたものがあれば、一緒にじっくり観てみる。せっかく無料なのだから、贅沢《ぜいたく》な見方をするといい。じっくり観るものがひとつふたつでもいい、かえって思い出に残る。

大切なのは、解説を読んで理解するのではなく、まず自分の五感を使って感じることだ。だから幼いころから観る経験を積むことは重要だ。大人になると、つい文字情報に頼ってしまう。頭ではなく、身体で観賞するのだ。近年どの館もイヤホンガイドが充実しているが、まずはガイドなしで観賞し、ガイドを使うのは二度目以降がいい。小学生以上ならば、興味を持ったものについて話をしたり、分からないことは大人がスマホで検索してみたり。そのちょっとした興味をきっかけに子どもたちは世界を広げて行く。

今年は「琳派400年」を記念して、京都中で次々と展覧会が開催される。日頃なかなか観ることのできない宝物にも出会えるチャンス。ぜひ、子どもたちと一緒に味わって、大人も世界を広げていっていただきたい。

●はた・のぼる／1938年、京都市生まれ。日本工芸会正会員。64年、京都市立美術大（現京都市立芸術大）日本画科卒業。90年、日本伝統工芸展最高賞。2006年、京都府指定無形文化財「友禅」保持者に認定。11年、京都府文化功労賞受賞。旭日双光章受章。12年、京都工芸美術作家協会理事長に就任。14年、京都市文化功労者。

忘れてはいけないもの
その一が歴史、その二が言葉だ

浜 矩子
同志社大学大学院
ビジネス研究科教授

喉元過ぎれば熱さを忘れる。それが人の常だ。その意味で、日本人のみならず、とかく人間には忘れ物が多い。そういえるだろう。

だが、人にはやはり忘れてはいけないものがあるだろう。それは何か。今のわれわれ日本人に関していえば、決して忘れてはいけないのに、忘却の危機に瀕《ひん》しているものがどうも二つあるように思う。その一が歴史。そしてその二が言葉だ。

歴史的記憶が風化していく。これほど怖いことはない。歴史を忘れたとき、人は必ず過ちを繰り返す。カール・マルクスいわく、「歴史は繰り返す。一度目は悲劇。そして二度目は喜劇。」言い得て妙だが、実は現実はもっと怖いかもしれない。どちらかといえば、一度目は悲劇、二度目は惨劇といった方がよさそうだ。二度にわたる世界大戦のことを想起しても、そんなイメージになる。

だからこそ、歴史を忘れてはいけない。特に、自分たちが人さまに危害を加えたときの歴史的経緯については、決して忘れてはいけない。例え相手が忘れていても、自分はそのことを生涯、心に刻み込んでおく必要がある。ところが、多くの場合、人は自分が被害者だったときの記憶は鮮明で、加害者だったときのことは忘れがちである。第二次世界大戦中において、日本が誰に対して何をしたか。それを時の流れの中の遺失物にするようではいけない。そのような健忘症にかからないよう、われわれは日頃から記憶の鍛錬が必要だ。それが歴史を知り、歴史に学ぶということにほかならない。

いつのころからか、日本人は多くの言葉を忘却の彼方《かなた》に置き忘れて来たように思う。明治・大正、そして昭和初期。その辺りまでの日本人たちは、実に語彙《ごい》広く、言葉巧みだった。面白いことに、彼らの雄弁さは決して日本語だけに限定されない。結構、おしゃれなことを英語やフランス語やドイツ語で言いこなしてみせている。イタリア語だって、なかなかどうして、お手の物だった。日本人の語学ベタという観念は、一体、いつのころから形成されたものなのだろう。

言葉を忘れるということは、とりもなおさず、難解さに挑む気概の希薄化につながっていく。短くて、単純で、解《わか》り易《やす》い。それが何よりも重要視される。今の日本は、急速にそんな言語文化の世界と化しつつある。あえて、難しくて、回りくどくて、長ったらしい文章の解読にチャレンジする。自分もそんな文章を書いて人を煙に巻いてみせる。そんな知的洒脱《しゃだつ》さを忘れた日本は、ちょっと寂しい。大いに悲しい。

◉はま・のりこ／1952年、東京都生まれ。75年一橋大経済学部卒業後、三菱総合研究所入社。90－98年、同社初代ロンドン駐在員事務所長、同社政策・経済研究センター主席研究員を経て、2002年10月から現職。12年から財務省の財政制度等審議会臨時委員を務める。『ソブリンリスクの正体』『日本経済再生の条件』『2009－2019年 大恐慌 失われる10年』など著書多数。

文化財は息吹を吹き込むことで時空超え先祖の精神と交流できる

森　清範
清水寺貫主

清水寺境内の南苑に堂々と建つ石碑があります。石に東北地方の地図を彫り、上に「北天の雄・阿弖流為《あてるい》・母禮《もれ》之碑」と二人の人物の名を刻んでいます。昨年11月8日、この碑の前で盛大な慰霊法要が営まれました。ちょうど碑建立20周年の記念の法要だったのです。法要を営みながら、実に感慨深いものがありました。といいますのは、20年前の建碑はまさに歴史に新たな光を差し入れる画期的なことだったと思ったからです。

清水寺の創建は778（宝亀《ほうき》9）年のことです。縁起によれば、奈良の延鎮（賢心）上人が夢告を受け京都・東山の音羽の滝にたどり着き、練行中の行叡居士《ぎょうえいこじ》から霊木を授かり本尊の観音像を彫って祀ったのが始まりです。間もなく坂上田村麻呂公が妻の高子命婦《みょうぶ》の安産のため鹿を求めて訪れ、延鎮上人から観音の大悲大慈心を諭され観音信者になります。

そのころ、今日の奥州市一帯に蝦夷《えみし》が強い勢力を誇り独自の文化を形成していました。これに対して大和朝廷は着々と支配の浸透を図り、789（延暦8）年、紀古《きのこ》佐美《さみ》を征東大使とし5万の兵を派遣したのですが、惨憺《さんたん》たる大敗を喫しました。蝦夷には主将阿弖流為と副将母禮という立派なリーダーがいたのです。そこで桓武天皇は坂上田村麻呂公を征夷大将軍に任じ4万の兵を進め、阿弖流為に帰順を申し入れ和睦したのです。公は二人を伴い京都に帰り、朝廷に助命と登用を嘆願しましたが、許されず二人は処刑されました。

以来1200年、この勇敢な二人は歴史から消えていたのです。それが平安建都1200年に奥州市を中心とした地域の人たちや関西の岩手県人会の人たちが、二人の記念碑を建てたいと願い実現したのです。1200年の時空を超えた鎮魂の碑であり、復権の記念碑となりました。以後毎年、法要が続いています。

歴史は人々の息吹を吹き込んでこそ輝きが生まれるものです。文化も伝統も実に壊れやすいもので、人々の意識と注目を失うと消えていきます。文化財とは先人の精神が形として伝わるものですが、今の私たちが注目し息吹を吹き込むことによって、時空を超え先祖の精神と交流できるのです。この意識がなくなれば、文化財は存在しなくなります。

建碑が契機となり、阿弖流為と母禮に生気がよみがえり、教科書や小説、テレビドラマに描かれるようになりました。そして東北の人たちと盛んな交流が生まれています。歴史や文化が人と人を、地域と地域をつなぐ大切な役目を果たすことを忘れてはいけません。

◉もり・せいはん／1940年、京都市生まれ。15歳で清水寺貫主大西良慶のもと得度、入寺。花園大卒業後、真福寺住職などを歴任。88年、清水寺貫主・北法相宗管長に就任。全国清水寺ネットワーク会議代表。著書に『見える命 見えないいのち』『一文字説法 観音のこころ』など多数。

日本の伝統的な自然観を
地球の未来社会に生かす

安成哲三
総合地球環境学
研究所所長

日本人のノーベル賞受賞科学者の多くから「日本人だったからこそもらえた」という言葉を聞いている。この意味は、欧米の研究者にはない日本人固有の発想と独創性があったから評価されたということである。では、それらはどこからきているのか。

日本列島は、四季折々に変化するモンスーン気候や山と谷、平野、海岸などが複雑に入り組んだ地形、そしてそれらによる多様な生態系に恵まれている。一方で、地震、津波、火山、台風などの自然災害にも悩まされてきた。このような自然を生かしながら、あるいは折り合いながら、私たちの祖先は縄文のころから水田稲作農業を築き上げてきた。この水田稲作は、自然をある程度改変しつつも、その恵みを受ける仕組みとして、里山という人為的自然とそれに伴う文化を築いてきた。その過程で、まさに「自然とともに生きる」という考え方が日本人には当たり前のものとして培われてきた。

約270年続いた江戸時代の鎖国は、限られた資源や自然の恵みをいかに無駄なく持続的に活用するかという工夫がなされ、江戸や大坂・京都という都市を含め、自然の循環の中で生きていく知恵と思想がさらに培われたといってもいい。このような日本人の自然観は、欧米人とは異なる発想を生み出す源になっているとも考えられる。

自然と一体になって日本人が生きてきたことを示す文化の一つが俳句である。季語を入れることにより、四季折々の中での人が自然と向き合いながら生きている姿が17文字の中に表われているが、それは論理というより人間と自然の一体感の表現そのものといえる。俳句が江戸時代に発達したのも、自然と共生する循環型社会に人々

が生きていたからかもしれない。

一方、西欧で発達した近代科学では、自然は利用し、制御する対象であり、人間と自然は対立的な関係であった。明治以降、日本は、近代科学に基づく産業を発達させ、20世紀後半には世界第二の経済大国にまでなったが、同時に大気・水汚染などの公害問題を引き起こすことになった。現在、さまざまな環境問題を克服しつつ、より人間らしく生きるための「持続可能な開発」という概念が提唱されているが、人間と自然の対立関係を前提とした近代科学の発想のみでは、根本的な解決ができるとは思われない。人間も地球の自然の一部として、他の生物と共に生きる存在であるという、日本の伝統的な自然感を、如何に科学技術に生かし持続可能社会を作ることができるか。地球社会における私たち日本人の役割が今、問われているのではないか。

●やすなり・てつぞう／1947年、山口県生まれ。京都大理学研究科博士課程修了。筑波大地球科学系教授や名古屋大地球水循環研究センター教授などを歴任後、2013年、総合地球環境学研究所所長に就任。専門は気候学・気象学。現在は、地球環境を包括的に調査分析する地球環境学の分野でも活動。秩父宮記念学術賞、水文・水資源学会国際賞など受賞多数。

生きる知恵を与えてくれた何の目的もなく集まり過ごす時間

山極寿一
京都大学総長

イチョウの葉が一斉に落ちて、秋から冬に街は急速に彩りを変えていく。急ぎ足で通り過ぎる人々を見ていると、何か昔と違うなあという気持ちになった。昔の町並みを思い返してみて、それが人々の集まり方だと思い当たった。

私が子ども時代を送った1950年代は、どこでも人々がよく集まった。冬になれば、道に降り積もった落ち葉を掃いて集め、焚《た》き火をしている人が多かった。そこに何となく人々が寄り合い、四方山《よもやま》話が交わされる。子どもたちは焚き火にあたりながら、大人たちの間に交じってその話を聞いていたものだ。たいがいは近所の噂《うわさ》話で、どこの家で何があったか、どの店で何が売り出されるかなど、たわいもないことばかりだ。でも、そういった話を聞きながら、自分が住む社会の様子を頭に描き、ほのぼのと温かい気持ちになったものだ。

それは今考えてみると、人々に安心や信頼を与える装置であったように思う。近所に住んでいる人々がどんな性格なのか、世間の動きにどんな関心を持っているのか、新しい出来事にどう対処しようとしているのかを知る、絶好の機会だったのである。子どもたちはその噂話を通して、自分の信頼できる社会環境を学ぶことができた。

日々引き起こされる問題に自分がどう取り組むべきかを、大人たちの態度を通して知ることができた。

　現代でも人々はよく集まる。でもそれには目的があることが多い。お目当ての品物を手に入れるため、評判の料理を食べるため、イベントを見るためなど、魅力的なものやことに引き付けられて集まってくる。何となく集まって話をすることがなくなったような気がする。

　今の時代、情報は人から人へと伝えられるものではなくなった。インターネットを用いれば、ほしい情報はいつでもどこでも手に入る。携帯電話やメールを使って、どこにいても友人と話ができる。しかし、それで本当に生きるために必要な情報は得られているのだろうか。人間が豊かに暮らすためには、まずその生活環境が信頼でき、安心できることが不可欠である。そのためには、文字にならない情報が必要なのだ。人々の性格や態度はなかなか言葉では言い表せない。それには集まって顔を見せ合い、噂話を通して納得するのが一番の早道なのである。
　何の目的もなく集まり、ただともに過ごす。その一見無駄に見える時間が、多くの生きる知恵を人々に与えてくれたのだと、今にして思う。できれば、そんな集まりを復活させたいものである。

●やまぎわ・じゅいち／1952年、東京生まれ。京都大理学部卒、京都大理学研究科教授を経て、2014年より京都大総長。理学博士。アフリカ各地でゴリラの行動や生態をもとに初期人類の生活を復元し、人類に特有な社会特徴の由来を探っている。著書に『家族進化論』（東京大学出版会）、『ゴリラは語る』（講談社）、『サル化する人間社会』（集英社）など。

自然はひとりでに動く 人為を超越する

養老孟司
京都国際マンガミュージアム館長

未来を考える。考えようとする。これは人がよくやることである。何事もそうだが、これにも陰陽がある。あるいは表裏がある。

なぜなら未来には、考えられる未来と、考えもしなかった未来があるからである。戦前の常識で、戦後が想像できたであろうか。小学生がスマホを持って歩く時代、会社のオフィスがパソコンで埋まっている状態を、だれが戦前に想像したであろうか。

考えるのは人の意識で、意識には限度あるいは枠がある。意識は自分の枠を超えるものを想像できない。でも現代に生きていると、意識が捉えることだけが未来になる。ああすれば、こうなる。こうすれば、ああなる。それは意識の作業である。でもそこには「いつの間にかこうなった」ということは含まれていない。

例えば人口減少はその一つであろう。だれも日本人を減らそうと意図したわけではあるまい。まさに「いつの間にか減ることになった」。意識のみで世界を見ると「いつの間にか起こる」ようなことが抜ける。でもその意識自体はいつの間にか生じて、いつの間にか消える。自分の意識がいつ生じて、いつ消えるか、確言できる人は誰もいない。意識自体は意識で左右できない。

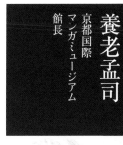

それを教えてくれるのは誰か。自然である。技術は意識が動かす面が大きい。例えば機械なら「こういうものを創ろう」と意図するからである。自然の意図は読めない。ひょっとすると、こうなるかもしれない。でもああなるかもしれない。そう想像するだけである。その想像が当たるとは限らない。

現代科学は技術優先になった。ノーベル賞ですら、京都賞ではないのに、技術に与えられる。技術は「人のつもり」で動く。でも自然はひとりでに動く。大げさにいうなら、人為を超越する。時々そういうものに目を向けよう。それが私のメッセージである。

なぜそんなことをする必要があるのか。生きることの面白さは、いわば想定外にある。想定内だけに生きることを、今では安心・安全という。それを悪いとはいえまい。でもなぜか面白くない。そう思う人も多いはずである。焼きそばからゴキブリが出てくる。この程度でもニュースになる時代である。

私自身の後半生はまさに想定外だった。想定内だった勤め人時代を考えると、実は考えたくない。今と比べたらまったく「面白くなかった」からである。まあ人の生き方は自由だけれども。

●ようろう・たけし／１９３７年、鎌倉市生まれ。62年、東京大医学部卒。同大助手、助教授、教授を経て95年退官。東京大名誉教授。退官後は著作・講演活動のほか、昆虫特にゾウムシの採集、分類に没頭する。

ブータンの生活の中に日本人の「幸せ感」につながるものが

吉川左紀子
京都大学
こころの未来
研究センター教授
同センター長

2010年、京都大学とブータン王立大学との間でブータン友好プログラムという交流事業がスタートした。経済指標でみれば発展途上国ということになるのだろうが、ブータンを訪れその文化に触れた日本人は、老若男女を問わず、何とも言い難い「なつかしさ」を感じるという人が多い。私も、訪問団のメンバーとして初めてブータンを訪れて以後、ヒマラヤの中腹に位置するこの小国の持つ引力に引かれ、何度も出掛けては、その「なつかしさ」の正体を考え続けている。ブータンの人たちの毎日の生活の中に、日本人が感じる「幸せ感」につながる何かが、潜んでいるように思えるのだ。

ブータンの民家を訪ねると、どこの家にも立派な仏間がある。家の人たちは、毎朝仏様の前に置かれた小さな器の水を替え、家族や先祖、子孫の幸福を祈るという。清潔だが質素な造りの家の中にあって、供え物に囲まれた仏像が安置された仏間は、他の部屋とは異なる「聖なる場所」の趣がある。ブータンの人たちが先祖を思う、あるいは家族の幸福を祈る時間の大切さが、そうした佇《たたず》まいから伝わってくる。

北海道の製紙工場の社宅で生まれた私は、これまで仏間や仏壇のある家に住んだことがない。それでも半世紀以上前、工場横に並ぶ小さな社宅にも、座敷には一畳ほどの床の間があり、そこは他の場所とは異なる特別な空間だった。床の間の前に正座して、母が花を生け、掛け軸を替える様子を見ていた幼少のころ、「床の間にあがっちゃいけませんよ」としつけられた記憶がある。子ども心に、床の間の前に座るときのちょっと緊張する感覚は、今もよく覚えている。

現在、私が住んでいるマンションには仏間も床の間もなく、「聖なる場所」に近い空間はない。ブータンから戻ってくると、それが何となく物足りなく感じられるようになった。そこで、玄関脇の棚に、両親から受け継いだ高さ30センチほどのどっしりとした優しいお顔のこけしを置き、小さな果物の置物などを横に並べてみた。いわば「家の中のお地蔵様」である。こうして生まれた、私製お地蔵様のお顔を見ながらしばし心を整えると、それだけで少し幸せな気持ちになるから不思議である。現世御利益ではなく、生きるものすべての幸せのために祈るというブータンの人たちとは比べられないが、こうした空間に身を置いて、静謐《せいひつ》な時間を持つことの意味は、思いのほか大きい。これまで、祈りや信心とはほとんど縁のなかった心理学者の実感である。

●よしかわ・さきこ／京都大こころの未来研究センター教授、センター長。京都大大学院教育学研究科博士課程満期退学、博士（教育学）。追手門学院大文学部助手、助教授、ノッティンガム大客員研究員、京都大教育学部助教授、同大大学院教育学研究科教授を経て２００７年より現職。専門は認知心理学、認知科学。共著書に『よくわかる認知科学』『心理学概論』ほか。

提言　こころ、次世代へ

［交流会］２０１５年５月／京都国立博物館［平成知新館］

提言　こころ、次世代へ

（2015年6月24日掲載）

――現代の日本人が忘れてしまった大切なものとは何でしょうか。

佐々木丞平氏
京都国立博物館 館長

鈴木順也氏
日本写真印刷株式会社
代表取締役社長 兼
最高経営責任者

佐々木◉明治初期に政府が下した神仏分離令（神仏判然令）によって、廃仏毀釈《はいぶつきしゃく》と呼ばれる仏教弾圧運動が起こりました。現在の国宝や重要文化財になり得る仏像や文化財が各地で壊され、一夜にして100もの寺院が姿を消したと言われています。追い打ちをかけるように、文明開化によって西洋文明の波が押し寄せ、日本の伝統文化は危機にひんしました。

私たちが忘れてはならないことは、文化に対する関心だと考えます。文化があやふやになると国の存在すら危うくなりかねません。現在、あるイタリア人がアフガニスタン復興のために博物館をつくろうと尽力しており、彼らは「固有の文化が存在するから国が成り立つ」と考え、まず文化から立て直そうとしています。文化に対する無関心は、国の存在をも揺るがすものであり、ぜひ日本の未来のためにも、もっと関心を持っていただきたい

山極寿一氏
京都大 総長

山折哲雄氏
宗教学者

と願います。

鈴木◉企業経営者は常にテクノロジー、経済・社会問題、流行などの最新動向に目を向け、市場環境の変化に適応して行動することが求められます。グローバルスタンダードを意識し、成長に向けて必要な改革を阻むような古い価値観にとらわれないよう注意を払うことも必要です。一方で、企業は過去から現在・未来へと継続していくものであり、これまでの蓄積が重要な資産となります。技術、お客さま、企業文化、ステークホルダーとのつながりや社会的評価などは一日で築き上げられるものではなく、長年の積み重ねにより形成されるという認識が大切です。

企業は、過去から蓄積された有形無形の資産の有効性を常に点検することを怠らず、優れたものはしっかりと守り、役割が終わったものは、勇気を持って捨て去らねばなりません。その上で、社内に存在しない能力や資産を社外から取り込むことで新たな価値が形成され、成長が可能になると考えます。企業だけでなく、京都という都市や社会全体でも、常によきものを再確認しながら新陳代謝を起こすことが必要なのではないでしょうか。

山極◉私の師匠である生態学者の今西錦司先生と伊谷純一郎先生は、霊長類の研究に当たり、大分県の高崎山でサルの群れに入って彼らと一緒に行動しながら、1頭ずつに名前を付けて行動を書き留めていきました。名付けるのは擬人的すぎると、当初は欧米から批判されました

佐々木氏
文化に対する無関心は
国の存在をも揺るがすもの

鈴木氏
常によきものを再確認し
新陳代謝を起こすことが必要

山極氏
自然と対話する心を
失ってはならない

山折氏
伝統として受け継がれてきた
「一人」の本質を見直す

が、サルは仲間の姿や顔を識別して、それぞれに対して違う行動を取っていることが判明し、この方法はジャパニーズ・メソッド（方式）として高く評価されました。功績の原点には、自然と一体になって世界を捉えるという日本独自の文化があったのです。

月の中にウサギの姿を見るように、日本人は昔から自然の中に思いをはせる心を持っています。ところが現代の子どもたちは、野山で自然に触れる機会や、夜空をじっと眺める時間がほとんどないようです。日本文化を守るためにも、私たちは自然と対話する心を失ってはならないと思います。

山折◉日本の戦後70年は、焼け跡の貧乏暮らしから始まりましたが、心情的には、それほど暗い生活ではありませんでした。自分から出掛けていく「出前精神」、何でも自分でつくる「手づくり」、安酒を飲んで仲間と語らう「身銭を切ること」という三原則で乗り切り、自立した生活を手に入れたのです。その後、日本は経済成長を遂げましたが、今度は少子高齢化が進み、お年寄りの一人暮らしや孤独死の増加が懸念されています。

京都国立博物館［平成知新館］では、国宝から重文などさまざまな分野の美術品・文化財を常設展示
講演後、参加者が見学した

「一人」という言葉はネガティブに捉えられがちですが、古くは『万葉集』にも登場する歴史ある価値観です。比叡山で修行し、浄土真宗の祖となった親鸞も、「他人事の真実を自分の問題として引き受けたときに、一人で立つ原動力になる」と一人で生きる思想を説いています。一人で立つ姿勢があってこそ、助け合いの精神も生まれるものです。日本の伝統として受け継がれてきた「一人」の本質を、今こそ見直すべきでしょう。

―これから私たち日本人は、どのように考え、何に取り組めばいいでしょうか。

山折◉現在、京都の四条通で歩道拡幅工事が行われています。この政策を施行するまでには、おそらくさまざまな議論や多くの方々の協力があったはずです。ところが、いざ工事が始まると、車道の渋滞などで不満の声が上がっていると聞きます。

平安時代に書かれた『源氏物語』は、光源氏の正妻である葵の上と恋人の六条御息所が賀茂祭で牛車を止める場所をめぐって、いさかいを起こす「車争い」から物語が始まります。四条通の工事問題も大いなる物語のスタートになるのではないでしょうか。不平を言うのではなく、これから私たちで素晴らしい物語をつくっていこうという心構えを持つことも大切ですね。

山極◉人間は動物の言葉を話すことができず、動物も人間の言葉は分かりませんが、向き合っているうちに何らかの了解が生まれ、共存できるようになります。自然と対話する上で大事なことは、きちんと対峙する心を持つことです。

自然に限った話ではなく、異文化交流も同じだと言えるでしょう。さまざまなものや人が海外から流れ込み、日本人も外国へ行くことが増えた昨今、出合った異文化を受け入れることで共存が可能になります。100%の了解ではなく、分からないものを分からないまま受け入れる姿勢も必要です。正確な情報や言葉が重視される現代ですが、あいまいなまま理解し合う広い心を備えることも、生物や文化の多様性を生かす上で重要でしょう。

鈴木◉当社は「他社にできないことをやろう」という理念のもと、85年前に創業しました。当時の印刷業界は活字印刷の会社が多くありましたので、創業者は他社ができない高級な写真印刷を始めました。この差別化戦略が、現在でも当社の基盤になっています。現在の事業構成は、一般的な印刷物が15%程度で、産業用の加飾フィルムや電子部品に使われるタッチセンサーフィルムの分野に最先端の印刷技術をもって進出し、この分野で世界ナンバー1になりました。

事業を展開する上で大切なのは、常に経営理念に立ち返って確認しながら、進むべき道を決めることです。技術や市場ターゲットなど、時代の変化に対応して進化すると同時に、社内で受け継がれた普遍的な価値観を守りながら今後も経営を続けていきたいと考えます。

佐々木◉博物館の使命は、歴史の足跡である文化財を保守・継承しながら、皆さまに見ていただくことです。加えて、文化に興味の薄い人たちにも関心を持っていただけるように、単なる展示だけでなく、さまざま試みも考えていかなければならないと試行錯誤しています。

文化の「文」は「あや」とも読み、縦糸と横糸を織り成した美しい織物を表す言葉です。京都は素晴らしい文化や風土を備えていますので、これらを縦糸横糸として紡ぎながら、どのように美しい模様をつくりだすか、その織り方を考えることが今後の課題でしょう。京都が文化都市として、日本が文化国家として、魅力を世界に発信できるよう、皆さまの知恵を総動員することが第一歩になると思います。

―文化、学術、宗教、企業経営という専門の異なる4名の方々に、それぞれの視点でご提言いただき、有意義な会議となりました。本日はありがとうございました。

◎佐々木丞平（ささき・じょうへい）
1941年、兵庫県生まれ。京都大大学院文学研究科博士課程修了。文学博士。京都府教育委員会技官、文化庁調査官、京都大大学院文学研究科教授を経て、2005年4月より現職。国華賞、日本学士院賞、フンボルト賞、京都市文化功労者など受賞多数。

◎鈴木順也（すずき・じゅんや）
1964年、京都市生まれ。慶応義塾大大学院商学研究科博士課程修了。90年第一勧業銀行（現みずほフィナンシャルグループ）入行。98年日本写真印刷入社。取締役、副社長などを経て2007年より現職。15年5月に京都経済同友会代表幹事に就任。

◎山極寿一（やまぎわ・じゅいち）
1952年、東京生まれ。理学博士。京都大理学部卒。霊長類研究所助手、京都大大学院理学研究科教授を経て、2014年より現職。専門は霊長類学で、日本と国際の両霊長類学会長を務めた。著書に「サル化する人間社会」など。

◎山折哲雄（やまおり・てつお）
1931年、米サンフランシスコ生まれ。東北大大学院文化研究科博士課程修了。東京や岩手県花巻市で育つ。元国際日本文化研究センター所長。近著に「能を考える」「これを語りて日本人を戦慄せしめよ」など。

暮らしを楽しむ　次世代に伝える日本のこころ

［知恵会議］２０１５年10月／京都新聞文化ホール

暮らしを楽しむ
次世代に伝える日本のこころ

（２０１５年11月29日掲載）

［基調提言］

井上章一氏　国際日本文化研究センター　副所長
通崎睦美氏　木琴・マリンバ奏者

通崎睦美氏

井上◉上海では、従来の上海語を話す人が減り、北京語が席巻しています。ビジネスチャンスを求めて中国全土、あるいは海外から集まってくる人たちの多くは共通語として北京語を使うからです。急激な経済成長が地域固有の言語を追いやるのなら、関西経済の活性化はボチボチでいいのかもしれません。

　明治以降、日本の近代化・国際化の窓口が東京に移った影響は計り知れません。祇園で芸妓や舞妓を見た外国人観光客が口にするのは関東流の「ゲイシャ」です。関西で「きいひん」「けえへん」だった「来る」の否定形を、カ行変格活用をたたき込まれた世代は、「こうへん」と言います。言語学的には興味深い変化ですが、一抹の寂しさも覚えます。

　私が譲れないのは「七」の読み方です。地元では、七条、上七軒を「ひちじょう」「かみひちけん」として親しんできたのに、今や電車に乗ると「しちじょう」とア

日本人が忘れかけていた手作りの暮らし
井上氏

他者にとらわれない独自の豊かさの軸を持つ
通崎氏

井上章一氏

ナウンスされ、街で見かける地名のローマ字表記「Kamishichiken」です。四条との混同を避け、七条を「ななじょう」と呼ぶところも出てきましたが、地名が軽んじられているような気がしてなりません。

通崎◉京都生まれといっても、うちはまだ私で4代目です。家には、丁稚《でっち》だった祖父が初めて足袋をはくのを許されたとき記念に撮った写真が残っています。主人の許しがないと足袋もはけない時代があったことを、私はその写真から知りました。現代流に言ってしまえば格差社会ということなのでしょうが、うちでは、己の立場をわきまえて生きていくことが大切だと教えられて育ちました。

井上◉私は子どものころ長屋住まいだったので、1960年ローマ五輪のテレビ中継は大家さんの家で見せてもらいました。電話もよく借りていましたが、好意に甘えることを屈辱とは思いませんでした。けれども、みんなが身の程をわきまえた暮らしを守ったら、テレビや電話機の国民的な売り上げはありえず、戦後日本の高度成長はなかったでしょうね。

通崎◉着物でも、生地を染めるところからの誂《あつら》えをしていた時代には、お金があっても依頼主に教養やセンスがなければ、いいものは出来上がりませんでした。機械化・工業化が進み、センスはともあれお金さえ出せば誰でも入手できる製品が増えた。「お金持ち」が、わかりやすくなったということでしょうか。それで、働いて収入を増やそうという張り合いも生まれたのかもしれません。

井上◉家造りも同じです。数寄屋建築の名工・中村外二棟梁（故人）に家を建ててもらうのは無理でも、住宅メーカーなら手が届くかもしれないと考えるようなものですね。日曜大工が日常的な欧米では、自宅を改装したり家具を作ったり、もっと気軽にものづくりを楽しんでいます。日本では、ハウスメーカー住宅が普及しすぎたおかげで、手作りの楽しみが忘れられているのかもしれません。

通崎◉私は倉庫として手に入れた自宅近くの長屋を改修しました。たまたま近所で大正期の建物が解体されると知り、もったいないと建具や部材を譲っていただいたので大々的な工事になりました。工事を請け負ってくれたのは、芸大の美術学部を出た友人たちです。長い工事期間、作り上げる過程を存分に楽しみました。工事中からご近所とのコミュニケーションの大切さも実感しました。

井上◉残念ながら、通崎さんが持っておられる人の輪のようなものを現代人の多くは持っていません。今はインターネットがあるとはいえ、人材探しからするとなると、心と時間にゆとりがある人でないと楽しむところまでいかないでしょう。

通崎◉確かに、誰にでもお勧めできることではありません。実は、分けていただいた建具は長屋には立派すぎて、結局は建具に合わせて家を造り直しました。木製なのでアルミサッシと比べると気密性や防犯面でも劣ります。思い入れがなければ、できないことでしょう。

井上◉イタリアのフィレンツェ市庁舎（ヴェッキオ宮殿）は13世紀に建築され、現在も市庁舎として使われています。維持管理には相当費用がかかるはずなのに、市民の理解が得られています。京都も含め、日本とはまったく違います。

通崎◉義務感だけでは納得できないことも、すてきとか、面白そうといった感性に響くものがあれば、共感を得やすいのかもしれません。私は会社勤めしていないので、固定収入も将来の保証もありません。それを不安といってしまえばそれまでですが、気分的には豊かなつもりです。他者にとらわれず、自分独自の豊かさの軸をつくっていくことが暮らしを楽しむコツなのではないでしょうか。

井上◉日本はこれからさらなる高齢化社会を迎え、余暇を持て余す人で溢れます。彼らは、その志さえあれば、自分の暮らしを自分で設計することができるでしょう。これまでの日本人が忘れかけていた手作りの暮らしが、再び戻ってくるかもしれません。京都がその良いお手本になればいいと思います。

［ディスカッション］

家々から聞こえてくる音

◉小山菁山氏（尺八演奏家）

最近は路地を歩いていても昔のように三味線やピアノの音が流れてこなくなりました。京都らしい、ゆったりとした雰囲気が消え寂しい限りです。最近の住宅は気密性が高く、中にいて外の音が聞こえないだけでなく、外からも中の音が聞こえません。私には静か過ぎていら立つ程なのに、静かな環境に慣れた人にはささいな音も気に障るのか、近隣トラブルも多いと聞きます。豊かな時代といわれて久しいのに、これが私たちの夢見た生活なのかと首をかしげてしまいます。

古きものの良さを取り入れる

◉村山　明氏（木工芸家）

ほんまものかどうかということで言えば、この会場に天然木の家具はあまりありません。今は家庭や学校でもほぼ同じ状況です。表面に木目を印刷加工したプリント合板や、表面にだけ木材を使ったフラッシュ構造と呼ばれる中空の板材は、大量の木材を安価に提供するため、日本では1960年ごろ開発されました。材料でも道具でも新品を使いこなせるまでになるには大変です。これからの時代に大事なことは、ほんまものを認識しながら、新しいものに古いものの良さを上手に取り入れていくことだと考えます。

京都の生活様式の知恵を現代に

◉木下博夫氏（公益財団法人 国立京都国際会館 館長）

国交省は、低騒音舗装の敷設や遮音壁の設置など騒音低減に努めていますが、改造車が爆音を立てて走っては京情緒が台なしです。改造車に対する取り締まりを京都はもっと強化してもよいのではないでしょうか。

11月30日に国連気候変動枠組条約第21回締約国会議（COP21）が、パリで開催されます。涼を呼ぶ工夫や床の間の存在など、京都の生活様式には快適に生活するための知恵がたくさんあります。それらを再認識し、温室効果ガス削減にも役立てる発想を期待したいものです。

「住育」を京都から発信

◉宇津崎光代（ミセスリビング 代表取締役）

結婚・出産を機に、小学校の教師から家造りの世界に転職し、生活者の視点で暮らしを考え、実験・検証を重ねてきました。住まいは人間形成の場だからこそ、戸建て・マンションにかかわらず自然素材の地元の杉や檜《ひのき》を使うことを推奨します。普段の暮らしを楽しむには、住まいや暮らし方について、子どもの頃から知識や考える習慣を身に付ける「住育」が必要だと思います。「衣食住」を大切にする京都から、自然に家族のコミュニケーションがとれるような家造りを「住育」として発信していきます。

京都では暮らしそのものが文化

◉田中峰子氏（西陣暮らしの美術館「冨田屋」代表）

西陣で築130年の店舗兼住宅を公開しながら伝統的な暮らしを今も続けています。京都では暮らしそのものが文化です。国の登録有形文化財の指定を受けた建物だけでなく、西陣の歴史や、やおよろずの神さんと共に暮らしてきた京町家のありようを後世に伝えたいと願い、お火焚きや亥の子餅など、四季折々の暮らしも体験していただいています。最近は海外からのお客さまも増えていますが、観光客だけでなく、京都の方にも古きよき時代の生き方を知っていただけたら幸いです。

本質を忘れず、変化を恐れない

◉杉本歌子氏（公益財団法人 奈良屋記念杉本家財団 学

芸部長）

京都が中心となって築き上げてきた日本の有形・無形の文化遺産は、貴重な財産であり、大切にしなければならないことは言うまでもありません。ただ、観光都市を意識するあまり、昔が息づく今の京都を見据えず、過去の観光資源にばかり頼っていたら、この街全体が凍結した美術館のようになりかねません。京都の文化を担う一人一人が、しんどいけど楽しいことも多いから頑張ろうかという気持ちを忘れず、本質さえ守っていけば、変化も恐れることはないと私は信じています。

失われそうな季語が息づいている

◉福永法弘氏（株式会社京都ホテル 代表取締役社長）

俳句の季語を集めた歳時記の解説を書いたことがあります。当時、私を含めた執筆者の多くが東京在住でしたが、旧暦5月に上賀茂神社（京都市北区）で行われる「競馬《くらべうま》」が夏の季語であるなど、京都における季節の移ろいが基準となっています。俳句の大御所・高浜虚子以来の伝統ということもありますが、東京では失われた季語が京都の暮らしの中にはまだ息づいているからです。京都に不変までは望みませんが、松尾芭蕉の言葉、「不易流行」であってほしいと願っているのは私だけではないはずです。

旧暦を意識し、感受性を養う

◉桑原仙溪氏（桑原専慶流 家元）

年中行事や農作業は本来、太陰太陽暦（旧暦）で行われていたものです。旧暦は、月の満ち欠けを基準にした太陰暦に、太陽の動きを基に決めた二十四節気を取り入れたものでした。明治政府が太陽暦に改暦したことで約1カ月のずれが生じ、旧暦の日付のまま行事を行うと、季節のうつろいを肌で感じにくくなってしまいました。旧暦に戻すのは難しいとしても、暮らしの中に旧暦を取り入れ、自然の変化を楽しむようにすることで感受性が養われ、地に足のついた文化を取り戻せるのではないでしょうか。

京都は1200余年の歴史、文化と
時代の最先端の知性が共存する、
汲めども尽きぬ魅力あふれる街。
「日本創生」へ。「地方創生」から。
いま、京都から日本文化を発信するときがきた。
教育界が未来を提言し、
宗教界が指し示す哲学をもって、
経済界が企画し、実践する。

日本人の忘れもの「知恵会議」は、
そんな「こころ」をもって、
未来の扉を京都から拓く集

京都、「こころ、ここに」
日本に伝えたいことがありま

「日本創生」へのこころ

日本人の忘れもの　知恵会議　2016

「主権者になる」という若者たちの選択に期待

上野千鶴子
社会学者
立命館大学
特別招聘教授
ウィメンズアクションネットワーク理事長

撮影=清水梅子

2015年夏は、歴史に残る夏になった。国会前に老いも若きも寄り集って、「民主主義ってなんだ?」「これだ!」と声を挙《あ》げた。政府が国会に提出した安全保障関連法案を「憲法違反」と学者が断言し、「立憲主義」という教科書にしか出てこない用語が、多くの人に拡《ひろ》がった。憲法は主権者が権力を縛るための最上位の法。政府に「言うこときかせる番だ、オレたちが」というSEALDs(シールズ)の若者のコールが、まんま「立憲主義」をずばり説明していた。普段そんなことをしない学者たちが立ち上がり、学生と行動を共にした。民主主義は国会の中にはなかったかもしれないが、国会の外には確実にあった。審議が長引けば長引くほど、「国民の理解が進まない」のではなく、反対に国民の理解が進んで、国会前に出てくる人たちが増えた。それを全国で見ていた人たちも、各地でいろいろなアクションを起こした。

SEALDsの奥田愛基くんと話したとき、彼はこう言った。

「ボクら、18歳で原発事故を経験してるんです」

あの事故はボディーブローのように若者に響いている。今年から18歳選挙権が施行される。今の18歳は、多感な思春期のときに、「この世の終わり」のような大震災と原発事故とを経験した。そして、この世が終わっても、生きていかなければならないと感じている。あの敗戦を、何歳で経験したかがその後の日本人のふるまいを決めたように、「第二の敗戦」と呼ばれるあの原発事故を何歳で経験したかが、その人のこれからにきっと影響するにちがいない。

今どきの大学生は新聞を読まないが、もしかしたら中高生のほうが、新聞を読む割合が高そうだ。というのは今や宅配される新聞は、親が読むのを子どもも読んでいるにすぎないからだ。下宿している学生には新聞購読の余裕はない。それなら今夏の報道を見ていた18歳の若者たちの方が、もう黙っていられないと思っているかもしれない。

18歳投票権を決めたとき。政治家たちはおそらく若者たちを侮っていたはずだ。だが、高校や中学で「主権者教育」が求められるようになり、政治に関心を持つ若者が増えれば、思惑違いが起きる可能性もある。

円安も、環境破壊も、積み重なる借金も、子育ての困難も、年金の崩壊も、老後への不安も、すべてキミたちがいずれツケを払わされる。こんな世の中を手渡すことになってごめんね、と心から謝りたい気持ちだが、若者たちが「主権者になる」選択をしてくれたら……と期待したい。

●うえの・ちづこ／1948年、富山県生まれ。京都大大学院社会学博士課程修了。専門は女性学、ジェンダー研究。平安女学院短期大助教授、シカゴ大人類学部客員研究員、京都精華大助教授、東京大文学部助教授（社会学）、東京大大学院人文社会系研究科教授などを経て、現職。2011年4月から認定NPO法人ウィメンズアクションネットワーク（WAN）理事長。

自然の存在そのものの力強さ「感じる」ことが必要

大西清右衛門
釜師

2015年の10月に縁あって、南アフリカに21日間渡航する機会を得た。京都在住の南アフリカの友人家族と現地で落ち合い、ヨハネスブルクからケープタウンまで往復約1万キロ以上の車での移動から、寝泊まりまで何もかもお世話になった。

彼は学者で、南アフリカの歴史や地学、サファリで出会った植物、動物、鳥類、昆虫について一つずつ懇切丁寧に教えてくれた。

私にとってアフリカ大陸は初めての経験であった。何もかもが新鮮に見える。ものづくりをする私にとって、日常と非日常を体感することが、自分の作品に影響を及ぼす。

私の息子もアフリカでいい経験ができた。一日だけだが、現地小学校に体験入学させていただいた。校長先生に学校の方針などを教えてもらった際、大自然の中で教育を受けられる南アフリカを羨《うらや》ましく思った。

そこでは小学生一人一人が発表する機会があり、息子にも野外の校庭で日本語での自己紹介の場があった。生徒たちは、異国の言葉でも聞こうとし、一生懸命理解しようとしていた。民主主義といっても平等や大多数というのではなく、まず相手の意見を聞くという姿勢が見受けられた。

　廊下の壁には、internationalism（国際協調主義・国際性）、democracy（民主制・民主主義）、environment（自然環境・環境）、adventure（冒険・非日常的な経験）、leadership（統率力・指導者の資質）、service（貢献・公益事業・業務・兵役）と掲示されている。幼い頃から理念を意識できるようにする仕組みなのだろう。

　人類が生まれる以前の自然、人間の意思の感じられないものの力強さとは何か。
　アフリカ大陸の地で、古代のパンゲア大陸をなにか感じ取れないかと思っていたが、自然の存在そのものに力強さを感じた。
　人間が生まれ、文明を作り上げていく。その中で器物が出来上がっていくのであるが、自然からは顕微鏡の世界から大陸の大きさまで、尺度を変えた面白さを感じるのである。
　作品を創作する私にとって、「感じる」ことが必要なのである。日ごろ、忘れものをしてよく怒られるが、創作のためには一度頭を空っぽにするということが重要なのかもしれない。

●おおにし・せいうえもん／1961年、京都市生まれ。大阪芸術大美術学部卒。93年、千家十職の釜師・大西家16代を襲名。98年、「大西清右衛門美術館」開設、館長に就任。2003年、京都市芸術新人賞、06年に府文化賞奨励賞受賞。「和銑（わずく）」を使った釜づくりを手始めに、中世の釜製作法「挽中子（ひきなかご）」技法、砂鉄による製鉄実験など古式技法の再現、名品の復元に取り組む。

「愛を耕す」時代の扉の鍵は本物の価値を秘める京都にある

加藤登紀子
歌手

時代の流れを象徴するファッションの世界でも、今年の特徴はゴージャスさや、パワフルな自己主張ではなく、キーワードは「エフォートレス（頑張り過ぎない）スタイル」だそうです。

季節感も年齢差も階層差もあまりなく、なんでもアリの、自由で楽な、着るものの多様さが普通になってきたということでしょうか？

そんな世情の雰囲気には、すごく共感できます。みんなこれ以上、物は欲しくないし、頑張ってお金持ちになるのもいやなんですよね。

政治の世界では「1億総活躍社会」の掛け声で、何としても国内総生産（GDP）をアップさせたいツッパリが続いていますが、それはこうした時代の流れへの逆行とも映ります。

2011年の東日本大震災にみる文明の崩壊は、人の心を大きく変えました。膨大な費用をかけた現代のインフラの根本的な危険性、思いがけない脆弱《ぜいじゃく》さを知り、命を守れる、命に即したライフスタイルへの方向転換を人々が求め始めたのです。

若者たちの中でも、生きることを家族と楽しむ田舎暮らしや、半農半Xを選択する方が新しいという価値観の転換が、予想以上に広がっています。

何が何でも大量に生産し、大量に消費されないと立ち行かない国の形を維持していくことに魅力も無ければ、将来性もないと、彼らも理解し始めているのではないでしょうか?

量より質、他力から自力、私有から共有。伝統の中に残っている貴重な素材の発掘、自分の手で作った一つしかないオリジナルなものの中で暮らす贅沢《ぜいたく》、顔の見える関係での相互扶助や物々交換、シェアの形も、今の若者たちのネットワーク社会の中で随分進んできているようです。

昨年のコンサートで、私は真っ白な鹿革のドレスに挑戦しました。1年に何十万頭も駆除しているのに活用していないことへの一つの提案として、ある地域の猟友会の方にお願いして、捕獲した鹿の皮を準備していただきました。今ならギリギリのところで、その技術が残っているんです。でも、社会のシステムがそれに対応できていない、それこそ「モッタイナイ」状況です。日本は歴史の古い国でもあり、モノ造りの得意な国ですから、未来の鍵をたくさん持っていると思います。

古い本物の価値を無尽蔵に秘めている京都に世界中から観光に来る人たちが多いのも、そうした流れの表れでしょう。

「愛を耕す」時代への扉は、京都にこそあると思います。

●かとう・ときこ/1943年、中国ハルビン生まれ。小学校から中学1年まで京都市で育った。東京大在学中に日本アマチュアシャンソンコンクールで優勝。71年『知床旅情』で日本レコード大賞歌唱賞を受賞。その他、『百万本のバラ』『琵琶湖周航の歌』などがヒット。循環型社会実現に向け活動するなど環境問題にも関心が深く、国連環境計画(UNEP)の親善大使も務める。

安易な相対主義ではなく「理を求めるこころ」を

川添信介
京都大学理事
副学長

西洋的世界には合理的思考が強いが日本にはそれが欠けているといった言い方をされることがある。近頃の政治家の言葉を聞くとその通りかなと思ってしまう。確かに、かつて「暗黒時代」と呼ばれていた西洋中世においても、その時代のスコラ哲学は、キリスト教の神秘的で超合理的な性格を持ちながらも、他方では極めて論理的で合理的な思考の産物である。これと同じような思想を日本の歴史の中に見いだすことは難しそうに見える。本当にそうなのだろうか。

日本にキリスト教を伝えたフランシスコ・ザビエルは、イエズス会士として当然のことながらスコラ哲学を学んでいた。そのザビエルは日本人の持つ多くの美質を指摘しているのだが、その中に「論理的思考を好む」人々だという趣旨のことを述べている。また、ザビエルの通訳であった日本人ヤジロウ（アンヘロ）の「日本人は理性（理由・根拠）のみによって導かれる国民」という言葉も紹介している。

それから150年ほど後の新井白石は、キリシタン禁令の中の日本に来た宣教師シドッティを処刑することなく対話・討論を行い、『西洋紀聞』と『采覧異言《さいらんいげん》』を残した。これを見ると、白石の天分はあるにしても、その「理にかなった」議論を追求する姿には目を見張らせるものがある。

また、昨年が生誕３００年であった大坂の町人学者富永仲基は、１７４５年刊行の『出定後語《しゅつじょうごご》』の中で、仏教諸教派の歴史的発展を「加上」という論理によって、特定の宗派の立場によることなく客観的に説明してみせている。また、インド、中国、日本といった異なった文化圏の相違を「くせ」という言葉で表現し、偏することのない冷静な分析を提示してもいる。

原田家本マリア十五玄義図（京都大学総合博物館蔵）部分

　このような例は日本人が持っていた一面だけを強調しているのだろうか。これらは、例外的な事例であるという面があるにしても、それでも日本人が確かに持っていたものである。そして、これらがいずれも宗教を核とした多様性の中に、対立というよりは道理・理を見いだそうとするものであったことには注目したい。

　現代社会は価値観の極端な多様性によって特徴づけられる。人々は、社会や個人が違えば意見や立場が異なるのは当然だと見なしているようである。しかし、日本も世界も「何でもあり」の安易な相対主義で事足れりとすることはできない。われわれの内に現にあったし、今もあるはずの「理を求めるこころ」は忘れてはならないもののはずである。

●かわぞえ・しんすけ／１９５５年、佐賀県生まれ。京都大文学部と大学院で哲学とその歴史を学ぶ。大阪市立大を経て、96年から京都大助教授、教授。２０１４年文学研究科科長。15年11月から現職。専門は西洋中世スコラ哲学。著作に『水とワイン―西欧13世紀における哲学の諸概念』や翻訳『トマス・アクィナスの心身問題』など。

一つの家族、一つの集落に伝わる記憶の中にある味わい

熊倉功夫
静岡文化芸術大学学長
和食文化国民会議会長

母の形見のような食べものの一品がわが家の正月料理の中にある。

私の母は大正元年の生まれで、明治45年生まれといわれるとひどく機嫌が悪かった。明治は因習の時代と嫌い、大正のモダンが好きな、近代を絵にかいたような女性であったから古めかしい親戚付き合いも、家の年中行事も大嫌いで、およそ伝統文化など興味を持つことはなかった。

そんな母だったが、今思うと結構古風であったと思う。その母が必ずおせち料理の一品として作った豆腐料理がある。ほかでは見ないし、母がどこで誰に教えられたものか聞いてもみなかった。名もないので、わが家では「黄金豆腐」と勝手に名をつけた。

寒天に薄甘の程度の砂糖を加えてよく溶かし、その中に豆腐を手でくずして落とし、火を通す。火を止めてから卵を溶いて入れ余熱で卵が固まったら、あとは冷やすだけ。これを羊羹《ようかん》のように切って盛ると、寒天の中に白い豆腐と卵の黄色が散ってなかなか美しい。子どものころから食べてきたので、これがないと私にはおせち料理といえないのだが、息子や娘はほとんど手を出さない。家内も私にいわれて仕様もなく作ってきたが、近年は一

緒に食べてくれる。姉の家でも作るが、私の覚えている味と違うので、本当のところ母の味がどんなものであったのか、よく分からないというのが正直なところである。

私の代で消えてしまうのはもったいないと、娘には伝えたいし、娘も最近は食べるようになったので、母の忘れ形見の料理はもう一世代は続けたいと思う。

近代の日本は、あまりにも変わり身が早く、あっさりと古いものを捨ててきた。うっかり捨てたのではなくて、私の母のように意識的に「因習」として捨てたのだから、悔やんでも仕方がない。捨てたものを復活するのはできない相談である。

ところが捨てたつもりでいた中に、忘れ形見のように残っているものが、個人や家族の記憶の中にあったりする。誰もが共有するような立派なものではないけれど、一つの家族とか、一つの集落にしか伝わらない味わいなどその典型であろう。

今、私は和食文化の保護・継承の運動に携わっているが、和食という大きな枠も大切だが一人一人のひだの間に隠れてしまいそうな味わいの集合こそ和食文化ではないかと考えている。

●くまくら・いさお／1943年、東京生まれ。東京教育大卒業。文学博士。筑波大教授、国立民族学博物館教授、林原美術館館長などを歴任。現在、静岡文化芸術大学長。一般社団法人和食文化国民会議会長。著書に『日本料理の歴史』『茶の湯といけばなの歴史 日本の生活文化』『文化としてのマナー』『茶の湯日和 うんちくに遊ぶ』『日本人のこころの言葉 千利休』など。

「おめでとう」、姿勢正してあいさつ家族で集うお正月を大切にしたい

桑原櫻子
桑原専慶流副家元

私の家は一年中何かと忙しく、人の出入りも多く慌ただしく過ぎていきますので、お正月は家族や親しいお弟子さんたちとゆっくり過ごすのが日課になっています。

12月の仕事納めが済むと、皆で掃除を済ませてから、私はおせち料理の買い出しに。ついこの間までは父と一緒に作っていたおせち料理。父は一の重と二の重を中心に、私は主にお煮しめやお雑煮を担当していました。私一人で作るようになって、今年でもう4年になります。高校生の頃から手伝っていたので、長く2人でできたことに感謝です。夫や妹に味見してもらって、「これでええかな？」と確かめ合いながら、またこれで家の味ができていくのだと思います。

お膳や器を蔵から出して準備するのは夫やおいっ子たちが協力して整えてくれます。新年を祝うお膳は家紋の笹《ささ》りんどうが描かれている漆器です。それぞれに家族の名前が入っていて、男性は朱塗りの膳に、女性は黒塗りで脚の高い膳になります。おいっ子たちはこのお膳でおせち料理をいただくのをとても楽しみにしています。

元旦は大福茶とおとそをいただき、「おめでとう、今年もどうぞよろしく」と姿勢を正してあいさつすることも、とても大切なことと思っています。

お正月の床飾りやお玄関のお花は、若松のお生花や椿《つばき》や水仙をいけます。静かですがすがしい空気で気持ちが引き締まります。

旅先で迎えた新年も、何度もあります。なにもしなくて良い気楽さはありますが、何か物足りないわびしさを感じてしまいます。どんなに素晴らしいホテルや旅館に泊まっても、元日の朝に供されるお食事には満足できないのです。不出来であっても長い間作り続けてきた家の味とは違うからです。そんなことを言っていたら、いつまでたっても楽できませんよと言われそうですが。おいしいものを作りたいと思う気持ちには、家族がいつも健康で良い仕事ができるようにとの願いが込められています。そんな思いがいっぱい詰まったおせち料理を、大切に作り続けていこうと思っています。お座敷でのお祝い膳が済むと、ほろ酔いで隣のこたつの部屋で、お茶菓子をいただきながらだんらんします。

暖かな食卓の上には陽気でかわいらしいガーベラの花がいけてあって、ほっと人心地。みかんをいただき、年賀状を見たりトランプをして家族で集うのも大切なわが家のお正月です。

●くわはら・さくらこ／1960年、京都市生まれ。幼少から祖父・先々代家元のもとでいけばなを学ぶ。81年、同流副家元を襲名。季節の色彩を重視したいけばなを多くの花展に発表するほか、ドイツをはじめ海外でのいけばな展や交流会にも積極的に参加。もてなしの心を大切にした料理サロンも主宰。著書に『新感覚の簡単京風おかず』。

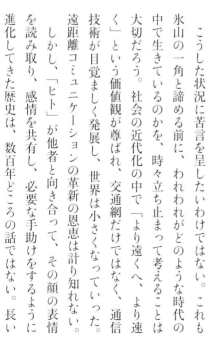

近距離コミュニケーションこそ「ヒト」を人たらしめている要因

小原克博
同志社大学
良心学研究センター長

私は電車で通勤しているが、この数年、駅や電車の中の風景は大きく変わったと思う。かつて、ゲーム機やスマホなどに夢中になることは若者の専売特許のようなものであった。ところが、今や老若男女を問わず、画面をのぞき込み、忙しく指先を動かしている。それぞれが非常に近くに座り、あるいは立っているのだが、相互の関心は皆無といってよい。先日、優先座席に座りながらスマホに夢中になっている複数の若者の前に、お年寄りと赤ちゃんを抱えた女性が立っている場面に出くわしたが、その存在は彼らの視界には入っていないかのようであった。

　こうした状況に苦言を呈したいわけではない。これも氷山の一角と諦める前に、われわれがどのような時代の中で生きているのかを、時々立ち止まって考えることは大切だろう。社会の近代化の中で「より遠くへ、より速く」という価値観が尊ばれ、交通網だけではなく、通信技術が目覚ましく発展し、世界は小さくなっていった。遠距離コミュニケーションの革新の恩恵は計り知れない。

　しかし、「ヒト」が他者と向き合って、その顔の表情を読み取り、感情を共有し、必要な手助けをするように進化してきた歴史は、数百年どころの話ではない。長い進化のプロセスの中で獲得してきた近距離コミュニケーションこそ、ヒトを人たらしめている要因であるといってもよい。人間のように、顔の表情一つで微細な感情を分かち合うことのできる動物は他に存在しない。

日本では、人と人の間の繊細な感情のやりとりを土台にして、人と動物や自然との間のつながりの意識も繊細な形で育まれてきた。自然の事物の中にも表情を読み取ろうとする感覚は、日常的な近距離コミュニケーションがあってこそ成立するものだろう。あるいはインターネットでもかなわない、先祖との交流といった遠距離コミュニケーションも、やはり家族の親密な交わりの中に基礎付けられてきた。

急速な変化の中で、人の顔を見ないで済む遠距離コミュニケーションだけが一方的に拡大すると、どうなるのだろうか。たとえば、遠隔操作によって人を殺害することのできるドローンは、この時代の副産物であるだけでなく、それは私たちのもう一つの顔でもある。

人の顔に表れる不安や喜びを受け止めることのできる共感の能力、電子ネットワークのただ中にありながら、大地や自然の息づかいを感じることできる身体性。新年にあたって確認すべき事柄は身近にある。

●こはら・かつひろ／1965年、大阪市生まれ。同志社大大学院神学研究科博士課程修了。博士（神学）。一神教学際研究センター長（2010―15年）、京都・宗教系大学院連合議長（13―15年）などを歴任。現在、同志社大神学部教授、良心学研究センター長。専門はキリスト教思想、宗教倫理学、一神教研究。『宗教のポリティクス―日本社会と一神教世界の邂逅』ほか著書多数。

妖怪は歴史、文学、美術、芸能を横断
日本文化の特質「カワイイ」を表現

小松和彦
国際日本文化研究センター所長

日本の妖怪や怪異・異界をめぐる文化を研究し始めて、もう40年以上になる。幸い、このことが国内ばかりでなく、海外の日本研究者たちにも認められるようになり、妖怪文化研究は世界的な広がりを持つようになってきた。

もっとも、それを研究するのは容易ではない。というのも、妖怪は歴史、文学、美術、芸能、日常生活など、日本文化のさまざまな局面に登場するからだ。しかも、妖怪文化は過去にとどまるものではなく、最近の「妖怪ウォッチ」ブームなどが示すように、現在の文化と密接につながっていて、刻々と変化する生々しい文化でもある。

しかしながら、だからこそ、妖怪文化研究はおもしろい。たこつぼ化した学問からは決してうかがうことができない日本文化が浮かび上がってくるからである。

近年、国際的な規模での妖怪・異界をめぐる研究集会が次々に行われるようになった。昨年も、天理大学では「妖怪・怪獣の誕生」、学習院女子大学では「東の妖怪、西のモンスター」、フランスのストラスブール大学では「日本のファンタジーの系譜」と銘打った国際的な研究集会などが開催された。これらの研究集会でいつも議論になるのは、日本の妖怪の「かわいらしさ」である。「異形」

「グロテスク」「珍奇」といった形容詞をつけたくなる幻想上の生き物の多くを、日本人は「かわいい」と思う。それが不思議だ、という点である。はてはそこに、日本人の心性を解く鍵があるのでは、とまで思われているらしい。

　そうした議論の中で、とくに興味深く思ったのは、日本の妖怪は、その歴史の当初は、西欧のモンスターのように、巨大かつ破壊的な性格をもったヤマタノオロチや酒呑《しゅてん》童子のような鬼が主流を占めていた。だが、やがてゴジラやガメラに至る「怪獣系」の妖怪と「カワイイ系」の妖怪に分岐し、後者は、人間と等身大か、人間より小さな存在に変化した、という意見であった。確かに人気のある「つくも神」（道具の妖怪）は小さい。

『百鬼ノ図』:「貝の妖怪」（国際日本文化研究センター所蔵）

　日本人が「縮小」を好むということを『「縮み」志向の日本人』という著書で指摘したのは、韓国の李御寧氏だが、日本の妖怪の特徴にもそれが現れているらしいのだ。日本人は、恐ろしい妖怪も小さくすることで愛玩の対象に変えていったのかもしれない。

　手元の小さな般若面の細工がついたストラップを眺めながら、日本文化の特質がこの中にも宿っているのかと思うと、不思議な気持ちになってくる。

●こまつ・かずひこ／1947年、東京都生まれ。専門は、民俗学・文化人類学。東京都立大大学院社会科学研究科博士課程単位取得退学。信州大助教授、大阪大文学部助教授および教授を経て、97年より国際日本文化研究センター教授。その後2010年より同センター副所長を兼務、12年4月より現職。13年紫綬褒章受章。

教養教育の視野を広げ技術オンリーの開発から脱却

佐和隆光
滋賀大学学長

かつては自動車産業と並ぶ外貨の稼ぎ頭だった電子産業の衰退ぶりが際立つ。電子産業の貿易黒字は、1985年に10兆円弱でピークアウトし、その後は漸減傾向に入り2007年に6兆円。08年以降は急落し、13年にはついに赤字に転落した。同年、電子部品は4兆円弱の黒字だったのだが、電子機器の貿易赤字は、それを上回る金額に達した。要は、スマートフォン、タブレット、ノートパソコンなどの電子機器の分野で、日本のメーカーの国際競争力が著しく衰弱したのである。

スマホの世界市場でのメーカー別シェア（15年第2四半期）を見ると、サムスン、アップル、華為（ファーウェイ）、小米（シャオミ）、レノボの順に並ぶ。これら5社が世界市場の55％を占める。日本の各社のシェアは軒並み1％未満にとどまる。なぜ日本の電子産業はここまで衰退したのか。

2011年3月、アイパッド2の発表会でのスピーチを、スティーブ・ジョブスは次のような名せりふで締めくくった。「アイパッド2のような、人々の心を高鳴らせる製品を生み出すには、技術だけでは駄目なんだ。人文知と融合した技術が必要なんだよ」と。この言説に対し、ロンドン・エコノミストの記者は、「技術一本やりの会社のトップの発言としては極めて異例だが、さすがスティーブ・ジョブスならではの名言だ」とコメントしていた。

この記事を目にして私は、謎が解けたとの思いがした。79年に共通一次試験（後のセンター試験）が導入されて以降、国立大学の入試に異変が生じた。それまでは、国立大学入試科目は、文系・理系とも、英語、数学、国語、理科・社会それぞれ2科目ずつと、ほとんど差がなかった。国立大学工学部の新入生の多くは、ひとかどの人文知を備えていたし、文学作品にも慣れ親しんでいた。学生運動が盛んなころには、工学部の学生も、専門の授業の合間に読書や議論をして、人文知を磨くことに余念がなかった。ところが、センター試験では、大部分の国立大学理系学部の個別試験は英数理の3科目に絞られるようになった。加えて、91年の教養教育自由化によって、大学入学後に人文学・社会科学の知識を身に付ける機会が乏しくなった。

結局、エンジニアから人文知の習得の機会を奪ってきたことが、日本の電子産業の不振の理由なのだ。今、理系重視・文系軽視の文教政策がますます先鋭化する傾きにあるが、それが日本の産業競争力の低下につながることを強調して本稿を締めくくろう。

●さわ・たかみつ／1942年、和歌山県生まれ。東京大大学院修了後、京都大経済研究所長、京都大エネルギー科学研究科教授、国立情報学研究所副所長を経て、2010年から現職。専攻は計量経済学、環境経済学。07年紫綬褒章受章。著書に『グリーン資本主義』ほか。

伝統を守ることは新しい境地を加味していくこと

狂言の家らしく、茂山家では笑いから1年が始まります。1日に謡初め、4日に一門が集って「小舞」などを舞う舞初め式があります。

1月3日の八坂神社（京都市東山区）と多賀大社（滋賀県多賀町）、大槻能楽堂（大阪市）が、毎年最初の舞台です。私も、大槻能楽堂の舞台に出演します。今年の演目は申《さる》年にちなみ、吉野の猿が嵐山に聟入りする「猿《さる》聟《むこ》」です。

茂山七五三
狂言師

お正月に、神社のようなオープンな場所で狂言を演じて老若男女さまざまな方々に初笑いをお届けすると、多数の人たちに笑っていただいた狂言のルーツを思い出します。今はすっかり少なくなってしまいましたが、以前は京都の寺社では、春秋に能楽奉納が催されていました。茂山家では、数えで4歳が初舞台。残念ながら覚えていませんが、私も4歳で初舞台を踏んでいます。

寺社の催しが減った半面、京都では行政などの後押しもあって京都薪能など新たな伝統芸能に親しめる機会も定着してきました。京都に住んでいると、狂言が神社などで演じられるのも当たり前のように感じてきましたが、実は東京など他都市では寺社で奉納行事が演じられることは、あまりないらしいのです。能楽は武士が楽しむもの、とした江戸と京の風習の違いもあれば、伝統芸能の基が関西の言葉であることなど、いくつかの理由が挙げられます。それであれば、これまでの伝統を踏まえて京都からもっともっと伝統芸能を発信していく必要があるでしょう。

狂言の場合、基礎知識を持たない子どもたちでも笑ってくれます。笑いは国境を越え、言葉と文化の壁を乗り越えて外国人にも浸透していきます。

60年以上前、敗戦直後に京都に留学してこられたドナルド・キーンさんは、茂山家で稽古に励み、京都の伝統を深いところまで研究されました。子ども心にも、狂言を稽古されているキーンさんとの楽しい思い出が心に残っています。近年ではチェコのカレル大学の学生たちが、ロシア経由で学んだ狂言を古いチェコ語を使い、狂言調子で演じています。ちょっとしたきっかけで始まった交流ですが、2016年は京都―プラハの姉妹都市20年の節目に当たります。狂言を通じ、伝統芸能にあふれた京都ならではの交流ができないだろうか、と考えています。

茂山家では父・千作らが時代時代に応じ、他の芸術からさまざまな要素を取り入れた新しい狂言を作り出してきました。実際、同じ作品でも、演技などに取り入れてます。伝統を守ることは、新しい境地を加味していくことでもあるのです。

●しげやま・しめ／1947年、京都市生まれ。人間国宝4世茂山千作の次男。父および祖父故3世茂山千作に師事。95年2世七五三を襲名。多くの海外公演に参加するほか、新作狂言にも多数出演。2007年京都府文化賞功労賞受賞。11年京都市文化功労者受賞。「お米とお豆腐」同人。大蔵流狂言師。

藍のグラデーション
心の中の聖なるものへの思い

志村洋子
染織作家

日本人が失った色彩は、藍のグラデーションです。ひと昔前、あちこちにあった染め屋さんは現在、化学染料に取って代わられました。作務衣《さむえ》や絣《かすり》の着物の紺色ではなく、深い紺色～薄い水色～白色まで。藍から転じた色彩の変化を見ると、神聖な気持ちになります。藍を失ったことは、ほんとうにもったいないことです。

藍の葉を染めのできる状態にすることを「藍を建てる」と表現します。徳島県から送っていただいた藍を甕《かめ》に入れて木灰《あく》を入れ、酒やフスマを加えて発酵を待ちます。これがとても難しい。苦労して何度も失敗して、藍を建てるのです。

外国でも、藍はジーンズの染めなどに用いられますが、神聖な気持ちで藍を扱うのは日本ぐらいではないでしょうか。正倉院には、藍染めの絹紐を巻き束ねて作った「縹縷《はなだのる》」が所蔵されています。日本では少なくとも、奈良時代から藍の歴史は続いているのです。

交流のある作家・渡辺京二さんの評論『逝きし世の面影』に、印象的な場面があります。幕末に訪日した外国人が初めて対面したのは、小舟で外国船に近づいてきた人たち。藍色のはちまき、半纏《はんてん》姿があまりにも美しく、感動したというのです。

藍を多用していた当時の日本では道もきれいで、まち全体が清潔だったといいます。心と色は密接に関係しているからでしょう。戦後、日本人が藍を中心とする色彩を失った根本原因は、心の中の聖なるものへの思いをなくしてしまったからだと思います。若い人たちが黒いスーツばかり好んで着ているとしたら、もったいないことです。

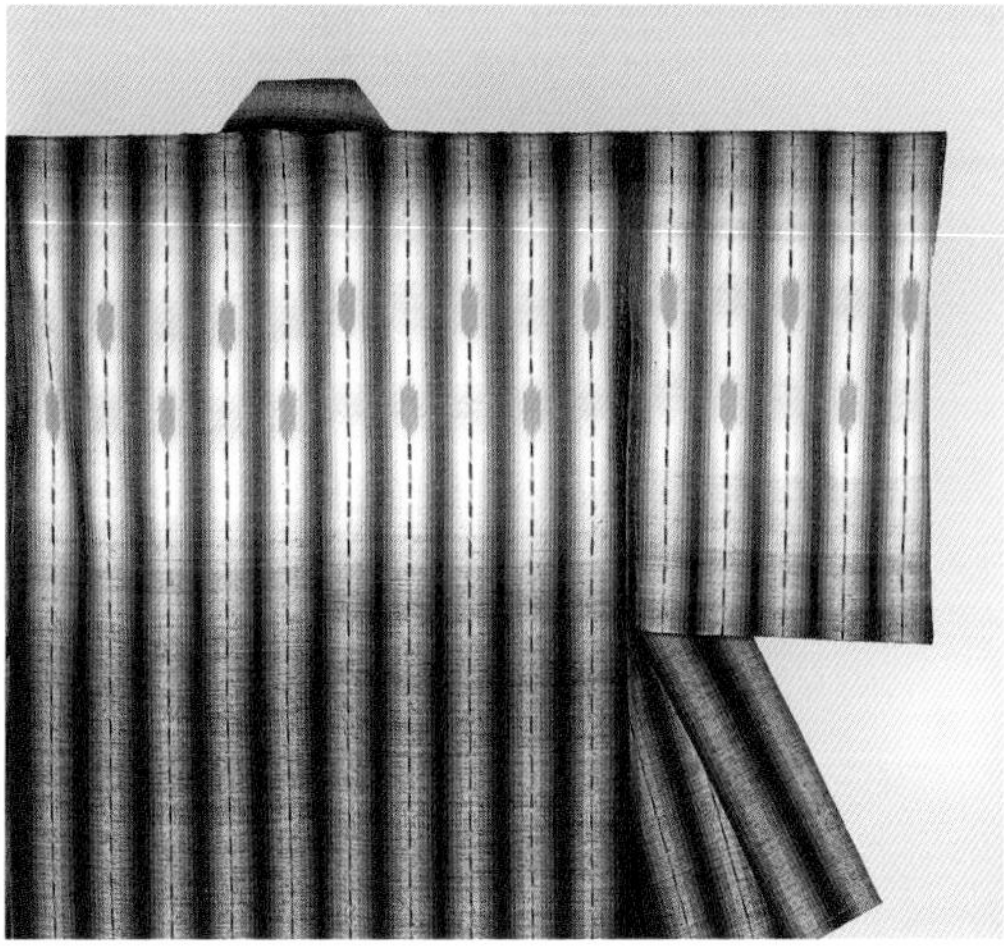

「振香」志村洋子（2008年）

新月を選び、私は藍を仕込んできました。月の作用は、色彩に影響を与えると考えているからです。12、13日たち、藍は満月にいちばんきれいな発色の時期を迎えます。「色を忘れた」ということは「私たちがお月さまを忘れた」ということでもあります。お正月を新春と表現するのも、太陰暦では現在の2月に正月を迎えていたから。梅も咲く時期なら確かに新春と言えるでしょう。太陽だけでは、リズムがおかしくなってしまいます。

藍を建てることは、自然界の原理に近いところに触れるような作業の連続です。二度と同じ色を作れないところなども、この仕事の面白いところでしょう。東京ではなく、周囲に自然のある京都だからこそできる仕事だと感じています。

●しむら・ようこ／１９４９年、東京生まれ。「藍建て」に強く心を引かれ、30代から母、志村ふくみと同じ染織の世界に入る。89年に、宗教、芸術、教育など文化の全体像を織物を通して総合的に学ぶ場として「都機工房（つきこうぼう）」を創設。２０１３年に芸術学校「アルスシムラ岡崎校」、15年に「アルスシムラ嵯峨校」を開校。作品集に『志村洋子 染と織の意匠 オペラ』などがある。

守るべきものと革新すべきもの
伝統産業の知恵の継承を

下出祐太郎
京蒔絵師
京都産業大学文化学部
京都文化学科教授

日本のものづくりの基礎を支えてきた伝統産業が存続の危機に瀕《ひん》している。

さまざまな業種があるが、いずれも同じような状況下にある。伝統的工芸品産業振興協会のデータによると、京漆器の従事者数は、業界の売上高がピークの1991年度と比較すると、2009年度はなんと84・6％減、実に1割近くにまで激減している。2010年度以降のデータは公表されていない。後継者問題がよく取り沙汰されるが、実は手仕事に就きたい若者は結構いる。例えば南丹市にある京都伝統工芸大学校に学ぶ学生は多い。だが、いかんせん弟子を受け入れる工房が極端に少ない。要は需要がないのだ。

蒔絵《まきえ》の主たる原材料は、漆と金粉である。蒔絵金粉を製造する会社は全国で東京と金沢の2社しかない。需要が減ってくると材料も道具も作ってくれる人がいなくなる。材料にも道具にも熟練した技能が必要であり、私たちの伝統産業には一人勝ちはありえず、日本らしい共存共栄が信条だ。

その2社によると、私の工房が全国の蒔絵工房の中で弟子の数がトップクラスという。2桁に満たない人数なのに。京都や輪島をはじめ漆器産地が多い中、伝統的な手仕事である蒔絵は、シルクスクリーン印刷などに取って代わられ、筆で描く蒔絵は激減の一途だ。かつて小文字の・japanが蒔絵漆器を表すほど日本の工芸を代表したものであったのだが。

なぜ私の工房が元気なのか。それはひとえに私の未来展望にある。いわばカラ元気だ。現状は厳しい。伝統産業は昔の先端産業だったという。守るべきものと革新すべきもの。現代の手仕事における先端とは何であるのか。

学術的には過去の逸品や重要文化財の先端分析機器を活用した材料や制作法の解明であったり、制作的には新素材の活用であったりするのではないか。文化財の保存修理に広がり、現代の作品制作に生かせる可能性を見ることができる。日進月歩の複合素材など具体的には金属成形合板や、京セラの京都オパールの粉末を視野に入れている。昨年9月には、尾池工業との共同研究の結果、漆の発信をもくろんだ漆の光沢を持ったフィルム開発に特許が下りた。

大変名誉なお話をいただいた。外務省からの依頼で間もなくヨーロッパの3国に講演旅行に出かける。クールジャパン、日本の知恵としての漆文化を紹介するためだ。

京都が1200年培ってきた伝統産業、ものづくりのオリジナルの知恵はきっと日本の宝だ。絶やしてはならないと考えている。伝統産業の知恵の継承を全産業に向かって呼びかけたい。

●しもで・ゆうたろう／1955年、京都市生まれ。下出蒔絵司所三代目。詩人・学術博士・伝統工芸士。京都府仏具協同組合。即位礼や大嘗祭の神祇調度蒔絵、伊勢神宮式年遷宮御神宝、京都迎賓館の飾り台などを手がける。京都市芸術新人賞等受賞多数。第14～37回日展連続入選。以後、フリーで活動。後継者育成に力を注ぐ一方、講演執筆活動を行う。

受け継いできた「心」の中にある清く明るく正しく直く生きる術

田中恆清
石清水八幡宮宮司

最も古く、最も新しい場所。それこそが神社や寺院であり、数多くの歴史ある神社・寺院を有する、歴史と伝統文化の精神的支柱としての神仏和合の宗教都市・京都の地もまた、もちろんそうであると私は考えます。

古来、有形無形を問わず、その時代時代の最高のもの、最新のものが、まずもって神仏に捧《ささ》げられ、大切に守り伝えられてきました。

人々は、山川草木など自然万物は元より身近なものに至るまで、そこに神々の存在を見いだし、「もの」を大切にしてきました。その「もの」とは、自分自身の生き方や考え方を映しだす「心」であり、まず始めに大切にするべき「心」の一つが「感謝の心」であると思います。

私たちは、自然の恵みによって生かされている、自分の周りの人々やものによって生かされているという感謝の念を捧げる場所が神社・寺院であるといえましょう。そこには、他の人を思いやり、万物の平和を願う心、祈りの心が、おのずと芽生えてきます。

そして私たち日本人は、その心を忘れることなく、次の世代へ、また次の世代へと受け継いできました。

当然ながら、戻ることなく過ぎゆく時間、時代とともに人もまた移り変わっていきます。目の当たりにしていた世界が、いつかは変わっていきます。それを避けることはできません。しかし、その「心」を繋《つな》いでいくこと

はできるはずです。

目まぐるしい速さで変化し、大量にあふれ出す昨今の情報化社会において、物事の本質を見極めることは決して容易なことではありません。

変わるべきものと変わらざるべきもの。この表裏一体の大切さはよくいわれることでありますが、もともとその判断すら難しいものが、現代においては判断する材料を見つけることさえ困難でしょう。

しかし、そのヒントは、私たち日本人が先人たちから受け継いできた「心」の中に必ずあります。悠久の歴史の中で受け継がれてきた神仏への畏敬の念、自然万物への感謝の心、先人たちの叡智《えいち》の中にこそ、清く明るく正しく直《なお》く生きる術がつまっています。そして今に生きる私たちは、今の時代に寄り添った形を求めながら、未来のために、次代のために、その「心」を大切に守り伝え、変化を恐れずに歩みを進めなければなりません。

神仏の御加護をいただき、多くの伝統文化を継承してきた日本人の心宿る京都が、ますますその発信の拠点として、最も古く、最も新しい場所で在り続けることを願ってやみません。

●たなか・つねきよ／1944年、京都府生まれ。69年、國學院大神道学専攻科修了。平安神宮権禰宜、石清水八幡宮権禰宜・禰宜・権宮司を経て、2001年、石清水八幡宮宮司に就任。02年、京都府神社庁長、04年、神社本庁副総長を務め、10年、神社本庁総長に就任。

京に残る多くの文化遺産には まだ意外な可能性が秘められている

辻 惟雄
MIHO MUSEUM
館長

昨年は、光悦の芸術村が家康に許されてから400年を記念しての催しが賑《にぎ》やかだった。光悦、宗達、光琳、乾山―彼ら琳派の天才たちは、共に17世紀の京都町人で、伊藤若冲は、京都錦小路に生を受けた商人の出身だった。

光悦の家業は武家に伝わる刀剣の鑑識と研ぎ。光琳は、宮廷に小袖を用達する雁金屋の出身。宗達の家業は「絵屋」と呼ばれたが、現在いうところの「絵画」ではなく、扇や提灯《ちょうちん》、料紙の下絵など、日用の調度品を装うための「え」である。戦災を免れた京都には、今もそうした「工芸的美術」が息づいている。三世、四世によって受け継がれている伝統の技である。

それに比べ、京の町そのものはどうか。JR京都駅から南に下った一帯の眺めは、高速道路や倉庫などの建築物によってすっかり荒れ果てた。線路より北の方はまだ無事だが…。

東京の西隣に住みながら、年老いて私がますます感じるのは、京都が日本文化のよりどころだということである。19世紀における西洋文明との出会い以来、それは消滅の危機にさらされた。京を愛した川端康成は、親交のあった東山魁夷に「京都の景観はまもなく亡くなるから、今のうちに描き留めておくよう」勧めた。現在の京都の風景は、川端の予言通りになりつつあるのだろうか。

とはいえ、残されたものもまだある。京都の街並みは今でも清潔に掃き清められている。世界の大都市の中で恐らく他に類例はあるまい。塵《ちり》一つないまでに清められた神社の境内、磨き上げられた禅僧の座禅の場、茶の湯の庭の手水《ちょうず》…、これらが京の人心に沁《し》み込んだ結果だろうか。その誇りのよりどころである京の町の姿を、少しでも長く留めなければならない。

銹絵牡丹図角皿（尾形乾山作・光琳画）江戸時代 18世紀
MIHO MUSEUM

琳派400年の京都シンポジウムに加わらせていただいたことで、私が感じたのは、「琳派は京都のものだ」という誇りだった。京都府の主催により昨年行われた琳派400年記念美術コンクールでの最高賞の一つが、光琳の「燕子花図屏風《かきつばたずびょうぶ》」の画中に咲き並ぶ花の一つ一つの高低と間《ま》をそのままコンピューターでスコアに写し、電子音楽として再生させたものだった。光琳の視覚を現代の聴覚に置き換えたこの試みは、音楽に疎い私の耳にも斬新な音とリズムを伝えてくれた。京都人の意地と心意気がそこにはあった。この作品はパリでも紹介されたと聞く。

琳派だけでなく、京に残る文化遺産のさまざまには、まだ意外な可能性が秘められている。それをどう引き出すかは、若い世代に課せられた課題であろう。

●つじ・のぶお／1932年、名古屋市生まれ。東京大大学院修了。東京大教授、国際日本文化研究センター教授など歴任後、多摩美術大学長を経て2006年7月から現職。著書に『奇想の系譜』『日本美術の歴史』など多数。絵画史を書き換える画期的な著作を発表し、伊藤若冲らの再評価の火付け役になった。

京都は単なる観光都市ではなく千年の歴史を持つ都市である

土岐憲三
立命館大学
衣笠総合研究機構
歴史都市防災研究所
教授

平安京が1200年前に造営されたときに、みやこの表門として設けられたのが羅城門である。それから200年足らずの間に二度の大風にみまわれて倒壊して以後は忘れ去られていた。大正時代に芥川龍之介により小説「羅生門」として蘇《よみがえ》り、そして昭和には黒澤明の同名の映画として、広く知られるようになったのである。

京都の建都1200年祭には羅城門の復元が話題になったが、いわゆる箱物であるとして実現しなかった。しかしながら、大工をはじめとする職人さんたちが誇りをもって腕によりをかけ、模型を製作して京都市に寄付した。模型とはいえ、規模が十分の一であるものの、材料や構造は細部にもこだわって、時代考証を経て建造当時の羅城門に限りなく近く製作されている。その後は曲折を経て、現在はJR京都駅正面の東隣のメルパルクビルの地下に収まっている。横幅が約12メートル、高さが3メートル弱であり、朱塗りの美しい姿を見ることができる。

4年前に発足した「明日の京都 文化遺産プラットフォーム」は、各種の短期・中期・長期プロジェクトを計画・実施中であるが、それらの中で実現までにもっとも長期間を要する事業が羅城門の復元計画である。この計画の実現には多くの費用と数十年に及ぶ年月を要するであろうが、その意義の理解と支援を得るために、多くの人々が訪れる京都駅前に模型を地下から取り出して設置することを計画中である。百聞は一見に如《し》かずである。そして、京都人と京都を訪れる人々が少額の費用を出し合い、創建時の規模の羅城門を、数十年をかけてでも自分たちの手で復元しようという事業である。

この計画の目的は羅城門を復元することもさることながら、1200年前の木造建造物の造られる過程を理解

することも目的の一つである。そして工事中にも7間扉の中央扉だけは常に開いておけば、人々がこの平安京の表門から京都に入ることで、古《いにしえ》の都人の気持ちを思い浮かべられるのである。

いま、京都を訪れる人は眼前に広がる景色を一枚のパノラマ写真としてしか見ることができない。その写真の中には歴史年代は記されていなくても、写っている全てのものはそれぞれが異なる歴史を持っており、10年前と100年前の写真には違ったものが写し撮られているのである。そして千年前に遡《さかのぼ》れば無残に崩壊した羅城門も見える。その羅城門の再建途上の様子と現在の京都の歴史的建造物とを重ねて見ることを通じて、京都は単なる観光都市ではなく千年以上にわたる歴史を持つ都市であることを実感できるであろう。

●とき・けんぞう／1938年、香川県生まれ。66年、京都大大学院工学研究科博士課程修了。76年、京都大防災研究所教授。京都大大学院工学研究科長、工学部長、京都大総長補佐、立命館大理工学部教授、立命館大都市防災研究センター長などを経て現職。専門は地震工学。NPO「災害から文化財を守る会」理事長、「明日の京都 文化遺産プラットフォーム」副会長などを歴任。

「声」が主流だった日本の伝統音楽
感性より、美の規範性という問題

時田アリソン
京都市立芸術大学
日本伝統音楽
研究センター所長

声のための作品が少ない。現代邦楽の話である。作曲家は和楽器を使って素晴らしい曲を作ってきたが、日本の伝統音楽の主流は声である。

数少ない中に、例えばソプラノと箏《そう》を組み合わせた作品が複数ある。地歌がもとになっているのだろう、地歌は箏と演奏するから。作曲者は日本の伝統音楽の声をよく知らなかったのだろうか。宮城道雄など邦楽出身の作曲家も、じつはあまり声の作品を書いていない。箏を習う場合、地歌は最後になるのがしきたりだが、箏曲家も器楽のほうを好むらしい。

おそらく、どんな声が美しいか、という問題だろう。明治時代初めて西洋のオペラを聴いた日本人は不愉快になった。同じ19世紀に西洋人が三味線の伴奏で日本の歌を聴いたとき、音楽ではないと感じている。西洋クラシックの声と邦楽の声があまりに違うので、両方を鑑賞しにくいことは分かる。そこには感性よりは、美の規範性という問題が横たわっている。日本人の耳が西洋音楽に向くようになってから、西洋の声が「自然」で「美しい」はずだと思うようになってもおかしくない。

日本の歌声は近代に入って、西洋音楽の声と発声に切り替わっている。明治政府の音楽教育政策の焦点は唱歌であり、モデルは異文化である西洋だった。西洋の民謡や歌曲の旋律をそのまま利用して、日本語の歌詞をあて

た。音階は長調と短調で、都節《みやこぶし》、民謡音階はそこにはない。小学校教育から日本人の耳は変わり始めた。その影響は軍歌、童謡、歌謡曲、演歌、Jーポップまで及んだ。こうして日本の声を聴くことは勧められず、機会も少なく、その存在すら知らなくてもよくなった。
　地歌、浄瑠璃など近世邦楽の声は渋いし、民謡の声は小節《こぶし》が多くて滑らかさを欠き、とくに囃子詞《はやしことば》などあられもなく感じられて、なじまない人もいるだろう。だが、時間を遡《さかのぼ》るともっと素直な声がある。能の謡はオペラの低い声部の発声法と共通するところがあり、のびやかであり、声明《しょうみょう》はビブラートはないが豊かなメリスマを持ち、雅楽の歌である催馬楽《さいばら》や東遊《あずま》びの声と同じように澄んで、魅力的なのである。
　ブルガリアの地声合唱、モンゴルの喉を緊張させて歌うホーミー、アフリカの歌手ンドゥールのような素晴らしい声に惹《ひ》かれる人たちがいる。もとより民謡ファンは多く、浪花節もかつては大衆的な人気を誇り、今でも一部の熱心な聞き手がいる。私たちはそのような声に対する感受性を持っている。日本の特有な、伝統的な、多様な、魅力的な声を、いろいろなところで聞かせてもらえないだろうか。

●ときた・ありそん／1947年、オーストラリア・メルボルン生まれ。69年メルボルン大文学部卒。89年、モナシュ大学（日本研究学科）博士課程修了。モナシュ大学日本研究学科准教授、同大日本研究センター所長、東京工業大外国語研究教育センター教授などを歴任後、京都市立芸術大学伝統音楽研究センター客員教授を経て現職。専門は語り物、三味線音楽、東アジアの音楽と近代。

京都は今も「ミヤコ」と言えるのか 大正・昭和の「大礼」にヒントあり

所 功
京都産業大学名誉教授
モラロジー研究所教授

お正月は、物事を根本より見直す好機でもあります。そんな思いから、京都は今なお本真《ほんま》に「ミヤコ」といえるのか、考えてみたいと思います。

その答えは、「ミヤコ」という言葉をどう考えるかによって分かれます。ミヤコとは、本来「ミヤ」（宮＝皇宮）のある「コ」（処＝所）を意味します。そうであれば、京都は桓武天皇の平安遷都以来、1075年の長きにわたり、名実ともにミヤコでした。

しかし、明治2（1869）年、数えで17歳の天皇が東京へ行かれ、旧江戸城を「宮城」（皇居）とされて以来、京都の御所は天皇常住のミヤでなくなりましたから、もはや京都は奈良などのような「古都」（廃都）にすぎないのでしょうか。

確かに明治初年の京都は、主《あるじ》を失って急に寂れ衰えはじめました。けれども、それを最も憂慮されたのが、京都で生まれ育った青年天子にほかなりません。具体的には明治11（1878）年、保存の一策として「将来わが朝の大礼《たいれい》（皇位継承に伴う即位礼と大嘗祭）は京都にて挙行」する方針を示されています。即位礼は新天皇の就任を国内外に披露する儀式、大嘗祭は新穀を供えて神々に感謝し平安を祈る祭礼です。

そこで、政府要人が検討を重ねて、同16年「京都を即位礼・大嘗祭の地と定め、宮内省に京都宮闕《きゅうけつ》（皇宮）を管せしむ」ことになりました。それが、同22年制定の「皇室典範」に明文化されたのです。これによって、京都御所は東京の皇居と共に「皇宮」の一部と位置付けられ、京都はミヤコの役割を回復できたことになります。

そのおかげで、大正4（1915）年11月と昭和3（1928）年11月の大礼は、ミヤコ京都で見事に実施されました。しかも、それを機として御所の周辺も京都の市街も面目を一新し、古来の伝統工芸も新興の観光事業なども一挙に活気づいたのです。

しかし、戦後の新皇室典範には、旧典範の規定が削られ、平成の大礼は東京で挙行されました。けれども、京都御所がミヤではなく、京都がミヤコと称し得なくなったわけではありません。現に、京都御所には今なお宮内庁の事務所が置かれ、また平成の大礼でも用いられた高《たか》御座《みくら》と御帳台《みちょうだい》（天皇と皇后のシンボル）は紫宸殿にあり、さらにそれらを「皇宮」警察が護衛しています。

ただ、このようにして明治以降も、御所がミヤの機能を回復し維持できた先人たちの努力と本質的な意義は、現在の京都人に十分認識されているでしょうか。京都が今後も本真に「ミヤコ」であり続けようとすれば何をすべきか、みんなで考えてほしいと思います。

●ところ・いさお／1941年、岐阜県生まれ。名古屋大大学院修了。法学博士（慶応大・日本法制文化史）。皇學館大、文部省を経て京都産業大教授、現在、同名誉教授・モラロジー研究所教授。2014年、京都新聞教育文化賞受賞。著書に『平安朝儀式書成立史の研究』『菅原道真の実像』『京都の三大祭』など。

自然への敬意、森の恵みに感謝し日本の木の文化を伝えていきたい

中川典子
銘木師

©Keisuke Tokunaga

昨年、21年に一度の上賀茂神社（賀茂別雷神社）式年遷宮文化行事に携わらせていただいた。日本一長い8メートルの絵馬『孝明天皇御幸記』を復元するにあたり、その長い吉野杉一枚板と木曾桧《ひのき》の額縁材をお納めした。

オリジナルの絵馬は古びて絵馬の内容が分からない。けれども、杢目《もくめ》の凹凸は雄々しく浮かび上がり一枚板の風格を表している。同じような杉板が探せるだろうか、半年探し回り、奇跡のごとく手に入れることができ、ご加護やご縁を深く感じた出来事だった。

式年遷宮を見学した国内外の多くの方々が口をそろえておっしゃるのは、社殿、社家などに見る日本建築、特に木造の素晴らしさ。そして素材である木の生かし方、その技術が感動を呼んでいた。

世界には、材木屋、銘木《めいぼく》屋という職種がない。日本固有の職業だ。特に「木取り」は大木を製材する際に、一木からどんな材料を取れるのか、木味はどうか、杢柄《もくがら》はどのような美しさを描くかと、想像力を駆使し木を生かす設計図を年輪に書く作業。場慣れしてくると、製材時に頭の中でしてしまう木取りは、世界から称賛される木材技術。そしてもったいない精神を深く表した技術でもある。

京都は、幕末の頃から専門性のある銘木屋が発展してきた。美意識の高い京都人の室礼《しつらい》を築くため、全国の樹

種から適材適所を取り合わせてきた。それは、今でも変わらない。しかしながら、人智を超える異常気象、地震、林業従事者の高齢化、里山の不備など、山や森は危機的に荒廃している。夏が長く、秋が短いため、木々の年輪の目詰まりが緩くなり、伐《き》り旬が年々遅れていく。祖父や父の時代とは、木材の木質が悪化し、確実に地球温暖化は進んでいる。

２０１６年、本年は京都で「森の京都」と「全国育樹祭」が開催される。私たちは、未来の自然に何を残せるのだろうか。川端康成氏が日本の美と称した北山杉の景色を守れるのだろうか。

日本の林業、木材業が明らかに世界と違うのは、建材、資材を生産する姿勢ではなく、常に自然に勝てないと敬意を持ち、森の恵みに感謝し、生きた素材づくりに根差していることに尽きる。世界の温暖化に提言した京都議定書発祥の京都から、木に生きる職人として日々の適材づくりに励み、世界に類を見ない樹種の豊富さを究めていくとともに、日本の木の文化を背負っている使命を忘れず、後世に伝えていきたいと思う。

●なかがわ・のりこ／京都市生まれ。幕末に坂本龍馬をかくまった材木商であり、創業295年の屋号「酢屋」、千本銘木商会にて銘木加工技術の特長を生かし、木のコーディネートを店舗や住宅、家具などに展開。木のある暮らしの豊かさを伝え、森と街をつなぐ。京都の若手文化継承者たちで結成した「DO YOU KYOTO? ネットワーク」の呼びかけ人。千本銘木商会常務取締役。

情報社会において考えや文化の違いを許容することの重要さを思う

中西重忠
京都大学名誉教授

人の高次な精神活動や社会行動を制御する脳機能は、先史時代からの長い間にわたる進化の過程で形成されたものである。この間にわれわれは的確に外部情報を認識し、円滑な社会活動ができるように感覚系（五感）と情報を処理・統合する神経機構を発達させてきた。すなわち、他者と対峙《たいじ》する際に、相手の言葉を聞き取るだけでなく、その人の表情や雰囲気、その場の状況を把握し、他人の意思や行動を理解しようとする。

これに対して、近年、ＩＴ技術が著しく進歩し、ＩＴを使って他人と接触するという情報伝達手段の革命的な変化が起こっている。ＩＴは迅速な標準化された情報伝達手段として極めて優れたものである。しかし、われわれの五感による脳の働きとＩＴを介した脳の働きとは明らかに異なるものである。

人類は飢餓に対する生体防御機構を発達させてきたが、ここ数十年の飽食の時代を迎え、それに対する防御は弱く、成人病増加という問題に直面している。同様に、人は社会生活の中で、五感を通して認識、感情、思考といった高次な脳機能を発達させたものであり、われわれの脳機能はＩＴという新しい情報伝達に必ずしも適切に対応できない状況が生じている。革命的な情報伝達手段の変化が、人と人のコミュニケーションに多大な影響と問題を生み出していることを忘れてはならない。

一方、情報を獲得、処理・統合し、それを維持する学習と記憶は脳活動に必須の機能である。学習と記憶は単に健康的な生活を営む上で重要であるのみならず、学習し記憶した事柄は親から子へ、また周りの人にも伝えられ、

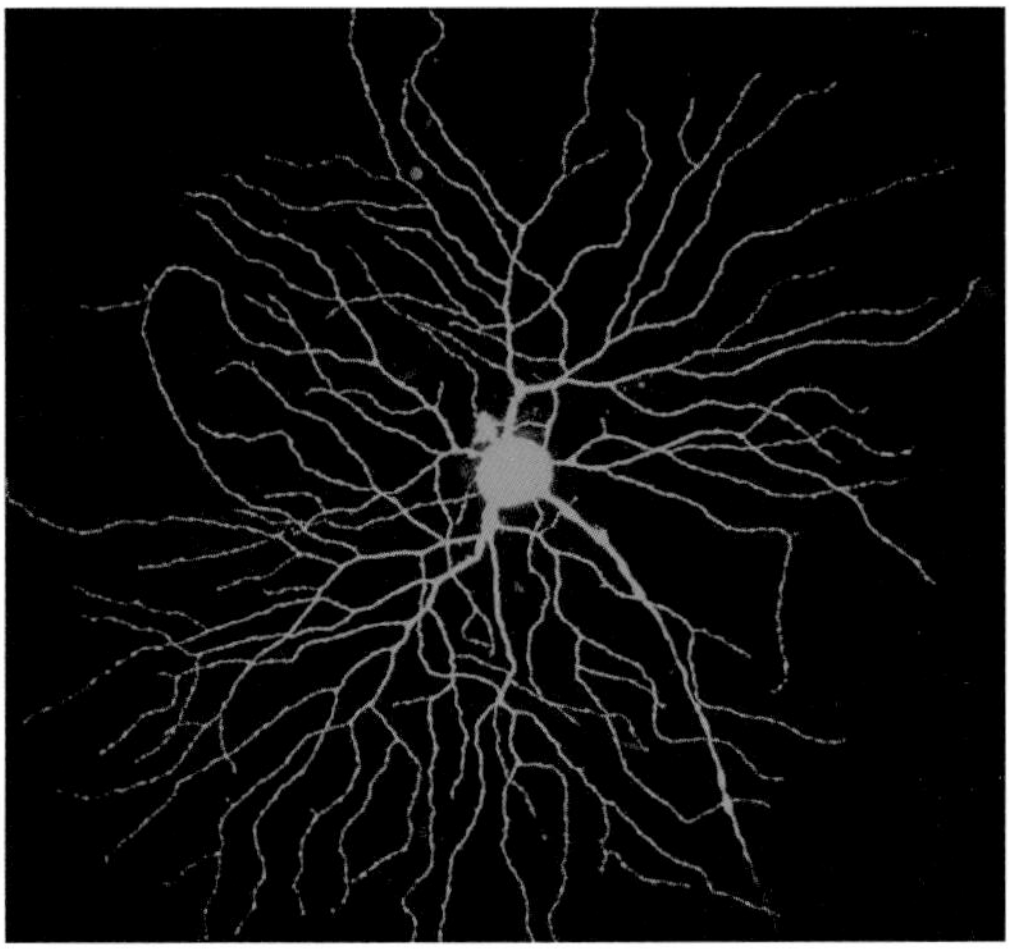

この脳活動は豊かな社会を築く上でも不可欠なものである。さらに、学習と記憶によって生み出された先人たちの叡智《えいち》は次の世代に伝えられ、このことが文化を生み出す元となる。同じ状況の中でも記憶として残るものが人によって異なることはよく経験するところであり、この脳活動の違いが異なる考えや個性を生み出す上で重要な要素となる。さらに、集団社会における学習と記憶の違いが異なった価値観や独自の文化を生み出す元ともなる。従って考え方の違いや文化の独自性は、私たちが進化の過程で獲得してきた学習・記憶という素晴らしい脳活動の一つの帰結であり、グローバル化し、均一化に陥りがちな現代の情報社会において、私たちは考えや文化の違いを排除するのでなく、多様性をいかに意味あるものにするかが問われている。

●なかにし・しげただ／1942年、岐阜県大垣市生まれ。京都大医学部卒業。医学博士。専門は分子神経科学。米国国立衛生研究所留学、京都大医学部、同大生命科学研究科教授、大阪バイオサイエンス研究所長を経て、現在、SUNBOR所長。日本学士院会員、米国科学アカデミー外国人会員、恩賜賞・学士院賞受賞、2015年、文化勲章受章。

日本の先人の知恵とメンタリティーを今こそ世界が必要としている

松井今朝子
作家

お正月の三が日、ただじっと見ているだけで箸《はし》をつけない尾頭付きの睨《にら》み鯛。京都にはなぜこんな風習があるのか、私は子ども心にとても不思議で、要はそれを食べないで我慢する、いわば禁欲の試金石みたいなものだろうと勝手に解釈していました。半世紀前の子どもはまだそんなふうに考えるほど、欲望を抑えることが美徳として、日本人の心に強く刷り込まれていたのでしょう。

日本という小さな島国は、豊かな自然に恵まれて食糧が得やすかったせいか、大昔から比較的地球上の人口過密エリアだったようで、時に自然が猛威を振るうと、たちまち飢餓に襲われました。

たとえば江戸時代の三大改革と呼ばれる享保、寛政、天保の改革はいずれも富士山や浅間山の噴火、極端な気象異常といった自然災害の直後に行われています。幕府はまず物価抑制策として質素倹約を求めました。庶民も当初はその政策を大いに歓迎するけれど、すぐにまたそれが不平不満の的になったのは景気が悪化してしまうからです。

近年の東日本大震災直後にも自粛ブームが起きて、自主的な省エネに勤《いそ》しみながら、喉元過ぎればでそれがあまり長続きしなかった例にも、昔と変わらぬ日本人の庶民感情がよく表れているように思われます。

幸い鎖国をしていない今日では、お金さえあれば世界中のあらゆる物資が手に入るので、質素倹約して我慢する必要などありません。イノベーションの急激な進展に伴い、世界中がともすれば生産過剰に陥る中で、欲望に駆り立てられるのが現代の消費経済社会です。そこでは

欲望を抑えて質素倹約をするよりも、欲望の赴くままに大量消費して経済を活性化することのほうがむしろ美徳とされているのかもしれません。

そうした社会の行く手には何が待ち受けているのか。地球の資源を奪い合ってでも経済発展を遂げるのが世界中の国是となれば、国よりも先に地球が滅んでしまうのは、今やさすがに世界中の誰もが理解しています。にもかかわらず長年の消費経済にどっぷり浸《つか》った私たちは、もっと豊かに、もっと便利に快適に暮らす欲望を抑えるのが困難なのです。

限りある地球上で人類が生き延びる方法を模索するため、限られた島国で欲望を適度にコントロールしながら生き抜いてきた日本の先人の知恵とメンタリティーを、今こそ世界が必要としているのではないでしょうか。

●まつい・けさこ／1953年、京都市生まれ。早稲田大大学院文学研究科演劇学修士課程修了後、松竹に入社、歌舞伎の企画・制作に携わった後、97年に作家デビュー。『仲蔵狂乱』で第8回時代小説大賞、2007年に『吉原手引草』で直木賞受賞。小説、エッセーなど著書多数。

「言霊の幸はふ国」多くの日本人が血の通った言葉を忘れた

味方 健
能役者

日本人は20世紀に多くの忘れものをしてきた。落としものといってもいい。今のうちに取り戻さなくては、取り返しのつかぬことになる。そして、忘れものをした本人たちがそれに気が付いていないとなると、事は悲惨である。

まず、多くの日本人が血の通った言葉を忘れた。もっとも、この世紀末的な世にあっても、文字言語・音声言語は必需のものとして、日常、使用されている。しかし、現代社会においても、それは多くコミュニケーションの媒体に終わってしまっているのではあるまいか。古代人は言葉の霊妙な働きを信じ、言霊《ことだま》といった。わが国は「言霊の幸《さき》はふ国」、すなわち言葉の霊力によって幸いが生まれる国だというのである。言葉には、人の心緒が宿り、情念があり、情調がある。言葉は時間・空間を超えた普遍的なものをも表現し、感じさせる玄妙な力がある。日本人は、いや、世界の機械的文明国の人皆かもしれないが、日常、やりとりする言葉の中に、そういう世界を取り戻すべきである。つまり、シグナル的機能に堕《お》ちた言葉に、シンボルとしての世界を取り戻せ、というのである。

些細《ささい》なことと言われるかもしれないが、テレビやラジオで、昨今、鼻濁音が失われている。昔は、ＮＨＫなど、〇カ〇キ〇ク〇ケ〇コと表記して教えたものだ。発音の数、語彙《ごい》の数、文字の数の減少する時代とは、貧困な時代である。文化が疲弊し、精神の凋落《ちょうらく》する時代である。

日本人の使う言葉が痩せた一大原因は、高開発国通有の機械文明の発達、ことに電脳機器の高精度化が襲う以前に、GHQによって強いられた漢字制限、字形の簡略化、仮名遣いの改変がある。字形学的にも、音韻学的にも、理の通らない漢字字形の簡略化、語法的に理の立たない仮名遣い、格助詞、は・を・へのみに旧を残して、あえて「現代かなづかい」と称したが、「現代かなづかい」は仮名遣いではない。仮名遣いという以上、orthography（正字法）でなくてはならない。「現代かなづかい」はそれを装って、良識派の抵抗を避けた表音表記である。これは、文字表記としてまことに貧困で、安直な方法といわねばならぬ。なぜかといえば、文字とは言葉を表記するものであって、音を写すものではないからである。音を写すのは記号であって、決して文字ではない。アメリカの言語文化を支える者たちが、ちゃんとそれを知っているから、あの合理主義の国にあって、子どもたちはMississippiのスペリングを苦慮して覚えさせられているのだ。

●みかた・けん／1932年、京都市生まれ。能役者、観世流シテ方。重要無形文化財（能楽）保持者。博士（文学）。観世寿夫記念法政大学能楽賞、京都市文化芸術協会賞、京都府文化賞功労賞を受賞。京都市文化功労者。能の舞台に意欲的に取り組む一方、研究者と演技者を結ぶパイプ作りに努力し続ける。著書に『能の理念と作品』、共著に『能・狂言辞典』など。

寺と門前町で参詣者を手厚く歓迎
忘れたくない信仰通じた人々の絆

森　清範
清水寺貫主

　清水寺は昨年、記念すべき年を迎えております。先師大西良慶和上の三十三回忌の年忌に当たり、その法要が勤められたことが一つ。良慶和上が奈良興福寺から清水寺に晋山して開講された盂蘭盆《うらぼん》法話が百年、つまり百回を迎えたことが一つ。盂蘭盆法話は今日、各寺院で夏に暁天講座として開講されている法話会の草分けとなったものです。いま一つは、和上が晋山してすぐに結成された男性信者の普門会と、女性信者の音羽婦人会の伝統を引き継ぐ信者の法話会・音羽会が千回となったことです。盂蘭盆法話も信者組織も、明治の廃仏毀釈《きしゃく》で荒廃した清水寺を復興へと導く契機となりました。

　このありがたくも記念すべき年に、かねてから念願しておりました『清水寺成就院日記』が刊行されました。『成就院日記』というのは当山が所蔵する古い日記です。１６９４（元禄７）年から１８６４（文久４）年まで１７０年間、２１９冊あり、京都市指定文化財となっています。貴重な日記を翻刻しようと作業を進めてきたのですが、昨年４月、記念の年に花を添えて第一巻が出たのです。

　成就院というのは、清水寺の本願職を担う僧坊で、江戸時代は幕府の絶大な後ろ盾を得て、寺の財政や寺領の管理、門前町の治政を担当していましたので、日記には門前町や境内のあらゆる出来事が記録されています。

諺《ことわざ》で「清水の舞台から飛び降りる」といいますが、日記には実際「飛び落ち」が記されています。170年間に237件もあります。しかし85％は助かっていて、この舞台飛び落ちは、本尊の観音様への祈願だったことが分かります。例えば、第一巻にも1701（元禄14）年4月15日午後4時ごろ、油屋清兵衛の姪《めい》で19歳の娘きわが舞台から飛び、そのまま帰ろうとするので、門前町の人が引き留め事情を聞くと、主人のための願いだとあります。そして門前町の人が清兵衛のもとに娘を送り届けています。

江戸時代、お伊勢参りが盛んでしたが、福知山からきた姉弟が清水寺の門前に参ったところ、姉の方が気を失い倒れることがありました。門前町の人たちが介抱し、医者に見せて親切に人参《にんじん》を煎《せん》じ飲ませました。その報告が成就院に届けられ、寺はしっかり養生させるように申し付けています。最後は回復した姉弟に路銀三百文を与えて帰しています。

寺と門前町とが参詣者を手厚く迎え、お世話していたことが分かります。日記は日本近世史の貴重な史料ですが、人々の厚い人情も伝わってきます。この心は忘れたくないものです。

◉もり・せいはん／1940年、京都市生まれ。15歳で清水寺貫主大西良慶のもと得度、入寺。花園大卒業後、真福寺住職などを歴任。88年、清水寺貫主・北法相宗管長に就任。現在、全国清水寺ネットワーク会議代表、文人連盟会長。著書に『見える命 見えないいのち』『こころの幸』など多数。

こころに響かなくなった。語りが意味不明の音声に変質

山折哲雄
宗教学者

「大音声《だいおんじょう》」というものに接することがなくなりました。

「獅子吼《ししく》」を耳にすることがほとんどなくなったことも寂しいかぎりです。

大音声といっても、獅子吼といっても単なる言葉の問題ではありません。言葉をのせる土台、つまりわれわれ人間の声の質が弱々しくなっているということはないでしょうか。いきおい言葉に力が入らない。

とにかく、巷《ちまた》から聞こえてくるいろんな声が耳元に届かなくなりました。それ以上に、こころに響かなくなった。ほとんど騒音、雑音と見分けのつかない声、声であふれ返っている。

テレビの画面から聞こえてくるキンキン声の早口言葉には、とてもついてはいけません。電車に乗れば、神経を逆なでするだけの車内放送……。

それに、国会における政治家たちの答弁や質疑の棒読みは、おなじみの光景です。そこはかつて大音声や獅子吼の大舞台だったはずですが、その晴れ姿も今日ではほとんど見ることができません。それどころか、野次《やじ》や怒号の飛び交う馴《な》れ合いの乱闘場と化しているありさまではありませんか。

街頭でも、車の中からマイクを通してなら、大音声らしきもの、獅子吼らしきものは聞こえてくる。けれども、街頭に両足で立って発せられる肉声の大音声や獅子吼に接することはもうほとんどなくなりました。肉声が聞こえてこないから、こちらの肉眼でその人物の品定めをす

ることもできない。

考えてみれば、「辻説法《つじ》」なるものがすでに死語になっているのですから、無理もない話であります。お葬式に出ても、お坊さん方の読経の声がなかなか大音声や獅子吼にならない。あれでは、亡くなった方々の魂は冥界をさ迷《まよ》うだけではありませんか。

同じことが、今日流行《はやり》の漫才の世界なんかにもいえるのではないでしょうか。あの早口でまくし立てるやりとりのうち、私などは半分も聞き取ることができないありさまです。あれはただ、話の中身をごまかすための窮余の一策ではないかと邪推したくもなります。

落語の高座からも同じような風が吹いてくるようになりました。名人、次期名人と呼び声の高い人の語りを聞いていても、そのあまりの早口にとてもついてはいけないことがあります。おそらく時間が制限されているためなのでしょう。いきおい語りのリズムが崩れ、語りそのものが意味不明の音声に変質してしまっているのです。

肺腑《はいふ》をつらぬく大音声が聞きたい。
大地を震憾させる獅子吼が聞きたい。

●やまおり・てつお／1931年、米国生まれ。岩手県出身。東北大大学院文学研究科博士課程修了。「宗教と現代社会」を終生のテーマとし、幅広いジャンルにわたり作品を発表。国立歴史民俗博物館教授、国際日本文化研究センター所長などを歴任。専攻は宗教学・思想史。『愛欲の精神史』で和辻哲郎文化賞を受賞。著書は『近代日本人の宗教意識』など多数。

「奇」が当たり前のように存在する別の価値軸を認める懐の深さ

鷲田清一
哲学者

奇人を遊ばせておく文化、変人を抱擁する文化が、かつて京都にはあった。

子どもの頃に聞いたので、下鴨だったか古門前だったか、町名は定かではないのだが、「○○の三奇人」という言い方をよく耳にした。変人ではあるのだが、奇人と呼ぶときにはどこか、常人には測りがたい破格の人という響きがある。そんな破格の人を、昨年も幾人か喪《うしな》った。年々、「奇人」が減っていくのは寂しいことである。

「奇」とは、「偶」に対する「奇」、整形に対する「破形」を意味する。柳宗悦によれば、「形を不均斉、不整備のままに置く」こと。そしてこれをあえて「奇」と呼ぶのは「割り切れないものを現すため」だという。

柳がこれを『茶道論集』の中で書いていることからもうかがわれるように、身近なところで破形を愛《め》でてきたのはお茶人たちである。歪《いびつ》な「器」と「数奇」の設《しつら》えにである。そういえば昨年、琳派四〇〇年を記念するイベントが続いたが、鷹峯の本阿弥光悦もまた「数奇」の人であった。ちなみに、これをのちに「数寄」と書くようになったのは、「数奇の運命」といわれるように、漢語の「数奇」が「不倖」を意味するからだといわれる。

「奇」は「完《まった》からざるもの」である。完全なものはすでに「割り切れて」いて、余韻も暗示もない。つまりは「自由」が、「ゆとり」（最近は「糊代《のり》」にひっかけて「伸びしろ」などともいわれる）がない。しかし「奇」として「不完全を狙う」のもまた不自由に違いない。だから、「奇」において重要なのは、「偶」か「奇」かにこだわらぬ、そのような「無碍《むげ》」の境地だということになる。そこにおいてはじめて「足らざるに足るを知る」ことも成り立つ。

　奇人が「奇」であるのは、日々の生業に没頭、というか埋没している人たちが思いもしないところに価値の軸を置いているからである。世を見る視線の射程が驚くばかりに広いからである。常人が思いもつかない思考と趣味、だから「奇」と映るのである。そういう「奇」が当たり前のように存在しているまちは懐が深いといえる。風情が厚いともいえる。一つの価値で測り得ないほど多様だからだ。こんな別の価値軸がありうるということが、人が大きな困難に直面してにっちもさっちもいかなくなったときに、思わぬ明かりを灯《とも》してくれる。人のふり見て我《わ》がふり直せということわざも、元はそのようなプラスの意味で言われていた。

●わしだ・きよかず／1949年、京都市生まれ。京都大大学院文学研究科博士課程修了。関西大教授、大阪大教授、同総長、大谷大教授を経て、現職。せんだいメディアテーク館長。専攻は哲学。サントリー学芸賞、桑原武夫学芸賞、読売文学賞。主著に『「聴く」ことの力』『モードの迷宮』『哲学の使い方』『しんがりの思想』など。

提言「地方創生策」

［知恵会議］２０１６年４月・７月・９月・11月／京都新聞文化ホール

ものづくり都市としての地方創生策

（２０１６年５月31日掲載）

［基調提言］

京都のグローバル化に新たな局面
経済と社会活性化で近未来像構築

村山裕三氏　同志社ビジネススクール教授

京都の「文化資本」への投資による「ガラパゴス的文化」のグローバル化を

京都が世界でもユニークな「ものづくり都市」として発展してきたのは、「文化資本」が蓄積されてきたからだと思います。京都では長年にわたり、デザインや意匠、素材や生産技術、そして精神性や美意識などへの投資が行われてきました。京都の創生は文化資本への新たな投資なくしては成し得ないでしょう。

京都は、伝統の文化や技を独自の論理で極めてきました。これにより、きわめてユニークな「ガラパゴス的文化」が醸成され、今これが世界から注目を集めています。京都の課題は、この「ガラパゴス的文化」をグローバル化させる方法です。京都ではイタリアのヴェネチアのように、観光客であふれかえって、地元の人々の生活までが犠牲になるグローバル化は歓迎されないでしょう。しかし、グローバル化の波は避けて通れません。

そこで注目したいのが、京都の「文化資本」に投資をする人々の流入です。京都の文化に興味を持つ国内外の人々が、新たな視点で京都の「文化資本」に投資すれば、

村山裕三氏

これは、100年後の京都の歴史や文化になるでしょう。不動産などへの投資も考えられるし、海外のクリエーターが京都に長期滞在し、伝統産業の中で新たな創作活動を行うような投資も価値が高いでしょう。

私は同志社ビジネススクール「伝統産業グローバル革新塾」（以下、革新塾）で10年間、伝統産業分野の人材育成に取り組んできましたが、この経験から、地域の文化ビジネスの活性化は、それを担う職人や経営者が力をつけることに加えて、これからは、「文化資本」に投資する人々をいかに引きつけるかにかかっていると感じています。京都の「文化資本」への投資をうながすインフラや環境の整備を私は提言します。

堀木エリ子氏

堀木エリ子氏　和紙作家

京都の精神性や美意識「日本独自の美学」を伝える

私は銀行から転職し、商品開発の会社で経理事務をしているとき、手すき和紙と出合いました。好奇心から越前和紙の工房に同行し、真冬に黙々と紙をすく職人さんたちの姿を見て衝撃を受けました。同社が手すき和紙で作った祝儀袋は話題になりましたが、機械生産の類似品が出てきて会社は閉鎖。そこで伝統産業の衰退に問題意識を持って起業したのですが、知識もお金もない私を駆り立てたのは、職人さんたちの尊い営みを失いたくないという、心の底から湧き上がるパッションでした。
中国から伝来した製紙技術は日本で進化を遂げ、20 14年に日本の手すき和紙技術はユネスコの無形文化遺産に登録されました。「白い紙は神に通じ、不浄なものを浄化する」という精神性が、より白く不純物のない和紙の追求につながり、祝儀袋のように白い紙で丁寧に包む、日本独自の文化を生み出しました。ものづくりの根底にあるのは、精神性や美意識であり、日本の若者に最も伝えていくべきことは、日本独自の美学だと私は感じています。
手すきの良さは質感や強度にありますが、身の回りに本物がたくさんあった昔と違い、見ただけでは機械すきと区別がつきにくいのも事実です。手すきの良さを伝えるために私たちはマスコミなどの取材を積極的に受け、工程も公開しています。現代では、和紙というモノの背景にある精神性は語ることでしか伝わらないし、自然と人間との関わりから生まれる日本のものづくりの本質は、工程をみてもらうことで理解してもらえます。
私たちのものづくりは、ほとんどがお客さまの要望から始まります。破れない和紙、燃えない和紙、巨大な和紙、立体的な和紙などの開発が、未来につながると信じています。

[ディスカッション]

◉髙橋英一氏（瓢亭十四代主人）
新しいことに挑戦するとき戒めているのは、瓢亭という垣根を両足で飛び越えず、片足は残しておくことです。瓢亭らしさがなくなっては意味がありませんから。

◉西村明美氏（柊家 女将）
素晴らしい京都のものづくりをより多くの人に親しんでもらえるためには、京都伝統産業ふれあい館（京都市左京区）のような施設の構造や空間を工夫するなど、発信力をより強化することが必要だと思います。

◉河島伸子氏（同志社大学経済学部教授）
文化資本への投資は京都にいる私たち自身が行うことも大切でしょう。文化庁が京都に移転してくる今後、地元の文化支援もそれに恥じないようなものにする必要があります。

◉齋藤　茂氏（株式会社トーセ代表取締役会長）
横展開の成功事例として、料理界では「和」ブームとは一線を画す質の高い日本料理と外国籍料理の融合が進んでいます。他業種でも同様の可能性は探れるはずです。

◉杭迫柏樹氏（書家）
どんなに素晴らしいものを作っても、それを使う人がいなければ価値は生まれず、作り手も育ちません。両者をつないでくれる人材の育成が急務だと感じます。

◉森　小夜子氏（人形作家）
最近、和装の外国人をよく見掛けます。「和」の要素を取り入れたオリンピックのユニホームを京都から発信すれば、海外の着物需要を掘り起こす契機になりませんか。

◉時田アリソン氏（京都市立芸術大学日本伝統音楽研究センター所長）
日本の伝統音楽である雅楽や三味線音楽、琵琶楽を聴ける場所はごくわずかです。生き残りのためのコラボレーションを考える段階に来ていると考えます。

◉村山　明氏（木工芸家）
私が木工に、研ぐ必要のない最近の刃物を使わないのは、使い心地を求めるからです。効率を重視する社会の変化に人間自体が付いていっていないように感じます。

◉中山公平氏（京懐石 美濃吉 ブランドマネージャー）
訪日客に人気の高い料亭では、大量キャンセルのリスク回避が課題です。海外で先行普及しているモバイル決済サービスは、京都を挙げての導入が急がれます。

◉丘　眞奈美氏（歴史作家・合同会社京都ジャーナリズム歴史文化研究所代表）
京都観光おもてなし大使として県外の中学校で講演をすると、生徒は目を輝かせて聞いてくれます。歴史・文化への関心が高まる早期に教育するのが効果的です。

◉川本八郎氏（学校法人立命館 名誉顧問）
東京ドームをはじめ、ドーム施設のほとんどはスポーツを主目的としたものです。世界の文化や先端技術に触れられる大文化ドームを京都につくってはどうでしょうか。

◉所　功氏（京都産業大学名誉教授・モラロジー研究所教授）
伝統文化というと、主に高尚なものを想像しがちです。日常生活の中に溶け込んだ文化こそが日本文化、京文化を支えていることも忘れてはならないと思います。

村山裕三氏◉革新塾では、職人自身が自分の仕事の本質をしっかりと伝えることができれば、伝統産業の価値をわかってもらえると指導しています。堀木さんのショールーム（予約制）は光の当て方を変えることで和紙がさまざまな陰影を見せ、感動します。若者や外国人にも分かりやすいプレゼンテーションですね。

堀木エリ子氏◉最近は外国からのお客さまも増えました。今は特に感動体験などの情報が広まるのが速いですね。私のショールームでは、インターネットでは分からない素材の本質に触れてもらい、見る人の想像力や要望を引き出すよう展示をしています。要望から新たな技術を開発できれば和紙の用途が広がりますから。海外の方と話すと、視点の違いや固定観念に気付かされることも少なくないんですよ。

村山裕三氏◉顧客と対話しながら、独創的な素材や商品を生み出し付加価値を高めていく堀木さんの手法は、かつて、公家や茶人の要望を実現しようと切磋琢磨した職人たちの姿とも重なります。コラボレーションでも確実に結果を出されていますが、極意を教えてください。

堀木エリ子氏◉どのような相手であっても、プロとして対等な立場での共同を心掛けています。意見が違っても頭から否定せず、できる前提で考えれば道は開けるものです。誰かが解決してくれるのを待っていても、物事は前に進みません。今にして思えば、全てのリスクは私が負うと覚悟したのがよかったのでしょう。

村山裕三氏◉日本独自の精神性や美意識を、若者や外国人にどう伝えていくのか、ものづくりの現場とマーケットをつなぐプロデューサー的な役割を果たす人材をどう育成していくのかといった課題については引き続き、皆さんと知恵を出し合っていきましょう。

堀木エリ子氏◉夢を実現したかったら人に語ることだと、私はいつも若い人に言っています。前例のない創作を実現し、ものづくりの新たな魅力を発信することで伝統産業に関わろうと思う人が増えるなら、これほどうれしいことはありません。

文化都市としての地方創生策

（2016年8月31日掲載）

［基調提言］

生活文化ルネサンスへの提言

木下博夫氏　国立京都国際会館　館長

公民連携が必要不可欠

一般に都市というのは、人や物が集積することで生き物のような躍動感あふれるダイナミックさを備えています。このような都市を多面的に考察するための視点として私は「6つのS」で始まるキーワードを置いています。

一つ目はスケールで、京都の中でも限られた中心地域なのか、他府県まで及ぶ広圏都市圏まで想定するかなど地理的な概念です。スパンは長・短期等の時間軸、ストックとスピードは歴史風土と生活空間における時間の移り変わり、スピリッツは物事に対する考え方や信念、センシティブは人間が持つ五感に基づく感覚です。

私はこの6つのSを踏まえ、京都文化の根底に流れる京都スタイルとは何かに思いを巡らしてみるのもよいと考えております。都が1200年以上も置かれ続け、商業文化においても、生活文化においても一定の格調高さがあり、京都ならではの規範意識なども同時に育まれてきました。

このような京都スタイルを維持・発展させるために欠かせないのは官民連携です。豊かな生活文化を背景にした民間と、府や市などの行政組織レベルが密接な協力体制を確立していくことが不可欠です。文化庁の京都移転が決定したのを機に、国レベルとの協調活動も強化し、全国各地の地方都市に一つの地域再生モデルを提案することも視野に入れたいものです。

木下博大氏

広義の関西地区は、滋賀県から兵庫県までで構成され、大阪市や神戸市などの名だたる個性的な都市同士で結束関係が強くなれば、関西圏全体としての情報発信力がさらに高まります。日本はすでに人口減少社会に突入しており、都市間で共同して地域活性化策を考えていかないと地方創生活動の実効性も上がりません。

多地域にわたる対話を充実させながら、さまざまな視点で京都文化を捉えていくことが日本人が何を大切にしてきたかを考えるよい機会にもつながるでしょう。そのために知的交流する場の一つとして京都国際会館も活用していただければ同館をあずかる身としてうれしい限りです。

玉置万美氏

玉置万美氏 半兵衛麸 代表取締役社長

町衆文化の復活を

私ども半兵衛麸は1689（元禄2）年に創業、「先義後利・不易流行」を家訓として守り続けてまいりました。前者は商い人としての心構えを、後者は、受け継がれてきた家の伝統は守りながらも、時代に合わせて新しいものも取り入れていくことを教えています。

中国から麸が伝わったのは当社創業以前の約400年前です。現在、麸を使った新しい食の在り方を提案しております。世界遺産にも登録された和食文化の充実にささやかながらも貢献していると自負しております。和食は素材、器など全ての要素のつながりが大切です。どれかが欠けてもバランスが崩れますから、鼓一つから心を込めてしつらえを仕上げていただけるように私どもは心掛けています。私は商家で育つ中で、知らないうちに商売上のやりとりや、しつけなどの生活習慣を身に付けました。生活に根差した京都文化をしっかり伝えていく場が実生活の中で機能していたのです。現代はグローバル時代になって変化の流れが速くなり、伝えるべき伝統文化がそぎ落とされているような危機意識を持っております。例えば私が幼いころには、出入りの職人さんのために、仕事の合間にお茶や、ちょっとしたお菓子などを出して休憩を取ってもらうことは常識とも言えましたが、いまの若い世代には、こうしたお付き合いや生活の知恵は、体験者がきちんと教えないと伝わりません。

一方、伝統を守るだけでは地域の発展は望めず、現代では新しいものを絶えず加えていかないと快適な生活もできなくなっているのも事実です。京都文化の伝承として何を変化させ、何を残していくべきなのか。『源氏物語』が記述されてから千年を記念して制定された「古典の日」に倣い、「着物の日」なども肩肘張らずに実施してみるのもいいかもしれません。かつての町衆文化力を復活させるためにも、京都文化とは何かをみんなで語り合う場が町の中にたくさんあるといいと考えています。

［ディスカッション］

◉井上満郎氏（京都市歴史資料館 館長）

京都文化を一言で言うと混合でしょう。守るべき一線を維持しながらも、さまざまな異文化を受け入れてきた歴史があります。異質なものも排除しない京都文化の本質までさかのぼって考えることも大事です。

◉上村多恵子氏（京南倉庫株式会社 代表取締役）

長い歴史の中で伝統文化は形式が定着し、革新的アイデアは簡単には入り込みにくいところがあります。新しい考え方から伝統も変化し、長く伝承されていくので、新規の文化創生エネルギーは丁寧に育てたいものです。

◉宇津崎光代氏（ミセスリビング 代表取締役）

京都商工会議所でずっとご一緒だった半兵衛麸の先代

玉置半兵衛氏の著書『あんなぁよおぅききや』には伝統的なしつけが綴られています。歴史と伝統に裏打ちされたしつけや教えが広く広がってほしいものです。

◉丘　眞奈美氏（歴史作家・合同会社京都ジャーナリズム歴史文化研究所代表）

京都の人がよく話す「はんなり」を色に例えるとどんなイメージになるかを調査しましたが結論は出ませんでした。つかみどころのない奥の深さも京都文化の一面です。

◉加茂順成氏（浄土真宗本願寺派 総合研究所研究員）

環境省選定の「かおり風景100選」の一つに、東西両本願寺間に位置する仏具店街におけるお香の匂いがあります。伝統文化を構成するもののなかには五感で感じる要素も潜んでいると考えます。

◉河田邦博氏（西日本旅客鉄道株式会社 京都交流推進委員会事務局長）

鉄道などの資産も京都文化の構成要素の一つとして捉えることで、単なる鉄道ファンだけでなく、多くの方にその魅力を広げていきたいと考えています。

◉小西池　透氏（大阪ガス株式会社 理事・京滋地区総支配人）

生活者の視点がとても大切だと実感します。生活の中から学んでいけるような新しい教育制度などを考えていくべきでしょう。

◉齋藤　茂氏（株式会社トーセ 代表取締役会長）

現在語られている文化的ステータスは伝統文化に偏っています。スマートフォン向けゲーム「ポケモンＧＯ」の人気が絶大ないま、例えば日本のアニメなどポップカルチャーへの評価は低過ぎると感じています。

◉佐竹力總氏（美濃吉 代表取締役社長）

京都の食と花街は「京都をつなぐ無形文化遺産」の一つとして京都市が選定していますが、和食文化を体現する料亭を管轄する法律はいまだに「風俗営業法」であり、多くの制約を受けています。文化行政施策として発展させるうえでも改善を望みます。

◉下出祐太郎氏（京都産業大学文化学部教授）

平和な世界の実現には文化を相互に認め合うことが必要です。京都が産み出した近代産業は伝統産業が下地となっているケースが多々あります。異文化理解のためにも、もっと京都文化を掘り下げて考えることが重要でしょう。

◉杉浦京子氏（一力亭 女将）

子ども時代から日常生活の中に、お花やお茶などの作法がすり込まれているのは京都文化の伝統です。会議でもペットボトルではなく、湯飲み茶わんに注がれたお茶があると、京都の日常文化に関する異なる見地での意見が出るのではないでしょうか。創作を実現し、ものづくりの新たな魅力を発信することで伝統産業に関わろうと思う人が増えるなら、これほどうれしいことはありません。

芸術都市としての地方創生策

（2016年10月29日掲載）

［基調提言］

京都は日本の多様な文化をつなぎ磨き高める文化首都たれ

大原謙一郎氏　公益財団法人大原美術館　名誉理事長

終戦間もない1950年代、国際社会から日本に注がれるまなざしがまだ冷たかったころ、重要文化財クラスの日本の絵画や彫刻などを紹介する「古美術展覧会」が米欧の主要都市で巡回開催され、日本文化の奥深さは世界から驚嘆の目で迎えられました。同時に、中心的な所蔵元である京都も一躍注目されました。文化は万能ではないが、国境を越えて人々の心に訴える力を間違いなく持っている。このことを京都は再認識したのです。

日本は島国国家でありながら、流氷漂う北の海から起伏に富む山岳地帯や黒潮踊る南の島など、津々浦々に多様な文化が根付いています。日本を代表する版画家棟方志功の作品群は雪国津軽の風景と一体ですし、幕末の豪傑坂本龍馬の考え方には黒潮の躍動感がみなぎります。その中で千年以上の都の歴史を持つ京都は、多彩なエネルギーに満ちた地方から常に一目置かれる求心力を保ち、日本中から支えられ続けることにより文化首都の地位を保ってきました。

現代日本の重要課題である地方創生は、地元密着の文化を守り育てていく過程であり、中央からお仕着せの政策を実現することではないと理解します。京都は全国各地の範となる一つのセンターとして、個性あふれる地方文化をつなぎ、磨き、高めていくよう全国の地方のため

大原謙一郎氏

に働く役割を担っています。

人文系学部の規模縮小を要請する文部科学省通達がなされたとメディアが一斉に伝えた２０１５年、大学関係機関と並んで真っ向から異議を唱えたのは、科学技術の先端を走る企業経営者も多い日本経済団体連合会（経団連）でした。経済発展と企業経営にも文化的要素は欠かせないという証左でしょう。

京都は率先して、文化・芸術の研究や発展に大きな役割を果たす人文学の復権を目指して闘わなければならず、それには人材育成などの制度設計も必要です。京都はこれからも日本の各地の多様な文化を守り育てるために闘う文化首都であり続けていただきたいと考えます。

伊藤京子氏

細見美術館主任学芸員

伊藤京子氏

細見美術館では、２０１６年2月から約2カ月間、西川祐信や鈴木春信などの作品を集めた春画展を開催、各方面から高い関心が寄せられ、期間中は、年間入館人数を上回る8万人の来館がありました。現在は光琳没後３００年、雪佳生誕１５０年を記念し、江戸初期の本阿弥光悦、俵屋宗達から近代の神坂雪佳までの京琳派を紹介する琳派展を開催中で、こちらも人気を博しています。

私は大学の教壇に立ったとき、学生に美術館にはどのぐらいの頻度で訪問するかを尋ねました。結果は、２割ぐらいの学生が、ほとんど行かず、行っても1年に１回か2回という回答が多数でした。質問した場は芸術系大学でしたから、「せっかく京都にいるのに」と驚き、少なからず落胆した覚えがあります。
また、6月から9月まで開催した伊藤若冲展では、当館の所蔵品や若冲縁のお寺から作品を拝借し、水墨画中心の展覧会を行ったところ、若冲独特のカラフルな絵が少なくて面白くないという声が届きました。美術館にとって、自己のイメージと違う＝つまらない、一過性のブームに終わってしまうのは悩ましいものです。より多くの方に本物を見る喜びを知ってもらい、恒常的に来館促進につながる工夫が美術館運営には求められていると痛感しました。
文化庁が京都移転を決めたことにより、京都はより注目されるでしょう。同時に、現状にあぐらをかいているのではないかなど、今後はより厳しい目で見られることも多くなるのではないでしょうか。各都道府県もさまざまな試みをされています。神社・仏閣、美術館等に恵まれている京都に暮らす人たちは現状に甘んじず、伝統文化があらゆる面にちりばめられた京都を見つめ直し、広く発信していく姿勢が大事です。

［ディスカッション］

◉**安成哲三氏**（総合地球環境学研究所所長）
日本は四季の移ろいなど自然環境も地域によって多岐にわたることが文化の多様性にも影響しています。現代世界に急速に広がるグローバリゼーション化という画一化の波に安易に流されないことが大切です。

◉**田中峰子氏**（西陣暮らしの美術館「冨田屋」代表）
西陣織を中心に伝統文化を守り伝えていくため、江戸中期創業の冨田

屋を「西陣暮らしの美術館」として一般開放しました。現場の保存活動に相当の労力がかかっており、長く継続するには公的な支援制度の充実が欠かせません。

◉千　宗守氏（茶道 武者小路千家 第十四世家元）

日本では、旦那衆などのパトロンが、見返りなく芸術活動を支援する喜捨の精神が大きな役割を果たしました。さらに京都には、日本人の心のよりどころとして茶の湯のような文化が多層をなしており、精神文化をいかに昇華させて引き出すかが重要です。

◉上村多恵子氏（京南倉庫株式会社 代表取締役）

京都が地域文化発展の先頭に立つ文化首都たるべき、との提案には共感します。同時に、洗練された都文化を担った京都には、自分たち以外の地域文化を排他的に見てしまうことも自戒し、認識しておくべきでしょう。

◉伊住禮次朗氏（茶道資料館事務長 兼 学芸部長）

京都は、作家と鑑賞者双方の視点から文化・芸術を育ててきました。最近の若い芸術家は表現志向が強いので、鑑賞力を鍛える面も充実できるように美術館同士が連携するなどの施策が必要と考えます。

◉園城三花氏（ソロフルート奏者）

西洋音楽は神をたたえる宗教歌から発展しました。京都も神社・仏閣などが多く宗教的求心力は大きいのですが、文化全体をプロデュースして発信していく力をもっと高めることが必須です。

◉小山菁山氏（尺八演奏家）

現在の邦楽界では、洋楽を邦楽器に置き換えて演奏する機会が増えているのが実情です。琴や三味線文化は京都が発祥にもかかわらず、現在は東京中心の展開になっており、古典芸能が京都から失われる危機感を持っています。

◉杭迫柏樹氏（書家）

十のうち一しか言いたいことを言わないのが京都人と言われます。品があって奥ゆかしい面も京都人のよさですが、今後文化の発展を期して闘っていくには主張も大切です。さらに外部から優秀な人材を呼び込む施策も必要でしょう。

世界に発信するプロデュース力が求められる

◉大原謙一郎氏

フランスのパリで2006年、ケ・ブランリ美術館が開館しました。同館は非ヨーロッパ社会の文化を広く展示するなど、地球規模で民族文化への理解を示す世界的文化都市パリをアピールする目的で設立されたものです。

翻って日本は、世界の中でも宗教面で寛容な歴史を持っています。お話のあった喜捨の伝統や、平安時代末期、源氏と平氏が瀬戸内で海戦を繰り広げた際、双方が四国の金刀比羅宮に勝利祈願したのも好例でしょう。

神社・仏閣の集積する京都でも今後は、異文化を分け隔てなく受け入れながら伝統を育んできた寛大さを、世界に発信するプロデュース力が求められます。日本の宝として世界に冠たる文化首都京都は、官民が共同して文化の持つ力を信じ、役割を自覚し、京都自身と全国の多様な文化の躍進を目指すことが日本にとっても重要と考えます。

多彩な文化を後世に伝えていく仕組みづくりを

◉伊藤京子氏

美術館や博物館が他の都市に比べて豊富な京都は、バラエティー豊かな文化・芸術に触れるには絶好の街ですが、小規模館が多いが故に、人材や資金など運営面で悩みを抱えているのも事実で、課題を広く横断的に吸い上げながら支援していく必要があります。今回の文化庁京都移転をまたとない好機と捉え、いまこそ多彩な文化を守り、後世に伝えていく仕組みづくりを加速させていくべきです。

文化首都として京都を発展させていく過程では、京都に育ち、学び、また、この街に集う次代を担う若いアーティストや、芸術を学ぶ学生たち自身が京都が持つさまざまな文化に触れ、自己満足に陥らぬようよりオープンなスペースや機会を創設することも考える必要があります。

宗教都市としての地方創生策

（2016年12月4日掲載）

［基調提言］

自然に対する畏敬の念 心の礎を見直し明日を歩む

田中恆清氏 石清水八幡宮 宮司

物理学者の寺田寅彦は、日本人の自然観について「自然と調和する知恵と経験で発展してきた」と述べています。この至言を聞くと、東日本大震災後に被災した港町を訪問した私の記憶がよみがえります。「海は後で必ず恵みを返してくれる」と自然を信じて復興活動に励む漁業従事者の方の姿に、私は逆に励まされたのです。「一所懸命」という言葉があるように、生活の本拠とする土地に対して持つ日本人共通の自然観と言えるのではないでしょうか。

京都に顕著だと言われる「遠慮」の文化も人事にすべきと考えます。IT技術の進展で世界が狭くなり、論理的な話が求められるようになった現代ですが、いたずらに主張するばかりがよいとも思えません。人の心を「遠くおもんぱかる」ことによってこそ円滑な社会生活の運営ができると私は考えます。「遠慮」という外国には見られない文化こそ日本から世界に発信していく必要があるかもしれません。

ストレスを受ける機会の増えた現在においては「心の時代」という言葉も見掛けます。臨済宗南禅寺派管長の中村文峰住職は、「心が病んでいるのならば、それは人と神仏をつなぐ宗教者の責任」と手厳しく指摘し、花園大学の西村恵信名誉教授は、「もともと心は瞬間の感情と共にあるだけだ」と「心の時代」という言葉の安易さを切り捨てます。弘法大師は「近くして見難きものわが心」と喝破しました。

　神道は教義が存在せず、宗教的存在感をあまり与えない宗教とも言えますが、日本人の生活の中にしっかりと根付いて心の支えとなってきました。千年以上の都の歴史を持つ京都には神社をはじめ仏閣も集積しており、日本の中でも特別な精神的支柱の場となっていることは間違いありません。

　今年5月に開催された先進国首脳会議（G7）で各国の首脳たちは伊勢神宮を訪問、日本人が自然に対して持つ畏敬の念（心）を異口同音に称賛しました。私たちは自信を持って新時代に向け、自身の心の礎を見直して歩むことが必要です。

田中恆清氏

竹下ルッジェリ・アンナ氏

京都外国語大学准教授

竹下ルッジェリ・アンナ氏

　私はイタリア南部シチリア島の出身ですが、小さいころから日本文化に興味を持ち、日本研究の道を歩み始め、田中先生からお話があった西村惠信先生の下で白隠禅師の研究を進めました。

　白隠禅師は、仏道を求め修行する「菩提《ぼだい》心」を説きます。つまり自己を救うと同時に民衆を救うことも求める。禅に限りませんが、何も利益を求めず、全てを捨て去って修行することが人を救うことにつながるという根本的な教えです。

　さらに禅では、自己と他者との関係について言及しています。この場合の他者は宇宙全体を含む概念まで広がっていきます。弟子と師匠の関係を考えるとき、一方の存在があるからこそ、もう一方の存在があるのであって、両者は一体化しており、相対的に双方の位置は平等であると説きます。

私は、文献だけの知識吸収を続けていては、人間的に重要なことが身に付かないことに気付き、実際に坐禅を体験することの大切さを意識するようになりました。

イタリアでは、京都は世界最高の観光都市の一つとする統計も発表されており、今後京都への訪日外国人はますます増えるでしょう。せっかく日本を訪れたからには、「体験」することで日本文化の核心に少しでも近づき、その人の財産としてほしいと思います。

例えば、私が勤める京都外国語大学の学生もボランティアとして参加し、京都の日常の暮らしの一部を体験できる外国人が増えるようなお手伝いをするプログラムづくりを進めるなど、一人でも多くの方に、京都の伝統文化に触れてもらいたいと考えます。

［ディスカッション］

◉伊東久重氏（有職御人形司 十二世）

宮中御用の御所人形づくりに携わっていると、人形には神が宿っているという信仰にも似た思いになります。京都の歴史の重みを感じ、感謝の気持ちを持って日々暮らしたいと思っています。

◉田中峰子氏（西陣暮らしの美術館「冨田屋」代表）

私どもは、西陣の暮らしや文化を少しでも体験していただくような活動を以前から進めてきました。今後も「体験」をキーワードに続けていけたらと考えています。

◉加地伸行氏（東洋学者）

先祖を祭る行事が家庭から消えようとしており、さらに、地方の疲弊が進んでふるさとが喪失されつつあります。神社・仏閣が集まる京都は、日本人の心のふるさとの役割を担うべきでしょう。

◉時田アリソン氏（京都市立芸術大学日本伝統音楽研究センター所長）

京都の文化の豊かさや伝統の深さを私自身日々感じる

毎日です。京都を訪ねる人にことさらにPRするのではなく、その良さが自然と伝わるようにするべきだと思います。

◉上村多恵子氏（京南倉庫株式会社 代表取締役）

国土全体が低地のオランダ等欧米は、長大堤防を造り自然と対峙して戦ってきました。一方の日本は自然と一体化しようとする国民です。片方に偏ることなく、双方のバランスが必要になってくるでしょう。

◉桑原仙溪氏（桑原専慶流家元）

「今、日本人は自己の欲望を満たすことにとらわれて他者が目に入ってないのでは」というルッジェリ・アンナ先生のお話が胸に刺さりました。例えば原発事故の健康への影響などにもっと関心を持つべきではないでしょうか。

◉福永法弘氏（株式会社京都ホテル 代表取締役社長）

学生運動が盛んだったころ、唯物史観から、「宗教は民衆の麻薬」という言葉が広まりましたが、日本の宗教者は負けずに生き延びたのはなぜでしょう。また、「体験」と絡んで、宗教上の神秘体験についても考えたいところです。

◉柿野欽吾氏（京都産業大学 理事長）

一所懸命と一生懸命という書き方があります。日本人として一瞬一瞬を大事にすることも、一つの所で腰を据えて自分の仕事や役割を果たすことも、あらためて大事だと感じました。

心に寄り添い、人と人をつなげていく

◉田中恆清氏

神道には教義がなく、宗教的な側面があまり人々に認識されていない面があることを考えると、唯物史観は一種の教条主義的信条と言えるかもしれません。

日本人は自然と人間とを分けて考えておらず、被災した海辺の方たちは未来の太平洋の恵みを期待しています。神道は生活にも密着していますが、最近では、年中行事や人生儀礼が廃れてきているのも気掛かりです。季節や生活の節目の行事は日本人の知恵がたくさん詰まっていますから、1回振り返ってみる必要もあります。

人口減少が現実になり、時代の変化が進んでくると社

会生活も変化していきます。神社や寺院の経営も厳しくなる中、私たち宗教者の役割は、心に寄り添うことで人と人を常につなげていくことだと考えます。

体験することで、未知の文化を知る

◉竹下ルッジェリ・アンナ氏

私にとっては、禅の修行の入り口として体験がありましたから修行は一生続くものと考えています。

若い人の行動を見ていると、伝統文化に触れるきっかけがないことも多いので、自身で体験することで、未知の文化を知ることができるようになります。ご質問にあった神秘体験については、禅でも、論理的に説明のつかない現象はあり得ます。「以心伝心」という言葉は禅から来ており、言葉を超える修行もあるのです。

私は、禅などの伝統文化を理解するには、場所にとらわれず体験を重ねることが必要だと考えています。体験しているときには、自身の心の内側に目を向けることによって、自己と他者との対立の境界線がなくなっていくことを、ぜひ意識するようにしてほしいと思います。

暮らしの中で培われた知恵や工夫は文化となり、
人への思いやりやいたわりを育んできた京都。
そこに生まれる喜びや潤いに本当の価値を見いだす。

「日本創生」へ、「地方創生」から。
いま、京都から日本文化を発信するときがきた。
京都が指し示す「価値」が問う。

提言から実践へ。

「日本人の忘れもの」を考える「知恵会議」から
京都、「心、つなぐ」
いま、日本につなぎたい「心」があります。

提言から実践へ

意図的に忘れさせられた合理的で柔軟な政治手法

青山忠正
佛教大学
歴史学部教授

1867（慶応3）年10月13日、二条城の二の丸大広間に、在京40藩の重臣50数名が集められた。翌14日、将軍徳川慶喜は朝廷に対し、「政権を帰し奉り」との上表を提出するのだが（大政奉還）、これに先立ち諸藩側の「見込み御尋ね」、つまり政権返上について意見を尋ねるため、主だった藩の重臣を呼び集め聴聞会を開いたのである。もっとも、慶喜本人が趣旨説明を行い、出席者が自由に質問して慶喜が答える、といった場面までが現れたわけではない。しかし出席者には上表の草案が配布され、意見のある者はその場に残るようにと、老中板倉勝静から達しがあった。

越後国新発田《しばた》藩（溝口家10万石）の京都留守居役、寺田喜三郎も末席に連なっていた。喜三郎の生家は、もとは京都市中で呉服商「桔梗屋」を営む町人だった。代々、溝口家の呉服御用を勤めていたが、幕末に至り、京都の政治情勢が緊迫化するにつれ、正規の家臣を常駐させる必要が生じ、喜三郎は1863（文久3）年、家臣に取り立てられ、京都留守居役を命ぜられたのである。

京都留守居役とは、藩を代表して、公家との折衝や他藩との情報交換を行う役目で、安政年間以降、急速に重要性を増した。当時10万石の大名の留守居といえば、大したものである。

それにしても、町人が武士に取り立てられ京都留守居役に任ぜられる、という例はめったにない。これに抜てきされるだけあって、喜三郎は実に几帳面《きちょうめん》な人物で、毎日の執務記録「御用留」をはじめ、会計記録や諸藩からの廻状写しなど、膨大な史料を残した。

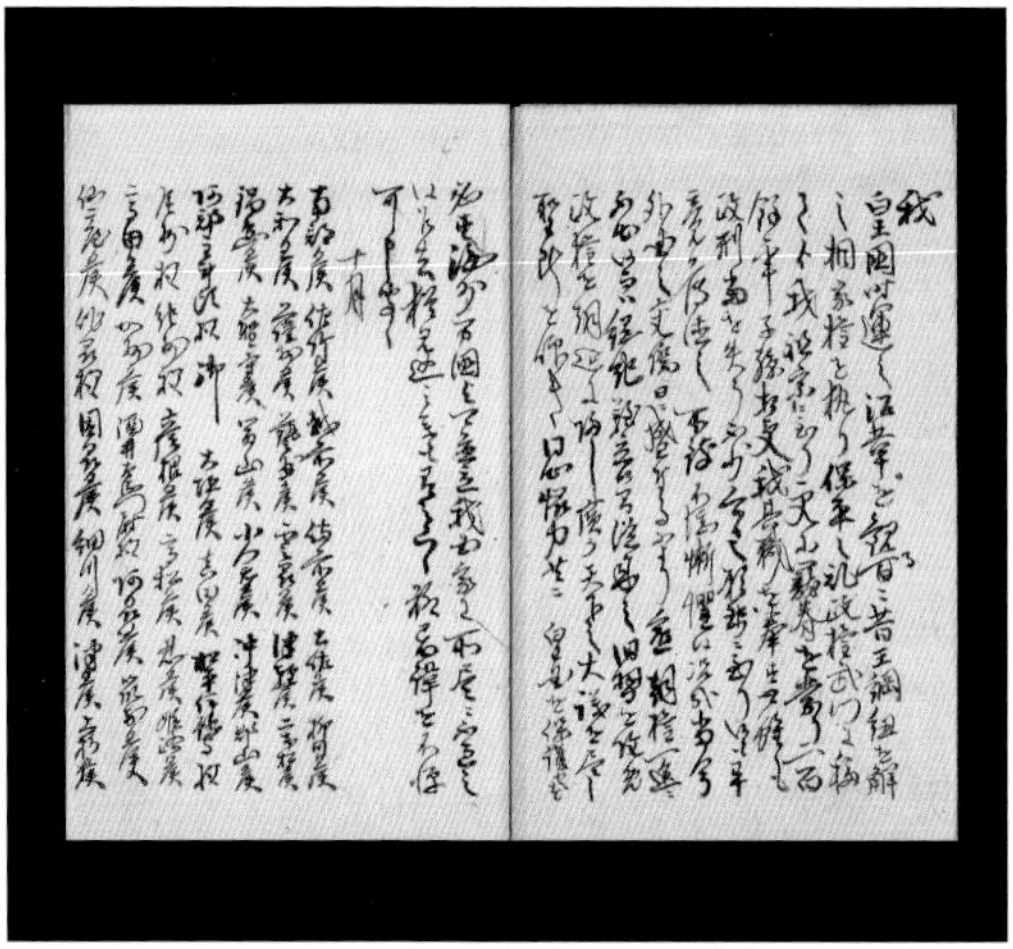

寺田喜三郎筆写 政権奉還上表の草案（佛教大附属図書館所蔵）

彼は、当然ながらこの聴聞会の件も書いた。登城し書付を渡されるまでの経過などを詳しく書き残し、上表草案も丁寧に筆写した。4年前まで町人だった者が、将軍を目の前にして、このような事態に遭遇するなど、本人も到底考え及ばなかったことだろう。

さて、こうした事実から、21世紀の私たちは何を読み取れば良いのだろうか。言えるのは、徳川の社会はその時代なりに合理的だったことである。政権返上にしても、将軍が独断で決定するようなことはしなかったし、聴聞会の場には、元町人まで混じっていた。徳川幕府の時代に、そのような意味で合理的で柔軟な政治手法が取られていたことは、明治の国家が成立した後は忘れられた。意図的に忘れさせられた、という方が正確である。権力とは、時にそうした操作をするものだということは、忘れないほうが良さそうである。

●あおやま・ただまさ／１９５０年、東京都生まれ。東北大文学部卒業、同大学院文学研究科博士課程単位修得、博士（文学）。東北大助手、大阪商業大助教授を経て、96年から佛教大助教授。同教授を経て、２０１０年佛教大歴史学部開設に伴い同教授。近世・近代移行期日本史を専攻。著書に『明治維新と国家形成』『明治維新の言語と史料』など多数。

敵意とエゴイズムを乗り越えるための思想と方法とは

安部龍太郎
歴史作家

昨年二人目の孫を授かった。私はめったに孫を抱き上げたりしないクールな性質《たち》だが、この子たちの未来のために何を行い、何を伝えるべきかを考えることは多くなった。

学生時代に文学に惹《ひ》かれたのは、この世の価値観と自分が信じるものとの間に差があり過ぎたからだ。やがて文学作品の中でなら、自分が信じる世界を描くことができることに魅せられ、小説を書き始めた。

そうして社会の矛盾に対峙《たいじ》しつづけていくうちに気付いたのは、人間のどうしようもなさの原因は、敵意とエゴイズムを乗り越えられないところにあるということだ。

敵意を乗り越えられないから、戦争をやめることができない。初めは石や棒で戦っていたものが、剣を持ち鉄砲を使い、あげくは核兵器を満載した地球にしてしまった。

エゴイズムにとらわれるから、自分が豊かになるために他人や自然から収奪するようになり、格差や環境破壊を生み出した。そして今や原発を使用し、核廃棄物を大量に生み出すことによって、未来からまで収奪している。

今の豊かさを守るためなら、子や孫の時代に害悪を押し付けてもいいという考え方は、エゴイズムの最たるものである。

私が小説を書きながら追い求めているのは、こうした現状を変える思想と方法である。自然を崇拝し共存しようとしてきた神道のあり方、欲や執着から離れよと説く仏教の教えに答えはすでに示されているが、それを政治的な制度によって実現することは至難の業である。

ところが最近、「厭離穢土《おんりえど》 欣求浄土《ごんぐじょうど》」の旗を掲げて江戸幕府を築いた徳川家康こそが、その壮大な試みに成功した史上唯一の為政者ではないかと考えるようになった。

幕藩体制による地方分権も、士農工商の身分の固定化による競争の排除も、農本主義の徹底による商業の抑制も、中庸を説く儒教の導入も、敵意とエゴイズムを制御するために考え抜かれた施策だったのではないだろうか。

私が家康の人生に興味を持ち、全5巻の計画で小説を書き始めたのは、そうした視点で家康をとらえることに大きな意味があると思ったからだ。

今はまだ第1巻を終えただけだが、命が尽きるまでにはすべてを書き終え、クールなおじいちゃんから孫たちへのささやかなプレゼントにしたい。

●あべ・りゅうたろう／１９５５年、福岡県生まれ。国立久留米工業高等専門学校機械工学科卒業。東京都大田区役所に勤務、図書館司書をしながら作家を目指し、90年、『血の日本史』でデビュー。２００５年、『天馬、翔ける』で中山義秀文学賞を受賞、13年、『等伯』で第１４８回直木賞を受賞するなど著書多数。昨年11月まで本紙朝刊小説『家康』を連載。

文化の豊かさ。心を動かしてこそ、記憶に刻まれ次代につながる

池坊専好
華道家元池坊
次期家元

東京オリンピック・パラリンピックを控え、日本の細やかなおもてなしや演出に注目が集まっている。リニューアルされたホテルでは和のテイストを生かしたしつらえが施され、外国人はもとより日本人にとっても忘れかけていた伝統的美感に再び触れるひとときになっている。人を迎えるとなると、花は、必ず思い浮かぶ一つだろう。伊勢志摩サミットでは2作を生け、日本独自の造形とそこに流れる美意識や哲学を各国首脳に見ていただくことができた。仏前供花が発展して室町期に成立した立花と、第二次世界大戦以降、民主主義の進展の中で生まれた自由花は、伝統的価値観と現代的価値観という対比の提示でもある。

昔から貴人のおもてなしとして、人は花を生けた。豊臣秀吉が権勢を振るっていた時、前田利家の所望により秀吉を迎えるために池坊専好（初代）が四間床に大作を生けたことが『文禄三年前田亭御成記』には記されている。格調高く、また、常緑のところから永遠を表す松をふんだんに用い、何本かの枝の良い部分を接ぎ合わせることで、理想的な躍動感ある一本の松の枝に見せたという。そして、後ろには猿の描かれた掛け軸が掛かっていた。それはまるで松林で猿が自由自在に戯れているかの

ような情景であったことだろう。一本の枝に見せるというその技術の高さもさることながら、この取り合わせるという趣向が面白く感じられる。文化は単体でも成熟し、また評価され得るが、他の分野と融合することによって相乗作用でより深くなったり、思いもかけない化学反応を起こし得る。

さて、専好の作品は一体どのような意図をもって作られ、それを鑑賞者である秀吉はどのように受け止めたのだろうか。目に見える造形や構成、また草木の瑞々《みずみず》しさの陰には、ただ綺麗《きれい》で豪華ないけばなをもって喜ばせたいという素直な思い以外の意図は隠されていなかったのだろうか。さまざまな憶測や議論を起こすのも文化の豊かさであると思う。それは時として作者の意図から外れたり、一人歩きすることもあるが、ともかく人の心を動かしていく。逆に言うと、私たちは文化に触れる時、どこまでその見えない背景や真実に近づくことができるのだろうか。そして人に鑑賞され、評価され、心を動かしてこそ、形の残らないいけばなは記憶に刻まれ、次代につながっていくことができるのだ。

秀吉はどのように作品を見て、受け止めたのか。映画「花戦さ」でご確認いただけたら幸いである。

●いけのぼう・せんこう／小野妹子を道祖として仰ぎ、室町時代にその理念を確立させた華道家元池坊の次期家元。京都にある紫雲山頂法寺（六角堂）の副住職。「いのちをいかす」という池坊いけばなの精神に基づく多彩な活動を展開。2012年より、諸災害の慰霊復興や人々の幸せや平和を願い、西国三十三所の各寺院を巡礼献華し結願した。アイスランド共和国名誉領事。

異なるものや新しいものへの好奇心をどのように醸成していくか

位田隆一
滋賀大学学長

学長になって最初の新年を迎える。就任の時に掲げた大学のグローバル化の推進は道半ばだが、この間にグローバル化の意味をさまざまに考えさせられた。

滋賀大では、経済学部にも教育学部にも留学生が少なからずいる。しかし、英語で行われる講義は非常に少ない。そこで、私の目標は、英語のクラスを増やして、海外からの留学生がもっと多くこの大学で学びたい、研究したいという環境を作りたいのだ。しかし他方で、今いる留学生は日本語ができ、日本語で勉強や研究をしている場合が多い。これもグローバル化の一つのパターンだろう。どちらも大切にしたい。

そこで必要なのが、多様性を理解し受け入れることだろう。前任校ではイスラム系の留学生も少なくなかったから、メディテーションルームなるものも設けられて、われわれがよく知っている仏教やキリスト教以外の宗教に対する配慮があった。学内のコンビニにもハラルフードが置かれていた。私は毎年ゼミ生を自宅に招待するが、そこではさまざまな言語が飛び交う。食事も最初は何を供すればよいか分からなかったが、日本食でかなりの程度、対応できることが分かる。互いにそれぞれの国の文化への少しの配慮があれば親しくなれるし、親しくなればなるほど、相手の国の言語、文化や生活様式にも興味が湧き、理解が深まり、そこからさらに親しみが増す。

　年末に12カ国から16人の研究者を招いて3日間、「死者と医学をめぐる生命倫理法」の国際ワークショップを開いた。そこでの共通言語は英語ではなくフランス語で、宗教や政治制度もさまざまだったが、出席者それぞれが他国の考え方や文化などに思いを馳《は》せ、諸国間の比較に激論を交わした。それだけではなく、視察に訪れた仏壇工場でも、職人さんたちに身振り手振りでコミュニケーションを取りたがっていた。もちろん、つい先ごろ世界無形文化遺産となった和食も彼らの異文化理解の一つだ。面白いのは、彦根で見聞きし体験した一つ一つの出来事や事物について、日本的な概念や思想に結び付けて理解しようとしていることだ。それは、多くの日本人が大切にしている感性というよりも、論理的な意味付けであり、それ自体がすでに多様性を示している。

　そこで思い当たったのが、異なるものへの好奇心だ。異文化とのコミュニケーションのツールとしての日本語や英語を介して、異なるものや新しいものへの好奇心をどのように醸成していくか。これを学長としての新しい年の宿題にしたい。

●いだ・りゅういち／1948年、兵庫県生まれ。京都大大学院博士課程中退。パリ第2大高等研究課程修了、専門は国際法、国際生命倫理法。京都大教授などを経て2016年から現職。京都大名誉教授。ユネスコ国際生命倫理委員、同志社大特別客員教授も務める。1990年安達峰一郎記念賞受賞。2001年フランス共和国教育功労章騎士章。

文化をもとに「アジア」を世界単位へ その原動力となるのは京都である

井上満郎
京都市歴史資料館館長
京都市埋蔵文化財研究所所長

昨年11月にプレシンポジウムがもたれたが、今年「東アジア文化都市2017」が日本の京都市、それに韓国テグ広域市・中国長沙市があい集って本格的に実施される。

昨年の世界の大きな話題に、イギリスの欧州連合（EU）離脱がある。一世紀前、日本人を母に持つカレルギーによって唱えられたヨーロッパの統合はまず欧州経済共同体（EEC）、やがてEUとして結実した。欧州は新しい歴史を歩んできたのだが、そこにほころびが生じ始めたのである。これと合わせて、拡大し続ける中国、新しい大統領になるアメリカ、世界がどこへ向おうとするのか、いっそう読めない時代になったように思う。

歴史学での「東アジア」は、日本列島・朝鮮半島・中国大陸をいう。漢字・仏教などを共通の文明として、互いに影響を及ぼし合いながらその歴史を形成してきた。しかしその統合がアジェンダ（政策課題）になったことは一度もない。日本が国際社会に入って二千年、なるほど明治以後「アジア主義」と呼ばれる思想が現われはしたが、具体化することはなかった。

混在しつつも地域や民族がそれぞれ独自の社会を保ち、時には衝突しながらのアジアの歩みは、確かに統合という概念とは相容れないように見える。しかしアジアはそれだけ若いのだ。若さには過ちが伴う。いさかいも起こる。だが若さは未来そのものであり、そこへ向かう大きなエネルギー、可能性をアジアは秘めている。

その時基底となるのが文化である。シルクロードは、一本の細い道ではあってもアジアを東西に貫き、人と文化の交流に貢献した。地域や民族が自分たちだけで歴史を形成したわけではないのであり、豊かな交わりがアジアにはあった。そうした交わりの果実の文化をもととして、アジアは一つの世界になることができる。むろんそれは国家の統合といったことなどではなく、アジアという、ヨーロッパの影として低められ、長く目覚めることのなかった地域を、世界を構成する単位として甦《よみがえ》らせることである。そしてヨーロッパとは異なる、通い合う文化を基底とする豊かな共生社会をつくることである。

この時に京都の果たす役割は大きい。頻々と王朝が交替し、その度に蓄積されてきた文化を消耗していった中国大陸・朝鮮半島に比べて、日本は国際的に安定した国家と社会を保った。そしてその中心だったのが京都だ。京都はアジアのモデル都市として、アジアが世界単位へと飛躍する原動力になりうるし、またならねばならないのである。

●いのうえ・みつお／1940年、京都市生まれ。京都大大学院博士課程修了。京都産業大教授などを経て現在、同大名誉教授、京都市歴史資料館長、市埋蔵文化財研究所長。専門は日本古代史、京都歴史・京都文化。2009年11月、京都新聞大賞（文化学術賞）受賞。11年11月、全国社会教育功労者文部科学大臣表彰。著書に『桓武天皇』『平安京の風景』『古代の日本と渡来人』など。

「恩」ということの大切さ

私は40数年前、東山三十六峰の一、六條山に納骨墓所を創設しましたが、今や50万人の壇籍者の参詣する世界一の大聖地となりました。

そして昨年11月9日、第14世ダライ・ラマ法王が初めて六條山の当東本願寺に参詣されました。東本願寺とチベットとの縁は深く、明治期に私の曽祖父、東本願寺22世現如上人が、第13世ダライ・ラマ法王への親書を託し、わが国初のチベットへの公式な使者として、能海寛《のうみゆたか》を派遣したことに始まります。

大谷暢順
東山浄苑
東本願寺法主
本願寺文化興隆財団
理事長

百有余年の時を超えて、第14世ダライ・ラマ法王と共に、われわれも大乗の祖師龍樹菩薩の流れを汲《く》む者として、この御堂にて御本尊を拝し、仏法を語り合えた仏縁を、深く喜んでおります。

われわれは日常、インターネットのサイトやテレビ、新聞などで、種々忌まわしい報道を見聞きしますと、数人で集まってそれを語り合い、大いに慨嘆し切歯扼腕《せっしやくわん》して、世を嘆くことがあります。しかしそんなことをしても、世の中は少しも良くなりません。

実はこのようにして、われわれは不幸の種を探し、われわれ自身を不幸に追い込んでいるのです。これほど愚かなことはないではありませんか。

人世の目的は〝仕合《しあ》わせ〟になることであると、当日法王と私は語り合いました。そして仕合わせになるためには、思いやりの心が肝心であります。

思いやりの心とは、畢竟《ひっきょう》、恩を感じ合うことにほかなりません。「恩」ということの大切さを、久しくわれわれ日本人は忘れているのではないでしょうか。

恩については、父母の恩、国王の恩、師友の恩、衆生《しゅじょう》の恩、また天地自然の恩などということが説かれます。

それに「報恩」恩に報いる、「知恩」恩を知る、などの熟語がありますが、私はやはり恩は感じるもので、「感恩」と考えるべきではないかと思っています。

恩は元々梵語《ぼんご》のkrta-vedin, upakāraなどの仏教経典の言葉を翻訳するにあたって、この漢字を充てたものかと思いますが、これなどには、「恩を感じるもの」という意味があるようです。ですから、恩は報恩知恩というより感恩と漢語訳した方がよかったのではないかとも思います。

恩には、恩を与える者、例えば父母とか先生とかと、その恩を受けて、それをありがたいと感じる者、例えば子とか生徒とか、両者の間に、いわば感応道交がなければならないと思うのです。

この両者共々喜び合い、幸福を感ずる、心と心が通じ合うことが大切で、そこにみんなが仕合わせになる道が開けてくるに違いありません。

●おおたに・ちょうじゅん／1929年、京都生まれ。東京大文学部、ソルボンヌ高等学院卒業。パリ第7大文学博士。名古屋外国語大名誉教授。フランスパルム・アカデミック勲章叙勲。現在、本願寺文化興隆財団理事長、東山浄苑東本願寺法主、ジャポニスム振興会会長。『歴史に学ぶ蓮如の道』『人間は死んでもまた生き続ける』など著書多数。ジャンヌ・ダルク研究者でもある。

美しいものが日常の中にある生活
京都は、これを忘れないでほしい

大原謙一郎
大原美術館
名誉理事長

私たち日本人は生活の中に美しいものを取り入れるのが上手だといわれてきた。ハレのよそ行きだけでなく、何気ない日常の道具や生活の佇まいの中に美しいものがたくみに取り入れられていると、世界から賞賛されてきた。

私は、倉敷で大原美術館のほか、倉敷民芸館の運営にも関わっている。そこには、美しいものを見いだす卓越した眼差《まなざ》しを持っていた柳宗悦と同志たちが、庶民の暮らしの中から見つけてきた、器、カゴ、ザル、織物、家具、道具類などが展示されている。これらの品々の美しさは格別である。本当に、生活の中に美しいものが根付いていたのだと、改めて感じさせられる。しかし今、私たちの周囲を見回してみて、生活の中に美しいものが上手に取り込まれている様子がうかがえるだろうか。少々心もとなくはないだろうか。

昔の美しい生活が今に残っていないことを嘆いているわけではない。いまさら、昔ながらの炉端にくつろぎのある生活に戻れるわけもない。

しかし、それならば、今の日常の中に「生活に美しいものを取り込む」という思いが生きているだろうか。今の時代の生活様式の中に、新しい美しさが生まれているだろうか。

心もとないのは、そこである。

もちろん、希望がないわけではない。今でも、美しい生活を守ろうと頑張っている街は全国に少なくない。私の住む倉敷もその一つでありたいと思う。

さて、それでは、肝心の京都は大丈夫だろうか。大丈夫であってほしい。京都は日本の文化首都として、生活の中に新しい美しさを取り込むチャンピオンであり続けてほしい。倉敷とか、その他心ある町々の大きな兄貴分として、日本の心の佇まいを体現し、日常の生活を美しく保つ街であり続けてほしい。私たち地方の民は、心からそう願っている。

京都は、大伽藍《がらん》がそびえ国宝重文が溢れる堂々の文化首都である。同時に京都には、生活の中にも文化首都の香りがにじみ出る、美しい街であり続けてほしいと思う。

「日本人の忘れ物は、京都では、忘れ物やおまへん」と胸を張って言い続けていただいてはじめて、京都は全国から仰ぎ見られる文化首都たり得るのではないだろうか。

●おおはら・けんいちろう／備中倉敷の商家の9代目。神戸に生まれ、小学校から京都で過ごす。洛星高等学校卒業後、東京大経済学部、エール大（アメリカ）大学院に学び、1968年倉敷レイヨン（現クラレ）入社、副社長を経て、1990年中国銀行に転籍、副頭取を経て99年退任。現在、大原美術館名誉理事長、倉敷民芸館理事長、倉敷芸術科学大客員教授。

見失っている人間個人の余裕

香港はチャイニーズドリームを狙う者たちの玄関口である。大企業だけでなく、世界各地からさまざまな交易人たちが集まる。

日本から香港に中古自動車を卸し、アフリカ人相手に商売をしているパキスタン人社長と会食をした。日本で長年商売をした彼は、「不幸せな日本人」について滔々《とうとう》と語った。日本人は真面目だが、常に生活や人間関係の維持に汲々《きゅうきゅう》として、余裕がまったくないと。

小川さやか
立命館大学大学院
先端総合学術研究科
准教授

タンザニア人のカラマは、香港の企業に他のアフリカ系交易人を仲介したり、アフリカ系商人から注文された品を香港や中国本土で探して輸出するディーラーだ。カラマは、取引相手であるパキスタン人社長との約束に3時間も遅れても、社長の椅子に座りセルフ写真を撮っておどけ、社長が現れ説教されても「あいつはすぐ怒る」などと平然とする。社長が自分をないがしろにしたら、15カ国のアフリカ系交易人とのネットワークごと立ち去るだけだという。

カラマたちディーラーは、びっしりと電話番号を登録した携帯を2、3台持つ。アドレス帳には石油企業の社長から大物政治家、詐欺師や囚人までいる。どの人も等しく大事だ。詐欺に遭った時に適切なアドバイスをくれるのは詐欺師かもしれない。この関係は、自然に増殖したものらしい。日常的に顔をあわせる関係は、日々の小さな貸し借りを潤滑油としてうまく回っている。その他はいつどのような形で「貸し」が返ってくるか分からない関係であり、その大半は「スリープ」状態だ。だが、数十年ぶりでも、その誰かが自分を助ける、あるいは自分が誰かを助けられる可能性があれば、即興で友情は目覚めるようだ。相手が乗り気じゃないなら、別に構わない。

網に投げたSOSは、バラエティーに富んだ仲間の誰か一人くらいは受け止めてくれる、そういう感覚で、一つ一つの関係に過度に期待しない。その気軽さが、自律的な「セーフティーネット」の基となっている。

カラマたちには、人生が安定すると錯覚させる制度的保障はないし、国家や企業が権威付ける社会的地位もない。彼らはそうしたものに余裕の根拠を求めない。現在、日本人は保障を求めるほど、確実な未来を設計するほど不安になっているように思える。着信もメールも親切を受けた「借り」も返さないと不安になる。個々の人間関係に確実な互酬性を求め、維持する関係が増えるほどに窮屈になる。制度に過度に期待させられることで見失っている人間個人の余裕を、「日本人の忘れもの」としたい。

◉おがわ・さやか／1978年、愛知県生まれ。京都大アジア・アフリカ地域研究研究科博士課程指導認定退学。博士（地域研究）。立命館大大学院先端総合学術研究科・准教授。専門は文化人類学。主著に『都市を生きぬくための狡知』（世界思想社、2011年・第33回サントリー学芸賞）、『「その日暮らし」の人類学』（光文社新書、2016年）。

京都が持つ本への愛という文化

佐藤　優
作家
元外務省主任分析官

一昨年から母校の同志社大神学部で特別講義を行うようになってから、上洛の機会が飛躍的に増えた。地下鉄や市バスに乗っていて気付いたが、本を読んでいる人が減っている。スマホをいじっている人が多い。スマホのショートメールで使う言葉は語彙《ごい》数も少なく、文章構造も単純だ。こういう日本語に慣れてしまうと読む力が落ちる。読む力が落ちると、聞く力、書く力、話す力も落ち、国語力が低下してしまう。もっともカフェでは、東京と比べて、本を読んでいる人が多いように思える。

私は1979年から85年まで同志社大神学部と同大学院でプロテスタント神学を勉強した。京都で暮らしていちばん嬉《うれ》しかったのが、古本屋が充実していたことだ。京都の古書店で、戦前の神学書や伏せ字だらけのマルクス主義の書籍を見つけては、喜んで買い求めた。私の下宿から徒歩5分くらいの、京都大熊野寮の向かいに「不識洞」（現在は閉店）という古本屋があった。神学書、哲学書、マルクス主義関係の本が充実していたので、週に2、3回はこの古本屋に通った。私は、神学者ヨゼフ・ルクル・フロマートカというチェコの神学者を研究していた。同志社大神学館の図書室には、日本でもっとも神学書が揃《そろ》っているのであるが、1950年に創元社から刊行された『破滅と再建』というこの神学者の主著がどうしても入手できなかった。ある日、「不識洞」の主人が、仙花紙のボロボロの本を見せ、「著者はロマデカとなっていますが、あなたが探している本じゃないですか」と言われた。確かにそうだった。雑談で、私がこの本を探していることを知り、主人が京都の古本屋ネットワークを通じて入手してくれたのだ。そのおかげで、私は卒業論文を書くことができた。「不識洞」を通じて入手した

本には岩波書店から刊行された『宇野弘蔵著作集』（10巻プラス別巻）がある。当時この著作集は、古本市場で6万円以上した。「不識洞」の主人は、3万9千円で見つけてくれた。アルバイト代が支払われた日に「不識洞」に行くと、主人は「3万7千円でいい」と2千円値引きをしてくれた。私が感謝するとともに理由を尋ねると、主人は「この本は原価であなたに譲ることにした。あなたは一生この本を大切にしてくれると思う」と答えた。外交官になってからもこの著作集を私はモスクワに持っていき何度も繰り返し読んだ。職業作家になってからもこの著作集のお世話になっている。京都が持つ本への愛という文化をいつまでも大切にしたい。

●さとう・まさる／1960年、東京都生まれ。85年同志社大大学院神学研究科修了。その後、外務省に入り、対ロシア外交で活躍する。2002年5月に鈴木宗男事件に連座し、東京地検特捜部に逮捕、起訴され、争うも09年6月に執行猶予付き有罪が確定（懲役2年6カ月）。13年6月に執行猶予期間が満了し、刑の言い渡しが効力を失う。現在は作家として活動。

自らの中にある野性を覚醒させ失われた詩想と反抗心を取り戻す

篠原　徹
滋賀県立琵琶湖博物館館長

もはや戦後ではないといわれてからでもすでに久しい年月が経ったけれども、敗戦の年に生まれた私にとってはやはり戦後72年というほうがこの時代の歴史や文化を語るときにはなじみやすい。１９４５年は日本の近代を区分するときやはり画期となるし、文化や文明というものもその経済的基盤によって支えられるという意味では日本の高度成長期もやはり画期となる。

日本の近代は1年後には１５０年になる。一世紀半の日本の近代の前半は欧米の近代化への模倣と追従であり、最後の国内戦争である西南戦争と三つの対外戦争という戦乱に明け暮れた時代であったといっていい。後半の戦後は世界史的にみても希有《けう》といっていい70年間の国内的な平和が続いた。国外ではゲリラ戦も含めて異常なほど戦争が多い。

　こうした大きな歴史の中で右往左往する個人の精神史とは何であろうか。この１５０年になる日本の近代のなかで失われた精神とは一体何であろうか。私はそれは「詩想と反抗心の喪失」ではないかと思っている。4年前に亡くなった私の友人は人類学者であったが、彼は若いころ「人類学は詩を書かない詩人なんや」といってアフリカの一角で悠々たる生活を営む焼畑農耕民の研究に没入していった。優れた詩は私たちの精神を支えることがある。それは人間のあってほしい姿を描いたり、人生の断片に垣間見せる人間の本源的な姿を直感的に掬《すく》い取っているからである。そして時には国家や権力に対して鋭い批判や反抗を詠うものでもある。人間は自己家畜化動物であるという言い方もあるけれども、私たちの精神はどこかこの数十年の間に国家や権力に飼い慣らされてしまったのではないかと思うことがある。あるいは自己家畜化という言い方に倣えば、自ら創った放縦で無節操な文化に飼い慣らされたというべきか。

飼い慣らされない詩想や反抗心は教育や鍛錬によって養われるものではないだろう。おそらくそれは文明に対置できる唯一の人間の存在のありようである野性を自覚することであろう。この野性とは文明の原理に対して自由や平等を原理的なところから再考するという意味である。私たちは自らの中にある野性を覚醒させれば失われた詩想と反抗心を取り戻すことができる。その力こそが未来を切り開いていく原動力になるのではないか。

●しのはら・とおる／1945年、中国長春市生まれ。京都大理学部・文学部卒業。岡山理科大助教授、国立歴史民俗博物館教授、大学共同利用機関法人・人間文化研究機構理事を経て、現在滋賀県立琵琶湖博物館館長。専門は民俗学、生態人類学。著書は『海と山の民俗自然誌』『自然を生きる技術』『自然を詠む』『酒薫旅情』など。

人間は人の間に生きている

「人間関係中心文化」。私が最も好きな日本文化の一つです。毎日のように生活の中で聞こえてくる言葉に、「よろしくお願いします」があります。この言葉は、曖昧な表現ですのでなかなか英語には訳せません。日本は受信者責任型文化です。受信する側が責任を持って解読しなければいけない文化です。この「人間関係中心文化」を支えているのが日本人が世界一と称される「受信力」だと思っています。一方、英語は発信者責任型文化になります。発信する側が責任を持って相手に伝えないといけない。つまり、ただ単に「頑張りましょう」ではなく、職場なら「納期を守って利益を出しましょう」のように、立場と内容を明確に表現し具体的に「よろしくお願いします」に代わる言葉を表現しなければいけません。私は「よろしくお願いします」を日本語がわからない外国の人に説明する時には「良い人間関係を保つためにそれぞれの役割を果たしていきましょう」という意味だと説明し、日本人にとってはこの日本的表現こそ、平和で素晴らしい人間関係を築きあげるために使用しているのですよと好意的に教えます。

ジェフ・バーグランド
京都外国語大学教授

そういう私も実は自分にそう言い聞かせています。なぜならアメリカで培ってきた発信型の自分は抜けないものだからです。発信型の人の特徴は、なんでも自分から始まる、自分の力で生きているという錯覚に陥りやすい

のです。私も恥ずかしながら例外ではありません。しかし、日本に来て日本語を教えてもらい、「人と人との間に生きる」感覚を初めて覚えました。これはきっとアメリカで暮らしていたら絶対感じることのできない特別な感覚だと思います。

最近、日本人の中で、「人と人はつながって生きていることや、「人は人の間で生きている」という意識が少し希薄になってきているではないかと思っています。私も今年で48回目の新年を京都で迎えることができました。振り返ればこれまでたくさんの人に出会い、さまざまな人にお世話になってきました。この文章は和歌山での仕事を終え、妻の待つわが家に帰る電車の中で書いていますが、窓の外に点々とついている家々の明かりを見ながら、アメリカにいる家族、ご近所の皆さん、恩師、同僚、そしてこれまでのたくさんの教え子の皆さんなど、これまでもそしてこれからも私が長年お世話になっていく皆さんを思い出しています。新年のご挨拶はやっぱり、「今年もよろしくお願いします」。私も皆さんも忘れてはいけないこと、今年も「人間は人の間に生きているということ」。京都の皆さん、今年もよろしくお願いします。

●ジェフ・バーグランド／1949年、米国南ダコタ州出身。ミネソタ州カールトン大に入学。宗教学を専攻。20歳で同志社大に留学。その後、同志社高校に就職し以降22年間教諭を務める。92年大手前女子学園教授、帝塚山学院大教授を経て、2008年京都外国語大教授に就任。京都国際観光大使も務める。著書に『日本から文化力ー異文化コミュニケーションのすすめ』など多数。

気候変動や地震、化石など地学の領域は幅広い

瀬戸口烈司
京都市青少年科学センター所長

ここ数年の地球環境の変動はすさまじい。ラニーニャ、エルニーニョ現象が繰り返し起こり、日本の気候もその影響をもろに受けた。特に2010年は、夏の猛暑の後、冬は北極振動の影響で豪雪に見舞われた。台風も頻発した。12年には、爆弾低気圧が猛威を振るい、竜巻も来襲した。竜巻というのは、北アメリカの地方的な現象で、日本では起こらないと思っていたので、日本で竜巻の被害が出たことには驚いた。昨年の夏は、10年に続いて連日30度を超す猛暑となった。

気象の現象だけではない。地震の被害が日本の各地で相次いだ。11年の東日本大震災は記憶に新しい。地震に伴って津波が襲来した。16年には津波は起こっていないが、熊本と鳥取で巨大地震が発生した。

このような気候変動や地震などの現象は、理科の教科の中では地学の領域に属する。私は08年から12年まで、放送大学京都学習センターの客員教授として、地球環境の変動を統一テーマにして講義をしたが、話題には事欠かなかった。30人ほどの学生を相手に講義をするのだが、ほとんどの学生は高校時代に地学の授業を履修していない。2、3人程しか地学の授業の経験がないのである。これは他人事《ひとごと》ではない。私だって高校時代に理科は、生

物、物理、化学しか履修していない。だから放送大学では、学生は高校時代に地学を勉強していなかったことを前提に、講義を進めなければならなかった。

京都大学の入学試験でも、ほとんどの学生は、理科の科目は物理か化学を選択する。生物を選択する学生もいるが、地学を選択する学生は本当に少ない。地学は不人気なのである。

生物の進化は、化石の研究を基礎にして考察する。日本では、化石の研究は地学の領域に入る。貝類の化石などの地学の分野は人気がないが、恐竜となるとがぜん話が異なる。恐竜は独立した別個の存在なのである。

私は、現在、京都市青少年科学センターの所長として、一年に数回、所長講演を子ども向けに行っている。恐竜をテーマに話をすると、子どもは目を輝かせてくる。質問もとめどもなく続く。ところが、それ以外の化石には目もくれないのである。

地学に関するいくつかの話題には特に高い関心が集中するが、それらはきわめて断片的である。

地学は、全体として本当に人気がないのである。残念でしようがない。

●せとぐち・たけし／１９４２年、京都市生まれ。京都大理学部卒。米、テキサス工科大大学院修了（Ph.D）京都大大学院教授在職中の１９９９年から２００３年まで京都大総合博物館館長。08年から12年まで放送大京都学習センター客員教授。10年から京都市青少年科学センター所長。専門は地質学、古生物学。南米コロンビアと中国で中生代、新生代の哺乳類化石の発見に成功した。

古代からの一続きの歴史を
いま一度想起してみる

高村　薫
作家

高校時代から今日まで、ほぼ半世紀も京都を身近に眺めて暮らしてきた。大阪で生まれ育ち、いまも大阪に住んでいる人間でも、学校や仕事、季節の行楽などで日常的に京都と関わりを保ち続けているのは、地理的な近さもさることながら、やはり京都の持つ歴史的文化的な引力の大きさによるのだと思う。

とはいえ昔から、観光客で賑《にぎ》わう神社仏閣を除くと、京都には歴史的遺構が意外に少ないことが気になっていた。長らく都であっただけに戦火で何度も焼失した上に、鴨川や桂川などの洪水で町が流されることも多く、その都度平安京の条坊は少しずつ失われ、時代とともに都市の構造も大きく変わっていったのだろう。ともあれ、「京都＝日本の歴史」という一般的なイメージと現実の間に、若干の落差があるのは事実である。

もちろん、祇園祭の山鉾巡行の背景が四条通の雑然とした商業ビルや看板の群れであるのは、現代の生活空間の中で行われる祭りである以上、仕方のないことではあるし、京都の人も観光客もあえて気に留めることはしない。けれども一方では、祇園祭がこうして京都の夏の代名詞となり、内外に広く知られるようになればなるほど、忘れられてしまったものがあるような気がしてならない。いまや宵山も山鉾巡行も華麗なページェントとなり、その様子はテレビでも中継されて全国に流される。そこには、この祭りの始まりが9世紀の貞観地震のときに、悪霊や死者の怨霊を鎮めるために執り行われた御霊会だったことの名残はみじんもない。疫病や天変地異を恐れ、鬼神や怨霊の祟《たた》りを恐れて神仏に祈り、供物を捧げてきた日本人の心象がそれなりに語り継がれ、人びとが心身にそれを刻んできたなら、ここまで祇園祭がショー化されることはなかったのではないかと思う。

　歴史はときどきの時代に合わせて読み替えられてゆくものではあるが、邪馬台国や戦国時代がそうであるように、私たち日本人は一続きの歴史ではなく、際立った断片の物語を抜き出してそこにロマンを見る傾向が強い。私たちが「歴史」「文化」「伝統」と呼ぶものの多くは、そうして選別された断片であり、前後の脈絡を失ったことでいくらでも改変され、姿かたちを変えてゆくのである。時代とともに変化すること自体は是も非もないが、少なくとも京都が「歴史」を標榜《ひょうぼう》するのなら、古代からの一続きの歴史をいま一度想起してみることも必要なのではないだろうか。

●たかむら・かおる／1953年、大阪市生まれ。会社勤めを経て90年『黄金を抱いて翔べ』でデビュー。93年『マークスの山』で第109回直木賞、同年『リヴィエラを撃て』で第46回日本推理作家協会賞、98年『レディ・ジョーカー』で第52回毎日出版文化賞、2006年『新リア王』で第4回親鸞賞、09年『太陽を曳く馬』で第61回読売文学賞受賞。

日本人の自然観や精神性を世界に向けて発信する

田中恆清
石清水八幡宮宮司

神道の原点は自然崇拝です。草木山川あらゆる自然万物に神が宿り、私たち人間はその恩恵によって生かされています。それに対する畏敬と感謝の念を捧《ささ》げる場所として社殿が建立され、その精神の積み重ねが日本人の心の中で生き続けてきた結果、神道が今日に伝わってきたのだと思います。そして、神道的な自然観というのは、世界に誇るべき日本の宝だと私は思います。

自然とは一般に「天然の人為が加わっていないもの」の意かと思いますが、日本人は元々その語句を「しぜん」ではなく「じねん」と呼んでいました。「じねん」とは、「自ずとそうなる」という意味です。そこには、人間も自然の一部と捉え、大自然を人間の外に置くことなく、対立するものと考えない発想が宿っています。

常に人間は自然と共生しながら、その恵みを受けて生かされている。ときには厳しい試練を与えられながらも、なお、自然を恨むことなく、その恩恵に与《あずか》って日本人は数千年の歴史を日本列島の上で築き上げてきました。

ところが、昨今「地球にやさしく」「自然を大切に」といった言葉が使われるようになり、日本人古来の信仰観、自然観が希薄になったように思えてなりません。それはそれで間違いではありませんが、そんな大それたことを私たちは言えるでしょうか。大自然が自己と繋《つな》がっているという視点が抜け、自然を外側から見ているように思えて仕方ありません。人間がどんなに知力能力に優れていようと、やはり自然にはとても及びません。私たちはそういうものの中に生かされているということをしっかりとわきまえ、今を生きていかなければいけないと思います。

神道には「中今《なかいま》」という言葉があります。これは、「歴史的に継続している今」という観念で、特別な思想ではありません。日本人の誰しもに染み付いているものの道理であり、生かされている、連続した命をいただいている「今」を精一杯に生きることが何より大切だという極めて道徳的でありながら、生命観や自然観すべてを包含した深い日本人の教えでもあります。日本人は「今この一瞬」を常に繰り返し、常に新しい命を甦《よみがえ》らせ、重ねていくことにこそ永遠性を感じているのだと思います。

今、この日本人の自然観、神道の「中今」の精神が世界から注目されています。そのような時にこそ、悠久の歴史と伝統を誇り、世界屈指の観光都市である京都の地から、前向きな何かを生み出す可能性を秘めている日本人の自然観や精神性を、世界に向けて発信していただきたいと願っております。

●たなか・つねきよ／1944年、京都府生まれ。69年國學院大神道学専攻科修了。平安神宮権禰宜、石清水八幡宮権禰宜・禰宜・権宮司を経て、2001年石清水八幡宮宮司に就任。02年京都府神社庁長、04年神社本庁副総長を務め、10年神社本庁総長に就任。

和名の活用で
わが国の文化をより深く高める

田畑喜八
染色家
日本伝統工芸士会会長

物質文明や科学文明の飛躍的な発展を見せる現代社会にあって、今その精神的・文化的裏付けが強く要求される。

わが国の精神性が多分に裏付けされた文化の一翼を担う私たちの伝統工芸は、法律その他で、その保護育成が声高に叫ばれているが、需要の減少・後継者不足などいろいろな要因から長らく低迷が続き、少し明るさが見られるとはいえ、いまだ道遠しの感あり、そこからの脱却は容易ではないが、忘れられそうな日本人の感性を取り戻すことがぜひ必要である。

私たちの伝統工芸、中でも染織の世界は色と文様が車の両輪であるが、特に「色」が重要な役割を担っている。一つ一つの色が良くても、配色如何《いかん》によって可とも不可ともなる。その良きお手本は自然界に見られる。

古来、日本人はこの自然界や色に対して他国よりも繊細な感覚を持っている。古今集や新古今集などの詩歌を見ても、目に見える色から目には見えないが人に想像させる色まで、その多様さは無限といってもよく、色彩感覚の豊潤さは世界に誇り得る文化といっても過言ではない。色の和名は江戸時代まで文化の中心だった公家階級に主に用いられていたが、その後、武家や町人にも伝わり、地域によって少し差異がみられる。

近年、政治から経済・IT、その他私たちの周囲は、わが国固有の言語を英語などに置き換えて表現することが多く、場合によっては相手に誤解を与えたり、ごまかすことにもなっている。わが国の文化の尊重、ひいては発展について考えれば、どうしても外国語でなければならないものを除き、自国語をもっと活用すべきであろう。

　例えば、世間で「ピンク」と呼ばれる赤い色は、濃淡・地味派手があり、人々の頭には百人百色となるが、「小《こ》桜色《ざくらいろ》」「小町桜《こまちざくら》」「乙女色《おとめいろ》」「桃色《ももいろ》」という和名を冠せば、その色が人々の頭に具体的に感知される。その他「グレー」と呼ばれる色名も「銀鼠《ぎんねず》・絹鼠《きぬねず》・薄雲鼠《うすぐもねず》・墨鼠《すみねず》…」など、鼠《ねずみ》百色といわれるほど私たちは実に多くの具体的な和名を受け継いできた。

　「このお着物の地色はピンクです。この地色はグレーです」と言うより「この色は乙女色です。この地色は銀鼠です。」と言った方が相手に好印象を与え納得してもらえるが、現下なかなか実行してもらえないのが残念である。
　文化庁の京都移転を契機に、わが国の文化は、その価値を裏付ける精神的なもの―和名を用いてその尊さをさらに高めたい。

●たばた・きはち／１９３５年、京都市生まれ。早稲田大第一文学部卒。京都市立美術大日本画科修了。祖父（３代、人間国宝）と父（４代）に師事。95年５代目を襲名。田畑染飾美術研究所代表。日本伝統工芸士会会長、日本染織作家協会理事長。２００６年旭日双光章受章、11年文化庁長官表彰。著書に『田畑喜八 草花図』など。

日本人のDNAに刻まれた「お互いさまの精神」

堤 未果
ジャーナリスト

当たり前という名の霧が晴れた時、目に映る世界が急に色彩を変える瞬間がある。私にとってそれは、取材の最中にやってきた。80年代以降、〝今だけカネだけ自分だけ〟のグローバル資本主義が暴走し、あらゆるものに値札が付けられてきた国。アメリカでは医療も保険も高額で、治療方針は医師ではなく医療保険会社が決めている。オレゴン州に住むある女性は、肺がんを宣告された時こう言われたという。「がん治療薬は保険外で月4千ドル（約47万円）、保険が利く安楽死薬なら50ドル（約6千円）です」。まさに、命の沙汰も金次第なのだ。取材で出会う人々は、日本の医療制度の話を聞きたがる。入院して月100万かかっても、支払いが月9万で済む「高額療養費制度」の例を話すと、医療破産が日常茶飯事のアメリカ人は絶句してしまう。

ある在日米国人タレントは、日本の公的保険が高すぎると文句を言った。「自分はこんなに努力して稼いで、健康に気を使ってる。なぜ他人の医療費を支える保険料まで払わなければならないのか？」。それを聞いた時、はっと気が付いた。世界が羨《うらや》む国民皆保険の価値とは、制度そのものよりその礎である「寄り沿い、共に生きる」こと、私たち日本人のDNAに刻まれた、「お互いさまの精神」であることに。いつの間にか全ての価値が数字で測られ、労働よりも資本が、モノ作りより金融業が重視され、すぐに結果を出せないと切り捨てられる今の時代、「お互いさま」はその対極にある価値観だ。だがふと見ればそれはまだ、日本のあちこちに息づいている。例えば農村から優れた地域医療を続ける長野や、家族主義を貫き、住民幸福度指数の高さを誇る北陸、数年前に移り住んだ京都では今も、人と人とのつながりが、時間と信頼をつみ重ねる形で育てられている。大量生産ではなく世代を超えて伝承する匠の技や、想像力を育てる活字文化、生命線として過疎地をつなぐ各地の協同組合。ジャーナリストだった私の父は、亡くなる間際にこう言った。「国の不正を追っていた俺が、当たり前だと思っていたこの国の皆保険制度に最後救われた。どうかお前が俺の代わりに、この国が持つ宝ものを伝えてくれ」。そう、それらは失われたのではなく、忘れられているだけだ。引き潮の海岸で、黒い砂の上に現れる美しい貝殻のように、そっと気付かれるのを待っている。その価値を守ろうと私たちが心に決めさえすれば、この国の未来は限りなく未知数になる。

●つつみ・みか／1971年、東京都生まれ。ニューヨーク市立大大学院修了。国連婦人開発基金、アムネスティ・インターナショナルNY支局員を経て、米国野村證券に勤務中、9・11同時多発テロに遭遇。『ルポ貧困大国アメリカ』が日本エッセイスト・クラブ賞。著書に『空飛ぶチキン』『グラウンド・ゼロがくれた希望』『政府はもう嘘をつけない』など。

心に〝聖なる空間〟

仲田順和
総本山醍醐寺座主

幼い日、鎌倉市二階堂の谷戸《やと》、奥まったところ「知自《ちじ》庵《あん》」に母と住していたころ、若水を汲《く》みに天神さまの森へ行った。二階堂の天神さまは、町並みの入り口、奥まった鬱蒼《うっそう》と茂る杉木立の中にある。お社の周辺は人家はなく、裏側に続く杉木立は、ひと山越えてわが家の前まで来ている。

今日、天神さまは、「入学祈願」学問の神様とされているが、元々は呪いや、怨《うら》みの鎮めである。

天神の森に「若水」を汲む母の仕種《しぐさ》を追慕すると、ふとギリシャ語の「ヒエロス」、ラテン語の「サークル」の二つの言葉を思い浮かべる。同じ内容を示すこの二つの単語、「手を触れてはいけない」、いわば〝聖なるもの〟とでも言う言葉と理解する。古い時代のギリシャ、ローマ、インドの言葉に今日言うところの「宗教」にあたる言葉は見当たらない。その代わり信仰や儀式に関する言葉は多い。「ヒエロス」や「サークル」もその一つで、「三藐三菩提《さんみゃくさんぼだい》」の〝サン〟や、「サンタルチヤ」「サンタクロース」の〝サン〟に関わりを持つ。今、日本にこの神に接する特別な目的以外に出入りしたり、手を触れてはいけない、〝聖なるもの〟への観念が童謡の中に歌いつがれているのは興味深い。天神さまをテーマにした「通りゃんせ」も一つである。

通りゃんせ通りゃんせ
ここはどこの細道じゃ
天神さまの細道じゃ
どうぞ通して下しゃんせ

ご用のないもの通しゃせぬ
この子の七つのお祝いに
お札をおさめに詣《まい》ります
行きはよいよい、帰りはこわい…

強い禁制に対して、宗教的行為〝祈り〟を明らかにした時、入ることを許される。ところが「行きはよいよい、帰りはこわい」と締めくくる。宗教的目的ならば入りなさい。しかし、お札をおさめたその帰り道、いわば宗教的目的を果たしたその直後から保証はしませんよ、と誠に厳しく命令する。

私たちの身の回りに〝聖なるもの〟はたくさんある。お仏壇、神棚はとりわけ家の中にある〝聖なるもの〟、お寺、お宮、教会は、社会の中にある〝聖なるもの〟。これらはみんな生活の中に〝聖なる空間〟として存在する。忘れてはならないことは、「通りゃんせ」の童謡が示すように〝聖なるもの〟への厳しさを身に付けることであろう。

正しい〝祈り〟に生きるためには、自己の心に、誰にもおかされない〝聖なる空間〟を持つことこそ、なにより肝心である。

●なかだ・じゅんな／1934年、東京都生まれ。大正大大学院にて仏教原典を中心に研究を進める。57年、品川寺に入山、出家。68年、品川寺住職となり、85年より総本山醍醐寺執行長となり、2010年、総本山醍醐寺座主・三宝院門跡に就任。16年、真言宗長者を務める。医療法人洛和会理事、学校法人日本女子大、森村学園、真言宗洛南学園の評議員を務めている。

京都に生きている「間」。そこに、懐の深さ、居心地のよさがある

永田 紅
歌人

京都は「間《ま》」のある町だ。ぎゅうぎゅうでもなく、スカスカでもなく、いい具合の間が息づいている町。

京都での学生生活を終えた後、東京に4年間住んだ。東京はもちろん、便利で面白い都市である。20代の終わりから30代前半、下北沢での生活を楽しんだ後、京都に戻ってきた。戻って間もないある晩、出町柳から糺《ただす》の森のほうを眺めて、なんて暗いのだろう、なんて田舎に帰ってきてしまったのだろうと戸惑ったことがある。けれど、そんな暗さ、空間がいいのだと思える感覚はすぐに回復した。鴨川の川原を歩いたり、路地の奥の垣根に柊《ひいらぎ》の花を見つけたりしているうちに、自分がゆったりと「間」に馴染《なじ》んで入り込んでいることに気付く。

先日、漫画家・声楽家の池田理代子さんとお話をさせていただく機会があった。その中で、「漫画家はある時期必ず、空間があると何か入れなきゃいけないという感じに陥りますね」と、「画面の空間恐怖症」のことをおっしゃっていて、とても興味深かった。短歌でもまったく同じ。どうしても言葉を詰め込みたくなるのだ。歌を作り始めて何年も、私は31音のどこかに隙がないよう、一首を気の利いた表現で埋め尽くさなければいけないという強迫観念にとらわれていた。

工夫した表現のオンパレードは、一見華やかで才気に富んでいるようだが、作意が見えて飽きることがある。

のびやかな広がりがない。意味や、凝った比喩ばかりに頼るのではなく、なんでもない言葉の「間」で読ませる歌を作るのは、なかなかに難しい。

　池田さんは、「そのうち何もない空間と描き込んである空間のバランスみたいなものが分かってくる」とも話された。間や余白に注がれた力は、見えにくい。しかし、間に耐える、間を放置できる余裕を持つことは、表面的な表現技術を磨く以上に、年季、自信のいることなのだろう。

　何気なく置かれたような、ニュートラルな間。それを媒体として、人はより深く対象に近づくことになる。間があるから、安心してそこにたゆたい、そこから何かを感じ取る。間は両者をつなぐ装置であり、未知のものがやってきたときには、とりあえず放り込んで泳がせておける器でもある。

　間が抜ける、間が悪い、間合い、といった言葉もある。物理的だけでなく、時間的、心理的にも、間の取り方の大切さを思う。京都はもちろん、寺社仏閣、名所旧跡に恵まれているが、それらのあいだに生きている「間」を維持し続けてこられたことにこそ、懐の深さ、居心地のよさがあるのかもしれない。

●ながた・こう／1975年、大津市生まれ。京都大大学院農学研究科博士課程修了。専門は細胞生物学。京都大特任助教。12歳より短歌を作り始める。歌壇賞、現代歌人協会賞、京都府文化賞奨励賞受賞。歌集に『日輪』『北部キャンパスの日々』『ぼんやりしているうちに』、エッセー集に『家族の歌』（共著）。

二度と失敗を繰り返さないために必要なのは、明確な分析と総括

本庶 佑
京都大学大学院
医学研究科客員教授

昨年11月の米大統領選挙の結果は、世界中の人を驚かせた。とりわけ、日本人は驚いた。日米同盟が米国にとって不利で、日本は核武装して自立しろと言っていた人が当選したのだ。日本人の遺伝子には、寛容と和が刻み込まれている。約3万年前に来た縄文人の先祖が、気候温暖なこの地に定着した。鉄器と稲作文化を持った弥生人が到来し、抗争の時期があったが、狩猟民族が隣り合い、つい二百年前まで抗争を続けた大陸諸国に比べるとはるかに平和な社会であった。この過程で日本人の遺伝子から争う遺伝子が排除されたのかもしれない。中東における過激派組織「イスラム国」（ＩＳ）や国家間の宗教戦争、移民排除のための英国の欧州連合（ＥＵ）からの脱退など非寛容の流れが止まらない。そこに差別的な主張を繰り返す人物が米国の大統領になるのだ。世界の歴史が大きく舵を切っているように見える。

　寛容の民、日本人は他人の失敗をも謝れば済んだことだと水に流して受け入れる。しかし、ものには限度がある。日本人は第二次大戦の敗戦を終戦と言ってごまかしている。なぜ、われわれは無謀な戦争を行い、また、どのような形で終息していれば多くの人が死なずに済んだのか、きちんとした分析がなされなければならないが、いまだにそのような総括を聞いたことがない。個人的な努力で研究した人はいる。しかし、本来国家として分析し、公

表すべきであろう。時と共に事実は風化し、時すでに遅いかもしれない。

まだ遅くないことがある。福島原子力発電所事故だ。東京電力は、事故を防ぐためになぜ適切な対応をしなかったのか明確な総括をしていない。40年かけて廃炉をするというが廃炉とは何を意味するのかも明示されていない。原子炉から溶け出し、土台のコンクリートにまで染み込んだ核燃料を取り出すには、コンクリートの塊ごと切り出すしかない。切り出してからはどうするのか。それを置く場所はあるのか。一体いくら費用がかかるのかも気掛かりだ。凍結壁による地下水流出防止装置の失敗を繰り返さないでほしいものだ。

私の考えでは、あの原子炉の周りを厚いコンクリートで覆い蓋をして、新しい冷却装置を加えた上で先人の失敗を学ぶための記念公園として、次の世代への警告のモニュメントにするのが良いのではなかろうか。膨大な費用をかけて核燃料を取り出し、どこかの地底に埋められ、残る施設をすべて取り壊して忘却するより、失敗を二度と繰り返さない教育材料とする方が後世に人の役に立つのではないか。

2016年11月撮影

●ほんじょ・たすく／1942年、京都府生まれ。京都大大学院医学研究科博士課程修了。静岡県公立大学法人理事長、京都大学医学部学部長、内閣府総合科学技術会議議員などを歴任。免疫細胞の分化、増殖メカニズムなどを世界に先駆けて明らかにした。専門は医化学・分子免疫学。2000年文化功労者。13年文化勲章受章。『いのちとは何か—幸福・ゲノム・病』など著書多数。

小学校教育発祥の地、京都から「温故知新」の教育を発信する

水谷 修
花園大学客員教授

日本の小学校教育は、まさにこの京都から始まりました。1869（明治2）年、市内各地域に64の小学校が、市民たちの手によって次々と開設されました。まさに京都は日本の義務教育の発祥の地です。

今、日本の小中学校教育が、政府の手により大きく変わりつつあります。最新の知識や技術をいち早くしかも少しでも多く、子どもたちに教え込むことを通じて、日本の科学や学問、経済や社会の発展に有用な国民をつくることを目的とした、「知識偏重」の教育へと移行しています。私は、これは間違いだと考えています。

「教育」には、二つの意味があり目的があります。一つは「教」、まさに今、政府が意図している「知識偏重」の教育です。もう一つは「育」、すなわち、自らものを考え判断し、自らの人生を切り開く能力を育てる教育です。私は本来、教育は「育教」と呼ばれるべきだったと考えています。

まずは小中学校において、きちんと「育」を行うことにより、基礎的な知識を身につけ、それとともに自らものを考える力を育て、自分の能力の可能性や限界を知ること。そしてその後、自分にとって最もふさわしいと選択した進路、つまり、社会や高等学校、大学において、

「教」、すなわち自分の選んだ人生を生きていく上で必要な知識を学ぶ。これが本来の教育のあるべき姿だと考えています。簡単に言えば、人格の形成を知識の獲得より先にすべきだということです。

知識の獲得を教育の最大の目的とすれば、落ちこぼれる子どもたちがたくさん出ます。すでに今、たくさんの子どもたちが勉強についていくことができず、苦しんでいます。その子どもたちは、どうしたらいいのでしょう。覚えた知識の量で評価され、ある意味で人生を決められてしまう。これは、間違いです。また、最新の知識や技術を最優先に教えることは、私たちの伝統や文化、言い換えれば、私たちの日本人としてのアイデンティティーの喪失につながります。

私はまさに、日本の教育発祥の地、そして、日本古来の文化や伝統がいまだに多く、しかも深く残っている京都で、本来の教育を再興してほしいと心から願っています。小学校から地域の歴史や文化、しきたりを学び、宗教者や文化人、知識人、さまざまな分野の専門家との触れ合いを通して、自分の将来や人生を考える。こんな「温故知新」の教育を、まさに京都から発信してほしいと切に願っています。

元龍池小学校講堂〔明治9(1876)年 築〕
提供=京都市学校歴史博物館

●みずたに・おさむ／1956年、横浜市生まれ。上智大文学部哲学科卒業。横浜市で、長く高校教員として勤務。教員生活のほとんどの時期、生徒指導を担当し、「夜回り」を通して、中学・高校生の非行・薬物汚染・心の問題に関わり、生徒の更生と、非行防止、薬物汚染の拡大の予防のための活動を精力的に行なっている。現在、花園大客員教授。

命の源である水を尊ぶことは重大な使命である

森　清範
清水寺貫主

正月早々いささか自慢話のようになって恐縮ですが、「清水寺」というと、私どもの清水寺を真っ先に思い浮かべる方が多いのではないかと思います。それはとてもありがたいことです。しかし、実は「清水寺」という寺は北海道から九州まで全国に90余りを数え、それぞれの清水寺が地元において篤《あつ》い信仰の霊場となっております。もっともその呼び名は「きよみずでら」よりも、「せいすいじ」と名乗る寺が多数派を占めております。

共通しているのは、いずれも当然のごとく水が縁起となっており、必ず観音さまを祀《まつ》っておられることです。仏教の世界観では、万物に仏が宿るとされ、水は観音さまの化身であるとされています。

1992（平成4）年から、私どもはこうした全国の清水寺に呼び掛け、「水は命の源である」というテーマの下、「全国清水寺ネットワーク会議」を立ち上げました。2年に一度、参加の清水寺から会場を選んで大会を営み、そこに全国の清水寺の代表が集い、水についてさまざまな話し合いをします。また、毎年4月3日を「四三《しみ》ず」と読んで「水の日」と定め、京都の清水寺に全国の清水寺の代表が出仕して、水に感謝の誠を捧げる法要を行っています。正月を迎えると早くも、桜咲く頃の今年の「水の日」が楽しみになります。

水は空気と同様、いつもあって当然のごとく思われていますが、私たちにとって、いや地球にとって、もっといえば宇宙全体にとって、水がかけがえのない大切なものであることは皆さんも十分承知のことと思います。にもかかわらず現実は水への畏敬の念が感じられません。

清涼飲料各社奉納のミネラルウォーターを供えて営まれた「水の日」讃仰法要（2016年4月3日）

かつて日本の台所には火の神とともに水の神が祀られていました。日本は水に恵まれていますが、世界には水汲《く》みのために学校に行けない子どもたちがいます。汚れた水のために多くの人が病気で亡くなっています。千二百年の歴史を有する清水寺にお仕えする私どもは、水を敬い守る使徒としての役割を担っていると胆に銘じています。全国清水寺ネットワーク会議に参加の清水寺の方々も同じ思いでしょう。命の源である水を尊ぶことは、宗教者にとり重大な使命である――毎年の法要の度に、その思いを強くします。

人は清らかな水に囲まれてこそ、安寧と幸せを享受できます。この全国清水寺ネットワーク会議の呼び掛けが、水の環境浄化を進める世界的な動きの水先案内になればと心より願っているところです。

●もり・せいはん／1940年、京都市生まれ。15歳で清水寺貫主大西良慶の下、得度、入寺。花園大卒業後、真福寺住職などを歴任。88年、清水寺貫主・北法相宗管長に就任。現在、全国清水寺ネットワーク会議代表、文人連盟会長。著書に『見える命 見えないいのち』『こころの幸』など多数。

物事の始めから終わりまですべての筋道「あとさき観念」

山本容子
銅版画家

今日の仕事を終え、絵筆を洗いながらふと考えた。クロテンの毛を集めた細い水彩用の筆は高価なモノ。絵の具を含ませても弾力があり、気持ちをのせて描くことができる大切な道具。だから、用心して後始末をする。

祖母が見たら「始末なことやな。」と、あとさき踏まえた行為を誉めてくれたに違いない。始末なことは、質素につながる言葉だが、モノを大切にしている心とも言える。

子どもの頃、台所で料理の手伝いをしながら、あとさきを見ずに野菜を洗っていたら叱られた。あとさきとは、物事の始めから終わりまですべての筋道なわけだから、あとさき知らずでは周囲を気にしない、でたらめな人になると教えてくれた。料理は上手にうまく出来上がれば良いだけでなく、周囲の人のことも考えに入れる心遣いが必要なのだと。例えば、食事をする人が揃《そろ》ったかどうかといったことを確かめて火加減をする。そして、野菜などの材料にも心を用いて茹で時を決めることは、始末につながる。

こんなことを思い出したのは、浪費社会といわれて久しい現代に、あとさき観念が失われていると感じるからだ。浪費というのは、贅沢《ぜいたく》にお金を使うことではない。むしろ、大切な時間を失い感性を貧弱にしていることだと思う。例えば、時間の節約になり便利だからという理由で、買ってきた惣菜《そうざい》をプラスチックの容器のまま食べること。そうすると、食器は洗わずに済み、台所はいつもピカピカだから気持ちがよいという。それなら、陶器の皿や漆の椀は必要なくなるわけだから、毎日の食事の準備から始まり、作り、食べ、洗い、片す間《あいだ》のモノの質感と対話する時間も失われていることになる。

あとさきの筋道には、そこで出合うすべてのモノの質感を手に入れることが肝心だと思う。なぜなら、この質感というのが、モノの成り立ちにとって必要な創造性の存在を伝えてくれるからだ。質感の違いに気が付けばつくほど、個性は豊かになるだろう。そして、芸術を愛する心も育つだろう。

また、用心して筆を洗うことを続けていると、品質の変化を見逃さなくなる。品質が劣化してくると、時代の変化を身に沁《し》みて感じることができる。未来において、この筆は存在するのだろうかという不安を、リアルに感じることができる。筆を洗う時間は、毎日を支える明日への準備の時間であると同時に、未来を思う時間なのだ。だからこそ、後始末は責任を持ち、用心深くしたいと思う。

●やまもと・ようこ／1952年、埼玉県生まれ。京都市立芸術大西洋画専攻科修了。80年京都市芸術新人賞、83年韓国国際版画ビエンナーレ優秀賞など数多くの賞を受賞。銅版画に加え、本の装丁や舞台美術など幅広い分野で活動している。近年は医療施設での壁画制作に取り組む。近著に『Art in Hospital スウェーデンを旅して』。

「愛語よく廻天のちからあることを学すべきなり」

横山俊夫
静岡文化芸術大学学長

むかし元旦には豹尾神《ひょうびじん》をはばかった。陰陽道《おんみょうどう》八将神のうち猛神計都星《けいとせい》の精とされ、元旦にその方角に向かい小便すれば祟《たた》ると信じられた。この信心は江戸期各地にあった。たとえ生理的欲求でも、時と所をわきまえなければエライことになると。陰陽道が盛んな頃、人々の活動は方選び日選びで制御されていた。

今は陰陽道と聞いて「イワシの頭を拝むに等しい」と笑う人が多い。しかしその人も節分には恵方を向き太巻きをほおばる陰陽道ぶり。じつは陰陽家の信心は中身より考え方が面白い。基本は三点。第一に、人の行いは吉か凶かでユルく語られる。めでたいかどうかが肝心。単一基準で善か悪かに峻別《しゅんべつ》しない。第二に、吉凶は関わる人や時や所の組み合せの質によるとみる。人はカクアルベシと決めつけない。第三に、吉凶判断が宇宙物語で示される。個々の性質を陰陽《いんよう》や木火土金水《もくかどごんすい》といった天地の基本範疇《はんちゅう》のいずれかに配し、その組み合せを問う。それゆえ当事者は、吉なら大いに気張り、凶と知って深く慎む。たとえば男女のいさかいも「水性と火性の相性《あいしょう》がどうも」と天地相克を理由に鎮めた。

さて今や世界中が内に向かう。他者や他国のことより自身や自国が大事との大声。鎖国期日本がそうであったように、安定に向かう世は内向きがつきもの。ただ、昔の内向きは自足精神と一体であった。しかし今は内向きと自らの欲求拡大が合体して離れない。他国との関わりで幅を利かせるのは、悪口雑言、ハイテク武力、札束の力である。これらが渦巻く人為環境が凝り固まれば、数々の無慈悲な〝現代版豹尾神〟と化す。

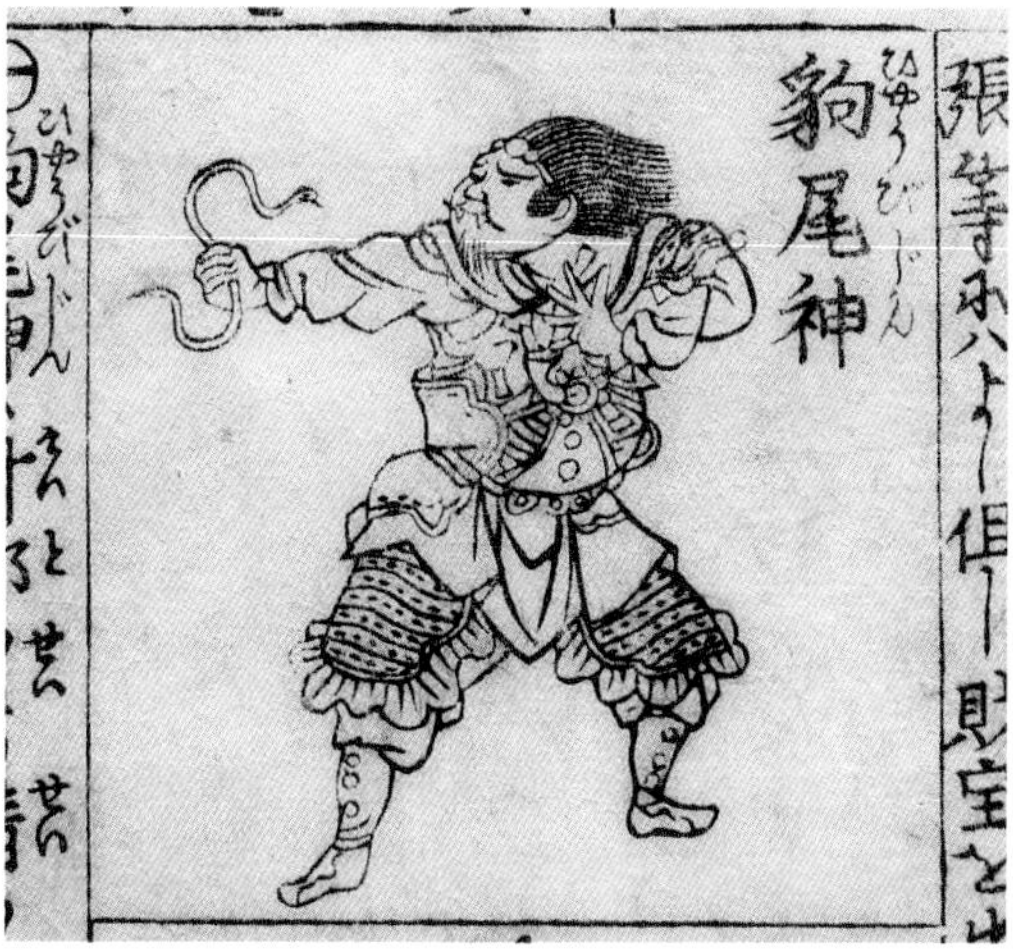

『天保新選 永代大雑書萬暦大成』から

地球規模でいえば、万人が崇《あが》める神もなく、武力がものを言っても期間限定でしかない状況で、せめてこのような人為の猛神への陰陽道的なカマエを共有したい。内向き組を大小問わず招き入れ、全体として吉の相性を保ち、凶の方位だけは共に犯さぬよう語り合うオトナの習いが広まればと願う。神という言葉を避けたいなら〝破局リスク源〟でよい。そのあしらいを求めて内向者たちが静かに言葉を交わし光明の兆しを見いだすなら、産業革命以来はじめて古代漢語の「文明」すなわち天地人アヤなし明らかな世への一歩となる。

今の世界では多神世界と聞くだけで拒絶反応を示す人が多い。いかに語るかが鍵。「愛語よく廻天のちからあることを学すべきなり」との800年ほど前の言葉があらためて光る。

●よこやま・としお／1947年、京都市生まれ。京都大法学部卒。オックスフォード大哲学博士。京都大人文科学研究所教授、大学院地球環境学堂三才学林長、京都大副学長、滋賀大理事などを経て現職。専門は文明学。主な共同研究編著に『貝原益軒—天地和楽の文明学』『二十一世紀の花鳥風月』『ことばの力—あらたな文明を求めて』『達老時代へ』など。

伝統から絶え間なく何かを引き出し新しい創造に結びつける

樂吉左衛門
茶碗師

十数年前、ブータンで知り合った日本人の地質学者から聞いた話だ。険しい山の中を探索中、一人の農民に出会ったという。「過酷な労働の日々に、何の喜びがあるのだろう」というつぶやきを、思いも掛けず通訳が伝えてしまった。失礼なことを言ってしまったと恐縮していたら、意外にも農民は呵々大笑。「お天道様に見守られ、鳥のさえずりを聞き、気持ちの良い風が吹くなか、実りの成果を手にすることができる。これ以上、何が必要かね」と返されたというのだ。自然との付き合い方が絶妙で、良くできた禅問答のようでもある。

樂家玄関には本阿弥光悦筆と伝わる筆跡で「樂焼御ちゃわん屋」の暖簾《のれん》を掛けている。15代の私まで代々、土をこねて備長炭の火で茶碗を焼いてきた。焼き物は人為的なデザインも施すが土、火という本来、畏怖すべき自然に託してできあがるもの。制作過程でのクライマックスは窯だ。窯の中に茶碗一つを入れて焼き上げる仕組みは、宇宙の生成と同じ不思議さを持つ。そんな思いもあって、現在、京都国立近代美術館で開催中の展覧会は「茶碗の中の宇宙」と名付けた。

制作に臨む時は「どこかで自分を超えた存在とつながりたい」という気持ちがある。自分自身の創作意識を発露したいとの思いと、自然が手を貸してくれたものとがうまく手を握ってくれれば、「ああ良かった」という茶碗ができあがるのだろう。

　展覧会場には、桃山時代に樂焼を興した長次郎からの代々の作品を並べた。「芸術」「職人」という言葉もない頃だ。長次郎が何を考えていたか。私は父から手ほどきを受けず、代々の作品を見て徹底して考え、感じるものを受け止めてきた。表現は父や祖父から受け継ぐノウハウではない。自身の世界との関わり方、内面が成立していれば生まれてくる。先祖の14人は、それぞれ長次郎に対する見方が異なる。長次郎の創作の秘密を探っていくことは、自分との対話でもある。

　代々すべてが優れていたわけではなく、時代によって技にも浮き沈みがあった。しかし、すべての代の存在が、後世への創作のエネルギー源になっている。作品を見た子孫が「もっと頑張らないと」「先祖とは違う作風を作りたい」と受け止めるからだ。伝統からは、絶え間なく何かを引き出して新しい創造に結びつける必要がある。様式をまねるだけでは消費され、やせ細っていくだろう。樂家が次の代に教えない方針を貫いてきたのは、創造を続けるための戒めだ。展覧会で代々の思いが広く伝われば、と願っている。

15代吉左衞門作 巌上に濡洸ありⅢ 焼貫黒樂茶碗
銘「巌裂は苔の露路 老いの根を噛み」樂美術館蔵

●らく・きちざえもん／1949年、京都市生まれ。東京芸術大を卒業し、2年間イタリアに留学。81年、桃山時代から樂焼を伝承する千家十職の樂家15代目を襲名。第1回織部賞など数多くの賞を受賞。自身が館長を務める樂美術館では、樂家歴代の作品を展示。著書に『定本 樂歴代』など。現在、京都国立近代美術館で「茶碗の中の宇宙 樂家一子相伝の芸術」が開催されている。

京都の弱点

～暮らしを文化から考える～

［フォーラム］２０１７年４月／京都新聞文化ホール

京都の弱点
～暮らしを文化から考える～

（2017年5月20日掲載）

◉中川典子氏

「酢屋」の屋号を持つ千本銘木商会は、幕末に坂本龍馬らをかくまった材木屋としても知られます。床の間の床柱や欄間、天井に用いられる木目の美しい木をあつらえるのが銘木屋で、幕末の頃から発展した世界で日本にしかない職種です。北山杉は京都府の木として愛されていますが、生活スタイルの変化により住宅から和室が姿を消すとともに、その生産量も激減しているのが現状です。

立命館大経営学部の学生と未来の床の間を考えた際、床の間を見たことのない学生が多く、収納スペースと思われていることに驚きました。市内には町家を活用した店舗も数多くありますが、床の間やどんな樹種が室内を彩っているかをゆっくりご覧になったことがあるでしょうか。大学のまち・京都には多くの学生が暮らしていますが、彼らに茶室や数寄屋、町家といった木造・伝統建築の良さ、木のある暮らしは十分に伝わっていません。京都が世界に誇れる木の文化を知る、木育の必要性を痛感しています。

中川典子氏
銘木師／
千本銘木商会常務取締役

◉小川勝章氏

自然を生み出しているように思われがちな作庭ですが、山を崩した土や、掘り起こした木や石を使ってしつらえるわけですから、実は作為的で不自然なものです。

しかし自然への敬意や憧れを込めて生み出された庭園は、長い時間をかけて自然の一部になり、私たち人間より長く生き続けます。スピードが求められる現代において時間を要することは弱点ですが、この時間軸の長さこそが庭園の魅力でもあります。弱点も特色と捉えれば、強みに変えることができるのではないでしょうか。桜の花びらが舞い散る景色を見て、誰かと花見をした日のことを思い出した経験はありませんか。景色はそれを見たときの出来事や感情とともに心の中にしまい込まれ、再びその景色を見たとき思い出となってよみがえります。京都には庭園が多いので、一度見たら次は別の庭園と思われるかもしれませんが、再訪してこそ気付くこともあります。街路樹や公園の樹木も含めて長い目で見守っていただけると幸いです。

小川勝章氏
作庭家／
「植治」次期十二代

◉鎌田浩毅氏

京都大の定年を4年後に控え、小さな町家を手に入れました。近世フランスで文化・芸術の発展に寄与したのは、貴族が自宅で開いたサロンでした。彼らが芸術家や知識人を招いたように、私もいろいろな人に来ていただき楽しく語り合っています。木造の町家は一見きゃしゃな印象を受けますが、梁《はり》には丈夫な松材が使われ、床柱も見事です。薄暗い部屋は不思議と心が落ち着き、よく眠れることにも気付きました。坪庭を眺めていると思わず時間を忘れてしまいます。

鎌田浩毅氏
火山学者／
京都大大学院 人間・環境学研究科教授

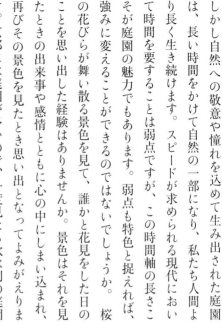

1869（明治2）年の東京遷都以来、日本の経済や政治は東京が中心で、文科省の予算も多くが東京大にいきます。京都大は、東京大が手を付けていないニッチな分野の研究で成果を上げようとしています。世界に向けて勝つことは東京に任せ、京都は歴史や文化を深めて知的生産力を高めるべきです。欧米や中国がまねのできない「知価の高い仕事」を創出することが、グローバル化する世界の中で京都が、ひいては日本が生き残る方策だと考えます。

◉佐村知子氏

佐村知子氏
元京都府副知事／
前内閣官房まち・ひと・しごと
創生本部地方創生総括官補

3年連続こそ逃しましたが、京都市が世界人気観光都市ランキングで2年連続1位になり、国際コンベンション都市としても上位にあるなど、「京都」ブランドは世界的にも抜群の知名度を誇ります。文化芸術資源をはじめ、伝統・先端・コンテンツ産業、またお茶や京野菜、多様な地域性と、誰もがうらやむほど多くの地域資源を持っていますが、まだ、大きな持続可能な構想の下でそれらを結び付け生かし切れてはいないように思います。

京都府の合計特殊出生率は1・26で、全都道府県で下から2番目です。人口の1割を学生が占める京都市では、大学進学期に多くの若者が転入しますが、一方で就職や結婚・出産を機に転出する人も多く、定住につながっていません。もったいないことです。堀場製作所創業者の故堀場雅夫氏がかつて、「世界を相手にするなら東京も京都も同じ」と話されていたのが印象に残っています。今年は大政奉還から150年。東京に対抗意識を持つのではなく、京都は文化の力で世界に発信し、日本の各地をリードしていくべきでしょう。

［パネルディスカッション］

—強みが多いのが弱点だというご指摘もありました。弱点を強みに変えるために大切なことは何だと思われますか。

中川◉都が置かれていた京都には日本中の銘木が集まり、屋久杉を最も多く使っていたのも京都だといわれています。樹齢千年以上の屋久杉は内部を溶かしてまで成長します。レンコンのような穴のある板の木目を生かしてお寺の蓮欄間に仕上げるなど、京都が得意とする「見立て」と「取り合わせ」で、頂いた木の命を最大限に生かしてきました。京都では当たり前のことですが、海外ではよく驚かれます。京都に暮らす私たち自身が、強みをきちんと自覚することが第一歩かもしれません。

小川◉日本庭園は床の間近くの上座から最も良く見えるように設計されていたものです。和室が減り椅子での生活が増えれば、庭園の見え方や見せ方も変わるでしょう。明治時代、琵琶湖疏水の完成は庭園に大きな影響を与えました。「植治」の屋号で知られる7代目小川治兵衛が作庭した無鄰菴（京都市左京区）は、流れる水と芝生を用いた明るく開放的な空間で、近代庭園の先駆けといわれています。時代やライフスタイルが変わっても、喜ぶ人の姿を思い描いてつくれば、折々における可能性は広がると考えています。

—地方創生に取り組むに当たって、行政は何年程度先の将来を見据えていますか。

佐村◉まち・ひと・しごと創生本部が内閣官房に設置されたのは2014年です。長期ビジョンでは、2008年に始まった人口減少に歯止めをかけ、50年後の2060年に1億人程度の人口を維持することを目標にしています。国も地方自治体も当面5年間の具体的な総合戦略を策定しました。私は京都に来るたび、ゆったりとした時間の流れに効率が全てではないと気付かされます。東京に帰るとまた慌ただしい生活に戻り、心のゆとりを忘れてしまうのですが、異なる時間の流れを知っている、

中川氏　自らの強みを
きちんと自覚することが第一歩

小川氏　感性を駆使し
数値を超えた趣、風情を生み出す

鎌田氏　長い尺度で考えると
物事の本質が見えてく

佐村氏　日本各地の特色のある文化
京都でコーディネートする

持っていることはとても大切なことだと思うのです。

鎌田◉時の流れには、時計が刻む物理的時間と、人によって長さの感じ方が異なる心理的時間があるそうです。フランスの哲学者ベルクソンは、生き生きする心理的時間こそが人生をつくり、人を自由にすると唱えました。どんなに厳密な物理的時間を使って観測しても、地震や火山噴火の予知には限界があり、自然災害を完全に防ぐことはできません。骨董品に囲まれた生活を送るうち、いざというとき避難できるような身体感覚を取り戻すことも必要だと思うようになりました。

―日常生活の中で感覚の重要性を感じることはありますか。

小川◉私がこの仕事に携わり始めた高校生の頃は、現場の仕事は感覚が大事だと常に言われていました。今は事前にコンピューターで描いた図面通りにメジャーで測りながら施工するような現場もありますが、感覚は図面に収まりません。木も石も、自然物に同じ形状は一つとしてありません。人と自然双方の喜びをおもんぱかり、現場が一丸となって感性を駆使したとき、数値を超えた趣や風情となり、庭園の個性が生まれます。現場が生き生きしていないと、いい仕事はできません。

中川◉銘木は料理屋さんのまな板や、和菓子屋さんや日本酒の蔵元の道具などにも使われます。適材適所を可能にしているのが銘木師の五感です。目で見たり手で触ったりするのはもちろん、製材するときは聞き耳を立て、匂いを嗅ぐことで、どういう性質の木か「木味《きあじ》」を判断します。感覚は経験を積むことでしか身に付きません。暮らしの中で木製品を使う機会を増やし、樹種を知ること、産地に思いをはせていただければ、現代人に忘れられつつある自然観も取り戻せるはずです。

―最後に、京都の町で暮らす皆さんへのメッセージをお願いします。

佐村◉地域には個性があり、文化は地域創生の大きな力になります。人口減少社会の克服は、一つの地方自治体では解決できないので国と全国の自治体、そして住民の方々とが手を携えることが必要です。文化庁の京都移転を機に、日本各地の特色ある文化が京都でコーディネートされ、国内外に強力に発信されたり、文化を生かす先進的な取り組みで各地をリードすることで、全国の人たちから「文化庁が京都に来て良かった」と言われるようになることを期待しています。京都の皆さんが関心を持ち、一緒になって考え、取り組んでいくことが大事なことだと思っています。

鎌田◉地球科学者は千年、一万年という時間軸で世界を見ています。百年、千年というスケールでも良いので、長い尺度で考えると物事の本質が見えてきます。鴨長明の「方丈記」にも描かれたように、京都は戦乱や自然災害、火災の多い街です。そのたびに荒廃から復興を遂げ、発展してきたのは、町衆が「自分の身は自分で守る」ことを知っていたからにほかなりません。為政者任せにせず、自ら歴史と文化をしっかりと伝承してきたからこそ、今の京都があるのです。それを忘れず、本質を捉えた町衆文化をこれからも育んでいきたいと思います。

◎鎌田浩毅（かまた・ひろき）
1955年、東京都生まれ。79年、東京大理学部卒。旧通産省（現経済産業省）入省。同地質調査所の研究員として火山と出合い、とりことなる。米国カスケード火山観測所客員研究員など経て97年から現職。理学博士。近著に『地学ノススメ』『地球の歴史』『知的生産な生き方』など。

◎佐村知子（さむら・ともこ）
長崎県出身。東京大法学部卒。1980年、旧郵政省入省。府副知事退任後は総務省大臣官房審議官、内閣府男女共同参画局長などを歴任。2015年1月には内閣官房まち・ひと・しごと創生本部で地方創生総括官補に就任、昨年6月に退職。現在、日本生命保険相互会社顧問。

◎小川勝章（おがわ・かつあき）
1973年、京都市生まれ。立命館大法学部卒。宝暦年間から続く造園業を継ぐ父の十一代小川治兵衛氏の下で高校時代から修業。新たな作庭に取り組みながら、歴代、特に7代の手掛けた数々の名庭で、作庭・修景・維持を行い、次代につなぐ取り組みを続けている。

◎中川典子（なかがわ・のりこ）
京都市生まれ。幕末に坂本龍馬をかくまった創業300年近くの材木商「酢屋」に生まれる。銘木加工技術の特長を生かし、町家の再生や床の間づくり、新しいモダン木の空間、家具・建具製作に従事し、木のある暮らしの豊かさを伝えている。「DO YOU KYOTO？ネットワーク」大使。

一人一人が、美しく価値ある暮らしを発見するとき。
暮らしの中で、豊かに培われてきた知恵。
何気ない身近な生活にある「和の心」を求め
生活文化を再興しなければならない。

「日本創生」へ。

文化の生かし方を自ら訴求し体現していく。


「日本人の忘れもの　知恵会議」

流行に惑わされない、伝えたい「こころ」

いま、京都から。

暮らしに息づく生活文化の再興へ

日本人の忘れもの　知恵会議　２０１８

整理整頓して
家庭と職場の団欒の時間を

浅利美鈴
京都大学大学院
地球環境学堂准教授

環境教育とごみ、3R（リデュース・リユース・リサイクル）を専門とする私の研究室に出入りする学生さんにまず教えるのは、整理整頓とごみの分別だ。使った物はしまう、書類を積み置かない、ごみは素材やラベルに従って丁寧に分別する。当たり前のようなことなのだが、一部の学生さんにとっては、人生初体験となる。難関大学を目指して上げ膳据え膳で育ってきた子も少なくないのだろう。もちろん勉学第一だが、専門に鑑み、できるだけ一緒にご飯を食べ、掃除をし、その中で会話する時間も大切にし、実生活・社会に根ざした知識と実践力、コミュニケーション能力を身に付けてもらいたいと考えている。目指すは「昭和の団欒《だんらん》」といったイメージか。マナーから哲学までを身につける究極の環境教育の場でもあったと思うのだ。

偉そうに書いているが、私自身、決して整理整頓が得意とは言えない。そもそも、極度の「もったいながり」で、いつも物と格闘してきた。あれもこれも残し、詰め込み、欲しいものがすぐに見つからないこともしばしば。傷んでしまうものもある始末。そこで思い切って整理することにした。名付けて〝中活《ちゅうかつ》〟。人生折り返し（中間点）の今だからこそ、本当に必要なものを選ばねば。東日本大震災で膨大な災害廃棄物を目の当たりにしたことも思い出した。どんなに多く持っていても、一瞬にして、がれきと化すことがある。いずれにしても、いつかは処分しなければならないはずだ。

　結果的に救いだったのは、今なら多くのものが下宿生や留学生に活用してもらえることと、家族と一緒に思い出を語りながら処分できたこと。今やらねば多くの物は、二度と愛《め》でられることがなかっただろう。また、家族と

家庭ごみから出てくる手付かずの食品

の会話で思い出したことがある。昔は何かを買うとき、家族会議を開いていたものだった。そう、団欒は、家庭の財政・インフラ投資会議の場にもなっていたのだ。忘れかけていた感覚だった。

　そんな重要な場が、いつしかテレビに乗っ取られ、勉強に、残業に、スマホに……。同時に食卓を飾るのは、手作りの料理から、出来合いのお惣菜、コンビニ弁当に……。加えて食品ロスの温床に。乱暴な表現かもしれないが、40年間、京都市と京都大で続けてきた家庭ごみ細組成調査からも、そんな傾向が透けて見えてくる。

　もう物を探すのは嫌だ。忘れ物もしたくない。整理整頓して、家庭と職場の団欒の時間を少しでも確保したい。それが人生の中間地点を折り返す私の決意だ。

●あさり・みすず／京都大工学部卒。同大学院・博士（工学）。現在は京都大大学院地球環境学堂准教授。研究テーマは「ごみ」や「環境教育」。学生時代に「京大ゴミ部」を立ち上げ、京都大のエコキャンパス化や環境問題の普及啓発・教育活動に取り組み始める。「びっくり！エコ100選」や「びっくりエコ発電所」「3R・低炭素社会検定」「エコ～るど京大」なども展開している。

「おのれを知る」

スマホのカメラが高機能になり、海外出張でも重宝だ。写真には位置情報が記録され、地名などの後追いがたやすい。操作一つでレンズの向きも替わり、加工も楽々。自撮りが大流行するわけだ。自撮りは英語で、selfieという。いつ生まれた文化なのか。あるセレブが、私たちが最初よと発言したら炎上した。スコットランド国立美術館が、19世紀前半の有名な自撮り写真（米議会図書館所蔵）を提示して決着。最近ネットを騒がした話題である。自分映しは、昔、もっぱら鏡の役目だった。だが鏡像は左右逆転で写り込み、似て非なる姿となる。スマホには、反転鏡となるアプリがある。自撮りをせずとも、リアルな自分がすぐ見える。

『徒然草』を思い出した。百三十四段で「なにがしの律師」が「ある時鏡を取りて、顔をつくづくと見て」、容貌に絶望する。「我がかたちの醜くあさましきことを、余りに心憂く覚えて」、恐ろしくて鏡を手に取ることもできない。その後は「人に交はることなし」。勤行以外は、引きこもるようになってしまったという。「賢《かしこ》げなる人も」、とかく他人のことばかりに屈託で、「おのれをば知らざるなり。我を知らずして外《ほか》を知る」ことはできない。「おのれを知る」人こそ、本当の物知りだと兼好は説く。二百三十五段は「心といふもの」のアナロジーとして、「鏡には色かたちなきゆゑに、よろづの影来

荒木 浩
国際日本文化研究センター教授

りてうつる。鏡に色かたちあらましかば、うつらざらまし」と記す。心を鏡に喩えて、序段の「心にうつりゆくよしなしごと」と共鳴する。つれづれなるままに、心の鏡にうつりゆくよろづの影＝全世界を自在に描く『徒然草』は、まさに鏡の文学である。

それにしても、自分の「鏡像」を観て心底落ち込んだ

『鳥羽絵巻』（国際日本文化研究センター蔵）

僧侶が、ちょっと気の毒だ。鎌倉時代には和鏡もずいぶん発達したが、もちろんいまと違う。自分を知らない彼に、ほの暗い面影を透かし、親の顔などを想起させるのが関の山だ。古いアルバムを見て、これはお父さん、それともあなた？などと惑う、あんな風に。

落語の『松山鏡』は、そこが付け目の笑話である。親孝行の息子は、鏡に映った自分を亡父だと信じ、押し入れに秘蔵して眺めていた。夫のそんな行為を疑い、鏡を覗いた妻は、不細工な愛人が隠れていると勘違いして、大もめになる…。類話は、インドの経典や能、狂言、中世の説話など、たくさん残る。いまでも十分面白い。

だが問題はこれからだ。自撮りとインスタ映えの未来に、鏡の文化はどう展開するか。そしてどんなやり方で「おのれを知る」ことになるのだろうか。

●あらき・ひろし／1959年、新潟県生まれ。京都大大学院博士後期課程中退。博士（文学）。大阪大大学院教授などを経て、2010年から国際日本文化研究センター教授・総合研究大学院大教授。専門は日本古典文学。著書に『徒然草への途』『かくして「源氏物語」が誕生する』、編著に『夢と表象』など多数。現在、本紙で「文遊回廊」を連載中。

日本人の、そして、京都人の「和魂和才」の精神を発信する

井上剛宏
造園家

「和魂洋才」という言葉がある。日本古来の精神と西洋からの優れた学問・知識・技術を取り入れ、両者を調和・発展させていくという意味である。もともとの「和魂漢才」から発展した言葉である。そのいずれもに、まず「やまとだましひ（大和魂）」が基にあり、時代、社会が求めるさまざまな「才」を取り入れ、快適で豊かな生活空間を想像し、創造することであるといえる。

私は造園、すなわち庭をつくることを生業《なりわい》とし、現存する家系図では、寛永年間（1624〜44年）から始まり、文政3（1820）年、植木屋甚之蒸という箱書きが残っている家業を伝承している。ある高名な学者は、今の時代こそ「家業」を見直し、評価する時代だと述べている。すなわち学校における高等教育の中では、専門的な知識を得ることは可能だが、家業という教育体系は、家代々の職業を通し、子どもの頃からの全体験を通じて、素養と感性を教養教育してくれるからであると。

今、中国人から日本庭園をつくってほしいという要請が数件寄せられている。京都で1件、中国で4件、カナダで2件である。おそらく日本人の方が、日本庭園は現代社会にはなじまないと捉えている人が多いが、中国に限らず、世界中で日本庭園がブームといわれるくらい関

心が高い。日本の庭園は、千有余年の歴史の中で、それぞれの時代、生活様式と建築様式の変遷と相まって、極めてクリエイティブな様式美を創造してきた。庭園に限らず、絵画、陶器、工芸など日本人の優れた手技と感性によって生み出された芸術・文化が、世界から高い評価を得てきたのである。つまりは「洋魂和才」なのか、また「漢魂和才」なのか。

中国では近年、「新中式」がブームになっていると聞く。新中式とは、これまでの「コピー」や「真似」の時代から、民族意識がよみがえり、本土意識に基づいて生まれた新しい中国スタイルのことを指す。単なる「要素」の積み上げだけではなく、伝統的文化を再認識し、柔軟なデザイン手法で現代生活と融合することを目指しているという。

今の時代、内外から多くの観光客が京都を訪れる。長い歴史に培われた文化や芸術、風土を兼ね備える京都は、まさに日本の原点ともいえる先人たちの研ぎ澄まされた知恵と感性が、今も脈々と生き続けている現代都市である。今こそ、国内外に向けて日本人の、そして、京都人の「和魂和才」の精神を発信する時であると考える。

●いのうえ・たかひろ／1946年、京都市生まれ。69年、大学卒業後、家業の植芳造園に入社。94年、代表取締役に就任。京都府、京都市の委員をはじめ、造園界での役職、大学での客員教授などを務める。「平安遷都1200年梅小路朱雀の庭」や「京都迎賓館庭園」「伏見稲荷大社御鎮座1300年記念庭園」など国内外の作庭に携わる。著書に『井上剛宏作庭集景をつくる』など。

日本文化は、自然の摂理に同化しむしろ教えられ、育まれた

上村淳之
日本画家

文化庁の京都移転が本決まりとなった。誘致申請の京都代表団の一員として参加させていただいたからなおさらに思うのかもしれないが、これは京都の一大快挙であり、誠に喜ばしいことだと思う。かつて文化庁長官に就任された河合隼雄先生が、京都国立博物館に文化庁長官分室を設けられたのは、その布石であったに違いないと今更のごとくその周到さに驚くとともに、文化行政の在り方に多くを学んだ気がしている。

大政奉還によって日本国が本当のあるべき姿を見いだし、静かに、しかし確かな歩みの中で日本文化は醸成され、発展の素地が育成されていったと思う。文化は常に人間の内面の所産であるが、内面は折々の出会いと経験の中で、個の持つ発酵材で意義あるものとなろう。単なる思いつき、受けた刺激の中で生まれるものではないはずである。多くの人たちによって検討され、淘汰《とうた》され、認められるようになって、伝統となる。したがって、伝統がつまらない、古いという考えは明らかに軽薄な思考、感性の所産である。

「洗練」という言葉がある。読んで字のごとくその方向に育成されねばならない。

斉王代が美しい衣装で静かに現れ、洗練された装飾に

よって身を包む葵祭、山・鉾が静かに整然と、むしろ厳かに巡行する祇園祭、時代の移りを再現した時代祭。「ワッショイ、ワッショイ」の掛け声はどこからも聞こえてこない。

掛け声をかけて、元気の出るお祭りも確かなお祭りではあるが、京都のそれはいささか違う。それが全てであるとは言わないが、夜空を彩って楽しい花火、安眠を妨げられた鳥たちのことを思うとどうしても好きにはなれない。時折ナイター球場に迷い込む渡り鳥、風力発電の翼に打ち落とされる鳥たち、人間のエゴに命を落としてゆく生物。日本文化は、自然の摂理に同化し、むしろ教えられて育まれた。自然物、対象から知りえた形、色をもって表現する造形文化は、常に自然への憧憬の中で生まれたことを再認識すべきであると思う。

残り少ない人生の中で、どこまで神の思《おぼ》し召《め》しに近付けるか、不安ながら無限に展開してゆく世界の場に身を置く幸せを感じている。

そんな文化の所産である京都をこよなく愛し、畏敬している。

新しく生まれる文化によってさらに肉付けされ、確固たるものに成長するはずである。

●うえむら・あつし／1933年、京都市生まれ。上村松園、松篁、淳之と3代続く日本画家。京都市立美術大（現京都市立芸術大）卒。花鳥画で知られ、日本芸術院賞、京都府文化功労賞などを受賞。芸術院会員。京都市芸大名誉教授。2004年から京都市学校歴史博物館館長。五花街合同公演を記念した手拭いの図案を手掛けるなど、京都の文化に深く関わる。

文化を体現する建築空間の再興を

ウスビ・サコ
京都精華大学
人文学部教授

1991年以来、京都で生活しているが、いまだに京都の居住リテラシーが身に付かない。京都は独特のまちの構造に、独特なコミュニティー形式があり、また「京都人」のみがシェアする暗黙の生活コード（挨拶、打ち水、会話、しきたりなど）が存在しており、「よそ者」には分かりにくい。京都のこの生活文化を支えてきたのは、京都の住居とまちの形態である。

私が京都のコミュニティーに関心を持ち始めたのは、所属大学院の研究室が主催した町家型集合住宅研究会に参加したことにさかのぼる。当時、都心部の町家とマンションの共存が問われていた。また、2000年代に行った調査では、町家とマンションが共存する数カ所で、お住まいの方々から町内会活動について話を伺った。マンションに新しい住民が入居することによって地域社会の秩序が乱れ、また高さのあるマンションであれば、プライバシーが侵害されるのではという懸念を持っておられた。多くの地区では、新住民の町内会活動への参加などを条件に、マンションの建設に合意したと聞いている。京都のまちでは住居で挟まれる道も重要な空間で、住民同士の関係を調整する役割を担っていた。しかし近年、町家で行われる仕事が減り、空き地が駐車場やマンションに変わり、残った町家の一部はカフェなどに転用されている。生活文化を支えてきた町家と道の役割の一部が失われている。

私の母国マリの古都ジェンネは、市街の中心にある大モスクで広く知られている。大モスクと市街地が世界文化遺産に登録されて以来、居住用の建物は基本的に泥で造るように定められている。この泥建築の建設活動を担うのは大工で、バレ・トンという大工組織は一種の伝統

的な職能集団である。ジェンネではかつて、各家庭には決められた大工がついていて、建設や修復の仕事は、その大工または後継者に代々引き継がれてきた。以前は口約束のみであった建築の発注が、近年は書面化されることが増え、お清めの儀式などの無形文化も減少している。これもまた、合理性によって、文化継承に重要とされてきた施主と大工の関係が変化している。
建築空間は人間の生活行動の場として形成され、その創造と人間の生活文化は密接な関係にある。近年、ジェンネや京都のように、建物を法令で保存する活動が多く見られる。しかし、建物は法令で保存できても、生活文化の継承は難しい。利便性、合理性を求める今の時代は、建築空間の文化性が問われるほど建築を変えてきた。文化を体現する建築空間の再興を望んでいる。

●ウスビ・サコ／1966年、マリ生まれ。北京語言大、南京東南大を経て来日。京都大大学院工学研究科建築学専攻博士後期課程修了。博士（工学）。研究対象は、居住空間、コミュニティー、世界文化遺産など。著書に『知のリテラシー・文化』『住まいがつたえる世界のくらし—今日の居住文化誌』『マリを知るための58章』。2018年4月より京都精華大学長に就任予定。

本当の豊かさを生み出すのは自分自身の心の持ちよう

大原千鶴
料理研究家

明けましておめでとうございます。

皆さま晴れ晴れとした新年をお迎えのことと存じます。

日々慌ただしく次々と社会情勢が変わる中でも、新年のこの1日はやはり心改まり厳かな心持ちになるものです。

今日を迎えるために家を掃き清め、拭き上げ、家中をお正月のしつらえに整えおせちを作る。年末の大掃除。小さい頃は凍りそうなバケツの水で雑巾を絞るのがつらくてつらくて、「いややなぁ。なんでこんなに必死でそうじするんやろ」と思ったりもしました。でも白い息を吐きながら、寒さも忘れて掃除に没頭する大人たちの顔を見ると、厳しさの中に荘厳な表情がうかがえ、子ども心に気持ちが引き締まる思いをしました。

おくどさんの湯気の向こうでは、女性陣が忙しそうに立ち働き、次々とおせちが出来上がる。その様もまた見事なものでした。手間を掛ける。手当てをする。人の手のなんと器用で便利で温かいことか。家にも食材にも花にも神様が宿っている。そんな気持ちを、人の手を通して暮らしに現わす。使う道具、使う人もそこには使い込まれた「用の美」を感じます。

大人になり、こんなに便利でなんでもある時代になりましたが、お正月を迎える時はやはり気持ちが引き締まります。

いろいろな作業をこなしながら、「あれもしなきゃ、これもしなきゃ」と口では大変そうに言いつつも、どこかそれを愉《たの》しみに感じる。そんな節が私たちにはあるような気がします。

『家族が好きな和のおかず』㈱世界文化社

京都に暮らすと、そんな季節の一節一節をこなす中に、日々の暮らしを細やかに豊かに生きていくための知恵が詰まっていて、それを整えることで心と暮らしが整っていく。
季節を生活にふんわりと取り入れ、またこの新年を迎えることができる喜び。特別豪華なお正月飾りがなくても、一本の松の葉だけでも新年を感じることができる。そんな風にささやかに暮らしを楽しむ謙虚さを子どもたちにも伝えたい。いくら、何でも手に入り、生活が便利になっても、本当の豊かさを生み出すのは自分自身の心の持ちようだと思いますから。
文化というものは暮らしの中にあり、そんな暮らしを愉しむ心の余裕が、人間を幸せな世界へ連れて行ってくれるのだといつも感じています。

●おおはら・ちづる／京都・花背の料理旅館「美山荘」の次女として生まれ幼少の頃から料理に触れて育つ。雑誌やテレビ、料理教室、講演会などで活躍。現在、NHKEテレ「きょうの料理」に出演中。NHKBSプレミアム「あてなよる」「京都人の密かな愉しみ」の番組出演や料理監修も手掛ける。『大原千鶴の酒肴になるおとな鍋』（世界文化社）ほか著書多数。

「太平洋の懸け橋」新渡戸稲造

鎌田浩毅
京都大学大学院
人間・環境学研究科
教授

若き日に「太平洋の懸け橋」になりたいと一念発起しアメリカに渡った青年がいる。後に京大と東大の教授を歴任し、国際連盟でも活躍した新渡戸稲造だ。１９８４年に発行された五千円札の肖像画としておなじみかもしれない。

彼が38歳の時に英文で刊行した『武士道』は、「太平洋の懸け橋」を具現した著作である。日本人の精神的な柱の根幹に武士道があることを世界に向けて紹介し、大きな反響を巻き起こした。西洋と日本の懸け橋になりたいという考え方は、他の仕事にも生きている。彼の読書論には、著者と読者の懸け橋において必要なポイントが書かれている（『新渡戸稲造論集』岩波文庫）。現代と同じく当時の読者も、どの本を読めばよいか、いかに読めばよいかについて大いに迷っていた。それに対して新渡戸は、読書の初心者に対して具体的なアドバイスを行う専門家の必要性を説き、自ら古典の読み方を丁寧に教示した。

新渡戸の懸け橋への情熱は現在まで生きている。英文で書かれた『武士道』は日本精神を知らない西欧人へ解説するだけでなく、その日本語訳は、今の日本人に自分たちのアイデンティティーを知るためにも役立っている。つまり、「西洋人と日本人」および「過去の日本人と現代の日本人」という二つの懸け橋に成功しているのだ。

かつて私は、新渡戸のように「懸け橋する人」を「ブリッジマン」と呼んだことがある（『ブリッジマンの技術』講談社現代新書）。コミュニケーションの基本に「相手の関心に関心を持つ」という原理があるが、新渡戸は大学教育でも国際政治でも多くの領域でこの原理を活用した。

元来、日本人は相手のことを慮《おもんばか》ることに得意であり、それをベースにして世界的なブリッジマンが誕生したのだ。例えば、『武士道』の第六章「礼」で、他者の気持ちを思いやる心が外へ現れなければならないと新渡戸は説く。そして地球科学を専門とする私も、彼に倣って、火山や地震を市民に解説する「科学の伝道師」を仕事の柱に据えてきた。

岩手県の花巻市にある新渡戸記念館には彼の足跡が展示されている。彼は二十三巻に及ぶ全集（教文館）を残したが、いずれも文章が明快で読者の姿を忘れていない。私は「日本人の忘れもの」を呼び覚ます際に、『武士道』は一つの契機になると思う。当時の西洋人読者と未来の日本人読者の双方をインスパイアするブリッジマンの技術に、私はあらためて感動するのである。

●かまた・ひろき／1955年生まれ。東京大理学部卒。97年より京都大大学院人間・環境学研究科教授。専門は地球科学・科学教育。科学を面白く解説する「科学の伝道師」。京大の講義は毎年数百人を集める人気。著書に『日本の地下で何が起きているのか』（岩波書店）、『地球の歴史』（中公新書）、『地学ノススメ』（ブルーバックス）、『座右の古典』（東洋経済新報社）など。

鎮守の森にみる「相依相待」「縁」というもの

唐澤太輔
龍谷大学世界仏教文化研究センター博士研究員

「とにかく神林ありての神社なり」。日本が誇る知の巨人・南方熊楠《みなかたくまぐす》の言葉だ。神林すなわち鎮守の森あってこその神社――。熊楠は、日本古来のこのシンプルかつ根本的な在り方を決して忘れてはならないと訴え続けた。

明治時代に強行された神社合祀《ごうし》政策では「一町村一神社とせよ」という政府による勅令の下、神社と鎮守の森が次々と破壊された。これにより、全国に約20万社あった神社のうち、約7万社が取り壊されたといわれている。古来、神林として大切に守られてきた樹木がなぎ倒され、それらは業者に売られ、官吏たちは私腹を肥やしていた。

熊楠は「エコロギー ecology」という、当時としては極めて斬新な言葉と概念を掲げて、この神社合祀政策に反対運動を起こした。彼は、鎮守の森の風景や生態系は複雑に絡み合ってできており、それをひとときの利益のために破壊してしまうと、取り返しのつかないことになると訴えたのだ。

熊楠は「小生思うに、わが国特有の天然風景はわが国の曼陀羅《まんだら》ならん」と述べている。日本の鎮守の森を中心とする天然風景は、マンダラのように絶妙なバランスの上に成り立っている。熊楠はこのことを心の底から理解していた。彼の場合、頭ではなくその心身で感得していたといった方が良いであろう。森の動物の王様である「熊」と、植物の中でも特に長い生命力を持つ「楠」をその名に持つ熊楠にとって、鎮守の森が破壊されることは、自分の身を伐《き》られる思いだったに違いない。

鎮守の森における生態系は、まさに相依相待《そうえそうたい》、一つのものが存在するためには他のものに依《よ》っていて、他のものなしにはその一つのものもあり得ないという関係性を保っている。鎮守の森だけではない。人と人、人と自然、人と動物の関係もそうだ。私たちの世界は、無尽の網（ネットワーク）でできており、それは科学的な思考だけでは決して計り知ることはできない。この無尽の網の関係を単純な直線的関係に還元しようとするとき、さまざまな問題が起こるのではないだろうか。

熊楠は言う。「今日の科学、因果は分かるが、縁が分からぬ。この縁を研究するがわれわれの任なり」。彼は、直線的な原因と結果の関係の上位に「縁」があると考えた。彼のいう「エコロギー」とは、まさに偶然性をはらみ、複雑に絡み合う縁のことだった。

今も多くの神社には鎮守の森が広がっている。「相依相待」「縁」、このような事柄を少し考えながら初詣に行ってみてはどうだろう。日本人の心にセットされている決して忘れてはならないものが想起されるのではないだろうか。

熊野那智大社へ続く大門坂にて（2017年8月撮影）

●からさわ・たいすけ／1978年、神戸市生まれ。慶應義塾大文学部卒、早稲田大大学院社会科学研究科修了。博士（学術）。早稲田大助手、助教を経て、現在、龍谷大世界仏教文化研究センター博士研究員。専門は哲学・倫理学、文化人類学、南方熊楠研究。著書に『南方熊楠―日本人の可能性の極限―』『南方熊楠の見た夢―パサージュに立つ者―』など。

日本の経済は文化の力によって助けられる時代

河島伸子
同志社大学
経済学部教授

2017年は、かつてないほど「インバウンド」、すなわち外国人観光客が日本各地を訪れていることを誰もが体感した1年であったと思う。京都や東京、富士山といった典型的な観光地に限らず、意外な遠方の土地まで外国人観光客が多く訪れていたり、買い物や通常の観光に限らず、いわゆるコト消費にまで彼らの日本体験が広がっていることはニュースをにぎわせた。10年前には年間830万人を超える程度だった訪日外国人数は2016年には政府が目標としてきた2000万人を軽く突破し、2020年に向けてまだまだ増えていきそうな勢いである。観光客が多すぎて起きているトラブルや日本として取り組むべき課題も多くあるものの、政府の成長戦略の中で観光立国づくりは、着実な成果を上げており、日本の内需拡大にも貢献している。

このように外国人観光客が日本に来る理由の大きな一つは、日本の文化に対する幅広い関心にある。特に隣国の中国、韓国とは歴史的に文化交流があり、文化的類似性・共通点もあるが、例えば和食、和装文化、茶道、四季折々の営みなど、日本が独自に発展させてきた文化も多くあり、外国人の興味をひくようである。また、現代のアニメやマンガ、ゲーム、ファッションなどポピュラー文化も高度に発展しており、これらをきっかけに日本に興味を持ち、アニメや映画の舞台となった土地を訪れる「コンテンツ・ツーリズム」も盛んになっている。

このように見てくると、文化は今や日本の経済を支える一つの重要な柱であることがよく分かる。かつて1980年代後半に日本経済が高度に発展しGNP世界第2

位となったことをもって、「モノの豊かさから心の豊かさへ」と、日本の文化政策が発展するきっかけが生まれた。今日ではこれが逆転して、「日本の経済は文化の力によって助けられる」時代となっているといえる。

折しも文化庁の京都移転が決定し、昨年より地域文化創生本部がまずは東山に居を構え、新しい文化庁づくりを始めている。単なる行政機能の地理的移転ではなく、これをきっかけとして、文化の持つ力を経済、観光、社会包摂、まちづくりなど広範囲の政策分野に波及させていくことを狙うようになっている。このように2018年は、文化政策が大きな飛躍を遂げようとしている。京都としても歓迎すべきことであるが、同時に、一人一人が生活の中で文化をどれだけ大事にしているかが大いに問われていることを忘れてはならない。

●かわしま・のぶこ／京都市生まれ。東京大教養学部卒。専門は、文化経済学、文化政策論、コンテンツ産業論など。文化経済学会〈日本〉前会長、国際文化政策学会学術委員、文化審議会委員、公益社団法人企業メセナ協議会理事、東京大政策ビジョン研究センター客員教授などを務める。『コンテンツ産業論』『グローバル化する文化政策』『文化政策学』など著書多数。

「今」だけではない、美しき日本の精神

河瀬直美
映画作家

今年の春に公開する『Vision』という作品の舞台は奈良県の「吉野」である。桜で有名な吉野山の印象が強いと思うが、この地域は吉野杉の産地としての歴史が深い。500年も前から山を植林して杉を育てている。何代もかけて継いできたその杉は芯が中心にあって曲がりが少なく、年輪幅が細かく均一。そのため強度が高く、酒漏れをおこさないとのことで樽材として重宝されてきた。酒造りが盛んな江戸時代から需要はとても多く、木の香りにも優れている。この樽丸づくりをしている職人さんに話を聞く機会があった。山を守ること。それは小さな杉苗から始まり、寒い季節の霜に耐え、やっと根付いた幼いそれを今度は成長するに従って枝打ちを欠かさずしてゆく。そうすることで節目のない綺麗《きれい》な材が育ってゆくのだ。樽材以外にも、敷居や鴨居など高級な建築材として名高い。そこにある気候風土もさることながら、人間の手が幾重にも加わって、この素晴らしき吉野杉が生まれる。国有林の平均が3千本ほどだとすると、吉野杉は8千本の苗を密集して植え、やがて丈夫な苗を残して後は間伐してゆくという方法をとっているので木が先細りをせず、真っすぐ伸び、美しい杉に育つ。

撮影の合間に200年ほど前に植えられた杉山を訪れ

た。そこは徹底的に管理された美しい杉が堂々とそびえ立っていた。案内をしてくれたその山の所有者の方が、山に入るとご先祖さまの姿を想《おも》うと言っていた。200年前というと、江戸時代の末期ごろだろうか、いづれにしてもちょんまげ頭の人々が、鉈《なた》を片手に枝打ちをしている姿を想像する。自分の代で伐《き》ってしまえばそれまでの杉を、自分の孫の代に向けて手入れをする想いはなんだろう。現代人の感覚では、今、この時の利益を追求するあまり、悲しい想いをすることもある。

少し話は逸れるが、子育て中に中学時代の恩師の奥さまが夕飯のおかずを毎日届けてくれていたことがある。養母が高齢で、彼女を介護しながら子育てしなければならなかった時のことである。感謝してもしきれない。そんな気持ちをどうやってお礼をしたらいいのかと問うたことがある。そのとき恩師の奥さまは、こうおっしゃった。「私たちの孫に、またあなたが何かを返してくれたらいい」と。私は、目から鱗《うろこ》が落ちる思いだった。そうか、「今」だけではないのだ。その時代が来て、その想いを持ち続けて、また関係を繋いでゆく。そのような美しき日本の精神が、かの吉野の山にも存在している。

●かわせ・なおみ／生まれ育った奈良を拠点に映画を創り続ける。一貫したリアリティーの追求は、ドキュメンタリー、フィクションの域を超え、カンヌ映画祭をはじめ、国内外で高い評価を受ける。映画監督の他、CM演出、エッセー執筆などジャンルにこだわらず活動を続け、故郷奈良において「なら国際映画祭」をオーガナイズしながら次世代の育成にも力を入れている。

忘れられた歴史に目を向け未来につなげる

後藤敦史
京都橘大学文学部准教授

西暦１８５３年７月のペリー来航＝黒船来航については、日本の歴史の中で最も有名な事件の一つであろう。しかし、実はこの１８５３年に、アメリカ合衆国がペリー艦隊の事業と密接に関わるもう一つの艦隊を派遣した事実は、ほとんど知られていない。

アメリカがペリー艦隊を派遣した最大の目的は、太平洋蒸気船航路を開き、アジア市場に迅速にアクセスし世界の覇権国イギリスに対抗する、ということであった。その目的達成のため、石炭補給地として日本を確保しようとした。それが、ペリー艦隊である。

一方で、蒸気船航路を開くには、その航路全体の調査も必要となる。その調査のため、北太平洋一帯を測量する艦隊が、１８５３年６月、アメリカを出国した。ペリー来航の一カ月前のことである。この艦隊を率いた海軍大尉ロジャーズは、１８５４年12月に鹿児島湾、１８５５年５月に下田、６月には函館を訪れている。

しかし結果からいえば、この測量艦隊の存在は歴史から忘れ去られていった。ペリーが残した大部の遠征記のような、公式の記録を残さなかったこと、南北戦争によって海図などの測量成果が公刊されなかったことなどが要因である。２０１７年６月に発表した拙著『忘れられた黒船』（講談社）は、まさにこの忘れ去られたもう一つの黒船を、歴史の底からすくい上げるということを試みた。

さて、私たちは歴史を見るとき、古文書や古い絵図など、過去の記録に頼らざるを得ない。この制約のために、たとえ意図的ではなくとも、記録に残った、あるいは記録を残すことができた側からの、その意味では偏りをもった歴史を描きがちである。

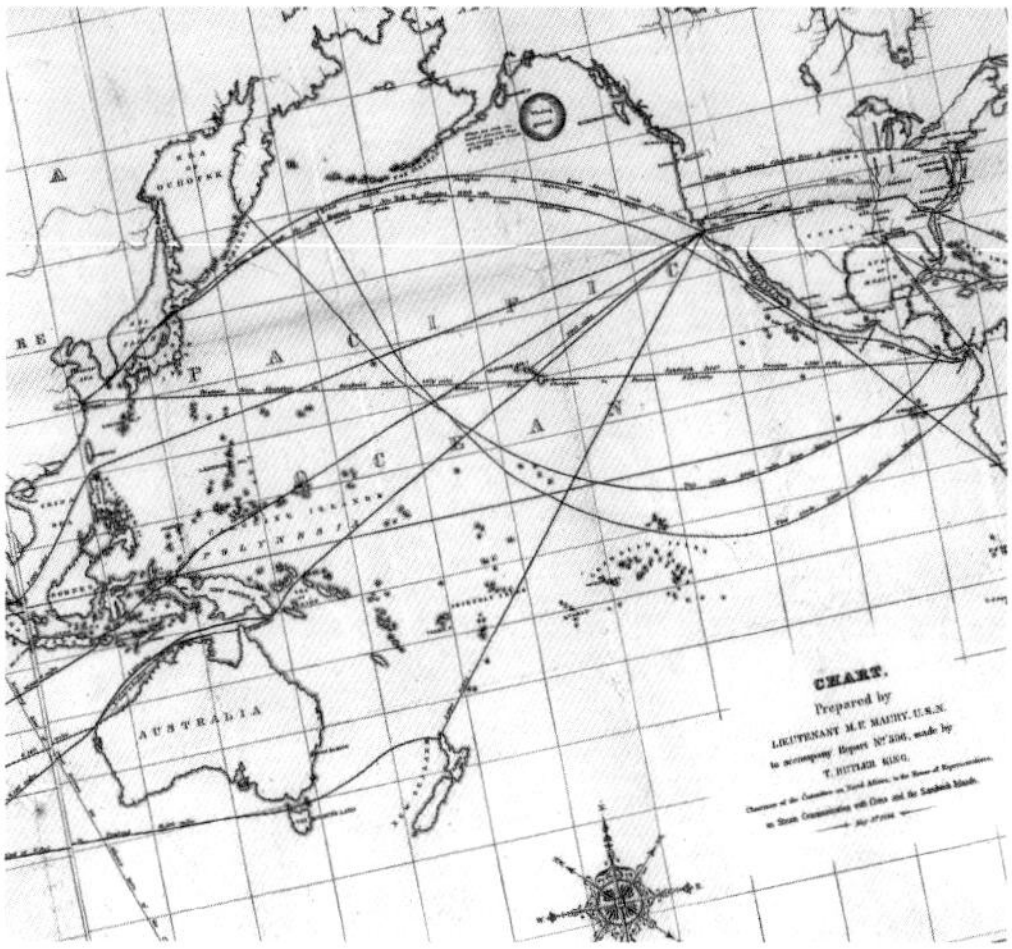

1848年のアメリカ議会に提示された蒸気船航路計画図
（アメリカ議会図書館蔵）

そして、それは往々にして、「勝者」の目線に立った歴史像を築き上げる、ということにもつながりやすい。その代表的な例が、明治維新史であろう。かつて明治維新の歴史は、薩長土肥などのいわゆる西南雄藩の動きを中心に描かれ、誰が明治国家の創建に貢献したか、という視点で、歴史上の人物も評価されてきた。

しかし、ここ十数年の間に研究も進み、既存の明治維新史の語りからは忘れ去られてきた存在にも注目が集まっている。最大の「敗者」、徳川幕府の研究も大きく進んだ。そしてこれらの研究成果を受け、明治維新の歴史叙述も豊かなものとなりつつある。くしくも２０１８年は、明治維新から数えて１５０年。単に維新の「勝者」を称賛するのではなく、当時日本を生きたさまざまな人たちの営みを思い出し、未来につなげる１年としたい。

●ごとう・あつし／１９８２年、福岡県生まれ。大阪大大学院文学研究科博士後期課程単位修得退学。博士（文学）。日本学術振興会特別研究員、大阪観光大専任講師などを経て、２０１７年から現職。幕末日本の開国を、世界史、日本史の双方の観点から研究。著書に『開国期徳川幕府の政治と外交』（有志舎）、『忘れられた黒船』（講談社）など。

欠くことを自ら恥じた。「品」というものを尊ぶ社会

後藤正治
ノンフィクション作家

映画がよければ原作はいまひとつ、その逆も真なりというのが私的経験則であるのだが、例外もある。昨秋、ノーベル文学賞の受賞者となったカズオ・イシグロ氏の『日の名残り』で、ともに名作だった。

主人公は大戦前、ダーリントン卿に仕えた老執事のスティーブンス。映画では芸達者のアンソニー・ホプキンスが扮《ふん》していた。

古き良き英国紳士だったダーリントン卿。親独派だった過去が問われ、戦後、失意のうちに亡くなる。アメリカ人富豪が館の新しい主となるが、スタッフは足りず、要の女中頭がいない。かつて、淡い思いを交わしあった女中頭ケントンに会うため、スティーブンスは旅に出る。往時といま現在が交差しながら物語は進んでいく。

良き執事とは何か――。旅の途上で、スティーブンスが繰り返し発する問いである。やがて「品格」という言葉にたどり着く。品格とは何かということが作品のテーマの一つともなっている。

品格、品性、人品、品行、気品、品位……。「品」という語を含む言葉はどこか香ばしいものを発するが、近頃の世、思い浮かぶ事柄は少ない。逆に、それらを欠く言動には事欠かず、かつそれを恥じない御仁の顔などす

ぐに浮かんでくる。

日本社会は「品」というものを尊ぶ社会だったと私は思う。それを欠くことを自ら恥じたものだった。

スティーブンスの思い至る「品格」は、仕える卿の財力や格によって規定されるものではない。まずはプロの執事としての技量であり、さらには歳月の中で磨き上げた、ウイットやユーモアを含む人としての器量である。

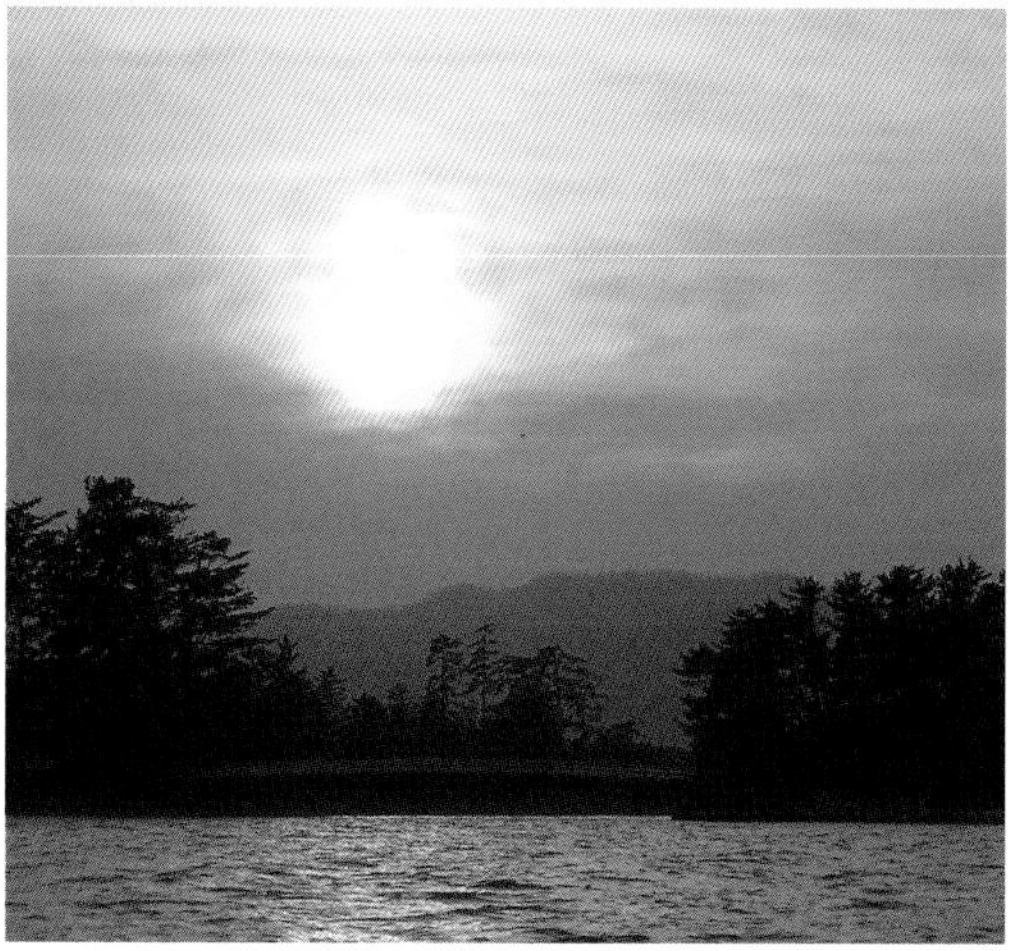

品格が生来のものではなく、努力する中で身についていくものだとすれば、これは執事に限られることなく、あらゆる職に通じる普遍的なものであろう。ケントンの結婚は幸せなものではなかったが、孫ができる身となっていた。スティーブンスの申し出を心ひかれつつも辞退する。夕暮れ時、海辺の桟橋での二人の別れのシーンは切なくも美しい。
一般の辞書には載っていないようであるが、「文品」という言葉もある。自身のこれまでの仕事はそうであったのかどうか。忸怩《じくじ》たる思いにかられつつ、そうでありたいものだと願う。

●ごとう・まさはる／1946年、京都市生まれ。72年、京都大農学部卒。スポーツ、医療、人物評伝などをテーマにノンフィクションを多数手掛ける。『遠いリング』で講談社ノンフィクション賞、『リターンマッチ』で大宅壮一ノンフィクション賞、『清冽』で桑原武夫学芸賞を受賞。『後藤正治ノンフィクション集 全10巻』（ブレーンセンター）が完結。

日常に存在する「歌」。それは、過去と現在を結ぶ懸け橋

澤田瞳子
作家

私は歌が好きだ。カラオケやオペラのごとく、舞台や機械が必要な大掛かりなものではない。例えば子どもが歌う童謡、何気なく口ずさむ古い歌。日常に存在するそんな平凡な歌が、どうにも愛おしくて仕方がないのだ。

なにせ私は、中学高校時代はキリスト主義の学校で毎朝賛美歌を歌い、大学では能楽部に入って謡を学んだ。そんな中で、世にあまたある歌の旋律と言葉の美しさの虜《とりこ》となったのは、ごく当然のことと言えるだろう。

――朝に落花を踏んで相伴うて出で夕には飛鳥に随って一時に帰る

唐の大詩人・白居易は、友人とともに遠出をした春の光景を七言律詩に読み、やがてこれは日本に伝えられ、春日を歌う朗詠曲として平安の貴族たちに親しまれた。そして、さらに室町時代以降、この句は亡き友への思いを描いた能楽『松虫』のサシ謡として、広く人口に膾炙《かいしゃ》するに至るが、言葉をただ目で読み理解するだけではなく、声に出して歌えば、われわれはその瞬間、かつてこの曲を同じように歌ったいにしえ人と同じ体験を共有するに至るのだ。

能楽は武家の式楽として愛され、歴代将軍の中には能楽を趣味とした人物も数多い。彼らは友をしのび、愛するこの曲をどのようにかみしめて歌ったのだろう。そう考えれば口から発せられた途端に消え失せる音楽とは、

過去と現在を結ぶ、はかなくもつよい懸け橋とも感じられるではないか。

　現代において、音楽はいつでもどこでも聞くことができる簡便な存在となった。しかしただ「聞く」のではなく、自らも歌を口ずさんでみればどうだろう。歌そのものは唇にのせた端から消えてゆくが、その旋律と歌詞は身体の奥底にしっかり刻み込まれるはずだ。

だとすれば、その音楽は決して失われたのではない。二度と再現することはできずとも、われわれの心を豊かに育む土へと姿を変えたのだ。

——菜の花畠に入り日薄れ　見わたす山の端霞みふかし

　こんな美しい光景をわが目で見たことはない。しかし、その旋律と飾らぬ言葉を歌えば、まだ見ぬ懐かしき情景がありありと浮かんでくるではないか。

　散歩の途中、お風呂の中などで歌を歌う都度、記憶の底からは懐かしいメロディーが次々と湧き出て、自分自身でも忘れていた懐かしい光景へ私を連れて行ってくれる。童謡の中に残る、古き良き日本の故郷、荒ぶる自然。京都の町なかに暮らす私はそれらの歌を歌うことで、自らの精神を遠く、懐かしき過去へとつなげ、日々の暮らしの中で失われたものを取り戻そうとするのである。

●さわだ・とうこ／１９７７年、京都府生まれ。同志社大文学部卒、同大学院文学研究科博士課程前期修了。２０１１年、デビュー作である『孤鷹の天』で中山義秀文学賞を最年少受賞。13年『満つる月の如し』で新田次郎文学賞受賞、16年『若冲』で親鸞賞受賞。

住民は日本のイメージを発信する重大な役目を担っている

シルヴィオ・ヴィータ
京都外国語大学教授

今から150年以上前の1885年12月。ヨーロッパの近代哲学を根底から揺るがしたドイツの思想家フリードリッヒ・ニーチェは、南フランスの町ニースで療養していた。そこから妹のエリザベートに宛てた長文の手紙の中で、奇妙な感想を伝えている。その時のニーチェの言葉を、私は年末年始を京都で過ごすたび思い出す。

ニーチェ曰《いわ》く「より健康でかつ十分に金があれば、心の安らぎを手に入れるために日本に移住する」、そして、「私にはヴェネツィアが居心地がいい。なぜならば、あそこでは日本的なものに近づくことができる。ヴェネツィアはそのための条件をある程度備えているのだ」と。この文章には当時ヨーロッパの人々が共有していたある種の概念が表れている。日本は美の経験ができる場所であり、心が癒やされるというイメージ。また、ヴェネツィアも美しい町であり、かつ美術的な町である以上、日本的な感覚を備え付けている。19世紀の終わり頃、「世紀末」といわれた時代の人々にはこのような認識があったようだ。

だが、反発する声もあった。英国の劇作家であり詩人オスカー・ワイルドは、ニーチェと同じ1900年にこの世を去った、まさしく同世代の人である。1889年に発表された『嘘の衰退』という評論の中で、写実に文学の理念を据える考えを批判し、想像する力こそが文芸のエッセンスであると主張した。「偉大な芸術家には、ものをあるがままに見るような人は一人もいない」。美しいものを描写するには「見る目」が求められるのだ。ワイルドは続ける。「美術を介して我々《われわれ》に紹介されている日本の人々は本当に存在していると思うか？（中略）実をいうと、日本のすべては想像にすぎない。そういった国もなければ、そのような人間もいない。（中略）私がいうように、日本人とは様式の形体、芸術の素晴らしい幻想である」。当時、競って鑑賞され、19世紀の美術に多大な影響を与えた浮世絵などに描かれた世界こそが芸術であり、現実世界のことではないとほのめかす。

　以上の幻想は、まさにクール・ジャパンということばに置き換えても差し支えないであろう。日本が人を引き寄せる力は150年たっても衰えない。現在は日本への旅も簡単になり、それが幻想か現実かは自分の目で確認できる。京都では特に、そのような目的で海外からやってくる人たちが日常生活の一部となった。日々世界の人と触れ合い、住民は日本のイメージを発信する重大な役目を担っているのではないかと、新年を迎えてふと思う。

●シルヴィオ・ヴィータ／1954年、ローマ生まれ。87年、イタリア国立ナポリ東洋大日本研究科哲学歴史学専攻博士課程修了（文学博士）。イタリア東方学研究所所長を経て、2012年、京都外国語大教授に就任。専門は文化史学、日欧交渉史。著書に『Buddhist Asia 1』『Buddhist Asia 2』、バチカン図書館所蔵日本関係資料に関する論文など多数。

日々、季節が移り変わっていくように身体や心も生まれ変わる

高木正勝
音楽家
映像作家

山あいの小さな村で暮らし始めて4年が経ちました。村の入り口にはお地蔵さんがあるのですが、前を通る時には「あっ」と小さく声に出して手を合わせるようにしています。これは、96歳になるトオちゃんから勝手に引き継いだ習慣です。トオちゃんはお稲荷さんや毘沙門さんなど、大切な場所の前を通る時に必ず「あっ。今日もありがとうございます」「あっ、今日は若いもんに車に乗せてもらってます」と目を閉じながら友だちのように話し掛けるのがとても素敵《すてき》で、こっそり真似をするようになりました。

村のお山のてっぺんには稲荷神社がありまして、月の終わりに当番が掃除に上がることになっています。先月はうちが当番でしたので、こんもり積もった落ち葉を掃きながら山を登りました。山ですので、落ち葉が積もっているのは自然なことなのですが、なぜでしょう、地面の土が見えるまですっかり掃ききってしまうと、さっきまで山道だったのが、まさに参道だと思える姿に変わりました。不思議です。お母さんの中にある道も「産道」と呼びますが、身体の中に通っている道を掃き清めているようで嬉しくなってきました。てっぺんにあるお宮を雑巾で綺麗《きれい》に拭いて、柏手《かしわで》を打って手を合わせていると、

空を突き抜けて天と繋《つな》がったような心になりました。

12月には「山のかみさま」という行事がありまして、早朝、真っ暗闇な山の中に男だけで集まって、真っ白なうるち米のお餅を食べます。お餅は稲わらで作った入れものに包み込んで持っていくのですが、その稲わらの包みがなんとも女性らしい形で、そこに真っ白なお餅を入れると、命のはじまりのような、そんなもののような気がしてきます。それを暗闇の山の中で焚き火に照らされながら食べるのですから、魂を身体に入れるようなそんな厳かな気持ちになります。村のおじいさんたちに由来を聞いても「前の人がやっとった。先祖がやっとった」とのことで、今となっては何がどうなってこうなったのか分かりません。でも、意味を追わなくても、その行為をやり終えた後には面白いことが起こります。ただただ、心が真新しくなります。

毎日毎日、季節が細やかに移り変わっていくように、僕たちの身体や心も日々生まれ変わりたいのだと思います。朝目覚めると、山の向こうから昇って来た太陽が、順番に辺りを照らし始めます。その暖かい光が自分に届いたころ、もう既に新しい自分が始まっているのだと、そう思います。

●たかぎ・まさかつ／1979年、京都府生まれ。12歳よりピアノに親しむ。19歳より世界を旅し映像作品を作り始める。2001年、アルバム『pia』をニューヨークより発表。『おおかみこどもの雨と雪』『バケモノの子』、スタジオジブリを描いた『夢と狂気の王国』など数多くの映画音楽やCM音楽を手掛けるほか、国内外でコンサートや展覧会を開催している。

日本古来の伝統文化を継承し「和」の心を実践していく

田中恆清
石清水八幡宮宮司

古来、日本人は「和」の心を大切にして、日々の生活を営んできました。「和」の心とは自分勝手な考え方や行動を慎み、他人の意見や立場を尊重して謙譲の精神を以て行動していくことであります。

記紀神話（古事記・日本書紀）には、天の石屋戸《いわやと》に天照大御神が隠れられ、国中が暗闇に覆われたとき、八百《やお》万《よろず》の神々が「神集《かむつどい》」をして集まられ、次に「神議《かむはかり》」をして、つまり皆で話し合いをして解決策を探された様子が記されています。神々のご事績にも記されるように、皆で集まり話し合いを行い重要な事柄を決めてきた「和」の心は、日本古来の伝統精神だと言えます。

地震や台風等の自然災害の被災時における日本人の助け合いの精神の根底にも、古くより培ってきた他者をいたわり思いやる「和」の心が流れているはずです。

然《しか》しながら戦後の日本人は、自らの「個」の確立に躍起になり、他者を軽視して「公」への奉仕を蔑ろにしてきました。行き過ぎた個人主義は、「自分さえ良ければそれでよい」という思想を拡散させ、日本人の有してきた「和」の心を衰退させてきたのではないでしょうか。

縄文の時代より現代に至るまで、日本人は鎮守の杜《もり》に集まり、皆で協力して神々への祭祀《さいし》を行い、自然の恵みに感謝しながら共同体での生活を慎ましやかに営んできました。今後地域の共同体が崩れていくことは、伝統ある神事が疎《おろそ》かになるのみならず、他者への思いやりや優しさなど、人と人とを結ぶ心までをも離れさせていく可能性があります。

日本には海の幸、山の幸と称されてきた四季折々の美《お》味《い》しい食物があり、自然の風景の移り変わりがあります。そのような美しい風土の中で、自然への畏敬や感謝の念が涵養《かんよう》され、五節供《ごせっく》をはじめ伝統ある年中行事や、神々への祭祀が行われてきました。共同体への帰属意識が弱まり、他者との繋《つな》がりが希薄となっている現代こそ、日本古来の伝統文化を継承して、「和」の心を実践していく必要があると考えます。

京都は、由緒ある神社や寺院が数多《あまた》あり、世界でも屈指の伝統と精神文化を誇る都市でもあります。あらゆる日本文化の濫觴《らんしょう》の地として、受け継いできた伝統を次代へと護り伝え、これからも日本の心を世界に向けて発信していく役割を担っていただきたいと願っております。

●たなか・つねきよ／1944年、京都府生まれ。69年國學院大神道学専攻科修了。平安神宮権禰宜、石清水八幡宮権禰宜・禰宜・権宮司を経て、2001年石清水八幡宮宮司に就任。02年京都府神社庁長、04年神社本庁副総長を務め、10年神社本庁総長に就任。

京都の〝ピシャリ〟が日本の美や精神を守る

仲西祐介
KYOTOGRAPHIE京都国際写真祭
共同創設者
©2018 Naoyuki Ogino

KYOTOGRAPHIE（キョウトグラフィー）京都国際写真祭は、2013年に誕生し、おかげさまで今年で6回目を迎える。きっかけは、2011年の東日本大震災。公正なメディアの必要性と海外と対等に情報交換できるアートのプラットフォームの必要性を強く感じた。

一極集中化しすぎた東京ではなく、世界に向けた発信力と国内の注目度から京都を舞台にすることに決めた。2011年末に京都に移り住み、1年かけて京都の街をフィールドワークした。そして約半年間集中して準備し、第1回の開幕へと何とかこぎ着けた。

京都の街全体を使ってイベントを起こすことの難しさは、僕の想像をはるかに超えていた。とにかく受け入れてもらえなかった。最初のうちは自分が京都人じゃないせいだと思い込み、絶望していたが、だんだん理由がそこではないことに気付いてきた。

京都の人にとってまず大切なのは、人付き合い。会ったばかりの人にそう簡単には心を開かない。時間をかけてゆっくり相手を知り、お互いに尊敬しあえる関係が作れると分かった時点でやっと玄関から内に上げてもらえる。

そして、もう一つは「質」へのこだわり。提案が納得できる「質」まで達していなければ「おきばりやす」とピシャリと帰される。そして理由は決して教えてくれない。初めはなんと冷たい人たちなのだろうと恐れおののいていたが、何度も繰り返しているうちに「おきばりやす」の意味の裏側に気が付いた。それは「自分の頭でしっかり考え直してみなさい」「頑張ってもう一度出直してきなさい」という意味だったのだ。

©Takuya Oshima

あきらめず何度も何度も出直してくる僕を、最終的に京都の人たちは受け入れてくれた。そしてその頃にはおのずと僕の提案するクオリティーも上がっていた。なんと愛に溢《あふ》れる人たちなのだろうか。サイレントな叱咤《しった》激励とでも言えようか。それは今でも続いており、少しでも「尊敬」や「質」を忘れていると「あきまへんな」とピシャリ。なかなか気が抜けないのである。

　しかしながら、昨今、京都の人たちが若干浮ついていて、肝心の「おきばりやす」を忘れているように見える。オリンピック景気を狙ったビジネスサーファーたちが便乗する高波が京都にも押し寄せてきているのだ。オリンピックは打ち上げ花火のようなものだが、京都の伝統や日本の文化は永続的に守り育てていくべきものである。京都人が東京人や外国人に対して、「うちは関係おまへん」とピシャリと言ってくれる爽快な姿をぜひ期待したい。

●なかにし・ゆうすけ／1968年、福岡県生まれ。京都在住。照明家。世界中を旅し、記憶に残されたイメージを光と影で表現している。映画、舞台、コンサート、インテリアなどのフィールドで照明演出を手掛ける。アート作品として「eatable lights」「Tamashii」などライティング・オブジェを制作。2013年より写真家ルシール・レイボーズと「KYOTOGRAPHIE 京都国際写真祭」を主催する。

「定常型」の豊かさや創造性を再発見する時

広井良典
京都大学
こころの未来
研究センター教授

新年のメッセージとしてはいささか辛口で無粋な内容かもしれないが、以下記してみたい。

現在、政府の借金は、1000兆円（GDPの約2倍）を超え、国際的に見ても突出した規模のものとなっている。なんとなく〝他人事〟の話題のように聞こえる面があるが、要するに私たち現在の日本人は、そうした膨大な借金を若い世代、そしてこれから生まれてくる世代にツケ回しして半ば平気でいることになる。

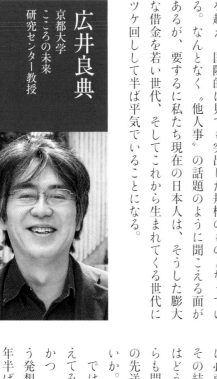

そして借金の実質は何かというと、その最大の背景は医療や年金、介護などの社会保障費の増加であり、つまり私たちは、そうした福祉の〝給付〟は求めるが、それに必要な（税などの）お金や負担を払うことは拒んで、その結果が莫大な借金の累積となっているわけだ。これはどう見てもまずいことで、世代間の倫理という観点からも問題が大きく、またこうしたこと（次世代への負担の先送り）を続けていると、日本に未来はないのではないか。

では、そもそもなぜこのような状況に至ったのかを考えてみると、それは物事を〝短期的な損得〟のみで考え、かつ「すべての問題は経済成長が解決してくれる」という発想に由来していると私は思う。そして、皮肉にも近年半ば日常的な光景のようになった、企業の不祥事で上層部が深々と頭を下げるといった例も、同じ根から派生

していることに気付く。
　これはまさに「日本人の忘れもの」というテーマとつながるのではないだろうか。例えば江戸期に、今風に言えば〝地域再生コンサルタント〟として活躍した二宮尊徳にしても、日本資本主義の父と呼ばれつつ『論語と算《そろ》盤《ばん》』、つまり倫理と経済が両輪となってこそ事業は永続すると論じた渋沢栄一にしても、あるいは近江商人を含むその他無数の市井の人々にしても、彼らはみな短期的な損得や利潤拡大よりも、将来世代への継承ということを重視した活動を展開した。それは経済ないし経営の規模の単純な「拡大・成長」よりも、むしろ「持続可能性」「循環」「相互扶助」といった価値により大きな力点を置いた思想だったと言える。
　そして多少身びいきを含む論をさらに展開すれば、それは日本の歴史を通じ、他ならぬ京都を中心とする千年の歴史の中で培われた理念だったと言えるだろう。そのことは、日本の総人口の長期推移を見る時、平安遷都から江戸期までのそれがほぼフラットであったこととも呼応している。
　人口やGDPの拡大ではない、「定常型」の豊かさや創造性を、今こそ日本人は再発見していく時ではないだろうか。

●ひろい・よしのり／1961年、岡山市生まれ。東京大教養学部卒（科学史・科学哲学専攻）。千葉大教授を経て2016年4月より現職。専攻は公共政策および科学哲学。『日本の社会保障』でエコノミスト賞、『コミュニティを問いなおす』で大仏次郎論壇賞受賞。他の著書に『定常型社会』『ポスト資本主義』（いずれも岩波新書）など多数。鎮守の森コミュニティ研究所主宰。

日本の芸術を日本人が自信をもって評価できる時代

細見良行
細見美術館館長

欧米の芸術作品を日本人作家がいかにうまくまねても、亜流とみなされる。これが現実だ。日本の匂いのすることが海外で評価される条件の一つだろう。私たちの先祖が創作してきた芸術を自分なりにかみ砕き、表現することが重要だと思う。現代アートの村上隆さん、名和晃平さんら交流のある作家には「日本の古美術を勉強してはどうか」と助言してきた。

現代の私たちの日々の暮らしには、過去に創作された芸術作品の美意識が流れている。だからこそ、アニメキャラクターと江戸時代の琳派がコラボした作品も違和感なく、好評のうちに受け入れられるのだと思う。

細見美術館は、今年で開館20年。京都には寺社の宝物館や大学博物館も含め、美術館、博物館は200館以上ある。歴史ある館が並び立つ中、後発の美術館として、他館と異なるイメージをどう作っていくか。柱に据えたのは、所蔵するわが国の古美術だ。今でこそ『鳥獣人物戯画』などの展覧会が行列するほどの人気になったが、20年前の日本は古美術が敬遠される時代。難しい先入観を持たずに来館してもらうにはどうするべきかを考えた。

具体的には、第一に、一般の方にも分かりやすい「琳派」をテーマに設定。毎年、連続して特別展を開いてきた。日本の美術は、決して水墨画のようなモノトーンの世界だけではない。琳派の絵画は学生にみせても鮮やかな色彩に驚く。一昨年、「琳派400年」で盛り上がりをみせたが、当初から狙ったわけではない。第二に「美術館を小さなアミューズメントパークに」と構想した。カフェやミュージアムショップ、茶室を設けた。美術鑑賞だけでなく、1~2時間ゆっくり過ごしてもらえる仕組みだ。いずれも当時、公立の館ではみられない試みだった。

伊藤若冲「雪中雄鶏図」部分（細見美術館蔵）

2019年のICOM（国際博物館会議）京都大会に関わる立場として考えるのは、発信力強化の必要性だ。東京・上野と岡崎地区が国内で並び立つ文化地区になり、はじめて京都を「文化首都」と呼べるのだと思う。東京開催の大型美術展も、必ず京都に巡回展示されるだけの力を持つ必要があるだろう。幸い、京都市立美術館改修やロームシアター京都開館など、岡崎全体の発信力は少しずつ前進している。

2018年は1月3日から「はじまりは若冲」で幕を開ける。10月にはパリで催される「ジャポニスム2018：京都の宝―琳派300年の創造」に当館所蔵の琳派も多数出品する予定だ。戦後70年以上が過ぎ、ようやく日本の芸術を日本人が自信をもって評価できる時代になってきたのだと実感している。

●ほそみ・よしゆき／1954年生まれ。同志社大卒。94年、祖父の日本美術コレクションを基礎とし、細見美術財団を設立。98年、細見美術館を開館し、館長に就任。展覧会の企画・展示に携わるほか、茶会を開催するなど伝統文化の普及に努めている。京都市内博物館施設連絡協議会幹事長や琳派400年記念祭委員会専門委員、ICOM京都大会2019京都推進委員会副委員長などを務める。

精神性の豊かな暮らしこそ人間性豊かな未来を拓く

柳田邦男
ノンフィクション作家
評論家

俳句界に、今の時代だからこそ切実感をもって新境地を開きつつある「地貌《ちぼう》季語」というキーワードがあるのを知ってから、10年近く経つだろうか。

信州・松本市を拠点に全国に会員を持つ「岳俳句会」主宰の宮坂静生氏から教えられたのだ。宮坂氏は30年ほど前、俳句界の先人から、それまで俳句界が重視してきた「風土」とは異なる「大地」に密着した暮らしを表す季語として、地貌季語という視点からの作句活動があることを知った。そして、その重要性と現代的意義を感じて、その後、折を見ては全国を行脚して、地方の人々が地貌季語を使って詠む俳句を収集してきた。

地貌季語とは、単なる風景や土地柄ではない。「その地の貌《かたち》」を季語にするとは、人が生まれ育った大地に根を下ろした暮らしや季節感、生業《なりわい》、祭りなどの行事、風習等々、全身に染み付いたその地域ならではの事象を表す方言を季語として使うものだ。

従来、季語と言えば、歳時記に収録された全国共通の用語に限られていたが、それではどこか余所《よそ》行きの取り澄ました感じになってしまうし、中央から地方を見下す都鄙《とひ》意識の雰囲気になってしまう。もっと、その土地に生きる人の息づかいを感じさせる言葉を掬《すく》い上げた表現にすべきではないかというのだ。

宮坂氏は、これまで地貌季語に関する著書を、各地で

収集した句の紹介を含めて何冊も書いてきたが、このほどその集大成として『季語体系の背景 地貌季語探訪』（岩波書店）を刊行した。

その中から引用するなら、関西では〈死ぬ暇もなうてと笑ひ薬喰《くすりぐい》 茨木和生〉。「薬喰」は冬に養生のための獣の肉を食べること。沖縄の一句。〈青甘藷《かんしょ》の野に収骨す四十年 玉城一番〉。沖縄では稲作より甘藷作りが生業だ。福島では、〈除染とは地べた剥ぐことやませ来る 伊藤雅昭〉。やませとは、三陸海岸など東北地方の夏に多い東からの冷たい風。地べた剥ぐは、国土と地貌を破壊することへの怒りだ。

地方の過疎化、人口・経済の大都市集中は、文明進化の宿命。その中で地方創生などと叫ばれているが、現実はカネのバラ撒《ま》きではないか。たとえ日々の暮らしはかつかつでも、精神性の豊かな暮らしこそ、人間性豊かな未来を拓《ひら》くものではないか。地貌季語の全容を知ると、そこに何百年も営々と暮らしてきた庶民の豊かな心模様がある。地貌季語の集大成は、この国の精神文化のあり方に重要な指標を見いだしたと言えよう。

●やなぎだ・くにお／1936年、栃木県生まれ。東京大経済学部卒。ノンフィクション作家、評論家。NHK記者を経て作家活動に入る。現代の人間の「生と死」をテーマに、災害、事故、医療など幅広く執筆。JR福知山線事故、福島第一原発事故などの検証に携わる。『マッハの恐怖』『ガン回廊の朝』『言葉が立ち上がる時』『自分を見つめるもうひとりの自分』など著書多数。

自然生態の「攪乱と再生」
〝森羅万象の神々と遊ぶ〟

やなぎみわ
美術家
舞台演出家

野外キャラバンの公演にとって、昨年は不運な年だった。度重なる台風で、風雨にさらされながら何度も防水作業をした。満を持した京都での公演は、たくさんの人々の労力と膨大な時間をかけて準備した舞台だったので、呆然となった。花に嵐の例えもあると、何度口ずさんでみても無念は無念。多くの人が「観られなくて残念だった」または「観ることができてラッキーだった」と言ってくれたが、その「観る」は、「観劇」よりも「目撃」に近い意味に感じられた。

野外劇は、澄んだ星月夜や絶景の夕焼けを、作品の一部とできる時もあるが、当然それらは偶然にすぎない。雨が多く天候が変わりやすいアジアで、青天井の舞台をやるということは、完全に天任せ。いくら稽古を積んでも、野外劇は天候次第でその場その場で状況が大きく変化する。旅公演なので毎回、地形も広さも変わる。前回は土の上だったのが今回はアスファルトだ。

風雨も夕焼けも、暑さ寒さも、等しく天からの戴《いただ》き物で、人力は及ばない。

学生の頃は染色工芸、その後、写真映像で現代美術の世界におり、長い間、美術の世界にいた自分には、ある通念が染み付いていることを知った。例えば、博物館や美術館が身近過ぎて、芸術作品は文化遺産として永久的に保存されると思っていたこと。そして「作品というものは作家の意志で完成する」と信じていたことだ。しかし、心血を注いだ舞台作品は「物」としては何も残っていないし、野外劇にいたっては、風まかせの航海のようなものである。傑作といわれる作品にはある部分を天に委ねるような感覚があるというが、そういえるのは遭難せずに無事にたどり着いた時だけだろう。

ある諦観に至った時、自然に立ち向かう感覚が次第に消えて、共に遊ぶ感覚が生まれた。常に風雨とともにあるアジアの野外劇とは、それ自体が自然生態の「攪乱《かくらん》と再生」を表している。固定化しはじめると攪乱させ、リニューアルして生きながらえる。芸能が持つ〝森羅万象の神々と遊ぶ〟という感覚はここからきているに違いない。

考えてみれば、人の歴史は自然から偶然手に入れたものを、確実に定期的に手に入れるための努力の歩みなのだ。技を生み出し、産業にし、それを常に更新する。舞台を作っては解体し、また作るを繰り返す。にわか仕立ての舞台の上で、ほんの束の間、演者たちが呼吸し、笑い、泣き、美しく輝く。それは一瞬の「攪乱」に過ぎないが、悠久の生の歴史につながるような気がする。

◉やなぎ・みわ／兵庫県生まれ。京都市立芸術大大学院美術研究科修了。90年代後半から写真や映像を用いて少女や老女を描くシリーズ作品を発表。２００９年、「ヴェネツィア・ビエンナーレ」美術展日本館に出展。11年から本格的に演劇に取り組み、14年、横浜トリエンナーレでステージトレーラーを発表。17年、「東アジア文化都市２０１７」において『日輪の翼』を公演。

モノとしての価値だけではなく京町家のコトの伝統も継承していく

矢野桂司
立命館大学文学部教授

歴史都市京都には、戦後の高度経済成長期以降、減少を続けてきた京町家が今もなお多く残存している。2008~09年度の調査で、市内の約4万8千軒の京町家が特定された。京町家一つ一つを歩いて調べ上げたこの大規模調査では、地理情報システム（GIS）を用いて京町家の外観と位置に関する情報を集めた。そして、2016年度に追跡調査が行われ、7年間で12％にあたる約5600軒の京町家が、戸建住宅や集合住宅、コインパーキングなどに転換されたことが明らかとなった。GISを用いることによって、俯瞰的に京町家の空間的分布や減少の実態を地図として可視化し、情報を共有することが可能となったのである。

大規模調査後の町並みの変化を体感するために、私は京都市内の移動に自転車を利用しているが、外国人観光客が急増した数年前から、老朽化した京町家が改修され、宿泊施設や飲食店などに変化している様子を目にする。マクロにみれば減少する京町家が、個々には着実に利活用され継承されている。

祇園祭の前祭の殿《しんがり》を務める船鉾は、高層ビルが林立する山鉾町の中で、応仁の乱以前からその存在が確認されている。幕末の禁門の変による大火から明治中期に復興し、以来、船鉾町の人々が弛《たゆ》まぬ努力で継承してきた。その船鉾町に、200年以上続く間口7間・約200坪の京町家・長江家住宅（京都市指定有形文化財）がある。
3年前この住宅を、八代目当主の長江治男さんが、東京資本のディベロッパーに託された。その会社は地域貢献の一環として、長江さんの思いを受け、そのままの形で活用することを決めた。その際、私は、屏風祭《びょうぶまつり》で披露する屏風や掛け軸、さらには幼少期のおもちゃなどの日常品など約千点を、長江さんの体験と思いとともに、デジタルアーカイブするお手伝いをさせていただいた。ICT（情報通信技術）によって、モノとともにそれらがどのように用いられていたのかというコトも合わせて記録し、それらを社会で継承することができる。

　現在、江戸末期に再建された長江家住宅の北棟を復元し、明治後期建築の南棟を目に見えるモノとして継承することが進められている。しかし、店の間や奥座敷などがどのように利用されてきたのか、季節に合わせた建具替えや、四季折々のしつらいの持つ意味は何か、また約百本ある掛け軸がどのような祭事に合わせて床の間に掛けられ、どのような思いが込められているのか。そのような、モノとしての価値だけではなく、京町家のコトの伝統も併せて引き継いでいきたいと思う。

戦前の長江家住宅外観（立命館大学蔵）

●やの・けいじ／１９６１年、兵庫県生まれ。立命館大文学部地理学専攻教授。博士（理学）。88年、東京都立大大学院理学研究科地理学専攻博士課程中退。東京都立大理学部助手、立命館大文学部助教授を経て、２００２年から現職。地理情報システム学会前会長、人文地理学会常任理事、日本地理学会代議員、日本学術会議連携会員。専門は、人文地理学、地理情報科学。

コトバの裏側にある「おかげさま」という信心の暮らし

山折哲雄
宗教学者

このところよくきくコトバに、近江商人の「三方よし」というのがある。売り手よし、買い手よし、世間よし、と。そろそろ耳にタコができるような気分になっている。

それだけなら、ただ「商売うまくやろうよ」というだけのことではないか。だが、このコトバの裏側には、「おかげさま」という信心の暮らしがあったはずだ。

それを忘れかけ始めている。魂抜きの掛け声だけの三方よしである。

もうひとつ、よく新聞テレビで、わが国のレッキとしたリーダーたちが口にするコトバである。首相の口からも財務相の唇からもしばしばもれてくる。

例の「ウィン・ウィン」という何とも口ざわりの悪いコトバだ。政治の分野でも経済の分野でも、「おたがい損することなくうまくやろうぜ」とうなづき合っているようにみえる。本音をいえば利益の山分け、外交の維持、国威の発揚という、何とも品のない魂胆が透けてみえる。

思い返せば、この国には大岡裁きというのがあった。「三方一両損」という話がそのなかに出てくるが、いってみれば「三方よし」の裏側の教訓である。徳川吉宗の時代に大岡越前守という江戸町奉行がいた。町人のさまざまないさかいを調停し、関係者が納得する形でおさめた名裁判官として知られるが、そのなかの傑作がこの「三方一両損」の判決だった。三者の言い分を取り上げ、それぞれが一両ずつ損をする形で、人間同士の和の関係を取り戻したという話である。それがやがて歌舞伎、講談、浪曲に取り上げられ、一連の大岡政談物として人気を博するようになった。

「負けるが勝」というコトバも同じ発想から出たものだろう。勝敗は時の運、というのもわれわれの暮らしの知恵である。「ウィン・ウィン」でことが済めば、そんな楽なことはない。現実は、そうは問屋が卸さない、というのがわれわれの常識だった。

もうひとつ、「身銭を切る」というコトバもある。これまた忘れ始めている戦後焼け跡、貧乏時代の名残りになっているが、貧しくとも身銭を切るのはただただ心を許す仲間をつくりたかったからであることを思い出す。「三方一両損」や「負けるが勝」の奥座敷にも、やはり顔のみえない「おかげさま」がおいでになっていたのである。

●やまおり・てつお／1931年、米国サンフランシスコ生まれ。岩手県出身。東北大大学院文学研究科博士課程修了。「宗教と現代社会」を終生のテーマとし、幅広いジャンルにわたり作品を発表。国立歴史民俗博物館教授、国際日本文化研究センター所長などを歴任。専攻は宗教学・思想史。2010年南方熊楠賞受賞。著書に『近代日本人の宗教意識』『親鸞をよむ』『死の民俗学』など多数。

目に見えにくい生活文化を楽しみ、嗜むこと

吉野　亨
文化庁
地域文化創生本部
芸術文化調査官

何気ない生活の中に文化が満ち溢《あふ》れていることに気付かされたのは、4月から京都市に居を移し生活をしていく中でだった。言葉一つ、食べ物一つ、行事一つとっても、その土地柄と、歴史とともに育まれてきた生活の営みからさまざまな文化が醸成されていること、自分たちの生活文化をとても大切に思っていることが、地元の人との何気ない会話から読み取れるのである。京都の例を見ると、生活文化を大事にしていくことが、地域の歴史や人の営みが継承され発展していく一つの鍵となっていると思われる。

そもそも「生活文化」という言葉だが、実はあまりなじみのない言葉かも知れない。昨年6月に改正された文化芸術基本法では、生活文化を「茶道、華道、書道、食文化その他の生活に係る文化」と具体例を挙げて示しており、広く生活に係る文化の総称として用いていることがうかがえる。また、世間一般でも基本法と似たような意味合いで、生活文化という言葉は使用されている。さて、私たちにとって生活文化とはどのような価値や意味を持っているのだろうか。ここでは生活文化を通じて私たちが得られる事柄について少し考えてみたい。

例えば日々の食事を見ても、私たちは日本の食文化の

みならず他国の食文化をも取り込みながら、それらを楽しんでいる。食というと、この時季はおせち料理やお雑煮、小正月の小豆粥《がゆ》といった食を連想する人も多いだろう。例えば、鏡餅を年神さまへのお供え物とし、時期が来ると鏡開きをして雑煮や汁粉としてお供え物を分かち合う、いわゆる「神人共食《しんじんきょうしょく》」が行われ、家族みんなで一年の平穏無事を祈っていた。しかし、このような行事に伴う食とそこに息づく精神は、生活の変化に伴って忘れられようとしているようだ。恐らく私たちは、目に見える生活が便利に、豊かになるにつれて、目に見えにくい生活文化を楽しみ、嗜《たしな》むことを忘れてしまっているのかもしれない。また、そこから生まれる時間や喜びを分かち合う気持ちさえも。

日々の生活に追われてしまうと、楽さ・便利さを優先して気持ちにゆとりがなくなってしまう。そんな時は、少し歩みを緩めて生活を見返してみたらどうだろうか。私たちに寄り添うように、生活文化は息づいている。私たちは生活文化を見直し、再体験することで、さまざまな楽しみや学びを得ることができる。それと同時に、ごく自然に文化を継承し創造する担い手となれるのではないだろうか。

●よしの・とおる／１９８３年、東京都生まれ。國學院大神道文化学部卒業、同大学院文学研究科博士課程を修了、博士号（神道学）取得。２０１５年より埼玉県の八潮市立資料館で文書保存専門員を2年勤めた後、17年4月より現職。芸術文化調査官として生活文化・国民娯楽を担当、専門は食文化。著書に『特殊神饌についての研究』。

美術・工芸を暮らしに取り戻す

［フォーラム］２０１８年５月／京都国立近代美術館

［基調講演］ 絵に見る忘れもの 日本の美意識

見えない空気の流れ、風をいかに描くかが日本画の神髄

柳原正樹氏 京都国立近代美術館館長

（２０１８年6月15日掲載）

現在の日本での絵画は、大きく日本画と西洋画に分類して語られます。「日本画」という呼び方は、政府の要請により来日したアメリカの哲学者で美術評論家でもあるアーネスト・フェノロサが、１８８２（明治15）年に東京大学での「美術真説」という講演で、土佐派、狩野派、円山派、南画、浮世絵などの総称として定義したとされています。ちなみに「芸術」「美術」という言葉も明治時代に、哲学者であり貴族院議員でもあった西周らにより創出された新語です。

西洋画の技法は、主に立体を表現する遠近法と、光と影を強調する明暗法を用いて描かれます。一方で一部の例外を除いて日本画の技法は、花鳥風月を主なテーマとし、余白の美を大事に、感性や想像力を存分に生かし、見えない空気の流れ、風をいかに描くかというところに神髄があります。

明治維新とともに多くの西洋画が日本に伝わり、１８９０（明治23）年、東京美術学校初代校長に就任した岡倉天心の門下生であった日本画家の菱田春草や横山大観などが、西洋画の技法も取り入れた作品を発表しています。ところが、彼らの線を引かない絵画は当時、日本画ではない「朦朧体《もうろうたい》」だとの批判が多く出ました。線も日本画では大きな意味を持っていることを示したエピソードです。

日本画の素材は、和紙、絹、麻、板をベースに、鉱物や貝殻を粉末にした岩絵の具を用い、牛皮や骨に含まれるコラーゲンを原料とした「膠《にかわ》」を接着剤にして彩色す

文化芸術

るのが基本です。ところが近年、岩絵の具と膠を製造する職人が減り、後継者も育っていないため、価格も高騰。帆布などのキャンバス地に油絵の具で仕上げる西洋画と比べ、若い作家たちの経済負担は非常に大きいものがあります。

日本画は、千数百年前の仏教伝来とともに、中国大陸や朝鮮半島を経由して伝えられた技法と素材で描かれ、現在まで受け継がれている世界でも類を見ない長い伝統を誇る絵画様式です。欧米では日本の江戸時代から現在まで日本画の人気は高いのですが、日本では、私たち祖先たちが育んできた美術品の素晴らしさに気付かず忘れ去ろうとしています。

生活様式の西洋化と相まって、マンションをはじめとする日本の住居から床の間が消えることと連動し、家庭での日本画鑑賞源であった掛け軸も一般家庭ではほとんど掛けることはなくなりました。これも日本画鑑賞の機会が少なくなった要因の一つでしょう。掛け軸は額縁と異なり、巻けば収納に場所を取らないし、いざというときに簡単に持ち出せる利便性があります。掛け軸の天地の天の部分に「風帯」と呼ばれる、2本の風でなびいて揺れる紙帯が下がっています。これは、鳥や虫などを本体の絵や書に寄せ付けない作用があるということをご存じの方も少なくなっています。

最近では日本画を専門に作品を描く作家志望者も減っています。わが国特有の奥深い芸術を途絶えさせてしまっては、日本文化の大きな損失になります。今年は明治維新150年とともに横山大観生誕150年でもあります。この機会にあらためて日本画の手法や精神性を思い出し、あるいは新たに学び直す必要があるのではないかと考えています。

［パネルディスカッション］

美術・工芸を暮らしに取り戻す

柳原正樹氏　京都国立近代美術館館長
鷺　珠江氏　河井寛次郎記念館学芸員
利田淳司氏　銘竹問屋 竹平商店4代目
岡田栄造氏　京都工芸繊維大教授

―少子高齢化の時代、工芸の部門も縮小、再生産傾向にあるのではないかと危惧しています。そんな状況を受け、柳原館長の講演へのコメントと、自己紹介を兼ねて美術・工芸に対するそれぞれの取り組み、お考えをご紹介ください。

鷺◉「花鳥風月」の中でも特に目に見えない「風」をもに表すことのできる日本人の感性は素晴らしいというお話に、日本人の持つ「間」という感覚との共通性を思いました。日本人が忘れてしまっているものを、できるだけ次世代に伝えていけるよう、私なりの努力を続けたいとの意を強く持ちました。

河井寛次郎記念館は東山区五条坂に位置。私は河井の孫で、記念館の学芸員を担当しています。1890（明治23）年、島根県安来町（現安来市）の大工の家に生まれた河井は、東京高等工業学校窯業科を卒業後、京都市陶磁器試験場に入所、釉薬や中国陶磁の研究を経て、1920（大正9）年、五条坂に登り窯を持ち「鐘溪窯」と名付け独立、作陶を開始。当時の東山山麓には20を超える窯がありました。河井の陶芸作品は、ここ京都国立近代美術館にも400点余りが収蔵されていて、陶芸作家としてはトップクラスで多い作品数になるはずです。

河井は「暮らしが仕事、仕事が暮らし」をモットーにしており、柳宗悦などとともに、民衆の暮らしの中から生まれた品に美を見いだす民藝運動を大正末期に興しました。1937（昭和12）年、現在の記念館の地に自ら設計した住居を構え、家具なども手掛けます。竹の本来の姿を生かした竹家具のデザインに熱中した時期もありました。木彫、キセルなどの金属工芸、書などの陶芸以外の創作活動も幅広く行い、66年に76歳で逝去しました。

利田◉柳原館長のお話にも通じるのですが、西洋文化を受け入れ、それを再構築して自分のものとしてきた明治以降の日本は、それと引き換えに日本の独自性を捨てざるを得なかったと考えています。しかし現代は、消費や所有欲全盛の時代から内面を充実する時代に入ってきていると思いますので、今こそ、日本のブランド価値を見つめ直し、日本の文化芸術の優位性に気付く時だと思います。

柳原正樹氏

鷺　珠江氏

利田淳司氏

岡田栄造氏

当店では、かやぶき家屋の天井に使われていた竹が、いろりで200年ほどいぶされて褐色に変化した煤竹《すすだけ》や、プレーンな白《しら》竹《たけ》、模様のある紋竹などの銘竹を主に扱っています。用途としては、天井や格子などの内装建築材をはじめ、簾《すだれ》や犬矢来、あるいは竹籠や照明器具などがあり、加工が容易な特性を生かせば、職人の高度な技術力によって、さまざまに変化させることが可能です。竹そのものは素朴ながらも、それぞれが個性に満ちた自然素材でもあります。国内外を問わず引き合いがあるのも、竹素材の持つ表現力の高さであり、竹は将

明治以前の日本。技と質と哲学が
見事に融合していた（柳原氏）

美しい仕事、正しい仕事は
美しい暮らしから生まれる（鷺氏）

優れた美術・工芸品は、自分を
振り返る時間を与えてくれる（利田氏）

工業デザインは時間の経過とともに
良くなる工芸に学ぶべき（岡田氏）

来においても可能性を持つものと信じています。

〝日本の伝統色〟には竹にまつわる色が16、17色あります。自然の微妙な変化に気付くこと、これが日本の感性なのだろうと思います。

竹のみにとどまらず、四季のある国であるからこそ得た、自然を感じ取る繊細な感性。その繊細さが生み出す洗練されたカタチ、つまりデザイン力。そして、そのカタチを現実にするために磨かれる技。これが、「日本のブランド価値」ではないでしょうか。

岡田◉私は大学で、衣食住に関わる工業デザインを専門に学生たちに向けて指導しています。日本での工業デザインは、先ほど鷺さんのお話に出た柳宗悦の長男である柳宗理が、1950年代に活動を開始したのが草分けで、まだ100年もたっていない分野です。

私の博士論文は日本における椅子の歴史研究がテーマでした。日本に椅子が本格的に導入されたのは、明治政府の初代文部大臣の森有礼が、寺子屋式で子どもたちが正座して授業を受けるのを廃止、学校に机と椅子の導入を決定したのが最初です。椅子の生活だと行動が活発になり健康を維持でき、身長も伸び、欧米諸国と対等に渡り合える体力が付くだろうとの思惑が主な理由でした。それとは逆に、日本人の静かな身体性が失われるという理由で椅子の導入に反対した人もいました。

私自身の活動としては、リボン製造会社のために新規製品の開発を行った「リボンプロジェクト」があります。巻きリボンの断面の美しさを生かし、価格の安い中国製品に負けない付加価値の高いボウルやスプーンなどを若手デザイナーたちと製作、国内だけでなく欧米各地からの引き合いも多くあります。大学ではKYOTO Design Labでさまざまなプロジェクトを手掛けています。外国人観光客などの来訪により様変わりした京都の錦市場の再生に向けた取り組みはその一つです。食文化体験施設の建物の基本設計や、二十四節気の食に関わるカレンダーのデザインなど、忘れかけている日本文化の復活デザインにも精力的に取り組んでいます。

柳原◉インダストリアル(工業)デザインと聞けば、キッコーマンしょうゆの卓上瓶をデザインした榮久庵憲司氏がすぐに思い付きます。彼は知恩院ゆかりの僧侶でもありましたから、「お寺には全てのインダストリアルデザインが集まっている。私は京都で修業しているとき、寺からデザインを教わった」という言葉を残しています。皆さんのお話を聞いていて、京都は生活と美術、デザイン、工芸の全てを包み込んだような都市として日本に位置していたのではないかと、あらためて思いました。

—本館の常設展示の場所に「工芸は芸術と産業の融合である」との趣旨の解説パネルがありますが、工芸と芸術との関係についてお話しください。

柳原◉1907（明治40）年に東京で第1回文部省美術展覧会が開催されました。このとき展示されたのは、日本画、西洋画、彫刻の3部門で、工芸は対象外でした。当時は絵画と彫刻が芸術で、工芸作家は、これらより下に見られ芸術家とは呼ばれなかったわけです。

—とすると河井寛次郎ご自身は、自分は芸術家だとは名乗っておられなかったのでしょうか。

鷺◉河井は民藝運動を通し、美というものは決して特別なものではなく、誰もが暮らしの中で美に関与できるとしました。陶芸家という言葉は使わず「陶工」とし、娘である私の母の学校の書類にも、職業欄には「陶磁器製造業者」と書いていたようです。

利田◉現在は量ではなく質の時代に移り、高品質なオーダーメードに対応できるものをつくれる職人の力が大事になってきています。竹卸問屋の立場からすると、品質、デザインの優れた工芸品を求める消費者の要望に応えることが大切な仕事であり、求められるデザインをカタチにする技術への期待が、彼らの技をさらに高め、そして次世代にも伝えていけるものと考えています。

岡田◉産業革命以降、機械による大量生産時代に入った時期から美と産業が分離しました。それを再度統合しようという動きが世界的に出たとき、理想的なモデルとされたのが実は、民藝運動が活発になっていた日本でした。今後の生活と美意識（美術）を考えたとき、ファインアートたる美術から応用美術である工芸を排除するのはいかがなものかなという気持ちが私にはあります。

―大手家電メーカーのパナソニックが今年、デザイン部門を集約した事務所を京都に開設したのは、京都在住の工芸作家や職人たちの仕事や、京都の蓄積してきた美に対する潜在力に着目して製品デザインに反映することが大きな目的だと聞いています。

柳原◉天皇家が住まい、神社仏閣が多い京都では、有力な依頼者がいろんなものを職人たちに発注することで、デザイン力、工芸力、あるいは美術力が研ぎ澄まされてきました。こうした潜在的な美的感覚が京都に脈々と流れてきたからこそ、インダストリアルデザインを担当する人たちにとって、どこかでヒントを得られる機会が多い場所ではないでしょうか。

芸術や美術、工芸という言葉ができる以前である江戸時代までは、優れたものをつくる人は、例えば「美術家」ではなく「絵師」と呼ばれていました。私の個人的な考えですが、師といわれていた時代の方が、芸術家としての気取りがなく、技と質と哲学が見事に融合していたのではないかと感じています。

鷺◉真の芸術家とは、高度な技術力と豊かな感性の両方が備わっていてこそのものであり、後になって多くの人が評価するのだと思います。河井自身は生前、本当の仕事というのは名前などを超えたところに存在するものだと考え、無名性を非常に重要視していました。薪《まき》や粘土を調達してくれる人、登り窯をたいてくれる人など、無名の多くの方たちの支えがなければ陶工は成り立ちません。そのため河井は「ひとりの仕事でありながら、ひとりの仕事でない仕事」という言葉を残しています。また、「美しい仕事、正しい仕事は美しい暮らし、正しい暮らしから生まれる」との考えのもと、暮らしそのものをとても大切にしました。手づくりの品だけにこだわることなく、工業製品でも「機械は新しい肉体」と位置付け、感性の優れたものは生活に取り入れていました。

利田◉竹は身近にある素材として、古《いにしえ》からさまざまな日常的な実用品として使われてきました。他方、作者独自の高度な技術に加えて、何らかの哲学を表現した美術工芸と呼ばれる作品もあります。そのどちらでもなく、無名でも美術的な価値を消費者が認め、実用品として大事に使われる製品も多く存在します。それが工芸品なのだろうと思います。優れた工芸品は、絵画などと同じように、見ること、使うことによって作者の思いが伝わるもの。その思いを味わうことに没頭する時間は、自分を振り返る贅沢な時間となるのではないでしょうか。

岡田◉インダストリアルデザインの概念ができてから、工業製品にはいいデザインのものがたくさん生まれてきました。しかし、伝統的な工芸品のように時間の経過に比例して、さらに素晴らしいデザインに変化していくものが工業製品にはありません。工芸に学ぶことで、時間を経てなお良くなるものを新しいテクノロジーで可能にする、そうなると新しく優れたデザインの実用品が数多く生み出される次の時代が来るのではないかと私は考えています。

―本日は、貴重かつ意義深いお話を皆さまありがとうございました。

◎柳原正樹（やなぎはら・まさき）
1952年富山県生まれ。大阪芸術大卒。富山県立近代美術館学芸員、水墨美術館長などを経て、2013年、京都国立近代美術館館長に就任。昨年4月からは、国立美術館理事長も務める。専門は日本画と彫刻。主な著書に『二十世紀美術を見る』など。

◎鷺　珠江（さぎ・たまえ）
1957年京都市生まれ。80年、同志社大文学部文化史学科卒。同年より河井寛次郎記念館学芸員として勤務。祖父河井寛次郎に関わる展覧会の企画・監修や出版、講演会、資料保存などに携わる。主な著書に『河井寛次郎の宇宙』『やきものの楽しみ～近現代の陶芸Ⅰ～』など。

◎利田淳司（かがた・じゅんじ）
1967年京都市生まれ。関西学院大法学部卒。1915年創業の銘竹問屋・竹平商店4代目、代表取締役。NHK「BEGIN JAPANOLOGY」「美の壺」などメディアへの出演や「第8回世界竹会議」の開催組織委員を務めるなど、日本の銘竹の美を海外・国内に向け発信する活動を行っている。

◎岡田栄造（おかだ・えいぞう）
1970年福岡県生まれ。千葉大大学院自然科学研究科博士後期課程修了。現在、京都工芸繊維大教授およびKYOTO Design Labラボラトリー長を務める。グッドデザイン賞（日本）、Red Doto賞（ドイツ）などの賞を受賞。著書に『海外でデザインを仕事にする』など。

効率性を求める現代社会で
いつしか置き去られた日本人のこころ。
モノにさえ思いを通わせる感性や情緒が
独自の豊かな生活文化を築いてきた。

明治維新から１５０年—
いま新たな時代の扉を開くとき
受け継いできた伝統は革新へと昇華する。

流行に惑わされない感性「こころ」が
機能性と美意識の統合、用と美の調和を生み
いまなお息づく暮らしの知恵が
日々の生活を彩り、潤す。

「日本人の忘れもの　知恵会議」
日本の文化に触れ、育まれた感性こそが
未来を切り拓く希望となる。
「次世代」へ、いま、京都から。

次世代へのメッセージ

Things to inherit to the future

日本人の忘れもの　知恵会議　２０１９

日本の風土が持っている豊かな生命の力に感謝

今井政之
陶芸家

紅葉が映える晴天の時、昨年11月3日、皇居・宮殿松の間において、親授式が厳粛に執り行われた。天皇陛下より文化勲章を拝受し、身の引き締まる感激で名誉は一瞬であった。平成最期の受章であり感慨無量の思いであった。

振り返れば、陶芸の道に入り70余年、1200年の歴史ある京都の芸術、文化に浸りながらただひたすら土との葛藤を続けてきた。師匠の楠部弥弌《やいち》先生に出会い、先生が主宰するやきものグループの青陶会の創立会員となり、終戦後外国から導入された前衛芸術の流行の中で、創造への道を学んだ。「作は人なり」、作り出される作品は、その作り手の人格そのものであり、人間修行の賜物《たまもの》であると師匠から厳しく教えられた。

陶芸分野は作る人とその素材との関わりが深い。それぞれの土の特性をよく理解し表現した造形、土の持っている特性に立脚した技術、創造する生命感が必要となるのである。試行錯誤の中で作陶の内面的な感性を考え、ようやく象嵌《ぞうがん》という手法を試作するようになった。従来、象嵌という手法は線の象嵌が基調になっていたが、それを面の象嵌に試みたのだ。土は焼成すれば必ず収縮するという宿命があり、その収縮をコントロールすることが不可欠な条件となる。そのため種々の土を対象にして焼成テストを繰り返さなければならない。埋め込む土によって用い方が異なってくる。自然の土から得られない青や黒、黄、赤などの土は化学顔料が必要となり、色土の収縮率を把握するのがいかに困難を来すか、研究を重ねなければならない。造形された胎土《たいど》に嵌《は》め込むタイミングが重要となる。胎土の乾燥度をよく計算し、軟らかさを保った時点で色土を嵌め込むのである。面積の広い平

象嵌であるため、乾燥の際、途中でひび割れを起こすこともあった。面象嵌の完成には試行錯誤の連続が必要であった。

京都五条坂での何百年も続いた登り窯が焼けなくなったため、故郷の瀬戸内に面した風光明媚《めいび》な竹原に登り窯・穴窯を築き、赤松の薪《まき》を使い焼成することにより、ガス窯や電気窯では得られない窯変技法による創作活動を始めた。

近年は南海の石垣島に出掛け、珊瑚礁《さんごしょう》に泳ぐ熱帯魚たちと戯れ、デッサンし、面象嵌の技法を生かして変幻自在な作品を生み出している。大自然の生き物たちと対話し、日本の風土が持っている豊かな豊かな生命の力に感謝し、新しき年を過ごしたいと願っている。

◉いまい・まさゆき／1930年、大阪市生まれ。岡山県備前市で備前焼の修業を開始。その後京都で楠部彌弌に師事し、面象嵌、苔泥彩など独自の技法を生み出す。新日展特選・北斗賞、京都府文化功労者、日本芸術院賞など数々の賞を受賞。2011年文化功労者。18年文化勲章受章。日本芸術院会員。日展名誉顧問や京都工芸美術作家協会顧問、京都美術工芸大客員教授などを務める。

多様な環境が共存する「里山」を子どもたちが元気に遊べる場所に

今森光彦
写真家
ペーパーカット作家

近年、里山の自然がようやく受け入れられるようになってきたと思う。

40年くらい前、写真家として活動を始めた頃、私がフィールドにしている琵琶湖畔の田園には、農家さんしか歩いていなかった。生き物を観察したり、風景を眺めながら散策する人はもちろん、子どもの姿さえ見かけることはなかった。

田園は、四季折々こんなにも美しいのに、農家の人たちはどうして野良仕事だけしてみんなそそくさと帰ってしまうのだろう、そんな疑問が脳裏から離れなかった。ただこれは仕方がないことで、当時は農薬全盛の時代。里山の住人である、あのトノサマガエルでさえ姿を消していたのである。それと、田んぼの整備事業も生態系の悪化に力を貸した。田んぼの整備は、棚田の区画を大きくして曲線を直線に変えてしまう。ただ問題は景観的なことではなく、それによって水回りが変わってしまうことだ。従来の湿田から乾田に変わり、水が必要でないときには、完全に田んぼが涸《か》れてしまうようになった。この水利用の仕組みが生きものたちを苦しめた。

人も生きものも敬遠してゆく閉ざされた農業環境への疑問。このことが私の写真を撮るという行為の原動力になったことは間違いない。

いまさら言うまでもないことだが、里山は、山の木々を育て田畑を耕す営みの中に生きものが共存している土地のことだ。農家の人は、生活のために作物をつくり収穫する、ただそれだけなのだが、生きものたちは、それによってできる緻密な環境を存分に利用できる。里山には、森、湿地、草原、水辺など、本来自然の中にあった基本的な要素が、小さいながらも箱庭のように凝縮されている。生きものたちは、種類によってすべてライフスタイルが違っている。それらの生命を生かし続けるだけの環境の多様性が存在する、このことがかけがえのない里山の特質なのだ。

近年、学校教育の中にも里山が取り上げられるようになり、若い人たちの意識が変わり始めているように思う。まずは、子どもたちが元気に遊べるような田園になってくれることを期待してやまない。

●いまもり・みつひこ／1954年、滋賀県生まれ。琵琶湖をのぞむ田園風景の中にアトリエを構え活動する。自然と人との関わりを「里山」という空間概念で追い続ける。第20回木村伊兵衛写真賞、第28回土門拳賞など数多くの賞を受賞。『里山物語』など数多くの著作がある。

人のモノへの思いやこだわりが文化を未来につなぐ

岩﨑奈緒子
京都大学総合博物館館長

重要文化財「マリア十五玄義図」は、勤務先の博物館の一番の売れっ子だ。1930年、大阪の山村の民家の屋根裏で発見されたこの美しい絵画は、江戸時代初期のキリシタン美術の代表作とされる。毎年、展覧会への出品、写真の掲載などさまざまな引き合いがある。

この絵画を修理したのは2004年。掛軸装の姿をそのまま残してほしいとのオーダーは難しい応用問題だったようだが、納品時、修理技術者から、旧表装に修繕の跡がいくつも残っていて珍しい、と報告を受けた。

転勤族の家庭に生まれ、床の間のある家に住んだことのない私には、何のことやらさっぱりわからない。表情を見て察したのか、技術者は、掛軸は50年を目安に表装し直すこと、その時には、まず本紙（絵の描いてある部分のこと）を表装から切り離し、本紙の裏打ちを外し修繕した後、新しく表装することを丁寧に教えてくれた。

元の表装の上に、ふせをあてたり、大判の紙を重ね貼りした「マリア十五玄義図」は、このセオリーからは大きく逸脱している。江戸時代の厳しい弾圧下で、プロの表具師に直してもらうこともできず、慣れない手で何度も修繕した信者の姿が思い浮かんだ。

数年前、修理をテーマに「日本の表装」と題する展覧会を開催した。共催した京都文化博物館の森道彦さんと京都府文化財保護課の中野慎之さんからは、掛軸にされる対象はさまざまで、いわゆる普遍的価値とは必ずしも一致しないこと、共通するのはその人にとってかけがえのないものであるということ、だから表装に用いる裂《きれ》などの素材には、その人の思いやこだわりが込められていることを教えてもらった。

「マリア十五玄義図」の旧裏打ち

　こうして私は、日本古代に始まる表装という文化が、大切にモノを引き継ごうとする人の心に支えられてきたことを知った。天災や戦災を免れたとしても、心を配る人がいなければ、モノは残らないのだ。

　蒙を啓《ひら》かれ、俄然《がぜん》、博物館の仕事が面白くなった。収蔵庫にある品々は、大事にしたいという思いの集積である。粗末にするわけにはいかない。私たちの世代で、途絶えさせるわけにはいかない。百年後、千年後の未来に、今、私たちが手にすることができるのと同じようにあってほしいと願う。

　今年9月、国際博物館会議（ＩＣＯＭ）の大会が京都で開催される。この機会をとらえて、日本で育まれた表装の心を世界に発信するために、森さんや中野さんたちと、英文小冊子の発行準備を進めている。

◉いわさき・なおこ／1961年、宮崎県日向市生まれ。京都大文学研究科博士後期課程研究指導認定退学。博士（文学）。専門は、日本近世史。現在、京都大総合博物館教授。2016年から館長。展覧会に「いま、御土居がよみがえる」「交錯する文化」など。近年は、京都にある大学博物館の連携活動に力を入れている。その合同展が、2月下旬まで台北で開催中。

「正直・倹約・勤勉」日本人の価値観を思い出す

カール・ベッカー
宗教学者

私が来日した1970年代に、日本の知人がアメリカに渡った。あいにく金に困り、私の祖父に助けを求めた。「金を貸して大丈夫なのか」と聞く祖父に、「大丈夫！日本人だから」と迷わず答えられたくらい、当時の私は日本人を信頼していた。

明治維新後、日本の急速な経済発展を可能にしたのも、京都から石田梅岩の石門心学が全国に行き渡ったからといわれている。心学の三徳とは「正直・倹約・勤勉」で、その価値観を徹底したために、信用取引が広まり、貿易や金融、流通や産業が栄えたのである。心学の「正直」は、嘘《うそ》つきではないという意味だけではない。あらゆる物事を懇切丁寧に、精確《せいかく》にやりこなすことである。そうした日本人の丁寧さは、人間関係から物の始末に至るまで感じられた。丁重な挨拶や文章のやりとりは当たり前で、その「品格」と「質」へのこだわりに感心したものだった。しかし最近では、品格のないアメリカを追いかけているかのように、日本でも「金」と「量」の方に傾き、精確さが軽んじられているように思われる。

「倹約」という語彙《ごい》を知らない学生が増えている。梅岩曰《いわ》く「倹約とは、ケチケチすることではなく、世界のために、三つ要る物を二つにて済むことをいう」。現代社会が必要としている省エネ、低公害、資源の再利用なども、日本人こそが得意とする領域である。これは生き方の問題でもある。例えば、使わない部屋の電気を消す、エレベーターよりも階段を使うなど、世界に向けてその精神、手本を見せてほしい。

かつて、勤勉は日本企業の誇りであった。努力を惜しまぬ日本人の手で作られた物の品質は世界一であった。一昔前、ハワイの学校では、日系人がいつも一位を競い合い、京大に留学した時も、誰もが満点を目指していた。最近では、最低合格点が取れればよいと、楽を選ぶ学生が目立つ。自然資源に乏しい列島に住む日本人が勤勉を忘れては、衣食住を輸入する力も失うだろう。

外国人労働者を多く入れようとする政府は、200万人ものニートに支援策を講じていないばかりか、働きたい高齢者の意欲も十分に汲《く》み取れていない。仕事の意味を金銭から精神に転換する勤勉に働く美徳は、学生やニートに如何《いか》に理解してもらえるだろうか。

「明けまして」と言う際に、梅岩の「先見の明」を忘れないでいよう。いくら京都でも、観光は諸刃《もろは》の剣だ。世界が必要としている持続可能な商品やサービスを考えても、提供すべきものが見えてくる。除夜の鐘で煩悩執着を清め払う時、少しでも正直・倹約・勤勉な日本を思い出し頑張る決意をしよう。

●カール・ベッカー／1951年、米国イリノイ州シカゴ生まれ。73年、ハワイ大東西哲学修士課程修了。74年、日本へ留学、京都大文学部大学院で日本宗教を研究。92年、京都大総合人間学部教授に就任。京都大こころの未来研究センター教授を経て、現在、京都大政策のための科学ユニット特任教授を務める。専門は、医療倫理、死生学、宗教倫理。『死の体験』などほか著書多数。

正月に梅、雛祭りに桃、七夕には星空
旧暦を世界の常識にしよう

桂米團治
落語家

落語における正月の描写はおよそ次の通り。

「一夜、明けますと、あらたまの春。よそいきを着て年始詣《まい》りに行く人で賑《にぎ》わいます。あちこちで凧《たこ》がうなってる。追い羽根、手まり、弾き初めの音。梅の香りが漂うて、なんとも言えん陽気なこと」

少し前までは当たり前だった光景が、今や完全に消滅。凧上げも羽根つきも見んようになりました。何より、梅が咲いていません。

日本人の忘れもの――。それは旧暦の感覚ではないでしょうか。太古の昔からわが国は大陸伝来の太陰太陽暦で四季の風情を感じてきました。1年の長さは今と同じ「地球の公転周期」ですが、ひとつきの長さを文字通り「月が満ちて欠けるまで」と定めたのです。その日数は29・5。すなわち、29日（小の月）か30日（大の月）のどちらかになります。いつも朔日《ついたち》が新月で、15日が満月となり、十五夜の意味もはっきりします。

ただし、1カ月の日数が少ないので、1年経った時、地球の公転周期に10日ほど足りなくなり、3年で30日も短縮してしまいます。そこで、3年に1度の割合で閏月《うるうづき》を設けて、元に戻すことにした次第。どうです？ まことに合理的な方法だと思いませんか。年始は立春に程近い新月の日と決められているので、旧正月は春のきざしを充分味わうことができたというわけ。

　時代は下り、明治維新―。「西洋化」の名の下に太陽暦（西暦）が採用されました。ご承知の通り、西暦はクリスマス（イエスの誕生日）の8日後の割礼《かつれい》（ユダヤ教の儀式）の日を年始と定めているので、暦が1カ月ほど

早まったのです。ところが、四季折々の歳時を旧暦の日付のまま行うようになったので、季節と歳時がずれてしまいました。すなわち3月3日に桃は咲かず、七夕は梅雨の真っただ中という無惨な現象が起き、今に至っているのです。（昔と同じ時期に行っているのは唯一、祇園祭だけ！）

　私は旧暦が世界基準になればなぁとかなり本気で考えています。もし、私が国際会議に出席する機会を得たならば、何をさておいても「旧暦の復活」を提言します。正月に梅が香り、雛《ひな》祭りに桃が咲き、七夕には満天の星が輝くという旧暦は、日本人の生活に欠かせぬ宝物だと思います。

　さあ、皆さん！旧暦を世界の常識にしようではありませんか。俳句ブームの今こそチャンス！

●かつら・よねだんじ／1958年、大阪市生まれ。関西学院大文学部卒。78年、父・桂米朝の内弟子になり、同年、京都金比羅会館にて初舞台。2008年に5代目・桂米團治を襲名。米朝事務所代表取締役社長。上方落語協会会員。ミュージカルやクラシック音楽にも造詣が深く、音楽番組、NHKドイツ語会話、俳優など幅広い分野で活躍中。

他者と生き切る感性といのちの行先を探求する抽斗を

神居文彰
平等院住職

過去を懐かしむ必要はない。

私の旧《ふる》い友人で創作剪画《せんが》を発表し続けている女性がいる。彼女は作品を濡れないよう器用に梱包《こんぽう》して、少しの雨なら傘をささずに街を歩く一風変わったところを持っていた。われわれは自然を受け止め楽しむということからどれだけ遠ざかったことか。日の出や日没などを含む自然体験を過ごした子どもは「いのち」に対して真摯《しんし》な対応に向かうという研究もある。

雨の話しを持ち出すと、その個性を楽しむ余裕が薄れ、むしろ異物を排除しようとすらする。そもそも雨の中を歩こうにも雨水は酸性に振れていて、多くの有害物質も含んでいる…

と、ここまで書くとある一定の年齢層からはもう読むことを放棄される。長い文章を読むことも書くことも苦手なのである。ツイッターやＬＩＮＥなどの発達は、短文というより〝ワロウタ〟とか単文に慣れすぎ、その発言も顔を見せずに発信することができるので、どれだけでも一方的に量産できる。対面で交わることもないので相手を知る努力もなく、そこには相手への「おもいやり」も生まれない。検索も機械を用い大量の情報を瞬時に処理できるものの、行間の数値化されない部分にはプロコトルそのものが発生せず、沈黙する。まるで人間同士があえて理解し合えないエンバイロメント（環境）を作ろうとしているかのように。
かつて「みんな壊してやる」という映画のキャッチコピーがあった。これはデカダンス（耽美派）の〝キホン〟であり、既存の価値観への懐疑、美とは何かという芸術至上主義へのアンチテーゼでもある。映画は関東大震災の時代であるが、日本は、必ず大きな災害が周期的に訪れる。その自然を乗り越えるためには、他者への攻撃でも非難でもなく他者との協同そのものが必要であった。怨憎《おんぞう》も親愛も同一地平上で生きていく。共生は、ともに存在しないと両者ともが立ち行かなくなることを暗示する。雑多な個性の中に生きることを思い出したい。

「道長、望月の歌から1000年目の満月」（筆者撮影）

現世で永遠のいのちなどあろうはずもなく、医療も万能ではない。善導大師は「医はよく病をいやす。しかれどもいのちをいやすものではない」と直言し、法然上人は「祈って病がなおるならこの世界に死ぬ人など誰もいない」という旨のことを云《い》われた。

沈黙は神だけで十分である。晴雨や光影いわば陰影両者の自然を自由に楽しみ、他者と生き切る感性といのちの行先を探求する抽斗《ひきだし》を、常に開きやすくしたいものである。長文も厭《いと》わずに。

●かみい・もんしょう／1962年、愛知県生まれ。10歳で多くの尼僧らにより剃髪。12歳から寺に随身。91年、大正大学大学院博士課程満期退学。93年より現職。現在、（公財）美術院監事、（独法）国立文化財機構運営委員、埼玉工業大学理事などを努める。著書に『いのちの看取り』『臨終行儀―日本的ターミナル・ケアの原点―』『平等院物語 ああ良かったといえる瞬間』など多数。

生きる道は多様
文・武・芸の三道鼎立を

川勝平太
比較経済史家

昨年の話題をさらったのは、中学生で最多勝を記録し、16歳で最速１００勝を達成した将棋の藤井聡太七段や18歳で世界選手権ＭＶＰに輝いた卓球の伊藤美誠選手、史上最年少で卓球グランドファイナルを制した15歳の張本智和選手、16歳でフィギュアスケート・グランプリファイナル初出場初優勝した紀平梨花選手ら若い世代の活躍でした。

学力は重要です。しかし、それ以外の分野で「生きる道」を見いだしている少年少女がいます。光っているのは磨きのかかった技芸です。技芸にかかわる科目は体育（スポーツ）、芸術・芸能、園芸、ものづくり、森づくり、水産などです。それらは、知性を高める座学に対して、技芸を磨く実学と呼ぶことができます。

子どもは10代前半で「生きる道」を選べます。昨年、アメリカ大リーグで新人王に輝いた野球の大谷翔平選手も、中学生時代に生きる道を野球と決めており、大学進学とは無縁です。

日本の教育は英・数・国・理・社の主要5科目を重視した6・3・3・4制です。東大や京大の入試科目に野球、将棋、卓球、フィギュアスケートなどはありません。

学力重視のいびつな象徴は「全国学力テスト」です。毎年60億円余の公費をかけて実施されていますが、結果の詳細は公表されません。一方、学問の府・大学への運

営交付金は毎年減額され、「基礎研究費が少ないのは日本の恥だ」とノーベル賞の本庶佑氏が批判しています。文科省の学力重視は首尾一貫していません。けしからんのは、小中の学力テストにかける60億円が毎年、実施主体の民間業者（特定の教育産業企業）の手に渡っていること、また、大学に対しては助成金を左右する文科省役人が天下っていることです。

昔は文武両道が理想とされましたが、将棋、バレー、音楽、演劇などを含めれば、文・武・芸の三道鼎立《ていりつ》が理想でしょう。文は学問、武はスポーツ、芸は芸術・芸能です。文武芸三道を一身で鼎立するのは至難です。大切なことは、勉強が得意でなくても学問を重んじ、体育が苦手でもスポーツを好み、無芸でも芸術を愛することです。

山に登る道が複数あるように、生きる道も多様です。社会全体で文武芸三道が鼎立するように子どもを教育し、それぞれの得意の道で徳を身につけさせるのがよいと思います。

「地域の子どもは地域社会で育てる」という京都の気風は、明治維新の際に町衆が主体的に学校を創設して以来、健在だと思います。地方の自立は教育の自立からです。東京から自立してください。

●かわかつ・へいた／1948年、京都生まれ。早稲田大大学院経済学研究科博士課程修了。オックスフォード大学哲学博士。専門は比較経済史。曾祖父・光之助は初代府会議員として亀岡―園部間の鉄道敷設などに尽力した。国際日本文化研究センター教授、静岡文化芸術大学長などを経て、現在、静岡県知事を務める。『文明の海洋史観』『富国有徳論』など著書多数。

「報恩感謝」「生」に驚き、感動して生きていく

僧侶
川村妙慶

師を囲んでの法話会でのこと。ある聴講者が「先生！ボケるのが怖いです」とおっしゃったのです。すると師は「あなたは忘れっぽくなっていることを心配しているのだね。それはボケと違う。本当のボケは、感動がなくなり、報恩感謝ができなくなった人のことや」とおっしゃったのです。つまり、知識、記憶がなくなることが問題なのではない。どんなことにも感動し、今まで生きてきた中で、お世話になったことへの恩を忘れてはならないということを師匠は教えてくれたのです。

さて、「忘（わすれる）」とは、辞典には「亡」と「心」の合字、心を失う意、覚えていない、記憶がなくなる、心に掛けないとあります。つまり、「忘れない」とは、忘れていってしまうことを、しっかりと印象として記憶し、それを心に掛けるという意味なのです。

国木田独歩の『牛肉と馬鈴薯』の一文が印象的です。時代は明治。7人の男が集まって、酒を飲みながら話をしています。ある男が「僕には不思議な願い」があると言います。「願い？ それは何だ」という皆の問い掛けに、男は「びっくりしたいというのが僕の願いなんです。その願いが満たされなかったら、どれだけの富、地位に登ろうとも僕は満足できない。その願いは『宇宙の不思議を知りたいという願いではない、不思議なる宇宙を驚きたいという願いです！』」と言うのです。

今では科学の進化で、あらゆるものが分かるようになりました。昔は、月をみればあそこに兎《うさぎ》が餅をついていると想像していました。しかし、今は月まで行ける時代です。そこに何があるのか想像するよりも、知ることができる時代になったのです。つまり、全て答えを持ってしまったのです。答えを持ってしまうと感動は続きません。

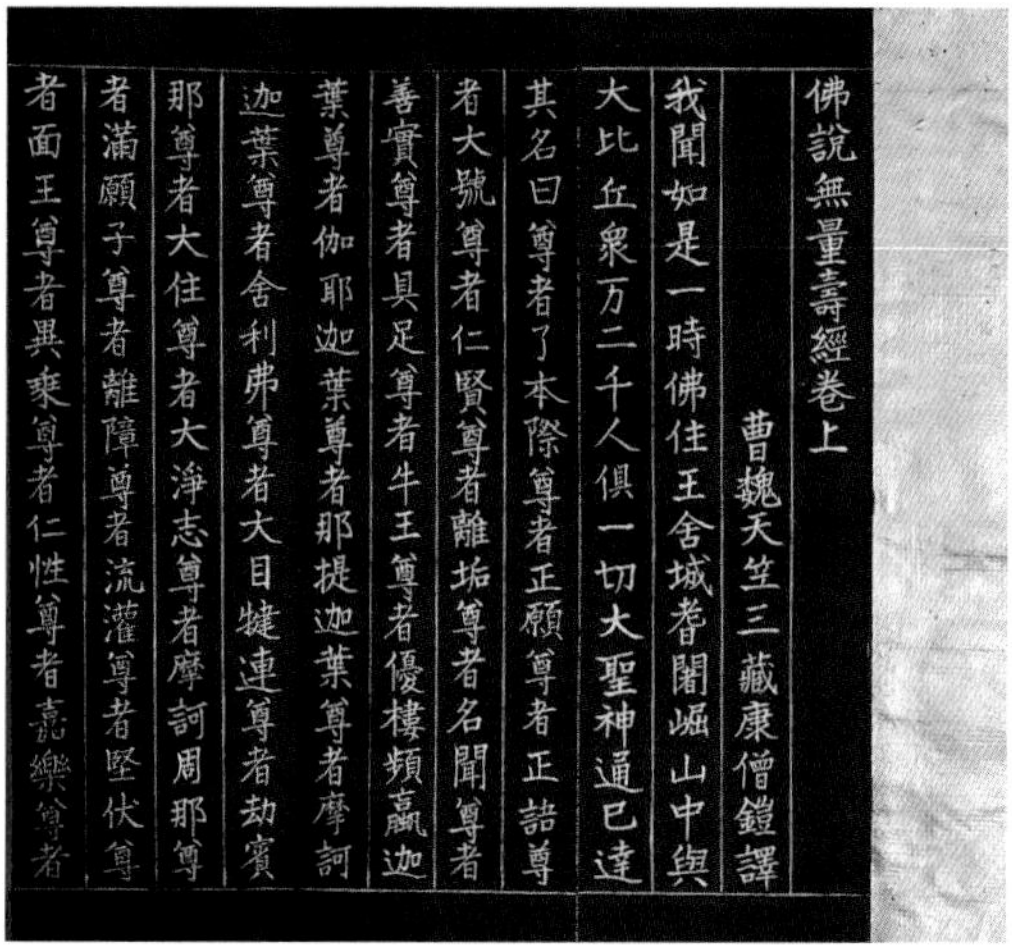
佛說無量壽經卷上
曹魏天竺三藏康僧鎧譯
我聞如是一時佛住王舍城耆闍崛山中與
大比丘衆万二千人俱一切大聖神通已達
其名曰尊者了本際尊者正願尊者正語尊
者大號尊者仁賢尊者離垢尊者名聞尊者
善實尊者具足尊者牛王尊者優樓頻蠃迦
葉尊者伽耶迦葉尊者那提迦葉尊者摩訶
迦葉尊者舍利弗尊者大目揵連尊者劫賓
那尊者大住尊者大淨志尊者摩訶周那尊
者滿願子尊者離障尊者流灌尊者堅伏尊
者面王尊者異乘尊者仁性尊者嘉樂尊者

紺紙金泥浄土三部経（東等寺冬任文庫）

私たちは年齢を重ねるごとに、日々同じことを繰り返しの中で、物事に慣れて、当たり前となってきます。若い頃は反発していたのが、「人生なんてこんなもの」と諦め主義になってしまうのです。本当にそうでしょうか？

聞法能不忘『仏説無量寿経』釈尊

教えの言葉が、私の生活の心のよりどころとなって響いたとき、その言葉は、身と心に留まって忘れることはない、という意味です。辛いこと、嬉しいことがあっての人生です。この私が今生きていることに驚き、目に見えないご縁によって導かれたことに感動して生きていきましょう。「報恩感謝」。新年の幕開けとともにいただきたいですね。

●かわむら・みょうけい／１９６４年、北九州市生まれ。アナウンサーとして活躍後、僧侶に。99年、ホームページ「妙慶の日替わり法話」を開設し、心の問題に取り組む。京都新聞に「暖流」を連載、KBSラジオ「川村妙慶の心が笑顔になるラジオ」放送中。NHK・中日文化センター講師。『心の荷物をおろす１０８の智恵』『あなたは、かけがえのない存在なのだから。』『泥の中から咲く』など著書多数。

見慣れているものの向こうに世界と自分自身の現在を見る

岸　和郎
建築家

©Yasushi Ichikawa

お正月を迎えると、いろいろ思うことがあります。建築設計の経験が海外、例えば中国でもいくつかありますが、いつも話に出てくるのは「春節」、すなわち旧暦の正月、2月の始めが仕事の切れ目だということです。ですから1月中にプロジェクトのプレゼンテーションを行い、その方向性を決めてから2月の春節、新年の休みに入ることになります。つまりは1月が中国の仕事で忙しくなると、日本の新年をお祝いしている時間がなくなるのです。

同じように「中秋節」には中国では月餅をいただきます。これは9月から10月ごろだったでしょうか。ちなみに私の経験では、韓国でもこの中秋節のお祝いは重要な休日になっています。

そんな経験から考えるのは、日本ではグレゴリオ歴、太陽暦を採用して新年をお祝いしていますが、アジアでは「春節」や「中秋節」が生活のリズム、季節の区切りとして残っていることであり、時にうらやましく思うこともあるのです。特に「中秋節」に秋の涼しさを感じながら夏の終わりを思い、夜空に満月を見上げながら月餅をいただくというのは、なかなか心に染みる時間だと思います。

考えてみれば、私が小学生の頃にはその「中秋節」のイベントは日本にもまだ残っていました。お月様には兎《うさぎ》

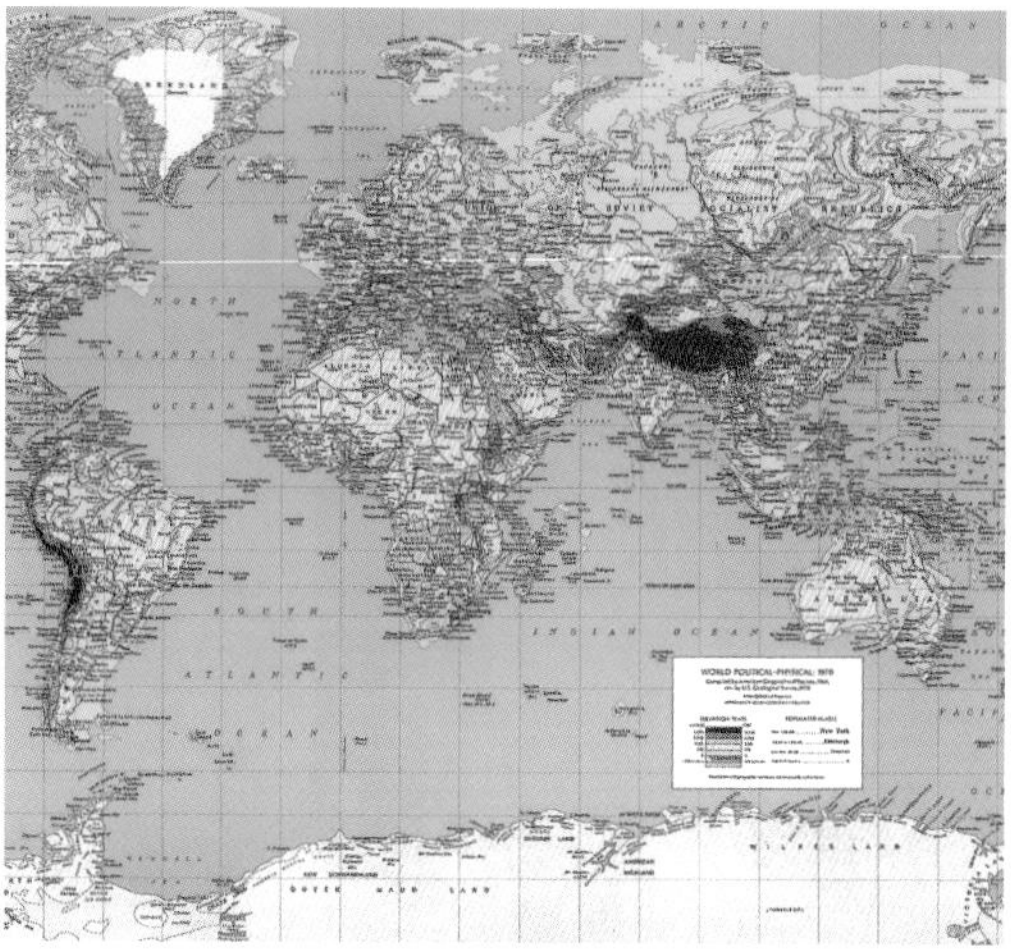

がいてお餅をついているという、あれですね。しかしいつの間にか心を踊らせるイベントはクリスマスにバレンタイン、最近はハロウィーンにイースターですから、暦が変わってきたという思いを強くします。私が子どもの頃は、中秋の名月とクリスマスは同じような思いで迎えていましたから、むしろ今よりも幸せだったのでしょうか。

暦もそうですが、世界地図もいつもいろいろな思いで見ています。日本で使う世界地図は真ん中に太平洋、右にアメリカ大陸、左がユーラシア大陸ですが、世界のほとんどの国のそれは中央にヨーロッパ、日本は右の端でアメリカ大陸が左です。この地図を見ると、大西洋は意外に小さな海でアメリカとヨーロッパが近いこと、日本や韓国が極東、そしてイラク辺りが中近東と呼ばれる理由、それに世界の人たちが日本をどんな国だと捉えているかがよく分かります。世界の右端隅にあるエキゾチックな島国、ですね。

暦や地図、そんないつも見慣れているものの向こうに世界が見えます。いや、それは逆に鏡に映った自分自身の姿なのかもしれません。お正月と聞くとそんなこと、自分自身の現在について考えてしまいます。

●きし・わろう／1950年、横浜市生まれ。78年、京都大大学院修士課程建築学専攻修了。93年から2010年、京都工芸繊維大、10年～16年、京都大にて教鞭をとる。その間、カリフォルニア大バークレー校、マサチューセッツ工科大で客員教授を歴任。現在、京都造形芸術大教授を務める。京都工芸繊維大名誉教授。京都大名誉教授。日本建築家協会新人賞、日本建築学会賞など受賞多数。

足元の自然と歴史を捉え直し モノづくりと生活を考え直す

木立雅朗
立命館大学
文学部教授

京焼・清水焼に関わる人たちから「京都には土がない」という言葉を聞くことがある。尾形深省（乾山）が記した『陶工必用』では、仁清焼・乾山焼ともに京都の土を主に使用していたことが記録されているが、そのことは忘れられているようだ。産業として大規模化したこともあり、都市化した京都で陶土を採集することは難しいため、他地域から土を搬入するようになって久しい。他の窯業産地では現地の土が重視されるが、京都ではそのようなこだわりはない。

平安京・京都の発掘調査では土取り穴がよく検出される。「土」も京都の自然資源として大切に活用されていた証拠である。その代表例は聚楽土であろう。聚楽壁や聚楽焼（楽焼）の原料としても貴重な土である。

京焼は寺社などから土を拝領し、その許可と庇護《ひご》の下で生産された。京焼とは、そうした関係の上に成り立った、社会的な焼き物である。自然と歴史を大切にした焼き物ともいえるだろう。土取り穴はゴミ穴として転用されるため、都市を再生し続けるためには欠かせない大切なものだった。京都の土は、その場所の領主や歴史とも関わるため、単純な自然資源ではない。清水寺の門前で、土を下賜《かし》され焼かれたのが本来の清水焼であった。このように、社会や歴史と繋《つな》がったものであった。土を生かすことは、京都で生きていくためには重要なコトであった。そのような歴史を持つ京都の土を、地域社会の共有財産として尊重した上で、足元の自然と歴史を捉え直し、モノづくりと生活を考え直すべきだと思う。

しかし、歴史的な自然資源であっても、発掘現場や工事現場では注意されることが少ない。これらの土を地元の陶芸家に提供できないだろうか。発掘や工事で捨てられる土を活用することは、自然を喜び生かすことであり、京都らしいことだと思う。実は京都には土がある、捨てられていいただけだ。そのことを自覚し、「もったいない」精神を生かせば、京都の土にこだわった、新しい京焼を創造することができるのではないだろうか。

2014年、立命館大学衣笠キャンパスの新図書館工事現場から良好な土を得ることができた。その土を練り、学生とともに茶碗や瓦鍾馗を製作した。同じことは他の地点でもできるだろう。足元の歴史と自然を大切にしてほしい。市民がそのように生きることこそ、地域を豊かにすることに繋がる。それこそ、京都らしいことではないだろうか。

●きだち・まさあき／1960年、石川県生まれ。84年立命館大文学部卒。石川県立埋蔵文化財センター主事、立命館大文学部助教授を経て2004年から現職。鳴滝乾山窯跡や五条坂の近現代京式登り窯の発掘調査・民俗考古学的調査など、窯業に関わる考古学研究に携わるかたわら、京都学研究の刷新を模索してきた。専門は日本考古学、地域史研究、京都学研究。

最先端技術でも読み取ること生み出すことのできないこと

竹細工
柄杓師
黒田正玄

友達が出てくれることを祈りながら電話したり、電話口に友達の家族が出てこられて、思わず姿勢を直したりしたことはないだろうか。友達とすぐに繋《つな》がることができる、携帯電話の普及した現在ではこのような経験をすることはないだろう。

歯科医院を開業するご主人の仕事を手伝っている友人が、採用したアルバイトの方が電話を取ることができないので一から教えなければならない、という話を聞いた時には驚いた。確かに現在、家庭で固定電話を受ける機会は減っているだろう。わが家は家と職場が一緒ということもあって、公私にかかわらずよく電話がかかってくる。なので、私たち姉妹は小さい頃から「はい、黒田でございます。どなたさまでしょうか？」と教えられ、電話に出ていた。もちろんその頃は、先方の名前をちんぷんかんぷんに聞くこともあったが、そのおかげで、私は新入社員時代、第一関門である電話の受け答えは難なくクリアーできた。しかし、自分の娘はどうだろうか？娘が中学生だった時分は、お稽古《けいこ》の先生などには、自身から連絡を取らせるようにして、慣れさせるようにしたものだ。

友達が出てくれることを祈りながらかけた電話。しかし、家族の方が先に出てこられることの方が多かった。最初は友達を呼び出してもらうことで精いっぱいだったが、そのうちに余裕が出てきて、電話口で家族の友達の呼び名や、家族同士とても声が似ていることに感心したり、いつしか雑談もできるようになっていった。普段接するなかでは気付かなかった友達の別の一面を発見でき、秘密を共有できたようで、いっそう友達を身近に感じるようになったものだ。

「竹一重切花入」

わが家は、竹を用いて、柄杓《ひしゃく》、花入れ、茶器、香合《こうごう》などの茶道具を作ってきた。代々伝わってきた一定の制作工程や約束事はあるが、材料の竹がみせる景色はすべて違い、一つとして同じものはない。それは、昔、電話口で感じた、文字にしたり口にするのは難しい「人間が醸し出す」雰囲気や空気感にも似ているように思う。人とモノとの会話である茶道具の制作も、人と人とのコミュニケーションも、それぞれがその時々で唯一の事象なのだ。

日々進んでいく情報化社会のなかで昔は当たり前のようにあった感覚が社会全体で薄れていっている感覚を持つ。目に見えない、その瞬間々々で違う、そんな一つ一つのことを大切にしたい。そこにはきっと、AI（人工知能）などどんな最先端技術でも読み取ること、生み出すことのできないことがあると私は信じている。

◉くろだ・しょうげん／1967年、京都生まれ。同志社女子大学芸学部英文学科卒。生家の黒田家は400年以上続く竹細工の家として、千家十職の竹細工・柄杓師を務める。卒業後は航空貨物会社勤務を経て家業に従事し、2006年より千家に出仕。14年に「14代黒田正玄」を襲名。15年〜16年、「襲名記念 十四代 黒田正玄展」を全国6カ所で開催。

常に自分の信念を持つこと
そして直球勝負

２０１２年より、「琳派４００年記念祭」呼び掛け人として、河野元昭氏、高階秀爾氏、辻惟雄氏、芳賀徹氏と共に活動してきた。

琳派は江戸初期から自然と日本人の生活に根づいている流派で、現代のマンガやアニメに至るまで、そのユーモアや美的感覚、独特のカワイさが引き継がれている。琳派初期の代表格とされる俵屋宗達・本阿弥光悦の『鶴《つる》図下絵和歌巻《ずしたえわかかん》』は、鶴の大群が翔ぶ宗達の絵を背景に光悦の和歌が連なる大作。この遊び心あるコラボレーションはまさに琳派を象徴するもので、私はかねてより感銘を受けていた。

コシノ
ジュンコ
ファッションデザイナー

この感性を発信したい。その思いで、２０１５年に「能×モード」をテーマに、京都国立博物館でファッションショーを行った。デジタル音は一切使わず、静謐《せいひつ》な空間に能のお囃子《はやし》の生演奏。すり足で歩くモデルたち。花札のモチーフをあしらった西陣織のドレスや、和歌巻をイメージした鶴の羽織で表現した。その後「京都・パリ友情盟約締結60周年」の際、約７００年もの歴史を誇るパリ市庁舎で同じショーを催し、２都市の文化と琳派の片鱗《へんりん》を伝えることができたかと思う。

伝統を維持しつつ、新たな形でその魅力を訴えるのは簡単なことではない。文化も感覚も違う対象にならなおさらだ。今や日本発のものは世界中から注目され、受け入れられやすい傾向にあるが、同時に海外の文化も簡単に入ってくる。日本全国、土地それぞれの個性が薄れつつある現状を前に、伝統文化継承はますます困難になるだろう。

知識はいたるところにあり、多くは疑われることなく拡散され、瞬く間に共感を生む。日本人は古くから「恥」を重んじてきたが、自らの頭で考えることなく情報に流される人がなんと多いことか。借り物の言葉や行動ではなく、常に自分の信念を持つこと、そして直球勝負。これがいつの時代も人の心に響く普遍的なルールのような気がする。

私はこれまでファッションを通し、国境を意識せず、日本が外国に誇れるものを模索し、挑み、発信してきたつもりだ。これからもそれが責務だと勝手ながら思っている。

「日本の外側を見て、日本の内側を知る。その逆も然り」

100年ごとに芸術家に見直され、不思議な進化を遂げてきた琳派のように、あらゆるジャンルで伝統を再構築する人が増えれば、それは次の世代につながる。そうなれば、粋にあふれた日本が再来するかもしれない。

東京五輪、大阪万博という好機が訪れた今、ますます面白くなりそうだ。

●コシノジュンコ／大阪府岸和田市生まれ。文化服装学院在学中、新人デザイナーの登龍門といわれる装苑賞を最年少の19歳で受賞。78年のパリコレクションを皮切りに北京、NY、ポーランドなど世界各地で活躍。17年、文化功労者。京都美術工芸大客員教授。2025年国際博覧会誘致特使。東京オリンピック・パラリンピック競技大会組織委員会文化・教育委員も務める。

伝統文化を世界的視野で活性化し人の心の豊かさにつなげる

佐伯順子
比較文化学者

明治維新、または戊辰戦争から150年が過ぎ、日本社会はさまざまな意味で新しい節目を迎えている。明治日本の「文明開化」のエネルギー、そして戦後の焼け跡からの目覚ましい復興は、紛れもなく先人の努力の賜物《たまもの》であり、世界を瞠目《どうもく》させた。昨秋、エジプトのカイロ大学で現地の学生さんと明治日本の近代化について議論した際、なぜ日本人はかくも不平等条約改正を望んだのかと質問され、あらためて、明治の人々の理想の高さと尽力の上に、今日の私たちの生活があることを痛感し、感謝した。

ただし、江戸から明治への変化はすべてがよしというわけではない。近代化の模範が「西洋」であったため、文化や生活様式の西洋化が推進され、日本の過去の歴史や文化はともすれば軽視された。武家の式楽（儀式用の芸能）であった能や、主として男性の社交を支えてきた茶の湯は、継承の危機に立たされ、〝古い日本〟の象徴として批判の的にさえなった。邦楽や邦舞は江戸時代の「遊芸」として周辺化され、近代の「藝術」教育においては西洋音楽が主流となった。

その後、国粋主義の台頭もあり伝統文化の再評価が起こり、新渡戸稲造『武士道』（1900年）、岡倉天心『茶の本』（1906年）のように、国際的視点から日本の精神的、文化的アイデンティティーの模索が行われたが、第2次大戦後のアメリカの影響は、日本社会の欧米志向を加速させた。

しかし現代では、教育に古典芸能を取り入れる動きもあり、明治期にいったん後退した日本文化への関心を次世代に伝える活動が活発化している。私自身、同志社大学京都と茶文化研究センター長として、行政や茶業関係者の方々と連携して、日本の伝統文化の代表的要素の一つである茶文化を活性化するためのシンポジウムや茶室デザインの国際コンペなどを行ってきた。

文化庁の京都移転、東京オリンピックを控え、「日本」というブランドをさらに高めるためにも、京都のみならず全国の茶の産地や城下町をはじめとする日本の茶文化の継承地と連携して、「日本茶を世界文化遺産に」の提案をしたい。日本に訪れる観光客は日本人よりも日本文化に関心が高い方々も多く、優雅なお点前《てまえ》を披露される海外ご出身の方や、日本の外で茶の湯文化を広める外国人の方もある。
「日本人の忘れもの」でありがちな伝統文化を、世界的視野で活性化することは、地球規模での人の心の豊かさにつながるはずである。

●さえき・じゅんこ／1961年、東京生まれ。84年、学習院大文学部史学科卒。東京大大学院博士課程修了。国際日本文化研究センター客員助教授などを経て、現在、同志社大教授。専門は比較文化史とメディア学、ジェンダー論の学際研究。文学はじめ、能、歌舞伎など伝統文化全般に通じ、自らも能管を演奏する。主な著書に『泉鏡花』『「女装と男装」の文化史』など。

変えていく絶好機
ラグビーを通じて世界に友達を

坂田好弘
関西ラグビー協会
会長

33歳で引退するまでのラグビーの現役選手時代、正月は全国大会の季節だった。洛北高と同志社大、社会人チームの近鉄。いずれもそうだ。洛北高1年では膳所高との定期戦で左ひじを負傷して出られなかったが、チームは3年間、全国大会に進んだ。花園ではなく、兵庫県西宮市の競技場が会場だった。お節料理は、旅館でチームの仲間と一緒に食べるものだった。

現在の大会のように、保護者や女子生徒が応援に駆けつけることはなかった。洛北高では北野高、天理高などとの定期戦が大切で、全国大会だからと勝利至上主義には陥らなかった。大学3年であごの骨を折っただけで大きなけがはなく、楽しい選手生活を送れたと思う。

大学選手権では国立競技場に約6万人を集めるなど、サッカーよりも人気があった。日本ラグビー協会は、今より財政的なゆとりがあっただろう。一方、サッカー協会は外部からの人材を登用するなどして組織改革を続け、プロ化や２００２年日韓ワールドカップ（W杯）などを具体化させた。

サッカーに学ぶべきは学ぼう。私が会長を務める関西ラグビー協会は、J1浦和での社長経験者を書記長に招いた。今年9月には、いよいよラグビーW杯が日本で開かれる。大きなチャンスだ。ラグビーが社会全体を巻き込み、大きく変えていく絶好機だと考える。

京都では試合こそ予定されていないが、ラグビーの伝統校がいくつもあり、下鴨神社には聖地もある。1910（明治43）年、旧制三高生が慶應義塾の学生からラグビーを教えられた「関西第一蹴の地」だ。2017年に再興された雑太社には、同年に京都迎賓館で催されたW杯抽選会前後に世界中からラグビー関係者が訪れるようになった。

訪日するサポーターは、約40万人と予想される。京都でもラガーシャツ姿の観光客が大勢見られるだろう。日本では、海外のラグビー観戦文化を体験する機会がほとんどなかった。ラガーシャツの彼らに声を掛けてほしい。試合のない京都だからこそ、観戦チケット持参で、社寺仏閣に無料か割引で入場できる優遇もほしい。京都観光が第一目的での訪日客とは異なる層に京都を知ってもらえるうえ、私たちが足元を見直せば、忘れていた文化、歴史を考える機会にもなる。

京都人としてのもてなしを成功させ、新たなリピーターを獲得しよう。ラグビーを通じて世界に友達を。こんなすばらしいことはないと思う。

●さかた・よしひろ／1942年、大阪府生まれ。下鴨中、洛北高、同志社大を経て近鉄でプレー。ニュージーランドに留学し、俊敏に相手をかわすプレーから「空飛ぶウイング」と絶賛され「世界のサカタ」として名をはせた。日本代表キャップ16。引退後は大阪体育大監督を36年間務めた。2012年に日本人初の世界殿堂入り。関西協会長、日本協会副会長。

暮らしに息づく歴史と文化が人々の心を惹き付ける京都の本質

澤田ふじ子
作家

「インバウンド」が流行語大賞にノミネートされたのは、２０１５年末のことだという。

流行語とはだいたい1年もすれば忘れられるものだが、それから3年余りを経ながらも、少なくとも京都では、いまだインバウンドの波が打ち寄せ続けていることは、少し外を歩けば一目瞭然だ。

統計によれば、２０１７年の京都市の宿泊者数は２０１５年の19%増、外国人宿泊者に限れば、３００％増との驚異的な伸び率である。

実際、京都市はここ数年、観光客誘致に力を入れており、宿泊施設の盛んな誘致を実施。その甲斐《かい》あって、東京オリンピックが開かれる２０２０年には、市内ホテルの客室数は5万室余りに及ぶ計算だという。

確かに、千年の都の京都は古くから人々の憧れの観光地である。たとえば江戸時代、『南総里見八犬伝』の作者・滝沢馬琴は、生涯ただ一度の京坂旅行を、随筆『羇旅漫《きりょまん》録《ろく》』として記し、東西両本願寺の伽藍《がらん》の偉容や宇治・黄檗山萬福寺の古雅な佇まいにひどく感嘆している。

ただそんな観光の町・京都の歴史を顧みても、これほど町全体に観光客があふれている時代は、かつてなかったのではあるまいか。

最近ではちょっとした空地ができれば、すぐに小さなホテルが建つ。民泊・簡易宿舎も多く、以前なら観光などとは無縁だった住宅地にも、観光客の姿が目立つ。結果、市内の住宅価格は高騰し、若い世代はどんどん市外に流出中だと聞く。市民の足であるはずの市営交通は、大混雑で市民が乗車できず、観光地付近に住む市民は、近隣の道路渋滞から土日は外出を諦めるありさまだ。

そもそも京都がなぜ現在も人々の心を惹《ひ》き付けるのか。ただ古いものを見たければ、美術館・博物館へ行けばいい。それがわざわざ町を歩き、寺社を巡る理由は、京都の有する歴史や文化が、現在もなお続く人々の暮らしと不可分、暮らしの中に深く根付き、息づいていればこそだ。

しかし残念ながら現在の観光客急増は、そんな京都の歴史・文化を支える市民の生活を脅かしているとの逆転現象をもたらしている。このままでは京都の本質が空洞化し、この町はただの「歴史テーマパーク」になってしまわないだろうか。この町をどう支え続けていくべきかが、いま問われている。

●さわだ・ふじこ／1946年、愛知県生まれ。愛知県立女子大（現・愛知県立大）卒。高校教師や西陣織工を経て、73年、作家デビュー。『陸奥甲冑記』『寂野』で第3回吉川英治文学新人賞を受賞。京都を舞台に活躍する主人公のシリーズや、京の市井の人々を描いた作品が人気を博す。著書に『公事宿事件書留帳』シリーズなど多数。

食物や自然、他の生命に感謝する心
飢えの感覚をもう一度

末原達郎
龍谷大学農学部教授
農学部長

第2次世界大戦を経て、75年が過ぎた。ほんの70年前まで、日本は食料不足国であった。飢えの感覚は、その頃、実在していた。政府の政策の最重要課題の一つも、人々を飢えないようにすることであった。人々自身にとっても、食べ物こそが最も大切で、家族の日々の糧を得られることが最大の望みであった。

それが、今はすっかり忘れ去られている。一見すると、食料は、日本の社会全体にあふれている。コンビニでもスーパーでも、食材や食品はあふれかえり、お金を出しさえすれば、食物はいつでも買える状況にある。今では、飢えの感覚を持っている人はごく少数にすぎない。

それとともに、食物に対する感謝の念も少なくなってきていると、私は思う。食べることができるのが当たり前の時代が長く続き過ぎたからだ。

食べることが厳しい時代では、食べ物を得るために、どれほどの命と手間と苦労が費やされているかが理解されていた。どのような食べ物であれ、それが植物であれ、動物であれ、人間は他の生物の命を頂いて、ようやく自らの命を保つことができるようにできている。

人間は、自ら光合成をしてエネルギーを確保することができない。われわれの身体を維持し続けるためには、魚や家畜、野菜など、他の生物の大切な生命を食べることが必要なのである。また、多くの人々が食物を獲得する過程で、農業や水産業、運送業、調理業に従事して食物を供給してくれているのである。そのことに対する感謝を、次世代の人々はしっかりと意識してほしい。

カードや現金を差し出せば、いつでもスッと食品が出てくるのは幻想である。市場経済で、全てが解決できるわけではない。

それは、自然の力と人間の努力と工夫の賜物《たまもの》なのである。したがって、天気が悪くなれば、農産物や食物は手に入らなくなってしまう。このことを、われわれは地震や台風に襲われて初めて気付く。自分たちの生命の基盤は、電気や水だけではなく、食べ物にもあることをしっかりと意識した上に、新しい社会づくりをしてほしいと思う。

人類の文明の大半は、食物確保に向けられていた。実は、現代日本文明の最大の弱点は、こうした食物生産への確固としたビジョンを持てていないことと、食物や自然、他の生命に感謝する心を忘れたことにある。飢えの感覚をもう一度取り戻すこと、そこから命への感謝が生まれてくるだろう。

●すえはら・たつろう／1951年、京都市生まれ。京都大農学部卒、農学博士。京都大大学院農学研究科教授を経て、2015年より龍谷大教授・農学部長。和食文化学会副会長、日本アフリカ学会副会長。専門は食料人類学・比較農業論・アフリカ農耕論。著書に『人間にとって農業とは何か』『文化としての農業・文明としての食料』ほか。

地球は「ゴルディロックス・ゾーン」未来は私たちの行動にかかっている

高谷史郎
メディアアーティスト

以前、大徳寺の真珠庵を訪ねる機会を得たとき、ちょうど一同が室内に座した途端、にわかに日が翳《かげ》り薄暗くなったかと思うと、突然の豪雨となった。真っ暗な小さな茶室の部屋の中で、ご住職と皆で肩を寄せ合い静かに息を潜め、激しい雨が屋根や庭の草木を叩《たた》く音や雷鳴に耳を澄ませ意識を集中させていると、室内から外部へと、まるでその小さな空間が、広大な宇宙の彼方まで繋《つな》がっているような不思議な感覚になった。暗闇のインティメイトな空間、人工的である建築が、自然へと意識をコネクトさせるトリガーとなる、それは忘れ難い体験であった。

2010年に、大貫妙子さんが坂本龍一さんの曲に歌詞を付けて、「3びきのくま」という楽曲をリリースされたとき、ミュージックビデオを制作させてもらうことになり、大貫さんの「3びきのくま」に込められたその意味を知ることとなった。「3びきのくま」はイギリスの童話で、実はダムタイプの1999年作のパフォーマンスでも引用しているのだが、その童話は、ゴルディロックスという女の子が留守中のクマの家に入り込み、テーブルにあった三つのスープのうち、熱過ぎず冷た過ぎない「ちょうどいい」スープを飲んで、三つのうち「ちょうどいい」椅子に座って壊してしまい、「ちょうどいい」ベッドに寝てしまったところ、帰ってきたクマに見つかって慌てて逃げる、というお話だ。そこから転じて、「ちょうどいい場所」という例えに「ゴルディロックス・ゾーン」という言葉が使われるようになり、宇宙で生命の生存に適した宙域を例えるときにも使われることがあるらしい。つまり地球は、この宇宙の中で貴重なかけがえのない「ゴルディロックス・ゾーン」ということだ。

大徳寺を訪ねたのと同じ頃、イギリスのケープフェアウェルが運営する、気候変動について考えるための北極圏遠征プロジェクトに参加して、グリーンランドを船で旅した。数週間に渡る一面氷と岩のモノクロームの世界からアイスランドへ帰ってきたとき、真っ先に陸地の緑が強烈に目に飛び込んできたことを思い出す。

この広大な宇宙の中の地球の、われわれ生物にとって「ちょうどいい」環境を、その欲望のまま競って利用し破壊してきた。地球にとって環境汚染や放射能など大した問題ではなくて、実は人類の存在こそが地球にとって一番の問題だと言ったのはラブロックだったか。人類なんて存在しない方が地球のためにはよい、というのは極論だとしても、未来の人類の生存可能性は現在の私たちの行動にかかっている。

●たかたに・しろう／1963年、奈良県生まれ。京都市立芸術大環境デザイン専攻卒。84年からアーティストグループ「ダムタイプ」の活動に参加。さまざまなメディアを用いたパフォーマンスやインスタレーション作品の制作に携わり、世界各地の劇場や美術館での公演・展示多数。2019年は東京都現代美術館で、20年にはロームシアター京都でダムタイプの展覧会や新作プロジェクトを計画中。

人間の感性や感情こそが次代のテクノロジーが目指すべき方向

高橋智隆
ロボットクリエイター

日本の経済力の衰退が危惧される中、今や国中が「イノベーション頼み」です。しかしイノベーションは何らかの転換期にこそ起きやすいので、このピンチも良い機会なのかもしれません。これまで日本は、欧米で発案された製品を基に、高品質・高性能・高機能化することによって経済成長を果たしてきました。しかしながら、既に多くの製品は十分な性能を有し、使い切れないほどの機能を備えています。当然、多くの消費者が「これ以上」を望まなくなってしまいました。そんな状況になり始めた10年前に生まれたイノベーティブな製品が「iPhone」です。

日本の「禅」に傾倒していたスティーブ・ジョブズは、機能を削ることにより人々の感性に訴えかける商品を完成させました。使い勝手や愛着など、置いてきぼりにされていた人間の感性や感情こそが、次代のテクノロジーが目指すべき方向なのです。

私は、その究極形がコミュニケーションロボットだと考えています。人間は人や動物、そして人形にすら特別な感情を抱いてしまいます。われわれは、ペットの金魚にすら声を掛けるのにもかかわらず、スマホの高性能な「音声認識機能」をめったに使いません。旅先の写真を全て蓄えているのに、「スマホと出掛けた」とは思わない。そんなスマホの「無機質」という欠点を補うのが、愛着を醸成するコミュニケーションロボットなのです。

　ロボットというと、何か作業をするものだと思うかもしれません。しかし掃除をするならホウキを持つ腕よりも回転ブラシ、移動するなら二本足よりも車輪でよいのです。コミュニケーションロボットの腕は身ぶり手ぶりのため、足はノコノコ歩くことによる生命感向上のためにあるのです。するとわれわれは機械であるロボットに対しても、自然に話し掛けてしまう。会話を通じて得たユーザーの情報を活用し、その人に合わせた情報やサービスを返すことができる。そうやって信頼関係を築きながら、日々の体験を共有していくのです。

　物理的な作業ばかりがロボットの役割ではありません。より人の感情に訴えかける情報端末として、スマホの未来がロボットなのだと考えています。やがて「去年のお正月は野沢温泉にスキーに行ったね。今年はマイルが貯《た》まっているからニセコに行ってみない？」なんてロボットの提案を受けて、ロボットに旅行手配をしてもらい、もちろんロボットを連れて旅行に行く日が来るかもしれませんね。

●たかはし・ともたか／1975年、京都市生まれ。2003年京都大工学部卒。代表作にロボット電話「ロボホン」、グランドキャニオン登頂「エボルタ」など。ロボカップ世界大会5年連続優勝。ポピュラーサイエンス誌「未来を変える33人」に選定。四つのギネス世界記録を保持。ロボ・ガレージ代表取締役、東京大先端研特任准教授、大阪電気通信大客員教授、ヒューマンアカデミーロボット教室顧問。

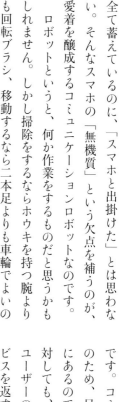

生命の内なるものを描く「写生」
複合感情が一つになる視点を

竹内浩一
日本画家

「写生への問いかけ」

時を忘れ夢中になれる絵心を神から授かり、気ままに作品を創るのに尽きるのだが、浮世離れした絵描きにも心の問いがある。

絵にルールがあるのかと問われたら頭からないと言っていい。ただ、快楽だけですまない何かがある。絵に託す心情を志向し、目線は高く芸術を目指すための修練は、イデア（理念）に基づいた技法を備えなければならない。

日本画の場合、特に京都は写生の大切さをうるさく言ってきた。平八郎の写生がいいとか、御舟の写生がいいとか、表層の見方でない心の問いと言っていい。若い作家を対象に10年前から開催されている「京都日本画新展」でも講評会の議題に何度も上がり、写生とは何かが語られているが確信に至らずあやふやなままにある。もう一歩深く踏み込めばいいのだが。写生は本画のためのプロセスの一工程で、人目に触れないのが意識の外になっていて、自然をつかめる本質があるのに語れないもどかしさがある。

写生を簡単に言えば、対象の形、その空間、そしてそのものの質感を的確に捉え写し取るのが基本で、これは誰もが承知している。写生は字のごとく生命を写すとある。対象の生命のみならず自らの生命も写すとあるのだから哲学性を含んでいる。写生以前の人としての在り方からくる自然への敬いを心得なければならない。

唐代の画人、王維だったと思うが、「牡丹を写生していて漂う妖気と一つになれず暮れなずみ黒い蝶が舞い切なくなった」と詩に残している。ものの形を写すのではなく、視覚を超えた境地への心馳《ば》せを感じる。

このあたりでセオリー通りではなく、写生の解釈の幅を広げ、現場でのドローイングや日本画でいう小下絵も写生に含めたらどうだろう。臨場感が増すような気がしてならない。主観の中に入り、内面を具現化する心と手の試行なのだから、時間をかけ着想を熟成しなければ本紙の空間に真意が漂うはずがない。

長い間、禅の教えを受けた長岡禅塾の半頭大雅老師が2年前に還化され、後を継がれた北野大雲塾長の書き物を読んでいて、ドイツの宗教学者ルドルフ・オットーを知った。ヌミノーゼの感受についてであったが、「魅惑するもの」と「畏怖させるもの」の複合感情の二つが一つになる視点こそ、まさしく写生に隠されている核ではないのか、内なるものを描く写生の密なる答えに辿りつけるのではないかと思える。

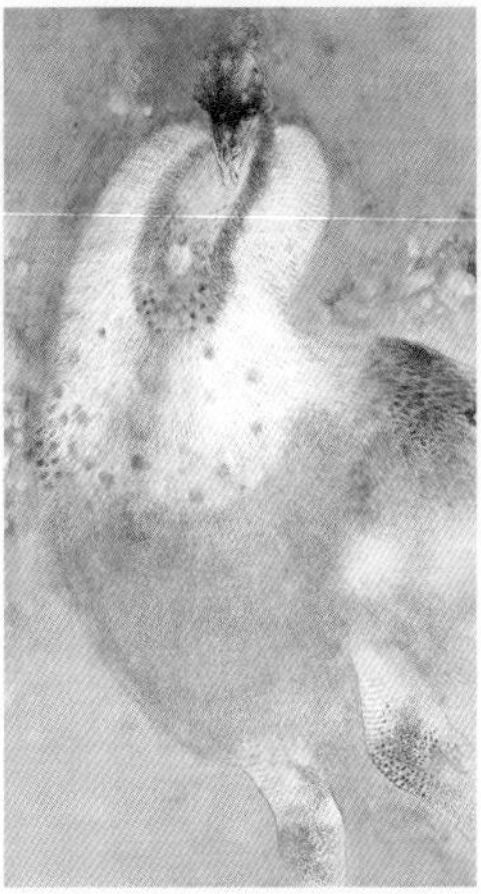
「貴婦人」

●たけうち・こういち／1941年、京都市生まれ。デザインの仕事を経て、山口華楊に師事。感傷性の強い抒情画を描いていたが、30代半ばから、中国、宋代の精緻で精神性の高い心技に触発され、本質への表現展開を始める。84年、日本画の新しい方向性を掲げて「横の会」を結成し10年間活動。2017年、橋本関雪記念館（白沙村荘）で「風の暦」展を開催。

「やわらかさ・あつさ・おおきさ」和の文化の「佇まい」をいま

武田双鳳
書道家

「かたさ・うすさ・ちいささ」。これが、今の日本人の書き方の特徴のように感じる。「かたさ」とは、活字のような四角さ。いわゆる「まる字」でも、文字全体のフォルムを正方形に収めてしまう。「うすさ」とは、線質の浅さ。本来の「書く」は、石などを「刻む」ことに近いはずなのに、「ぬる」「なでる」「押し付ける」ことばかり。「ぬる」「なでる」では線は薄く、「押し付ける」と表面的にしか濃くならず、道具も身体も痛めてしまう。「ちいささ」とは、運筆の窮屈さ。特に、右上がりの線の不得手が多い。足腰からの旋回運動を起こせず、手先に仕事をさせすぎ、細やかな角度の調整ができない。

書き方は、日常動作の無自覚の癖をも映し出す。書き方の特徴は、現代人の動き方にも当てはまるだろう。

例えば、歩き方。膝の「かたさ」故に、腰に負担を掛ける。座り方。肩甲骨の「うすさ」（存在のなさ）で、猫背になる。その「かたさ」「うすさ」故の呼吸の「ちいささ」で、疲れやすい。もちろん、全員に当てはまるわけではないが、「かたさ・うすさ・ちいささ」故に、心の「むなしさ」が拭えない人は少なくないだろう。

それに対して、「和の文化」を築いた平安人の動き方はどうだろう。例えば、平等院鳳凰堂の阿弥陀如来。観れば感じるだろう。西洋の彫刻と異なる、その佇まいの「やわらかさ・あつさ・おおきさ」を。
触れると、ふわっと指が入りそうな「やわらかさ」。中は水じゃないかと思うほど、力みがなく滞りがないのに、どしっと安定した「あつさ」。その「やわらかさ」「あつさ」故に、世界を包み込むような存在の「おおきさ」。

平安の書にも、彫刻と同じ特徴が表れる。例えば、嵯峨天皇の書。横画や縦画のしなりなどから、素人でも、中国と異なる和様の「やわらかさ・あつさ・おおきさ」を感じるだろう。
なぜ、平安人の書や彫刻と比べて、現代人の書き方や動き方に、このような不自然さが表れるのだろう。それは急激なグローバル化によって、日本人に備わる身体感覚とは不釣り合いな生活様式になり、まるでサイズの合わない靴を履かされたように、身心が「立たず舞えず」の状態になってしまっているからではないだろうか。
満たされているはずなのに満たされない。そんな日本人に合うサイズとは、どのようなものなのだろう。京都に根付く和の文化の「佇まい」は、その大いなるヒントを提示しているように思えて仕方がない。

◉たけだ・そうほう／1977年、熊本県生まれ。龍谷大卒。3児の父。師匠は書道家の母・武田双葉。兄は双雲、弟は双龍。修学旅行で一目ぼれした京都に住み始めて20年。行政書士・社会保険労務士有資格者。アーティストとしての活動や全国各地で講演会も行う。京都と大津で主宰する書法道場には、全国各地から門下生が集う。

「世界は一つ」。文化の「つながり」が世界平和に繋がる

武智美保
シアター
アートプロデューサー

イタリアのローマで起業して、今年で34年になります。初めての国際交流の仕事が、筑波ＥＸＰＯでのイタリア館・イタリアンナショナルデーのプロデュースでした。そして、ミラノの映像集団、スタジオ・アッズーロと出会い、彼らのエージェントとなったことが私の一つのきっかけとなりました。同時に、能楽と関わりだした年とも重なります。その1年前、ローマで現在の金剛流宗家の父上、故金剛巌師による薪能《たきぎのう》を観る機会を得ました。なんと会場はスタンディングオベーション。「お能の公演でスタンディングオベーション？」驚きとともに、魂が揺さぶられました。その企画は一般公演の後、バチカン市国で法王列席の下、奉納されました。この時、私はなぜか自分でも分からないまま、自分の仕事の締めくくりはバチカンへのお能の奉納公演だと心に誓ったのです。

その機会が一昨年、宝生流宗家と金剛流若宗家との合同奉納という形で訪れました。「こんなに早く私の仕事の終わりが来る、何で？」と、半ば少しがっかりしながら「翁《おきな》」という特別な演目の奉納準備をしていたところ、ある思いを持ちました。翁の装束の蜀江錦《しょっこうにしき》の文様が、イタリアの教会の中にも見られるのです。西の地中海文明をテーマにしたスタジオ・アッズーロと東の伝統芸能

である能楽。「私の仕事がどうして？これは関係がある？どうして惹《ひ》かれるの？」そんな思いです。それらはシルクロードで繋《つな》がっていたのです。文化は振り子のように往来し、今日まで成熟してきた―このとき、それに気付いたのです。

©Studio Azzurro

「世界は一つ」。このような一つ一つの文化の「つながり」が世界平和に繋がるのだと確信に近い思いを持ちました。直感と閃《ひらめ》きです。アートや芸術は平和の心と繋がらないといけない、そして、文化は薄めてはいけないということです。最近、京都がアミューズメントパークのようになってきていることに時々胸が締め付けられます。

人生の指針を見つけた今、世界を結ぶ文化の饗宴《きょうえん》やシルクロードを巡る思いなど、いろいろな思いが仲間と共に形になってきています。これからシルクロードから地中海へ向けての長い旅が始まります。その始まりは蜀江錦文様が現存する西陣から、そして、ペルシャ方面を目指し、地中海へと向かいます。今年はウルムチくらいまででしょうか。

全ての出会いとご縁に感謝しつつ。

●たけち・みほ／京都生まれ。同志社大卒業後スイスチューリッヒへ留学、チューリッヒ州立工芸大でデザインを学ぶ。その後、イタリアローマで起業。シアター・アートプロデューサーとして活動を始める。文化・アートイベントの企画制作、アーティストのプロダクションを多く手掛け、「保存する文化遺産」から「使われる文化遺産」への活動を行っている。

和の心、和の魂
「和魂漢才」の精神を思い出す

橘　重十九
北野天満宮宮司

昨年は明治維新150年であり、幕末の激動地であった京都では、それにちなむさまざまな行事が行われました。菅原道真公（菅公）を祀《まつ》る北野天満宮でも、戊辰戦争の際、有栖川宮に伴い官軍として戦った山国隊の姿を伝える鼓笛隊の参拝があるなど、各種の催しがありました。

明治の急速な近代化の背景には、日本人の知識の高さがあり、そこには〝天神さん〟の図像を掲げて「読み・書き・そろばん」を教えた江戸期の寺子屋教育が礎となったとされています。もう一つ、単なる知識だけではなく、日本人が「和魂洋才」の精神で邁進《まいしん》したからともいわれています。西洋の進んだ学問や文化・技術を取り入れる際には、日本の魂を忘れない、つまり日本の価値観や風土に合わせたものとして近代化が進められたのです。明治に入って盛んに主張された「和魂洋才」は、菅公の「和魂漢才」の言葉からきたものです。漢才とは、当時の先進地中国の文化です。いくら進んでいるからといっても、やみくもにそれを取り入れることへの警鐘を鳴らした言葉なのです。1100年も前に菅公が示されたことが、近代国家建設の支柱になったことを忘れてはなりません。

菅公は没後44年、神として北野の地に祀られ、その40年後、一條天皇から「北野天満大自在天神」の神号を賜わり、以後、北野社への行幸が行われるようになりました。そして今、全国にある約8万社の神社のうち1万社以上が〝天神さん〟となったのです。政治家・学者・詩人・教育者、さまざまな顔を持たれていただけに、「学問の神・書道の神・詩歌の神・芸能の神・正直の神」など、天神信仰は多様な展開をしながら全国へ広がったのです。

菅公の御心を今に伝える曲水の宴

さて、今年4月末で今上陛下は御譲位され、皇太子殿下が御即位されます。元号が変わり新しい時代を迎えます。日本は世界でも有数の経済大国となりました。しかし、グローバル化が進展する中でのネット社会は、富や便利さと引き換えに思考する心を奪いました。生命に対する軽視の風潮は目に余るものがあります。自然の中に霊性があり、畏敬と感謝、畏怖をもって自然と接してきたかつての日本人は、いったいどこへいったのでしょう。

新しい時代を迎えるにあたり、私たちがどこかに忘れてきた大切なものを思い起こさねばなりません。それはもはや先端の知識ではありません。和の心、和の魂です。高度に進んだ文明の中で、菅公の「和魂漢才」の精神をいま一度思い出すべきでしょう。

●たちばな・しげとく／1948年、石川県生まれ。延喜式内社宮司社家25代に生まれる。会社員を経て74年より北野天満宮に奉職。禰宜、権宮司を経て、2006年から現職。その間、北野天満宮ボーイスカウトの創設に尽力。京都府神社スカウト協議会会長として青少年育成活動に努めた。全国天満宮梅風会副会長。京都府神社庁理事。

日本の伝統文化の形と心を継承して世界に発信していく

田中恆清
石清水八幡宮宮司

明治以降の急激な西欧文明の吸収と近代化、そして戦後の個人主義の浸透は、日本人の伝統的価値観や精神性、受け継いできた文化や風習を崩壊させ、現代社会を不安定な混迷の時代へと向かわせてきました。

日本の伝統文化は、「形の文化」とも称されることがあります。茶道、書道、武道、歌道などのように、それぞれの伝統文化は「道」と呼ばれ、初学者は師匠の動きを真似《まね》て、その形の反復稽古《けいこ》を繰り返し、自らの身体に覚えさせていきます。即ち日本の伝統文化を学ぶことは、その文化の形を学び、日々実践し、自らの生きる規範として日常の生活にも反映させていくことであり、それが「道」と呼ばれる所以《ゆえん》ともなるのです。

古来日本人は文化の形の中に、本当に伝えたい「心」を内包させ、それを「形」として具現化し継承してきた民族であります。つまり形の継承こそが、心の継承であり、形が崩れることは、心が崩れることであると日本人は考えてきました。それ故に、子どもたちへの躾《しつけ》、礼儀作法、基礎教育においても「形」の習得による教育が行われてきたのです。日本人の精神と伝統文化の継承は、正しい「形」の継承によって行われてきたといえるでしょう。

日本人の伝統的信仰である神道においても、「形」と

「心」は継承されてきました。神道は、古来「惟神の道《かんながら》」とも称され、それは神々と共に生きる日本人の生き方を示す規範でもありました。神道における「心」とは、神々へと捧げる「清《きよ》き明《あか》きまことの心」であり、その心は神々への祭祀《さいし》として体現され、現在でも各神社において、厳粛に神事が斎行されています。日本人は祭祀という形を実践することにより、古来受け継がれてきた神道の心を継承してきたのであります。

本年はいよいよ御代替わりの佳節を迎え、改元が行われ、国家の重儀である儀式が、伝統に則《のっと》り斎行されていきます。日本の伝統文化の誇らしさ、素晴らしさを改めて実感する一年となります。しかしながら現代社会は、新しい思想の台頭と価値観の多様化によって、古来継承してきた日本の伝統的な「形」が崩れ、日本人の心が大きく揺らいでいる不安定な時代でもあります。

そのような時代であるからこそ、平安朝の時代より日本の伝統文化と精神を継承してきた古都、京都の果たすべき役割はますます大きくなってきているのではないでしょうか。これからも歴史ある京都の地から、受け継いできた日本の伝統を世界に発信して、日本の心を次世代に伝えていっていただきたいと願っております。

●たなか・つねきよ／1944年、京都府生まれ。69年國學院大神道学専攻科修了。平安神宮権禰宜、石清水八幡宮権禰宜・禰宜・権宮司を経て、2001年石清水八幡宮宮司に就任。02年京都府神社庁長、04年神社本庁副総長を務め、10年神社本庁総長に就任。

千年の歴史を持つ京都で千年先の未来を想像する

土井隆雄
宇宙飛行士

枕草子の中に「星はすばる」という有名な文がある。京都の夜の街を歩く時、清少納言のこの「星はすばる」を思い浮かべて、空を見上げる。千年前の京の都の空は、さぞや暗く星が降るように輝いていたことだろう。「すばる」は冬の夜空に見えるおうし座のプレアデス星団の日本名である。プレアデス星団は、肉眼で見ると七つの星が四角形に小さく密集して見えるが、実は地球から約450光年のかなたにある生まれたばかりの100個ほどの若い星の集団である。日本の四季の自然は美しいが、星の美しさもまた日本人の心の中に大切に刻み込まれている。

1985年に始まった日本の有人宇宙活動は、2008年に国際宇宙ステーションに日本実験棟「きぼう」が取り付けられて以来、本格化した。日本人宇宙飛行士による長期宇宙ミッションも定常的に行われるようになった。2020年代には、有人宇宙探査活動にも日本が参加することが伝えられている。いよいよ、人類は再び月に戻り、そしてはるか火星まで行こうとしている。日本は、そして世界は、この先宇宙にどのように展開しようとしているのだろうか。京都の街を歩きながら私は、千年先の人類の未来を想像するのが好きだ。千年の歴史を持つ京都にいるからこそ、千年先の未来が夢ではなく現実味を帯びて感じられる。

約500万年前アフリカに住んでいた霊長類の祖先のうち、人類の祖先だけが森からサバンナに降りて二足歩行を獲得し、世界に広がり、そして今の人類に進化したといわれている。走るのも速くなく、鋭い牙もない人類は、どのようにして安全な森を離れて生き延びることができたのだろうか。道具を使うことを学び、また火を使えるようになったからだろうか。いや、人類が生き延びることができたのは、人類が社会を作りお互いに助け合うことができたからに違いない。それならば、私たちが宇宙に展開し発展を続けたいと思うならば、宇宙に人類社会を作らなければならない。

人類は、宇宙に社会を作ることができるのだろうか。宇宙の最初の社会はどこにできて、何人の人が暮らすのだろう。空気やエネルギーをどこから手に入れ、食料はどのように生産するのか。安定な社会形態はどのようなものだろう。次々と新たな疑問が湧き出てくる。

今、私たちはこの京都で宇宙に社会を創る研究を始めた。私は夢を見る。千年先の未来、人類が「すばる」の星たちを訪問していることを。

●どい・たかお／1954年、東京都生まれ。83年、東京大大学院工学系研究科博士課程修了。97年、ライス大大学院博士課程修了。04年、スペースシャトル「コロンビア」に搭乗。日本人初の船外活動を行う。08年、「エンデバー」に搭乗し、国際宇宙ステーションに船内保管室を設置する作業を担う。16年4月より京都大宇宙総合学研究ユニット特定教授。専門は有人宇宙学、宇宙工学、天文学。

忘れ去った歴史の記憶の中から「日本発の世界思想」を見いだすとき

東郷和彦
京都産業大学教授
世界問題研究所所長

太平洋戦争の敗戦は、日本人の背骨を痛打し、私たちはそこで何か大切なものを失い、忘れてしまった。

戦争が終わり、主要な都市のほとんどがB29の爆撃を受け、その荒廃した国土で人々が明日の食のためになりふり構わず働く時代がやってきた。背骨を痛打された日本人の間に、思えば恥ずかしいさまざまな事態が起きたと思う。そういう時代の中で育った私には、その苦しい時代に起きたことについて、いま議論をする資格はないと思うし、そのつもりもない。

けれどもその中から戦後の日本は、経済成長に民族の精力を傾け、「平和と民主主義」という枠組みを受け入れ、高度成長の時代を経て、昭和が平成に代わった時に冷戦の勝利者米国を畏怖させる「経済大国」にのしあがっていた。

この繁栄の頂点に達した時こそ、成長の対価の中に実は日本人が多くのものを忘れてきたことに気付き、その記憶の再生の中からもう一度民族としての力を糾合する時だったのではないか。しかし実際には、平成の30年、私たちの多くは、バブルの崩壊、急激な人口減少、少子高齢化、社会保障の崩壊、累積する財政赤字、未来への希望を失わせる派遣労働など目前のさまざまな問題に埋没されていった。

内向き志向と批判され、失われた30年と揶揄《やゆ》される中で、私たちは死に物狂いで発掘し世界に向かって発信すべき国造りのビジョンを形成し得なかった。その国造りのビジョンの根底に、民族の歴史の記憶があるはずだった。それは、太古の時から日本を日本たらしめてきた自然と、その自然の中260年の平和の下で育ててきた文化、それらが融合し江戸末期に世界の旅人を驚嘆せしめた風景の美しさが一つ。風景の美しさはそこに住む人たちの心からの笑顔なくして決して輝くことはない。生活の安定と豊かさと教育の中から生まれてきた子どもたちの笑顔がもう一つ。一神教による真理の占有の中から発展してきた西欧文明の対極にあり、他の文化をいったん受容し、その中から独自のものを形成する寛容さがもう一つ。

奇《く》しくも今、30年の平成が次の世に移らんとする時、世界は歴史的な混沌《こんとん》に突入している。トランプの言う「アメリカ第一」は、程度の差こそあれ、世界中の国がみな主張する「自国第一」の究極であり、ポピュリズムとナショナリズが席巻する時代に入ろうとしている。今こそ日本は、忘れ去った歴史の記憶の中から世界の混沌を解く「日本発の世界思想」を見いだすときが来ているのではないか。

●とうごう・かずひこ／1945年、長野県生まれ。東京大教養学部卒業後、外務省に入省。条約局長、欧亜局長、駐オランダ大使などを経て、2002年に退官。ライデン大で人文博士。京都産業大教授、同大世界問題研究所所長。10年より現職。11年より、静岡県対外関係補佐官。著書に『北方領土交渉秘録』、編著に『日本発の「世界」思想』など。

「霊性的自覚」の基に〝心の時代〟到来のための第一歩を

5月1日の天皇即位により、新しい元号の時代が始まります。この時にあたり、自分自身の価値判断の基準になっている「霊性的自覚」について再確認したく、一文をしたためました。

人間の理性的判断を分別と考えるならば、分別は欠くことのできない人間生活の営みです。この分別が、一人の神様の上での判断と、東洋を中心とする多神教・仏教的理念の上での分別とでは大きな差があります。東洋的、仏教の立場からなら、世界中にある知識の枠組みを超える可能性を秘めています。最近私は、9・11同時多発テロ事件以後の二人の仏人哲学者の発言に心を惹《ひ》かれました。

仲田順和
総本山醍醐寺座主

レジス・ドブレ先生は、『神』と題する著書の中で「一神教を生んだ砂漠の民が、摩天楼に自分たちの記憶を思い起こさせた」と書き、神の起源について論ずる中で「なぜ米国が傲慢に振る舞うのかを解くカギは、神の存在にある。米国は物質的・合理主義の国のように思われているが、実は、神の祝福を受けて選ばれた特別な国であるという精神主義に支えられている」と著述され、この章の終言として、「二千年も前に発明された神が、なぜいま、われわれの間に居続けているのか。この問題を抜きにして世界は読み解けない」と、新たな思想体系の構築を模索する発言をしています。

もう一人のジャック・デリダ先生は、『けものと主権』と題してゼミを開かれ、現在を「新たな世界内戦の時代」と捉え、「オオカミ（戦争などの恐怖の象徴）は、足音を立てずに近づいてくる。このオオカミはテロリストのようにも見え、権力者にも見える」と呼び掛け、「動物と人間を区別するものは何か？人間の恐怖とは何か？などと根源に遡《さかのぼ》って考えなければならない問題は多い」と問題提起しています。

この二人の提言に世界中の学者たちが「西欧的な知識の合理性の行き詰まり」を強調する論文を発表しています。ここで強く感じるのは、音も立てずにひび割れていくような現実を前に、伝統的な知識の枠組みを再検討し、枠を乗り越えた新たな思想構築の模索が欧州社会に起きて、その広がりを見ることができることです。それは、人間観や宗教観の根源的な問い直しに他なりません。

これから私たち皆が、真の〝心の時代〟の到来と思えるような第一歩を踏み出すためにも〝神から示し与えられた心〟と認識する前に、神様と自分の心の間に〝人が生きるために〟という人間観を入れて、人々が共に生きるために心を運ぶ「霊性的自覚」の基に、心豊かな生活を送りましょう。

◉なかだ・じゅんな／1934年、東京都生まれ。大正大大学院にて仏教原典を中心に研究を進める。57年、品川寺に入山、出家。68年、品川寺住職となり、85年より総本山醍醐寺執行長となり、2010年、総本山醍醐寺座主・三宝院門跡に就任。16年、真言宗長者を務める。医療法人洛和会理事、学校法人日本女子大、森村学園、真言宗洛南学園の評議員を務めている。

分析的なロゴスではなく全体を把握するパトスの重要性を

西本清一
（公財）京都高度技術研究所理事長
（地独）京都市産業技術研究所理事長

「もの（道具）を作る」、さらに「機能の異なる道具を作ってものを作る」、そして細大漏らさず多くの工程を経つつ、美に対する感性に導かれた創意工夫と切磋琢磨《せっさたくま》でついには普遍的に美しい「ものを創る」に至る行動は、人間に備わった固有の能力であり、人間は本質的に絶えず創造し続ける存在なのだろう。その上で、遊びの心がいくつも芽生え、それらが培養する成熟の風土が整えば、「ものづくり」の行為そのものが文化価値を帯びるようになる。それこそが京都の「ものづくり文化」の本質ではないか。多様な伝統工芸分野の工房を訪れるたびに、そのような感想を抱かされる。作業の現場には、全行程の中でほんの一度切りしか使われないものも含め、実に数多くの道具が並んでいる。その大部分は手作りの道具である。現代人の祖先にあたる人類の成立は、道具を自ら作った約200万年前に遡《さかのぼ》る。道具の製作こそ文化の最も原初的な形態であり、人類の成立にとって革命的な出来事であった。

　日本人は古くから固有の土着文化と渡来文明・文化の多層構造を受容し、多様性を保持しつつ、新たな成熟を見いだしてきた。その基底を成すセンター機能を京都が担った。渡来した文明や文化をすべて受容した後、採り入れたものを真似《まね》ぶ（学ぶ）、模倣の段階に入る。模倣を繰り返している間に、次第に変容の段階に進み、やがて成熟の域に到達すると、受容したものとは似て非なる日本オリジナルに昇華されている。その原動力は、大自然に対する畏敬の念と憧憬《しょうけい》に由来する、日本人独特の美意識や遊び心であろう。受容から成熟までのプロセスにおよそ300年を費やしている。

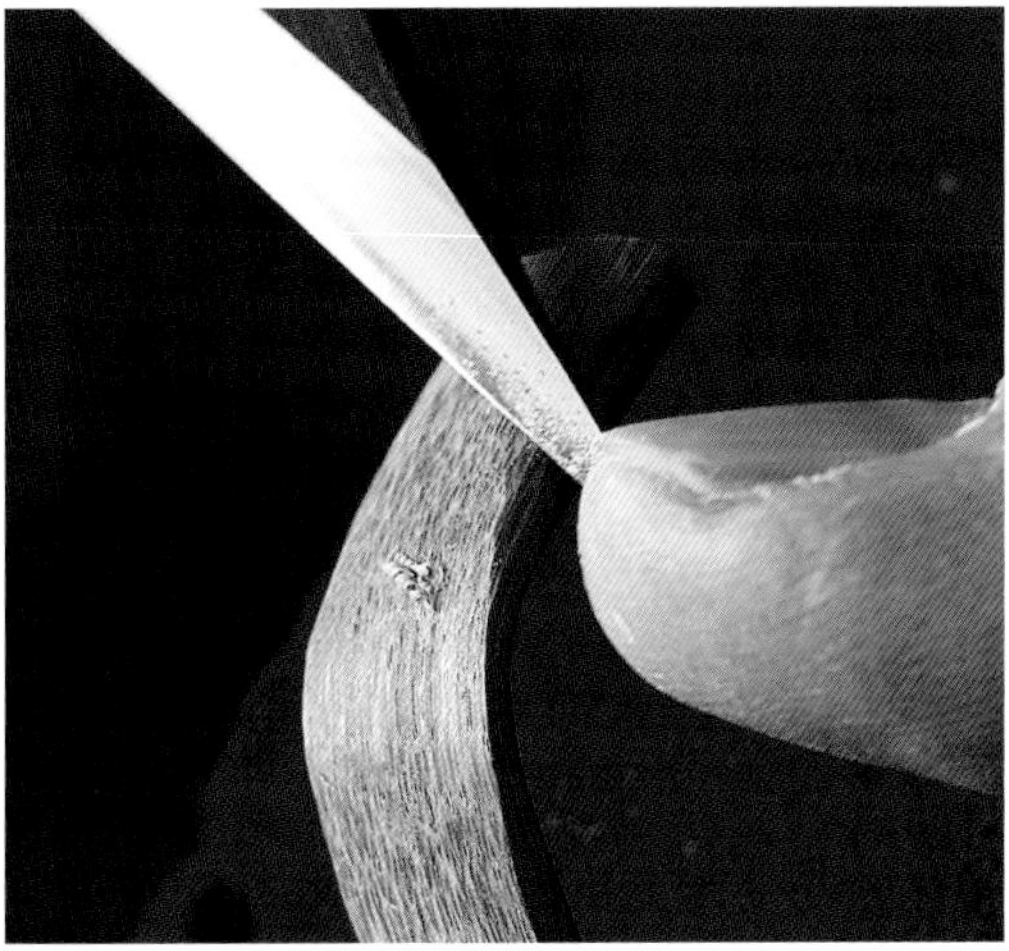

どの伝統工芸分野でも、節目ごとに大きな技術の革新や斬新な意匠が生まれ、現在まで伝えられてきたに違いないが、おしなべて坦々《たんたん》と技術が継承されているようにみえるのは、京都の歴史や風土の力が陰に陽に作用しているからだろう。ある伝統工芸士に「工芸に必須の感性とは何か？」と問うたところ、「五感すべてで情報を丸ごと捉える力」との答えが返ってきた。西欧近代科学では、論理的な思考と客観的事実を支える分析的なロゴス（論理）の働きがもっぱら重視されてきたが、京都の伝統工芸には、全体を把握するパトス（感情）の援用が欠かせない。京都の先進産業の多くが、伝統工芸を基盤として大きく成長した所以《ゆえん》でもある。京都が大切にしてきたパトスの作用にも合理性を認めるべき時代が到来している。

◉にしもと・せいいち／1947年、奈良県生まれ。京都大大学院工学研究科博士課程修了。京都大教授、工学研究科長・工学部長などを経て、（地独）京都市産業技術研究所と（公財）京都高度技術研究所の理事長を兼任。京都地域の科学技術振興のほか、ベンチャー・中小企業を中心に、京都経済を担う企業の発展を支援する業務に従事。専門は高分子化学、物理化学。

その土地に響いてきた風味や風合い
価値観の境目を彩ること

　日本人が忘れてしまったこと、忘れつつあることはいろいろある。その中には、縄文文化や鎌倉武将の勢い、徳川期のキリシタン感覚や長い戦争直後の被爆の衝撃のようなものもあるし、おばあちゃんが好きだったお菓子、夢中になった絵本の中身、小学校の先生の筆跡、亡くなった父親の悩みなどの、身近なことなのに思い出せないこと、取り出しにくいことも含まれる。

松岡正剛
編集工学研究所所長

　しかし、歴史的な経緯や個別的な事情を忘れたとしても、それらは誰かがどこかで取り戻してくれるということもある。私が気になるのは、そうしたこととは別に、日本人がどのような価値観を持ってきたのかということを、いまどのようにして継承できるのかということだ。例えば「かたじけない」とか「かしこまる」とか「はばかる」はどういう価値観を表していたのか、どういう思い出し方やどんな例示をもってくればいいのか、そういう問題だ。先だって奄美大島で島の人たちから、島唄にうたわれる「かなしゃー」という言葉は「悲しい」でも「愛しい」でもなく、「とても大切だ、哀切を伴う感覚だ、一緒に大事にしたかった」という感情が入り交じってい

るという話を聞いた。奄美独特の共感の価値観の深さがいまもって鮮明に共有されているのである。
　同じようなことが日本中にある。方言だから残っているものもあれば、言い伝えが廃っていないということもある。その一方、京都の「はんなり」「もっさり」「粋《すい》やなあ」のように、ニュアンスはなんとなく分かるのに、その共有が一向に広まらないということもある。
　これらのことは単に言葉の意味が忘れられたのではない。「ばっちり」「かわいい」「マジすか」などと言っているうちに、その土地が大事にしてきた価値観の境目を彩ることを忘れ始めているのである。彩りの傘が閉じかかっているのだ。私はそうみている。
　日本という国が忘れたことを大事にするよりも（それでは教育勅語がまたぞろほしくなる）、まずはその土地に響いてきた風味や風合いを取り戻すことを心掛けたほうがいい。私が次世代につなげたいこととは、制度やコンプライアンスによってグレーゾーン（ときに埒外《らちがい》）に追いやられたままの価値観を掬《すく》う手立てなのである。その手立てが共有されていくことなのである。

●まつおか・せいごう／1944年、京都市生まれ。早稲田大文学部仏文学科卒。多方面の思索を情報文化技術に応用する「編集工学」を提唱し、情報文化や日本文化研究の第一人者として、多彩な執筆・企画活動を展開。東京大客員教授、帝塚山学院大教授を歴任。『知の編集工学』『情報と文化』『花鳥風月の科学』『誰も知らない世界と日本のまちがい 自由と国家と資本主義』など著書多数。

「異界」の存在を可視化した「仮面」力への憧れ、期待は変わることはない

吉田憲司
国立民族学博物館
館長

大晦日《おおみそか》や小正月の夜に、仮面をかぶった異装の神々が集落の家々を訪れ、人々を脅し祝詞《しゅくし》を述べてまわる行事が、昨年の暮れ、「来訪神 仮面・仮装の神々」として、ユネスコの無形文化遺産に登録されることが決まった。対象となったのは、秋田県・男鹿《おが》のナマハゲ、岩手県・吉浜のスネカ、山形県・遊佐《ゆざ》の小正月行事（アマハゲ）、宮城県・米川《よねかわ》の水かぶり、石川県・能登のアマメハギ、佐賀県・見島《みしま》のカセドリ、鹿児島県・甑島《こしきじま》のトシドン、鹿児島県・薩摩硫黄島のメンドン、鹿児島県・悪石島《あくせきじま》のボゼ、沖縄県・宮古島のパーントゥの10件であるが、類似の行事は、全国各地にみられる。また、正月に「門付《かどづ》け」をしてまわる獅子舞や権現舞も同様の性格をもつものである。

柳田國男は、これら大晦日や小正月の夜にやってくる仮面の来訪者を「本来、われわれの年の神の姿であった」とした。また、折口信夫もこれらの行事において「村から遠い処《ところ》に居る霊的な者が、春の初めに、村人の間にある予祝《よしゅく》と教訓を垂れるために来るのだ」と言い、その来訪者を「まれびと」と呼んだ。

それぞれの行事を伝承している土地では、地域によって継承者が減少し、行事の存続自体が懸念されるところ

もあると聞く。一方で、現在、都市に住む大多数の人間にとって、祭りや儀礼の場で仮面にじかに触れることはまれであろう。多くの人にとって、仮面に最も身近に出会える場といえば、漫画やテレビのアニメの中かもしれない。しかし、ここで次のように問うこともできるだろう。仮面が私たちの生活世界から縁遠いものになってしまったとして、それならばなぜ、いまも漫画やアニメの中で、仮面のヒーローが次つぎに生み出されるのか、と。

男鹿のナマハゲ（筆者撮影）

世界を広く見渡して、地域と時代を問わず、仮面に共通した特性として、仮面が、いずれも人間の知識や力の及ばぬ領域、すなわち「異界」の存在を目に見える形にしたものだという点が挙げられる。季節の節目の祭りに登場する異形の仮面から、現代の月光仮面（月からの使者）やウルトラマン（M78星雲からやって来た人類の味方）にいたるまで、仮面は常に異界から一時的に来たり、人々に力を与えて去っていく存在を可視化するために用いられてきた。知識の増大とともに、人間の知の及ばぬ領域＝異界は、山から月へ、そして宇宙へと、どんどん遠のいていく。しかし、その異界の力への憧れ、異界からの来訪者への人々の期待が変わることはなかったのである。

◉よしだ・けんじ／1955年、京都市生まれ。77年、京都大文学部哲学科卒、89年、大阪大大学院文学研究科博士課程修了。文化人類学者。国立民族学博物館助手、助教授、教授を経て、2017年から現職。専門は博物館人類学、アフリカ研究。博物館の新しい在り方を探求した「文化の『発見』」でサントリー学芸賞を受賞。近著に『仮面の世界をさぐる』など著書多数。

失われた「絆」を再構築することが日中相互理解への第一歩

劉 建輝
国際日本文化研究センター教授

去る2018年は日中平和友好条約締結40周年だった。しかしどの新聞のアンケート調査を見ても、日本人の中国に対する好感度が低く、いわゆる「嫌中」感情が依然として蔓延《まんえん》している。その原因は、もちろん尖閣諸島国有化の際に中国で起こった過激なデモの記憶や、近年の中国の軍事力増強などに由来する部分が大きいだろう。しかし、こういう政治や外交上の理由以外に、私は常々日中の間に相互理解を媒介する文化的ツールがきわめて脆弱《ぜいじゃく》であることも大きな要因の一つだと思っている。

たとえば戦前の日中文化人の例を挙げれば大変分かりやすい。今年は中国の新文化運動である「五四運動」発生100周年である。100年前の1919年に、作家の谷崎潤一郎が、それこそ各地で反日デモが繰り返されるなか、たった一人で北京や上海を訪れ、その激しい反日気運にいっこうに動揺することなく、というよりどこかでそれを楽しんでいる一面さえ見せていたのである。谷崎だけではない。彼に続いて、芥川龍之介や横光利一、金子光晴なども中国を訪れたが、その誰一人も反日の風潮に怯《ひる》まず、いわゆる「嫌中」にもならなかった。それどころか、横光は反日運動そのものを素材に、『上海』という長編小説の傑作さえ書いていたのである。

中国側の知識人も同じである。たとえば日本でもよく知られる魯迅、周作人兄弟。前者は五四運動の旗手として国民啓蒙《けいもう》のために日本の白樺派文学を多数翻訳したのみならず、危篤に陥った際には周囲の反対を押して、敵国の日本人医師に自らの命を託した。後者は白樺派文学以外に、日本の古典、とりわけ江戸文学の翻訳や紹介に長年尽力し、そして日中開戦後もその作業を止めることなく、終始日本文化への賛辞を送り続けていた。

当時の日中の文化人はなぜこういう姿勢が取れたのか。私は、その背後に古代中国に対する揺るぎない尊敬の念を持つ日本人と、近代文明・文化を達成した日本に対する強い憧憬《しょうけい》の念を抱く中国人相互の共通した文化的素養の基盤が存在したからだと思う。つまり両者を堅く結び付ける文化的、精神的な「絆」があったからこそ、たとえ国同士が戦を交えても根底から「嫌中」や「反日」にはならなかったのである。その意味で、制度的のみならず、文化的にもすでに「脱亜入欧」した今日において、少しでもこの失われた「絆」を再構築することが今後の日中相互理解への第一歩ではなかろうか。

●りゅう・けんき／1961年、中国・遼寧省生まれ。遼寧大卒。神戸大大学院博士課程修了。文学博士。中国・南開大副教授、北京大副教授を経て、2013年より現職。16年より同センター副所長も務める。専門は比較文化、日中文化交渉史。著書に『増補・魔都上海―日本知識人の「近代」体験』『日中二百年―支え合う近代』『異邦から／へのまなざし―見られる日本・見る日本』など。

新たな元号の下、
受け継いできた伝統や文化によって
育まれた知恵を生かし、
どのような未来の社会を描くことができるのか。

「日本人の忘れもの 知恵会議」
日本の文化に触れ、育まれた感性が、
未来を切り拓く希望となる。

「次世代」から、いま、そして、未来へ。

撮影＝京都新聞社写真部（ドローン）

そして、未来へ

京都新聞創刊１４０年記念特集／日本人の忘れもの 知恵会議 ２０１９年４月

そして、未来へ

drawing the future of Tomorrow

（2019年4月1日掲載）

川﨑桃太

京都外国語大学名誉教授

◎平和ですね、新しい時代への期待は。旧制中学時代、家族でブラジルに移住しました。1956年に帰国すると、同級生の多くは戦死していました。日本に残っていれば私もどうなっていたか。102歳で食道がんを患いましたが、肉が好物で、琵琶湖疏水べりを散歩。喫茶店のコーヒーが楽しみですね。体調がよい日曜には、地下鉄でカトリック河原町教会に出向き、世界平和を祈るんです。104歳まで生かしてもらったのは、常に前向きだったからでしょうね。

野村　渚

平等院学芸員

◎母が冷泉家の出身であることから、幼い頃からさまざまな伝統行事や古典・文化に携わってきました。特に小学生の頃、二尊院で定家卿750年祭が営まれ、何百年も続いている文化を肌で感じたことは、強く記憶に残っています。文化財保存の仕事に携わるようになり、古典や美術、伝統行事を伝えることの難しさと向き合っています。先人が守り伝え、洗練されてきた大切な文化。私に回ってきたバトンを次代にどう伝えるか、日々模索しています。

撮影＝辰己直史

菅野 拓

人と防災未来センター
リサーチフェロー

◎京都大で学んだ公園設計が原点で、ホームレス支援や被災者支援にかかわってきました。災害のたびに、体育館に避難し、疲れた顔の被災者が報じられます。国際水準に満たない避難所運営の根拠は、1947年成立の災害救助法です。社会全体が貧しかった戦後から大きく改正されていません。家を失った被災者の生活再建にはホームレス同様の「伴走型支援」が必要です。今こそ法を含む社会システムを変える必要があります。

撮影＝三木千絵

佐野友亮

植藤造園

◎祖父（桜守・佐野藤右衛門）や職人さんの仕事を見て育ったのだから、と庭の仕事を選びました。京都の職人は、手間を惜しまず、見えない部分も丁寧な仕事を施し、その積み重ねが長く残る庭を作るのが特徴です。庭づくりにアートの感覚を取り入れ、和の建築と日本庭園という世界観をふくらませることで、若い人たちに加わってもらえたら。今は、祖父や父の時代からの仕事の伝統が変わる時代の境目だと感じています。

撮影＝三木千絵

鷲尾龍華

石山寺法輪院
住職

◎「紫式部が『源氏物語』の構想を練った、といわれたのもうなずけますね」とドナルド・キーンさんから石山寺を評されました。メトロポリタン美術館「源氏」展に関わり、日本文化の海外発信の重要性を感じます。災害被災者の話に耳を傾ける僧の養成講座のお手伝い、子育て支援にも関わっています。さまざまな立場の人々が生き生き活躍できる社会へ。お寺をその居場所にしていきたいのです。

撮影＝船越正宏

澤邊芳明 ワントゥーテン代表取締役社長
東京オリンピック・パラリンピック競技大会組織委員会アドバイザー

◎AI（人工知能）に代表されるテクノロジーの進化によって可処分時間が増える中で、無意味に消費する時間を減らせる未来が必要。暇が増えても退屈にならないかどうか。スポーツや学びなどを取り入れた新しいエンターテインメントが未来をつくる。

撮影=西光祐輔

金氏徹平 現代美術家／彫刻家

◎現在の既存のあらゆる空間や時間、概念を区切っている境界線には違和感があります。この不定形で不安定な世界で生きていくには境界線は必要。ただ、大事なのはそれらを固定せず、複雑で流動的で、時には不本意に崩れることもあれば、自ら壊すこともでき、丁寧にやれば誰にでも作れる。目には見えないこともあり、見方によってはもはや気にすることも馬鹿らしくなるほど無数に存在する。そういう世界がいい感じなんじゃないかと思います。

上田　誠 劇作家／演出家

◎インターネットやSNS、スマホによって、世界は縮まったように見えてぐんと広くなりました。電車でも街中でも家庭でも。みんなここには居ず、スマホの中のどこかにいる。寂しい。喫茶店とかでわいわいしゃべりあえる未来がくるといい。

谷口善右衛門 流芳園八代目園主

◎「一口だけでもしっかり味わうように」といわれて育ち、私も今、子どもたちへ同じことを伝えています。日本には豊かな食文化が広がり、素晴らしい味が存在しています。日常の喜び「おいしい」の大切さを忘れないでいただきたいです。

北林　功 COS KYOTO株式会社代表取締役
Design Week Kyoto実行委員会代表理事

◎1000年先の社会のために、今を生きる一人一人が美意識と責任感を持って自分を律し、日々行動を積み重ねていくこと。京都が1000年以上の歴史を持つ都市として今こそ世界に発信すべき価値観の一つであると考えます。

樂　篤人　茶碗師　千家十職 樂家次代

◎数字を追い求めすぎて、置き去りになっていく物事の本質。求めるべきは、内なる不変なものだ。「看脚下」という禅語がある。「足下をみよ」僕らは、今一度、己が何の上に立っているかを考えないといけない。未来は僕らの足元にある。

中村彩実　東映剣会 女優

◎時代劇は美しい。知り、学び、稽古するほど、奥が深い。迫力ある殺陣、美しい所作、昔ながらの言葉遣い、自然に演じる先輩方を目の当たりにし、この世界に心をわ しづかみにされました。殺陣は命のやりとりのお芝居。平和な時代にあって、美しくもはかないこの「殺陣」がいつまでも日本の伝統美であり続けられるような未来に。

田村篤史　ツナグム代表取締役／京都移住計画代表

◎さまざまな場所で生きることができる時代になり、風土あるいは文化的な多様性を積極的に捉え直す人が増えています。短期的な利益や市場化に惑わされない真の意味でのグローバル化と、地域に根差したコミュニティー経済がゆるやかに持続する社会を目指して。

富永京子　立命館大准教授

◎生き方やルーツが多様化する中で、私たちの要望や権利を主張し、政治に反映することがより大事になっていると思います。人々が共生できる社会を作るため、誰もがためらわず政治に参加できる社会であればと望みます。

高橋祥子　ジーンクエスト代表取締役／ユーグレナ執行役員

◎ゲノムを中心とした生命科学とテクノロジーの進歩は今後さらに勢いを増していきますが、その未来において、人類の叡智と課題解決力の躍進が、無限の希望となると考えています。

石田祐康 アニメーション監督

◎現在アニメーションの世界はデジタル化を進めながらその表現の領域を押し広げています。先立って推し進める自分ではありますが、最後の昭和生まれの心の内に確かにあるアナクロな部分とが拮抗しています。それでよいと思っています。

矢島里佳 和える（aeru）代表

◎美しく稼ぐ。経済成長のみを追い求める方法には限界が来ていること、あなたももう気が付いているはず。長らく置いてきてしまった伝統文化に、今こそ目を向けて共に動きませんか。日本だからこそできる、文化と経済が両立した「足るを知る」経済を目指して。

藤木庄五郎 バイオーム代表取締役

◎環境に悪影響のない商品やサービスだけで構成された世界には、「環境保全」という言葉はいらない。普段何気なく生活をしているだけで地球の環境が守られている、そんな社会をつくれないだろうか。

金剛龍謹 能楽金剛流若宗家

◎能楽は人間の普遍的な情念や日本の四季の移ろいの美しさを題材とすることで、650年前から続く日本人の心を伝えています。能楽が未来の人々にとっても心のよりどころとなり続けるよう力を尽くしたいと思います。

山本佳奈 医療ガバナンス研究所内科医／研究員

◎「長寿大国、日本」。平均余命の延びに伴う老年人口の増加。認知症、独居、孤独死など、医療にまつわる問題は深刻さを増しています。どうか長生きしたいと思える国で、将来、生き生きと笑顔で暮らすことのできるおばあちゃんでいられるように。今、その一助を担いたいと思っています。

岡田侑貴 データグリッド代表取締役

◎今後10年間でAI（人工知能）が世の中に広く浸透していく時代が到来します。「AIと共に創造する社会を実現する」をビジョンに掲げ、現在、研究開発と社会実装を進めています。AIが人類にとっての敵ではなく、真に社会、そして人の役に立つ技術とするために。

添田隆司 プロサッカークラブ おこしやす京都AC代表

◎スポーツが世界中を笑顔にし、人々を繋げる。対面の意思疎通が希薄化する中で、私たちが思い描くのはそんな未来像です。筋書きのないドラマを体験し、目撃し、共有する。リアルの繋がりの傍らに、いつもスポーツがある未来へ。

高田紫帆 2017ミス日本グランプリ

◎留学中、旅先で車窓から見えた野原には、純粋な自然美がありました。全てに物差しをあてて組み込もうとせずに、少し人間の手を離れるものがあっていいじゃないかと、そういう余裕が文化の中にいつまでも残っていてほしいなと思います。

松田鈴英 プロゴルファー

◎同世代には有望な選手が多く「黄金世代」とも呼ばれるなかで切磋琢磨し、優勝争いをしてツアーを盛り上げていきたい。目標は、優勝と賞金ランキング10位内。いずれは世界の舞台で、海外の有名選手と競い合える日が来ることを信じて。

drawing the future of Tomorrow

※写真内の西暦はメッセージをお寄せいただいた方の生年を表しています。

京都発　文化と暮らしの未来

［フォーラム］２０１９年５月／京都産業会館ホール北室（京都経済センター２階）

京都発　文化と暮らしの未来

（2019年6月20日掲載）

［基調講演］鷺田清一氏　哲学者

「中景」を再興し、「未来の課題」の解決を

1999（平成11）年、私が携わった2025年ごろの京都の未来像を展望した「京都市基本構想」は、主語が「わたしたち京都市民」で統一されたように、幅広く市民の希望と各界専門家の知見を集めたものでした。市民による行政参加の重要性を説いた点で、行政機関が主導する文書とは一線を画したものだったと言えます。同構想の下、資料として収集された1993年の京都新聞記事は、「京都ブランド」は価値以上の虚像になっていないか、京都人はそこにあぐらをかいているのではないかと疑問を呈する衝撃的な内容でした。経済グローバル化を伴う効率重視の近代化の渦に巻き込まれ、自信が揺らぐ京都市民の姿が垣間見えました。

京都市基本構想は、京都人が千年以上の歴史で培ってきた得意技「めきき、たくみ、きわめ、こころみ、もてなし、しまつ」を再確認して磨き続けることが、華やぎと安らぎに満ちた京都のまちづくりにつながっていくと提言しています。

しかし、2019年に令和と新元号に替わっても、将来の不安から日本全体に漫然と閉塞感が広がる「ふさぎ」の時代が過ぎ去ったとはとうてい考えられません。

それは先が見えづらいからではなく、確実に来る未来

の課題は明らかなのに、その解決に手をこまねいて先送りにするばかりだからです。エネルギー資源の枯渇、人口の減少、財政の破綻も視野に入っているのにです。

2011年の東日本大震災は大きな教訓をもたらしました。私たちがコントロールできないのは原発だけではなく、グローバル化に組み込まれた生活全般にまで及びます。機能停止した震災直後の東京の混乱ぶりからも明らかです。

アニメなどで言う「遠景」でも「近景」でもない、日本社会の「中景」の弱体化が顕著と私は考えます。つまり国家レベルから家族レベルまでを見た場合、中間に位置する地域コミュニティー、組合、会社、大学、寺社などが弱体化して、人が生き抜く力が痩せ細っているのです。理由は明白です。教育・医療・介護・冠婚葬祭など身の回りのこと全般を、私たちは料金や税金を払って専門家や行政に全面的に依存するようになってしまったからでしょう。出産間近の妊婦さんや増水した川を目の前にしても、一個人はなすすべもないのが現実です。

心地よい芳香を放つ香木は、病気や傷から身を守ろうと木が一生懸命樹脂を集めて熟成した部分だそうです。みんなが力を合わせ、さまざまな社会の痛みに向き合って解決に導くしんどさを経験してこそ、真に安心した暮らしを送れる社会が戻ってくるのではないでしょうか。

京都は、為政者が次々と代わる歴史を歩んできたことから、王朝文化を育む一方、権力者に頼らず、一人一人が支え支えられる地域文化が色濃く残っている街です。

道を挟んだ家同士で一つの町内が成り立っていたり、小さな街にも仕出屋さんやお菓子屋さんがあったりするのも、助け合って暮らしていくための知恵の一つでしょう。また、特筆すべきは大学など教育機関の充実ぶりです。これは、明治維新期、天皇陛下のお住まいが東京へ移り、存亡の危機に立たされた際、市民の寄付を募って小学校を建設するなど教育事業にも力を注いだ結果と言えます。

さらに京都は、各本山が集積する宗教都市でもあります。宗教や芸術など文化には、見えないものを見ようと努力したり、存在しなかったものを生み出したりする力があり、人間活動の視野を広げます。文化的基盤と経済活動が相乗効果を発揮しているのは京都の持ち味の一つでしょう。加えて、茶道や華道など各流派の並立を認める多様性は地域文化の厚みを作り出しています。

現状の課題に正面から向き合い、京都に息づく地力をしっかり見つめ、「中景」を新たに再興することができれば、誰もが誇れる豊かな市民社会が創造できると信じています。

「パネルディスカッション」

―現在取り組んでいる仕事と、基調講演に対するコメントをお願いします。

岡村◉私が参画している京都市地域企業未来力会議が発信した「地域企業宣言」の趣旨は、企業規模にとらわれず地域と共に発展する地域企業を目指すもので、まさに鷲田先生が指摘した中景を再興する方向に沿っています。

「働く環境の総合商社」をテーマに掲げる弊社では、制度だけではなく風土がより大切ということで、とりわけ「他者」への配慮に重点を置いています。働きやすい制度やルールの整備だけではなく、働きがいのある企業風土の醸成に力を注ぐことで、保育施設に預けられなかったお子さんとの「子連れ出勤」をしやすい雰囲気をみんなで作り上げています。権利を得た人は、権利のない人へ配慮するよう今後も言っていくことで「中景」としての企業の役割を果たしていこうと考えています。

村上◉私は国際協力機構（ＪＩＣＡ）の文化財保護の専門家として、観光分野での海外支援事業に従事してきました。その後文化庁に移り、観光やまちづくりの面で文

鷲田清一氏
哲学者

堂目卓生氏
大阪大社会ソリューションイニシアティブ長

岡村充泰氏
京都市地域企業未来力会議
ウエダ本社代表取締役

村上佳代氏
文化庁 地域文化創生本部
文化財調査官

松倉早星氏
Nue inc.代表／プランナー

鷲田氏　新しい
ネットワークづくりが大切

堂目氏　共感の場を広げ
「心の壁」を乗り越える

岡村氏　ワークとライフを
分けない職場環境を

村上氏　生活スタイルを見直し
日本の文化を再発見

松倉氏　「地蔵盆」は
コミュニケーションの理想像

化財を活用・促進する仕事に就いています。近年、文化庁は、地域が重視する文化資源を積極的に認定していく施策も推進しています。

　中東の非産油国ヨルダンの旧首都サルトのプロジェクトに9年間関わっていたこともあります。歴史が長く街を誇りに思う京都に似た街です。部族や家族への連帯意識が強く、何か問題が発生すると部族単位で解決する慣習に当初は戸惑いましたが、受け入れてもらい家族と同様の接し方になってくると、非常に心地よい助け合い社会であることに気付いたのです。鷲田先生の言われるコミュニティーの大切さを実感する日々でした。

堂目◉日本の人口減少を直視せよと鷲田先生は言われましたが、世界では人口増が確実で、貧困層の増加が予想されています。本来「経済」とは「経世済民」であり、困っている人を救うことを意味します。近代経済学の父アダム・スミスは『国富論』と『道徳感情論』の両書において、財やサービスの「量」だけでなく、「共感」を通じた「喜び」を増やすことを説きました。実際、経済活動に笑顔が伴えば喜びは倍加します。一方、仲間内だけの狭い共感は、異質な文化に対して反感を生みがちです。貿易の意義は、外国製の優れた商品に共感することで違和感を和らげるところにあります。

共感とは元来、相手の苦しみを自分のもののように感じることです。相手の苦しみを和らげることが自身の苦しみを和らげることにもなります。この範囲をどこまで広げられるか。ここにグローバル化時代における「中景」の課題があります。

松倉◉企業や行政機関の課題について対話を重ね、コンセプトや企業理念などを生み出すプランニングがNueの主な仕事です。例えば、若手アーティストの作品を披露する場として開かれた「ARTISTS' FAIR KYOTO」に携わりました。また、京都駅に近い京都市立芸術大移転予定地では、「崇仁新町」という屋台村を展開しています。にぎやかに「食」を共にすることで、立場が異なる相手であっても、共感し合う状況を作り出すことができるのでないかとのシンプルな提案です。

近々、人が多く集まって斬新なものを生み出す「巣」の創造を目指して、二条城近くに、若手クリエイターが集う施設を展開予定です。そこでは「寄り合い」がキーワードの一つとしてあり、鷲田先生のお話を聞き、私はそれこそ「中景」をつくりたかったのではないかと気付かされました。

鷲田◉現代は不安定な非正規の仕事に就かざるを得ないなど、苦しい状況が続いていることは否めません。だからこそ逆に、新しいネットワークづくりが大切になってきています。

子どもを寝かしつける、お年寄りの世話をするなど、本来、生活で大切なことはお金をかけずにできることです。職場が遠く、いわば出稼ぎ状態になっているところが問題です。常に子どもと一緒にいられるような、なりわいと住む場所が同じ場所の方がいいわけですね。

村上◉アフリカ在任中、地域でワークショップを開催するときも、みんな子連れでした。すぐ近くで子どもが泣いていたり、砂場でごろごろしていたりしている中でも、子育てと仕事を同時に進めていけるのだと驚きました。現状の日本では、まだ難しいかもしれませんが、昔はごく当たり前の風景だったのだと思います。現在の日本の子育ての仕方や働き方を含め、私たちの生活スタイルを見直すことで、これまでの日本人が持っていた「季節の移り変わりを感じ取る」ような、暮らしの中で培われてきた文化を再発見できるかもしれません。そうなれば、「観光」を通じて外国人に日本の生活文化を伝える新しい視点も提供できるようになると考えます。

岡村◉現代社会では、ワークとライフを完全に分けてしまっているのが問題だと思っています。本来は、それぞれのバランスで考えていくべきであり、子連れでも、都合に合わせて仕事ができる職場環境、そして、それを受け入れることのできる会社の風土が重要です。ワークとライフを分けないことで、地域との関わりが生まれたり、異なる文化に触れたり、それらと連携することができます。その結果、イノベーションが生まれて、独自色が発揮できるのです。

経営効率一辺倒の大企業の後追いでは、規模や資金力で劣る企業は、痩せ細っていきます。地域企業は経済面のみならず、宗教や芸術など哲学的な面での市民感覚に立脚すべきで、京都はそれに応えるだけの十分な文化的蓄積があります。

―京都の文化活動を支える大学の存在についてどのようにお考えですか。

鷲田◉昨今、下宿が少なくなったとはいえ、歴史、風習、食などあらゆるものを学生は肌で感じ取りながら成長していきます。街に育ててもらっていると言ってもいいでしょう。京都の街の特長は、大学が追究する学術分野だけでなく、芸術、宗教などあまり実利に結び付かない文化の活動と産業や経済とが至近距離でつながっている点にあるのです。それが、各企業が本社を東京へ移転しない理由になっているのではないでしょうか。

市立芸大が移転して市街地へ来れば、学びと実践を通じて地域とのつながりも広がるでしょう。

―かつて京都、東京、愛知、金沢、沖縄の全国5芸術大学長会議の後、鷲田学長が京都市立芸大移転予定地の崇仁地区に各学長を招き、たき火の前で懇親されていた姿が強く印象に残っています。

鷲田◉たき火は食事と同様、コミュニケーションを深めるのにとてもいいのです。

松倉◉崇仁新町には、たき火を囲む場所もあります。不思議なことに、外国人もお年寄りもみんな話が弾むようになります。魔法ですね。

私は北海道出身なので、京都に来て初めて地蔵盆を目にしたときは感動しました。町の人が普通に集まり、みんなでお酒を飲み、食事をする。周りでは子どもたちがはしゃぎながら、勝手に遊び回っている情景は、私には理想像に見えました。普段からお地蔵さんがきちんと手入れされている地域は、お互いのコミュニケーションもきちんとつながっているように思います。

堂目◉私は京都市内で自治会の責任者を務めたことが何度かありますが、最近は高齢化も進み、なかなか担い手が見つからず、伝統的な自治会という「中景」は危機にあると言えます。今後、若い世代も含めて多様な人々に仲間意識を広げていくことが必要だと思います。

鷲田先生が文化を「生きるための知恵」と説かれたように、文化の根底には命があります。文化の違い、つまり「心の壁」を乗り越えるには、命を見つめることで共感の場を広げていかなければなりません。私が在籍している大阪大学では、どのようにして異質な文化の間で「心の壁」を取り払うことができるか、学術的な見地から取り組んでおり、それによって「中景」を広げることができるのではないかと考えています。

◎鷲田清一（わしだ・きよかず）
1949年京都市生まれ。京都市立芸術大学長などを歴任。せんだいメディアテーク館長。専門は哲学、倫理学。

◎堂目卓生（どうめ・たくお）
1959年岐阜県生まれ。立命館大経済学部助教授などを経て、大阪大総長特命補佐、社会ソリューションイニシアティブ長。専門は経済学史、経済思想。

◎岡村充泰（おかむら・みつやす）
1963年京都市生まれ。京都市地域企業未来力会議では、「京都・地域企業宣言」策定に尽力。京都経済同友会常任幹事。

◎村上佳代（むらかみ・かよ）
1982年愛媛県生まれ。文化庁はじめての観光の専門職として、文化財の活用や観光に従事。専門は、文化財を生かした観光まちづくり。

◎松倉早星（まつくら・すばる）
1983年北海道富良野生まれ。東京・京都の制作プロダクションを経て、2017年7月Nue inc.設立。国内外のデザイン・広告賞受賞多数。

令和の日本人とは

［交流会］２０１９年10月／京都ホテルオークラ

令和の日本人とは

講演　中西　進氏　国文学者

「意志の力で善追求を」

下から読めば「やまとしうるわし」

新元号「令和」は基本的に、和の精神に満ちた麗しい大和の国を意味していると私は理解しています。かつて明治維新を迎え改元が決定したとき、批判精神旺盛な江戸っ子たちは「上からは明治だなどと言うけれど、治明（おさまるめい）と下からは読む」とからかい半分に狂歌を読んだものでした。

同様に令和を下から読むとすれば「やまとしうるわし」となるのではないでしょうか。はるか昔、遠国を次々と平定し終えたヤマトタケルノミコトが、ふるさとを目前にして息絶えた際の詩「やまとは　国のまほろば　たたなづく　青垣　山ごもれる　やまとしうるわし」に私は思いが至ります。懐かしい大和の国をたたえる望郷の念が情感豊かに伝わってきます。新元号の好感度が非常に高いのは、「令和」の響きからさまざまな連想がかきたてられるからでしょう。

「令」の字は中国最古の古典『詩経』に「令人」があり、鄭玄の項に「善なり」と出てきます。「善」の文字は「美」と「言」とを合わせたもので、「美しい言葉」のことです。善は儒教の大典『論語』で最高の徳とされており、頻繁に登場することからも、中国は論理性に富む言語に美を見いだしていたと言えます。つまり「美しい言語」を善と考え、最高の美徳としたのです。

日本では古来、大和言葉の表現方法からも分かるように、伝統的に論理性よりも情念に価値を置いてきました。その点、全知全能神の愛を説く西洋発祥のキリスト教思想と通じ合うものがあります。仏教に目を向けると、愛の苦しみから逃れるために、いかに愛を捨てられるかが

（2019年11月15日掲載）

令和は「令」が意味する「善」を追求する時代と語る中西進氏

出発点でしたが、釈尊は入滅前に「晴朗」といわれる境地に達し、愛欲を持つ人間も含め全てを愛する教えを説くようになります。

私は、小泉純一郎氏が首相だった当時、その要請で発足した外来語を日本語に置き換える委員会の副委員長をしたことがあります。そこで最後まで日本語にしにくかった英語は「ｐｕｂｌｉｃｉｔｙ」や「ｉｄｅｎｔｉｔｙ」でした。これらの単語が持つ概念が日本には存在しなかったからです。

中国語の「令」も、当時の日本に該当する観念がなく、抜きんでた意味を持つ言葉だったのでしょう。結果、音読みの「レイ」だけが一般的に広まり、訓読みは解釈がかなり広くなる「よし」ぐらいしか当てられませんでした。中国と日本との価値観の違いがよく現れていると言えます。

次に、漢和辞典で「令」を引くと、「善」のほかに「律する」あるいは「使（しむ）」と出てきて、人に何かをさせたり、強いたりする意味があることが分かります。新元号が令和と発表された際、「命令」を感じさせるから良くないとの指摘があったように思いますが、本来「命令」自体に悪い意味はありません。内容の不適切な命令が良からぬ印象を与えているだけで、令が悪いのではありません。

また「冷」の字と同義になるとの批判的意見もありますが、「艶」を加えて使われる中国伝来の言葉「冷艶」は、つやを発して美しいさまを表し、室町時代の高僧、心敬は「氷ばかり艶なるはなし」と冷たい氷の比類なき麗しさをたたえました。

「令」の用法で一つ、『論語』に登場する「巧言令色」は巧みな言い回しと良い人を装うことで、感心しない例とされます。ただ、文体を徹底的に工夫し飾ることで生き生きとした文章をつづった天才作家、太宰治は「われは巧言令色を欲する」と良い意味で語っていることも付け加えておきましょう。

時代ごとに目指すべき「価値目標」

善に関わることをもう少し掘り下げてみます。日本人の倫理行動の中で、いったい何が善とされてきたのでしょうか。平安時代に完成した『続日本紀』には天皇の詔を意味する「宣命」が記載されており、倫理意識として必要なものとして、「清・明・直」の三つが挙げられています。

「清」は心が清らかであること、「明」は知性が伴っていること、「直」は真っすぐな意志があることを示します。つまり情において清、知において明、意志において直であるとされ、これはギリシャで人間の修養において重要とされる「知情意」と見事に一致します。いにしえよりわが国も素晴らしい知見を培ってきたのであり、感銘を受けずにはいられません。

この「知情意」をめぐって歴史の流れを見ると、大きく700年ほどの期間ごとに「古代・中世・現代」と分けて考えられます。古代とは、仁徳天皇の治世の5世紀ごろから、鎌倉幕府が成立し武士による政治支配が始まる12世紀までを指します。中世は、武士政権が長く続き、明治維新を迎えるきっかけとなった黒船来航までの19世紀です。

古代は、平安時代を中心に、現在の京都にも連綿と引き継がれるさまざまな文化が花開きました。日本人が共通して心の底に持っている美意識に基づく感情が育まれた時代です。

中世は、江戸時代を中心に知性の力が飛躍的に発展します。関孝和をはじめ盛んに研究された和算は世界一級の水準でした。外科医の華岡青洲が始めた開腹手術も世界初の快挙であり、天文学分野での伊能忠敬の緯度計算は世界のトップだったといわれます。江戸時代は、政治的に安定した社会の中、日本が独力で知の世界を進化させ続けた時期でもありました。

アメリカのペリー総督が日本に現れ現代に入ります。西洋文化の流入が加速、「自分の意志を持ちなさい」「個性を大事にしなさい」と、日本社会では伝統的に必要とされなかった行動が強く求められるようになってきました。平安朝で情の文化が完成し、次代で知性が加わったとすると、現代で残るのは意志の力を養うことでしょう。

それぞれの時代には目指すべき価値目標がありました。情の文化を昇華させた平安朝では美が追求された結果、数々の芸術が生まれ、知の時代では科学をはじめとして真実の探求が行われました。「真善美」という古代西洋から続く普遍的概念にのっとるとすれば、現代のわれわれが求めていくべきは必然的に善になります。

善といえば、京都大の哲学者、西田幾多郎に言及しないわけにはいきません。彼は生涯をかけて執筆した『善の研究』の中で、「個人的善に最も必要なる徳は強盛なる意志である」と説きました。最高に価値あるものは善であるとし、そこには強い意志の力が不可欠と喝破した西田は誠に慧眼《けいがん》と言うべきでしょう。

もう一人、京都出身の経済学者、大塚久雄は「ある客観的な目的あるいは理想の実現を目指すには、自己の精神的ならびに肉体的エネルギーの全てを集中的に放出しようとする訓練された生活態度」が求められると主張しました。さらに彼は、放出される肉体や精神のエネルギーは、一時的・瞬間的なものではなく、常態として訓練されたものが必要と強調します。訓練とは禁欲あるいは自己抑制のことで、すなわちストイシズムによって自らを激励することが重要であり、そこに善を求める最高の状態があるのだと結論付けたのです。

冒頭に申し上げたように、「令」とは「善」です。新しい時代を迎えた今、私たち現代に生きる一人一人が進めていくべきは善の追求であり、令和はまさにそれを希求していく時代であると言ってもいいでしょう。そして、そのために必要なことは何か。それは未来の日本人の在り方を真剣に考える「意志の力」、それこそが今こそ問われているのです。

未来へ受け継ぐ

［2019対談シリーズ］

未来へ受け継ぐ　Things to inherit to the future

日本人の忘れもの 知恵会議 ①
未来を拓く京都の集い

次世代にメッセージを発信する京都新聞「日本人の忘れもの知恵会議」は5月、創刊140年と京都経済センター開業記念フォーラムを開いた。この議論を踏まえて毎月1回、対談で議論を深めたい。ホストは、フォーラムに登壇した大阪大・堂目卓生教授。経済学の立場から社会問題の解決に取り組んでいる。初回ゲストは、祇園祭山鉾連合会評議員で、北観音山保存会の山田健二常務理事。伝統行事と地域について語り合ってもらった。コーディネーターは京都新聞総合研究所長の内田孝が務めた。

対談

大阪大 社会ソリューションイニシアティブ長
堂目 卓生さん

祇園祭山鉾連合会評議員、北観音山保存会常務理事
山田 健二さん

祇園祭と地域について語り合う北観音山常務理事の山田健二さん（左）と堂目卓生さん（京都市中京区）

堂目　祇園祭、準備は大変ではないですか。

山田　北観音山保存会の囃子方で15年ほど笛を担当しています。稽古は月1回、祭りの準備自体は1カ月ほど前から本格的になります。生まれた時から当たり前のように山鉾巡行が通り、祖父も父も祭りに参加する姿を見て育ちました。私自身は大変だと思ったことはなく、特別なイベントやフェスティバルとは思っていません。

堂目　非日常ではなく、むしろ日常生活そのものなのですね。千年以上続いた秘訣は、祭りが多くの人と人がつながる場であり、日常の人間関係がしっかりと維持されているからではないでしょうか。祭りの担い手は町内の方中心ですか。

山田　保存会は町内の者が務めていますが、現在38人いる六角町の囃子方のうち、町内在住者は2人だけ。京都府外の方もおり、私も現在は伏見在住。今住んでいる地域と比べ、六角町でのつながりは特別で、非常に濃い感じがします。

会所にまつられた北観音山の楊柳観音坐像。右脇は韋駄天立像

山田さん　祇園祭は奉仕の精神、楽しい

堂目　意外にも、町外の人が多く携わっているのですね。

祇園祭は本来、大災害や疫病などの災厄や人の欲望などをおはらいする神事から出発したと聞いています。一生懸命生きる自身の心の願、つまり「命」を誰もが祭りの中に感じるからこそ人が集うのではないでしょうか。祇園祭はそういう場を平安の世から大切にしてきたということでしょうか。

山田　基本的に私たちは八坂神社の氏子であり、祇園祭自体が災厄から逃れる神事であるとの意識です。囃子方をはじめ、山鉾のつくり全般を担う大工方、動きを担う作事方など各人が祭りに向き合う真剣さに根源的な心のありようを感じることは確かですね。無意識の内に地域が歴史の中で培ってきた地力に私自身が取り込まれ、その力が祭りへといざなう気がします。

だからこそ、脈々と受け継がれてきた神性の伝統が「フェスティバル」になってしまうことへの拒否感があるのでしょう。元来はお清めを意味する山鉾のみが注目され過ぎ、神様をまつる神輿があまり顧みられない傾向にあるのも残念です。

堂目　伝統行事を維持していくには資金面の裏付けも重要なのではないでしょうか。

山田　北観音山は助成金で何とか成り立っている状況です。くじ引きで山鉾の順番を決める「くじ取り」で1番を引くと縁起が良いとされ、ちまきなどもよく売れますが、私たち北観音山ではちまきを販売していません。「くじ取らず」で順番が決まっていることもありますが、現状で何とか回っているので、あえて人手を掛けて資金を集めることはないと考えています。

やまだ・けんじ　1967年京都市生まれ。北観音山町（京都市中京区新町通六角下ル）の呉服問屋に生まれ、幼少期から祇園祭に参加。囃子方として25年務めた後、2016年から祇園祭山鉾連合会の評議員を務めている。

人と人つながり、根底に熱意　堂目さん

どうめ・たくお　1959年生まれ。立命館大経済学部助教授などを経て大阪大総長特命補佐、社会ソリューションイニシアティブ長。専門は経済学史、経済思想。「アダム・スミス」（中公新書）でサントリー学芸賞。京都市在住。

堂目　インド由来の高級絨毯など目に鮮やかな外国の名品をまとっていることから、山鉾は「動く美術館」といわれます。この強みで外国の方々に積極展開する考えはありますか。

山田　祭りは神事と一体化しているので、外国人を意識することはあまりないのです。本格的に美術品をそろえると、1基数億円もの支出が予想され、現実的ではないでしょう。活動資金の確保については、建物の賃貸でテナント料を得ている町もあります。最近話題のクラウドファンディングは、自由な活動がやりにくくなる懸念も根強いのではないでしょうか。

堂目　変化の激しい近年、世間では、トップダウン的な意思決定で迅速に対応しなければ組織が衰退するといわれます。山鉾連合会と保存会の関係はどうなっているのでしょうか。

山田　保存会は連合会の傘下でなく、それぞれ独自に活動しています。各会は、いわば「ワンマン社長」の集まりのようなもの。連合会がトップダウンで新しい方向を示しても、それぞれが判断して活動するのです。

北観音山では40人ほどいる北観音山の作事方とともに10人ほどの大工方が協力し合い、必要な時に集まって修繕作業を繰り返すことで山を次代に継承しています。工務店に任せている町もあるなど、運営方法はさまざまですね。南観音山が復活する際、山の部材が不足し、北観音山と共用して巡行を実現したこともありました。2022年の鷹山の復活も楽しみです。

北観音山の格天井

堂目　時代が変遷する中でも山鉾町が存続し続け、現代でも復帰する山や鉾もあるというのは驚くべきことです。中央集権的ではない点で、一般的な大学の組織と似ていますが、相互扶助しつつも、それぞれが責任を持って独立しているからこそうまくいくのかもしれませんね。

山田　長年活動している人は基本的には奉仕の精神です。手弁当で「祭りに参加させてもらっている」意識が強いですが、決して義務的ではありません。だから東京や九州からも参加するのです。山を引っ張る曳き子としてボランティアで祭りに参加し、現在作事方として定住しているカナダ人もいます。

堂目　閉じているようで閉じていない祇園祭の不思議さを感じます。絶妙なバランスを保ちながら、永年にわたって継続してきたのですね。根底にあるのは、やはり熱意でしょうか。

山田　私の実家は代々六角町で呉服商を営んでいました。知らぬ間に私は、店を通して町のエネルギーをもらっていたのでしょう。呉服業界が衰退する過程で、数年前に事業は閉じましたが、私の中で祭りを続けていくという強い気持ちが現在でも根底にあります。祭りがあるから私がいるとでもいいましょうか。呉服など伝統産業も祭りに参加する熱意のようなものを見つめ直せば、イノベーションの芽もあったかもしれません。

保存会では、若い人が評議員に選ばれる予定です。いずれは町の人間だけで運営するのが困難になっていくでしょう。時代に合わせ、守るべきものと変えるべきものがあるでしょう。

堂目　企業も研究活動でも心意気がない所に質の高いものは生まれませんし、山田さんをはじめ祇園祭の担い手には種火のように消えない何かがあるのでしょう。山鉾町が持つ伝統の底力ですね。

山田　とにかく祇園祭に参加することが楽しくて仕方ないです。そうして、一心不乱に熱中していると不思議と子どもたちにも伝わるようです。祖父や親の背中を見ていた私もそうでした。当たり前のことを当たり前に続けていく。そこには京都人の誇りを感じます。

＝次回は8月末に掲載予定

5月のフォーラム採録紙面は上のQRコードからアクセスできます。

対談シリーズ 01（2019年7月31日掲載）

伝統行事と地域について

◎堂目卓生さん　大阪大 社会ソリューションイニシアティブ長

◎山田健二さん　祇園祭山鉾連合会評議員／北観音山保存会常務理事

11 企画特集　第3種郵便物認可　京都新聞　2019年（令和元年）8月31日　土曜日

未来へ受け継ぐ　Things to inherit to the future

日本人の忘れもの　知恵会議②

未来を拓く京都の集い

次世代にメッセージを発信する京都新聞「日本人の忘れもの知恵会議」。5月のフォーラムを踏まえ、社会課題の実践的解決を考える対談シリーズ2回目は、ゲストにデイサービスと高齢者施設を併設し、一生を通じた豊かな生き方を目指すマーレー寛子さんを迎えた。ホストは前回に続き、経済学の立場から社会問題の解決に取り組む大阪大・堂目卓生教授。コーディネーターは、京都新聞総合研究所長の内田孝が務めた。

対談

大阪大 社会ソリューションイニシアティブ長
堂目 卓生さん

子羊会 八王子保育園園長、高齢者部統括顧問
マーレー 寛子さん

高齢者と福祉の課題などをディスカッションした堂目卓生さん（右）とマーレー寛子さん（近江八幡市北之庄町・社会福祉法人子羊会）

堂目　人工知能（AI）等によるイノベーションが求められる中、ハンディキャップを持つ人たちをはじめ、全ての人が共感し合う社会の構築が必要と考えます。なぜ社会福祉の道に入られたのでしょうか。

マーレー　父は、京都の教会の牧師でした。定年後に保育園を運営したかったようですが、若くして急逝しました。実家近くで母が実現させ、現在に至っています。私自身は高校卒業後にYMCAでのボランティアのレクリエーション活動を始め、障害児と触れ合う仕事ができれば、と思い始めました。米国の大学に留学し、「セラピューティックレクリエーション」でレクリエーションが心を健康にすることと、楽しむことの重要性を学びました。

園児たちと高齢者は、互いに良い影響を与え合っている（近江八幡市）

マーレーさん　レクリエーションが心を健康に

堂目　デイサービス施設と保育園を併設されているのがユニークですが、高齢者と子どもの交流に力を入れているのでしょうか。

マーレー　子どもたちは高齢者と接して車いすの人や手が不自由な人、言葉が出ない人が当たり前に地域にいることを自然に学びます。お年寄りと接すると、理屈抜きに面白いことが起きます。促しても立ち上がろうとしなかったお年寄りが子どもに書道を教え始めたり、あやすなど受け身のお年寄りが「大人の顔」になるんです。子どもは逆に高齢者のお手伝いをしようとします。それぞれ自らのささやかな「役割」を見いだし、ごく自然に能動的になり楽しんでいる姿に感動します。

堂目　自分ができる小さな活動に喜びや楽しみを見つけるのですね。「レクリエーション」は障害者だけでなく、高齢者にも有効なのでしょうか。

マーレー　高齢になると病気や体の衰えで、障害者との共通点が増えます。開設当時はデイサービスでのレクリエーション自体が未開発。外で一緒に買い物や食事をするなど活動の場を広げることを心掛けました。近年は、自己決定ができる機会としての選択制のレクリエーションに取り組んできました。

敷地内にあしらわれた園児たちの作品

マーレー・ひろこ　1963年生まれ。堀川高卒業後に渡米。ノースカロライナ大などで「セラピューティックレクリエーション理論」を研究。近江八幡市の八王子保育園園長。福祉社会学博士（京都府立大）。

多くの方の晩年の生き方から思うのは、人生で重要なのは「楽しむ力」。その源泉としての「レクリエーション」です。青春を再び迎えたように素直に楽しめる方がいる一方、行動に移せない人も。子どものころからさまざまなことに喜び、楽しめる心を育む環境が求められますね。

社会的弱者と共に楽しむ姿勢を　堂目さん

どうめ・たくお　1959年生まれ。立命館大経済学部助教授などを経て大阪大総長特命補佐、社会ソリューションイニシアティブ長。専門は経済学史、経済思想。「アダム・スミス」（中公新書）でサントリー学芸賞。京都市在住。

堂目　個々の社会課題の深刻さに、眉間に皺を寄せてしまいがちなので、楽しみ、喜ぶことが大切との言葉に目からうろこが落ちる思いです。本来、レクリエーションはどんな意味なのでしょうか。

マーレー　米国ではレクリエーションとレジャーは一つの連なった言葉としてよく使われます。日本ではお金のかかる遊びとのイメージですが、ラテン語から派生したレジャーはスクール（school）の語源であるギリシャ語のスコーレ（skhole）に通じ、本来は教育と哲学を織り交ぜた精神啓蒙をする時間を意味します。

堂目　経済学では、労働していない状態がレジャーとして定義され、あまりポジティブには捉えられていません。日本社会でも働いている時間をメインに考える傾向があると思います。

マーレー　語源的には、レジャーのない状態が労働。現代日本は効率重視で、遊びや余暇の時間に罪悪感を持ちます。しかし無駄とされる遊び、余暇が生活からなくなると生きていけません。一見無駄とされるものに価値を見いだすことが大切ではないでしょうか。

日本人は、遊びが上手な文化を培ってきました。日本画は余白を生かすことに価値を見いだしてきました。不必要に見える無用の用という心の遊びの楽しみを知っているのは、遊びに対する精神的態度の特色といえます。

堂目　働き方改革が課題ですが、働くことを苦役や拘束と捉えず精神啓発としての「遊び」の要素を入れることも考えるべきかもしれませんね。

マーレー　介護福祉の中のレクリエーションでは活動を強制しないとされていますが、背中を押すことは時に必要では。勧められてやってみたら面白かった、ということがあります。その際、ハンガリー出身の心理学者ミハイ・チクセントミハイ提唱のフロー理論が示す「人の能力と課題が釣り合う状態」になるよう配慮が必要で、それが「楽しい」と感じるフロー状態を作り出すのです。

同じ仕事でも人によって楽しめるかどうか異なり、内容や時間はあまり関係ありません。それぞれがささいなことでも価値を見いだせるようにし、目標設定とフィードバックが得られやすい環境を考えることが必要です。

堂目　私が今、格闘しているのは「現在の経済システムを維持しながら、人の心が少しでも解放される考え方をどう組み込み、制度化するか」です。生産活動を担う立場の人が、障害者や高齢者、子どもといった「社会的弱者」と呼ばれる人々に向き合い、心を開き、ともに楽しむ姿勢を持つことが大切と思います。

マーレー　介護保険制度の中では往々にして身体能力の改善などが重視されますが、これは死を迎える時には必ず落ちていきます。だからこそ心の健康に価値を置いてみたい。死ぬ瞬間まで楽しめるかどうか。体が動かなくなっても、認知症になっても自分の心は楽しめる自分でいる。主観的に「楽しむことができる」時、人の心は健康といえます。それが人の幸せを左右する鍵だと信じています。

そのためにも「社会的弱者」とされる人々自身が個々の状況で喜びや楽しさを見いだせるための援助が必要になると思います。それは弱者だけでなく、全ての人に大切ではないでしょうか。　＝次回は9月末掲載予定

5月のフォーラム採録紙面は上のQRコードからアクセスできます。

大阪大学社会ソリューションイニシアティブのサイトは、このQRコードからアクセスできます。

drawing the future of Tomorrow

対談シリーズ 02（2019年8月31日掲載）

一生を通じた豊かな生き方

◎堂目卓生さん 大阪大 社会ソリューションイニシアティブ長

◎マーレー寛子さん 子羊会 八王子保育園園長／高齢者部統括顧問

未来へ受け継ぐ Things to inherit to the future

日本人の忘れもの 知恵会議 ③
未来を拓く京都の集い

高齢化とそれに伴う医療の課題に対し、診察の現場で医師たちはどんな思いで患者と接しているのだろうか。京都発のメッセージを考える「日本人の忘れもの知恵会議」連続対談3回目は、ゲストに在宅医療を実践する医師、守上佳樹さんをお招きした。ホストは経済学から30年後の未来を考えている大阪大・堂目卓生教授で、コーディネーターは京都新聞総合研究所所長の内田孝が務めた。

対談

大阪大 社会ソリューションイニシアティブ長
堂目 卓生さん

医療法人双樹会 よしき往診クリニック院長
守上 佳樹さん

在宅医療と社会のあり方を議論した守上佳樹さん（左）と、堂目卓生さん（京都市西京区・よしき往診クリニック）

堂目 在宅医療に取り組まれたきっかけを教えてください。

守上 日本は戦後の高度成長期を経て、無料で駆け付けてくれる救急車や先端医療機器など充実した医療体制を整えました。一方で昨今は、定期的に外来受診されていたお年寄りが、体調は思わしくないはずなのに次第に病院へ来られなくなる例が少なくありません。その後、「朝、体が冷たくなっていた」と家族から連絡を受ける。そうなると警察に通報するしかありません。老衰で静かに天国へ旅立ったのに、事件性の有無の確認のため、パトカーが来て大ごとになる。私はそこに心を痛めていました。

自宅で子や孫にみとられて最期を迎えたい、と訴える高齢者は確実に増えています。畳の上で息を引き取るのを子どもや孫がみて、人生と命を考える。一昔前は当たり前だったのに、現在はあまりないですね。病院で亡くなるのは悪いことではないし、病状が劇的に改善するならよいのです。が、亡くなる患者さんと家族にとって、最期の迎え方がこれでよいのかと感じ、訪問医療を始めました。

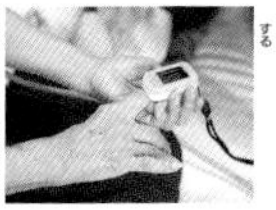
訪問先で、きめこまかく診療する

守上さん 訪問診療で患者らと信頼関係

堂目 医療者が1軒ずつ訪問診療するのは大変だと思います。何人ぐらいの体制で取り組んでいるのでしょうか。

守上 24時間365日の医療体制を維持するために、現在、常勤・非常勤含め医師16人体制で診療しています。病院勤務時は、電子カルテをはじめパソコン上での処理が多く、患者さんと向き合って話す時間が短く、診断も定型的になりがちでした。

一方、訪問診療では、患者さんとの対話や家族への説明が尽くせるからか、家族からは掛け値なしに感謝されます。家に伺うと、処方した薬が飲まれず袋に入ったままだったり、病院には小ぎれいな身なりで来られる方なのに家にごみが散乱していたりします。飾られている写真で大切な人の存在や、トイレを見れば生活習慣も分かります。

患者さんの思いや困っていることが素直な言葉となり、対話が進みます。医者としての本分を感じられる貴重な時間だと思います。

堂目 政府が推進する「ソサエティー5・0」では、情報通信技術を使ったデータに基づいて健康管理することが目指されますが、現場でなされる人間味のある会話や交流も考慮しなければ、真に豊かな未来社会は構築できないと思います。大学の医学部でも、専門知識の習得だけでなく、患者さんと良好な人間関係をつくるコミュニケーション能力を高める教育も重視されつつあります。

もりかみ・よしき 1980年生まれ。広島大学校教育学部で教員免許を取得後、金沢医科大へ。卒業後、京都大医学部付属病院老年内科に入局。三菱京都病院総合内科で6年間勤務後、2017年に「よしき往診クリニック」を開設。

人間と社会に関する総合知を 堂目さん

どうめ・たくお 1959年生まれ。立命館大経済学部助教授などを経て大阪大総長特命補佐、社会ソリューションイニシアティブ長。専門は経済学史、経済思想。「アダム・スミス」（中公新書）でサントリー学芸賞。京都市在住。

守上 情報通信技術の進展が生み出した先端機器は有用です。訪問診療でもカルテはクラウド上で管理していますし、難聴の方向けの対話支援機器等も活用しています。ただ、やはり大事なのは「ラポール」、つまり患者さんや家族との信頼関係をいかに築くかだと思っています。当院では診療に集中するドクターと、診療以外のケア全般を担当するメディカルコーディネーターがペアで活動し、患者さんに何ができるのかを徹底的に考えることで心の通い合いが生まれます。

患者さんと向き合うなかで「こんなものをつくってくれると助かる」という、現場では何が有用で、必要とされているのかとの観点を基に、ボトムアップで最先端技術が生み出されるようになればいいですね。

堂目 社会課題に向き合う上で専門的な知識が必要なのは言うまでもありません。しかし、経済学であれ、政治学であれ、一つの専門分野の知見だけでは、複雑化した社会問題に対応できません。例えば、防災という課題に向き合うためには、科学技術だけでなく、人間と社会に関する知識を合わせた総合知が求められます。

守上 同感です。これまでの医学教育は専門特化型で、高度化・細分化によって専門分野が深化した結果、各診療科の壁が高くなることを是としてきました。ところが昨今、それではうまく回らないと考えられるようになったのです。訪問診療の現場で実際に必要なのは、専門性を融合した総合医療です。思い起こせば、そもそも数十年前は、総合医療こそが医者の本業だったはずです。

堂目 今後の地域社会について危惧されるのは、多様な人々が交流するつながりが希薄になり、孤独な高齢者がますます増える傾向にあることです。訪問診療についても、医療関係者だけで進めるのではなく、地域で活動する人々との連携を強めれば、コミュニティーの力が回復するのではないでしょうか。

守上 訪問診療が注目されるようになり、昨今は特に都市部で活発になってきています。患者さんと向き合うことで、医師を目指そうとしたときの純粋な思いや医者の原点を再認識する真摯な気持ちにさせてくれるとして、臨床経験を一定積んだ医師たちの中で地域医療に関わろうとする若い世代が増えつつあります。

全国的にも京都においても地域医療は今、転換期を迎えています。地域医療をはじめ介護や在宅みとりなど現代社会が抱える問題に対し、地域でのつながりをこれまで以上にしっかりと構築することで、サスティナブル（持続可能）に解決していけるよう訪問診療体制の充実を図っていきたいと思っています。

＝次回は10月末掲載予定

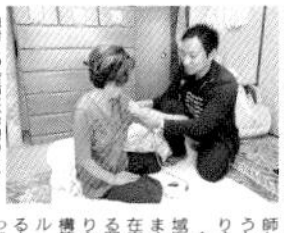
患者との会話は、診療のヒントになることが多いという

日本人の忘れもの知恵会議 京都発で次世代に発信するメッセージです。2011年秋に京都ゆかりの幅広い分野の人たちが集い、先人が培ってきた知恵を基礎として、新しい生き方、社会を構想する試みを続けています。

今年5月には京都新聞創刊140年、京都経済センター発足を記念する文化フォーラムを開催しました。鷲田清一さんの基調講演に続き、堂目卓生さんらがディスカッション。その成果を踏まえ、今回の対談シリーズを企画しました。対談は毎月1回、12月まで続きます。

5月のフォーラム採録紙面は上のQRコードからアクセスできます。

大阪大学社会ソリューションイニシアティブのサイトは、このQRコードからアクセスできます。

drawing the future of Tomorrow

私たちは［日本人の忘れもの 知恵会議2019］に参画しています。

アサヒビール株式会社 京滋統括支社
株式会社 石田大成社
一澤信三郎帆布
株式会社 井筒企画
石清水八幡宮
上原成商事株式会社
裏千家 今日庵
ANAクラウンプラザホテル京都
SGホールディングス株式会社
株式会社 NTTドコモ
株式会社 大垣書店
大阪ガス株式会社
大谷大学
オムロン株式会社
株式会社 オンリー
柿本商事株式会社
北野天満宮
京セラ株式会社
京都駅ビル開発株式会社
学校法人 京都外国語大学
株式会社 京都銀行
学校法人 京都産業大学
京都信用金庫
京都青果合同株式会社
京都橘大学
京都中央信用金庫
株式会社 京都東急ホテル
京都ブライトンホテル
株式会社 京都ホテル
京都薬品工業株式会社
清水寺
キリンビール株式会社 京滋支社
株式会社 きんでん 京都支店
京阪ホールディングス株式会社
月桂冠株式会社
株式会社 公益社
佐川印刷株式会社
株式会社 三笑堂
サントリー酒類株式会社 京都支社
ジーク株式会社
株式会社 ジェイアール西日本伊勢丹
株式会社 ジェイアール西日本ホテル開発
株式会社 JTB 京都支店
香老舗 松栄堂
株式会社 聖護院八ッ橋総本店
株式会社 しょうざん
株式会社 進々堂
株式会社 SCREENホールディングス
成基コミュニティグループ
星和電機株式会社
積水ハウス株式会社 京都支店
総本山 醍醐寺
株式会社 大丸松坂屋百貨店
大和ハウス工業株式会社 京都支社
株式会社 高島屋京都店
タキイ種苗株式会社
株式会社 たけびし
東京海上日動火災保険株式会社
株式会社 トーセ
TOWA株式会社
株式会社 中澤ホールディングス
西川株式会社
西日本電信電話株式会社 京都支店
西日本旅客鉄道株式会社
ニチコン株式会社
NISSHA株式会社
日新電機株式会社
日本新薬株式会社
公益財団法人 日本漢字能力検定協会
日本たばこ産業株式会社 北関西支社
学校法人 二本松学院 京都美術工芸大学
総本山 仁和寺
野村證券株式会社 京都支店
ハイアット リージェンシー 京都
株式会社 ハトヤ観光
株式会社 PHP研究所
株式会社 日立製作所 京都支店
平等院
株式会社 福寿園
株式会社 フクナガ
富士ゼロックス京都株式会社
佛教大学
株式会社 プリンスホテル
平安神宮
株式会社 増田医科器械
株式会社 マツシマホールディングス
三井不動産株式会社 京都支店
京佃煮 美濃吉
村田機械株式会社
株式会社 村田製作所
彌榮自動車株式会社
株式会社 ヤナセ
株式会社 ユーシン精機
学校法人 立命館
学校法人 龍谷大学
株式会社 ロマンライフ
株式会社 ワコールホールディングス
ワタキューセイモア株式会社

50音順

対談シリーズ 03（2019年9月30日掲載）

在宅医療と社会の在り方

◎堂目卓生さん 大阪大 社会ソリューションイニシアティブ長

◎守上佳樹さん 医療法人双樹会 よしき往診クリニック院長

未来へ受け継ぐ　Things to inherit to the future

日本人の忘れもの 知恵会議 ④
未来を拓く京都の集い

芸術家はいつの時代も社会の動きを作品に反映させてきた。一方、人々が芸術に昇華された制作者の思いを読み取ることで、作品に込められたメッセージは次世代へ受け継がれてきた。「日本人の忘れもの知恵会議」連続対談4回目は、京都市立芸術大の赤松玉女学長を招き、芸術と社会の関わり方を尋ねた。ホストは大阪大の堂目卓生教授で、コーディネーターは京都新聞総合研究所所長の内田孝が務めた。

対談

大阪大 社会ソリューションイニシアティブ長　堂目 卓生さん

京都市立芸術大学長　赤松 玉女さん

芸術と社会の関係を語り合った赤松玉女さん（左）と堂目卓生さん（京都市下京区・元崇仁小）

堂目　複雑化する現代社会では、知性だけで社会問題は解決できません。人の命を輝かせる上で、自然や芸術など美に対する感性に重要な役割があるのではないかと思います。芸術や美はどのようなものだとお考えでしょうか。

元崇仁小は、現代アートの展示会場としても活用されている。一帯は、京都市立芸術大の新キャンパスとなる

赤松　アートや美に触れたとき人は感覚的に、はっとしたり、うれしくなったり、あるいは何かを考えさせられたりして心が活性化され、感動します。何かを作る、描く行為は、例えば幼い子どもたちにとっては非日常的体験で、驚きの連続です。学生たちには、自分がとらわれている既成概念に気づき壊していくプロセスで、次へのモチベーションが生まれます。感性から生まれる創造力に、人間の潜在的な可能性があります。

堂目　赤松さんは障害者の創作活動を支援しておられますね。カナダの思想家ジャン・バニエは、健常者側の意識に心の壁があると考え、知的障害者と共に生活するホームを世界中につくりました。

また、アフリカなど、障害者を収容する施設のない地域では、障害者と健常者が仲間意識を持って一緒に生活すると聞きます。

赤松さん　芸術を通じて社会に発信を

あかまつ・たまめ　1959年兵庫県尼崎市生まれ。画家。京都市立芸術大大学院美術研究科修了。イタリアでの創作活動などを経て、93年に京都市立芸術大教員に。美術学部長を経て19年4月、理事長兼学長に就任。

赤松　幼少時、障害のあった私の伯母は周囲からひたすら隠される存在でした。ダウン症を持つ私の娘にはもっと社会とつながってほしいと考え、地域の小学校の普通学級に入学しました。すると、そういう私自身にも学校にも、分けることが当たり前の文化があったことに気づきました。日本の社会全体がそういう文化だったんです。夫の出身国・イタリアは寛容な国で、日本の特別支援学級や学校に相当する施設はありません。分け隔てて育てると、共生のためのコミュニケーション能力がお互いに育たないと考えられているからです。

私がアート活動を支援している「かしの木学園」（京都市中京区）の利用者の方たちは、最初は戸惑う表情を見せながらも、面白さに気づくとやがて真っ白なキャンバスに向かって思うままに筆を動かす純粋な作業に没頭する人もいます。原点は誰もが全く一緒ですね。

堂目　芸術作品は個々人の立場や状況を超えた自由な発想によって生まれるものなのですね。では、そうして生まれた作品と社会の関係をどのように捉えておられるでしょうか。

赤松　芸術は、王族や貴族が独占する時代からパトロンなど個人によるコレクション隆盛期を経て、美術館が設立されるなど個人作品が広く社会に流通し保存されるようになって現代に至っています。

地域とつながるテラス構想　堂目さん

どうめ・たくお　1959年生まれ。立命館大経済学部助教授などを経て大阪大総長特命補佐、社会ソリューションイニシアティブ長。専門は経済学史、経済思想。「アダム・スミス」（中公新書）でサントリー学芸賞。京都市在住。

時代の変化は作品と無縁でありません。特に、科学や技術の発展は芸術家の好奇心を引き寄せました。材料の革命は創作の可能性を広げ、写真の出現は、画家の感性的表現を強く促す契機となったのです。一方で優れた一つの作品や演奏が社会に新潮流を巻き起こすこともあり、芸術と社会とは切り離せません。

芸術大学の役割は、専門家としてのアーティスト、研究者を志向する人を長いスパンで支援することはもちろんですが、無から何かを生み出す活動を学ぶことで身に付けた豊かな表現力や創造力を通じて、さまざまな分野で社会に発信していける人材を育てることも重要だと考えています。

堂目　京都市立芸術大は2023年にJR京都駅近くの崇仁地区に移転予定ですね。掲げられている「テラス構想」は、大学が閉じた芸術教育に終始するのではなく、公共性を持って地域とつながることを重視していると感じます。

現代の芸術作品は、社会とどのように関わっていくかも問われている

赤松　本学は1学年約200人と小規模で、学生の視野が狭くなりがちです。以前から影響力のある美術家や音楽家を学外から招いており、最近では経済界のリーダーや福祉施設の関係者の方々にも広く登壇をお願いしています。日本伝統音楽研究センターと芸術資源研究センターは、セミナーやシンポジウムを学内外で活発に行っています。その延長で移転を機に、大学間や産業、地域との連携にも力を入れていく基盤となるのがテラス構想です。

「こんな面白い大学が街中にやって来ます」と伝えると同時に、学内からも出掛けて行く。テラスに来た人たちと互いに刺激し合い、新たな創作や演奏につなげるような公開性が大事だと考えています。

堂目　テラス構想は、京都そのものが、新しいものを生み出してきた歴史があるからこそ可能になるのではないでしょうか。京都の街についてはどのように感じられていますか。

赤松　歴史の街、大学の街であり、革新的な街です。歴史的建物や美しい景観、伝統工芸資産が豊富なだけでなく、最先端テクノロジー企業も多数あります。前衛的なパンクロックの精神が似合うのは、大阪や神戸よりも実は京都かもしれません。芸大も伝統を継承することと同時に今までにないものを生み出していく役割もあると考えます。

京都からは吸収しようと思えばいくらでもできる。でも放っておいてもくれるから、閉じようと思えば閉じてもいられる、過保護なだけではない街とも言えますね。

堂目　グローバリゼーションが進む中、多様な価値観がぶつかり合い、世界は不安定で困難な時代を迎えると言われています。こうした危機感や閉塞感に対して、芸術や美はどんな役割を持つでしょうか。

赤松　芸術、美の意義は、ただ美しいだけでなく、違う価値観に触れることで、面白く、わくわくするといったところにあり、芸大はそういったさまざまなものをじかに感じていただく交流の場でありたいと思っています。

評価の定まった作品だけでなく、見慣れない、聞き慣れないものもあっていいでしょう。拒否されたり、驚かれたりするところから斬新な価値観が生まれ、新たな歴史が加えられていくのではないでしょうか。

＝次回は11月下旬掲載予定

5月のフォーラム採録紙面は上のQRコードからアクセスできます。

大阪大学社会ソリューションイニシアティブのサイトは、このQRコードからアクセスできます。

対談シリーズ 04（2019年10月31日掲載）

芸術と社会の関わり方

◎堂目卓生さん　大阪大 社会ソリューションイニシアティブ長

◎赤松玉女さん　京都市立芸術大学長

第3種郵便物認可　京都新聞　2019年(令和元年)11月30日　土曜日　企画特集　10

未来へ受け継ぐ　Things to inherit to the future

日本人の忘れもの 知恵会議 ⑤

未来を拓く京都の集い

京都市内で猟を暮らしの中心に据え、家族と獲物の命を意識しながら暮らすのが千松信也さんだ。生活のリズム、自然との距離の取り方をどう考えているのだろうか。けものが現れることもあるという山の際で、ホストの大阪大・堂目卓生教授と語り合ってもらった。コーディネーターは京都新聞総合研究所所長の内田孝が務めた。

対談

大阪大 社会ソリューションイニシアティブ長　堂目 卓生さん

猟師　千松 信也さん

動物の命と正面から向き合う　千松さん
大切な人間本能の一部見失う　堂目さん

猟から見えてくる暮らしについて語り合う千松信也さん（右）と堂目卓生さん（京都市左京区）

堂目　わな猟に携わることになったきっかけを教えてください。

千松　兼業農家に生まれ、動物や虫を追い掛けて育ちました。小学生の頃は動物園の飼育員に憧れ、中学・高校では獣医を目指していましたが、大学受験を控えたある日、車にひかれたネコがまだ生きていたのに、見て見ぬふりをしてしまったことがあり、自分は獣医には向いていないと思いました。

大学時代は休学してアジアを放浪するなど自由に過ごしましたが、京都に戻って狩猟の世界を知りました。やってみると、幼少時の感覚が戻ってくるような気がして、いつの間にか生活の一部になっていました。

鉄砲を使う猟はグループが基本。単独で山歩きしたい私には、わな猟が合っていました。仕掛けによくしなる木などの自然物を利用することもあり、原始的なところもよかったですね。

堂目　動物好きなのに、猟をする、つまり動物の命を奪うのは矛盾しているようにも見えますが。

千松　自らの手で動物の命を奪い、食べることで私や家族の命につなげることに意味があります。動物好きなのに命を奪う過程を第三者に委ね、単に肉を買うのでは動物たちの命と正面から向き合えていないのでは、という思いをずっと持っていました。

肉を食べる以上、自分自身で動物の命を奪うことが、自分なりの動物に対する責任の取り方です。食用を想定しない有害鳥獣の駆除に消極的なのも、動物を単に排除するような違和感があるからです。

堂目　動物を自分の命とつながった存在と見なし、命の循環の中に自分を入れるという感覚なのでしょうか。一方、私たちは、お金を払えば肉を含めた食糧が何でも手に入るという貨幣経済に長い間なじんできました。自給自足に近い生活をされる千松さんから見て、現代の私たちが失いつつあるものは何でしょうか。

千松　運送会社で働き、私も貨幣経済と無縁ではありません。しかし、金銭が普遍的な価値とされる社会は非常に不平等だと思っています。私がもし自分が解体した肉を市場に出すなら、大量生産品と違い、高価にならざるを得ません。それを買えるのはお金に余裕がある人だけですね。富が片寄りがちな現在の社会で、お金持ちに有利な形で獲物を提供するのは、動物に失礼な気がするのです。

自然界では、どんな肉食動物でも本当に必要とする以上に捕食しません。狩猟で得た肉は顔が見える仲間に食べてもらい、代わりに野菜を頂くなどの範囲にとどめたいと思います。

堂目　狩猟を趣味にしているわけではないのですね。

千松　動物を殺めることを楽しんでいると思われたくないので、狩猟を趣味とは言いません。私にとっての狩猟は、スーパーで肉を買うのと同じ行為です。スーパーではお金を払いますが、山では労力や技術を使う点が違うだけで、食料を調達するという生活の一部です。

飼育している鶏は食欲旺盛だ

山などで用いる道具類

堂目　意外にも、ベジタリアンの友人がおられると聞きましたが。

千松　ベジタリアンには動物を殺めること自体を嫌う人がいますが、豚や鶏等の劣悪な飼育環境への嫌悪感から肉食を否定する人もいます。家畜の飼育には大量の穀物が必要で、食糧問題として肉を敬遠する人もいるようです。必要な分だけ自然から獲物を頂くという私の姿勢は、ベジタリアンの一部の人たちと通じ合う面もあるようです。

堂目　猟師人口は減っているのでしょうか。

千松　戦後、日本人の山への関わり方が変化する中で、イノシシやシカが急激に増えました。高齢化で狩猟人口が減っているのは確かですが、有害駆除が急務になったことによる捕り手不足と言った方が正しいかもしれません。昨今、国の政策も変化して若手猟師も徐々に増えてきています。

堂目　千松さんは、自分の仕事や生活のスタイルをすべて自分で決めて実行していますが、そうしたことができる人は少ないように思います。

千松　現代は機械化やネット環境整備で便利になっている一方、さまざまなことが複雑化しすぎてみんなそれに追い立てられているように感じます。社会が進歩し、効率が上がったことで労働時間に余裕が生まれなければいけないのに、ブラック企業の話題も尽きません。技術の力を社会の仕組みをシンプルにする方向に振り向け、個々の人間が自由に好きなことができるように社会を設計することが重要だと思います。

堂目　千松さんの著書『けもの道の歩き方』（リトルモア）に印象深い一節がありました。家畜化された鶏は、普通は産んだ卵を温めることはしないけれど、ごくまれに卵を温める「就巣」という本能に立ち返った行動をする個体があるという話です。文明化によって、人間も、大切な本能の一部を見失っているのではないかと思いました。

人間が本来持つ、生き生きした活動を見い出せるような未来を創るには、特に子どもたちをどのような環境で育むべきとお考えでしょうか。

千松　現在の子どもたちは学校でも家庭でも逃げ場がなく、一定の価値観のもとで押さえつけられているように見えます。私の子どもたちは、山での生活はもちろん、猟で捕まえたイノシシをさばいたりする一方、テレビゲームなど現代的な遊びも含めてさまざまな体験をしています。

息子の友だちに石を集めるのが大好きな子がいて、普段はクラスでは目立たないおとなしい子なんだそうです。でも、先日、彼が山で火打ち石を使ってみせると、他の子どもたちは尊敬のまなざしを向けていました。彼自身もとても生き生きしていました。そういったそれぞれの長所や興味を大事に見守っていくことが今、求められているんだと思います。

＝次回は12月中旬掲載予定

どうめ・たくお　1959年生まれ。立命館大経済学部助教授などを経て大阪大総長補佐、社会ソリューションイニシアティブ長。専門は経済学史、経済思想。「アダム・スミス」（中公新書）でサントリー学芸賞。京都市在住。

せんまつ・しんや　1974年兵庫県伊丹市生まれ。京都大文学部卒業。大学在籍中に狩猟免許を取得し、運送会社で働きながら自宅近くの京都市内で伝統の「わな猟」を行う。著書に「ぼくは猟師になった」（新潮文庫）ほか。

前回までの対談シリーズは上のQRコードからアクセスできます。

大阪大学社会ソリューションイニシアティブのサイトは、このQRコードからアクセスできます。

冬に備えて備蓄しているマキ

drawing the future of Tomorrow

私たちは［日本人の忘れもの 知恵会議2019］に参画しています。

アサヒビール株式会社 京滋統括支社	株式会社 京都銀行	株式会社 ジェイアール西日本伊勢丹	株式会社 中澤ホールディングス	富士ゼロックス京都株式会社
株式会社 石田大成社	学校法人 京都産業大学	株式会社 ジェイアール西日本ホテル開発	西川株式会社	佛教大学
一澤信三郎帆布	京都信用金庫	株式会社 JTB 京都支店	西日本電信電話株式会社 京都支店	株式会社 プリンスホテル
株式会社 井筒企画	京都青果合同株式会社	香老舗 松栄堂	西日本旅客鉄道株式会社	平安神宮
石清水八幡宮	京都橘大学	株式会社 聖護院八ッ橋総本店	ニチコン株式会社	株式会社 増田医科器械
上原成商事株式会社	京都中央信用金庫	株式会社 しょうざん	NISSHA株式会社	株式会社 マツシマホールディングス
裏千家 今日庵	株式会社 京都東急ホテル	株式会社 進々堂	日新電機株式会社	三井不動産株式会社 京都支店
ANAクラウンプラザホテル京都	京都ブライトンホテル	株式会社 SCREENホールディングス	日本新薬株式会社	京銘石 美濃吉
SGホールディングス株式会社	株式会社 京都ホテル	成基コミュニティグループ	公益財団法人 日本漢字能力検定協会	村田機械株式会社
株式会社 NTTドコモ	京都薬品工業株式会社	星和電機株式会社	日本たばこ産業株式会社 北関西支社	株式会社 村田製作所
株式会社 大垣書店	清水寺	積水ハウス株式会社 京都支店	学校法人 二本松学院 京都美術工芸大学	彌榮自動車株式会社
大阪ガス株式会社	キリンビール株式会社 京滋支社	総本山 醍醐寺	総本山 仁和寺	株式会社 ヤナセ
大谷大学	株式会社 きんでん 京都支店	株式会社 大丸松坂屋百貨店	野村證券株式会社 京都支店	株式会社 ユーシン精機
オムロン株式会社	京阪ホールディングス株式会社	大和ハウス工業株式会社 京都支社	ハイアット リージェンシー 京都	学校法人 立命館
株式会社 オンリー	月桂冠株式会社	株式会社 髙島屋京都店	株式会社 ハトヤ観光	学校法人 龍谷大学
柿本商事株式会社	株式会社 公益社	タキイ種苗株式会社	株式会社 PHP研究所	株式会社 ロマンライフ
北野天満宮	佐川印刷株式会社	株式会社 たけびし	株式会社 日立製作所 京都支店	株式会社 ワコールホールディングス
京セラ株式会社	株式会社 三笑堂	東京海上日動火災保険株式会社	平等院	ワタキューセイモア株式会社
京都駅ビル開発株式会社	サントリー酒類株式会社 京都支社	株式会社 トーセ	株式会社 福寿園	
学校法人 京都外国語大学	ジーク株式会社	TOWA株式会社	株式会社 フクナガ	

50音順

対談シリーズ 05（2019年11月30日掲載）

猟から見えてくる暮らしについて

◎堂目卓生さん　大阪大 社会ソリューションイニシアティブ長

◎千松信也さん　猟師

未来へ受け継ぐ　Things to inherit to the future

日本人の忘れもの 知恵会議

未来を拓く京都の集い ⑥

災害被害の目立った2019年。年が明けると、阪神・淡路大震災から四半世紀だ。夏の「復興五輪」が終われば、2021年は東日本大震災から10年となる。災害列島とも言うべき近年、新しいつながり方を模索・実践する菅野拓さんに、堂目卓生さんが話を聞いた。コーディネーターは、京都新聞総合研究所所長の内田孝が務めた。

対談

大阪大 社会ソリューションイニシアティブ長
堂目 卓生さん

京都経済短大専任講師
人と防災未来センターリサーチフェロー
菅野 拓さん

被災者の支援にキーマンを 菅野さん

「未来準備の20年」と解釈も 堂目さん

災害が頻発する時代の新しいつながり方を模索する菅野さん㊧に問いかける堂目さん
（京都市中京区の京都新聞社）

すがの・たく　1982年生まれ。専門は人文地理学。民間シンクタンク、ＮＰＯを経て2014年に「人と防災未来センター」（神戸市）へ。東日本大震災や熊本地震での被災者・行政・ＮＰＯ支援や復興調査を行う。19年から京都経済短大専任講師。

どうめ・たくお　1959年生まれ。立命館大経済学部助教授などを経て大阪大総長補佐、社会ソリューションイニシアティブ長。専門は経済学史、経済思想。「アダム・スミス」（中公新書）でサントリー学芸賞。京都市在住。

堂目　来年、阪神・淡路大震災から25年を迎えます。

菅野　発生時は小学6年。神戸には親戚も住んでいました。震災直後、母親に「しっかり見ておくように」と言われて一緒に被災地に行きましたが、自分が防災を研究するとは思いませんでした。

大学院修士課程までは農学、特に公園設計を学びました。公園の多くの野宿者を目の当たりにし、支援に関わるようになりました。2011年、東日本大震災発生時は大学院生。各地でホームレス支援活動をする人たちと連絡を取り合い、8日後には仙台市に入りました。ＮＰＯ（民間非営利団体）活動に加わり、全国から集まる救援物資を被災者に届ける調整や交渉を担いました。

堂目　ホームレス支援から防災の研究者に変わったのですね。

菅野　被災者支援とホームレス支援は、重なる部分が多いと考えています。失業、借金など路上生活へ追い込まれる事情はさまざまですが詳しく聞くと、自分の意思とは関係なく問題に巻き込まれているケースも多くあります。ホームレス支援は、一つ一つの問題解決の積み重ねです。

被災者も家族が分断されることがあります。支援には住宅や医療、就業など幅広い分野に目配りが求められ、縦割りになった仕組みやサービスをつなぎ合わせ、コーディネートしながらサポートする必要があります。

被災地のＮＰＯの事務所には、各地から応援の人たちが数多く駆け付け、行政やメディアの人たちも出入りします。多くの人が入り乱れて情報が錯綜する中で、さまざまな支援活動が行われました。互いに面識もない人たちが、それぞれの役割を果たすことで、プロジェクトが成立して進んでいく様子を見て、最初は不思議に感じました。

この原理やメカニズムを明らかにすることが、今も研究テーマになっています。

堂目　近刊の著書『つながりを生み出すイノベーション』では、地域性やネットワークに注目し、サードセクターの重要性を強調されています。

菅野　行政をファーストセクター、民間企業をセカンドセクターと位置づけ、ＮＰＯやコミュニティービジネス、協同組合などの非営利で、行政機関に含まれない組織をサードセクターと呼んでいます。活動が一定地域に限定されているため、他地域の同じような組織と競合関係にならずに共存でき、お互いに情報交換やノウハウ共有が進めやすい利点もあります。

人的ネットワークで「顔の見える関係」を構築している点も特徴で、行政がサードセクターとの協働を積極的に進めている地域もあります。

堂目　2008年にリーマンショックによる金融危機が起こり、10年ごろには高齢者の孤独死が社会問題として広く知られるようになりました。家族や地域のつながりを回復する必要があるとの意識が強まる中、東日本大震災が起こり「絆」を求める声が国全体を覆ったように感じました。

菅野　「絆」の大合唱には常に違和感を持っていました。被災地に入ったのも助け合いの絆というより「同じ活動をしている仲間がいるから行こう」とか「そういう活動をしている人たちから信頼できるので一緒に仕事をしよう」との思いが強くあったからです。

社会運動の歴史を見ると、労働組合のように数の力で自分たちの立場を守り、要求を実現させるのが活動の基本でした。1980年代になると、ネットワークという考え方が浸透し始めます。思いを同じくする人となら知識を簡単かつ低コストで共有でき、共有が進めば進むほどネットワーク自体も強化されます。

人と人とのつながりは、緊急時でも平時でも地域の困りごとを解決する仕組みとして機能し、景気動向などにも左右されず、蓄積される資産だと考えています。

堂目　前著の中で、被災者支援の現場ではハブ（結節点）になる人が重要だと述べられています。どのような人を指すのでしょうか。

菅野　人と人をつなぎ、目的に応じて交渉や調整を行い、着地点を見いだしていく存在がいなければ、活動はうまく進みません。

彼らは全国に幅広いネットワークがあり、事業を進めるにはどこに相談すればいいか、政府や自治体ではどんな支援策が検討されているかなどさまざまな情報を持っています。被災者だけでなく、地元自治体や企業も含めてすべての関係者がメリットを享受できるような調整ができる能力も身に付けています。

常に社会問題に関心があり、それの解決に意義を感じているたち人です。

堂目　歴史を研究してみると、宗教革命や産業革命など世の中が大きく動く時には、後世に名前を残す英雄たちとともに、変革を後押しする無名の人々、変革のはるか前に人知れずチャレンジした多数の先駆者たちがいることが分かります。そうした人々が何をモチベーションにして活動するのか、非常に興味があります。

菅野　私も含め、彼らは基本的に人が好きです。被災者からのお礼の言葉や笑顔も励みになりますが、支援者を裏方として支え、彼らが元気に動けることが喜びになっています。そんな仕事を希望する若い世代も増えていると感じます。

堂目　1990年代初めから2010年ごろまでの景気低迷期は「失われた20年」と呼ばれ、確かにこの時期の日本は、それまでと比べて金銭的・物質的な豊かさを増やすチャンスに恵まれなかったかもしれません。

しかし、社会問題を解決すること自体に喜びを感じ、ネットワークを張って新しい仕組みや考え方を伝え合い、地域に根ざした活動をする若い世代の人々が増え始めたことを知ると、「未来を準備した20年」、「忘れものを取りもどした20年」と捉えることもできそうです。

＝このシリーズはこれで終わります

前回までの対談シリーズは上のQRコードからアクセスできます。

大阪大学社会ソリューションイニシアティブのサイトは、このQRコードからアクセスできます。

過去5回の対談要旨

第1回　山田健二さん　祇園祭山鉾連合会評議員、北観音山保存会常務理事。幼い頃から関わってきた祭礼の運営には、人と人のつながりが大きな要素を占めることを紹介。時代の変化に合わせた祭礼の必要性も訴えた。

第2回　マーレー寛子さん　子羊会八王子保育園園長、高齢者部統括顧問。保育園児と高齢者の交流を双方に好影響を与える実践例として紹介。「楽しむ」気持ちが健康、幸福につながることを米国経験も踏まえ、語った。

第3回　守上佳樹さん　医療法人双樹会　よしき往診クリニック院長。高齢者の在宅医療に取り組む契機、現場の実際を語った。患者と信頼関係を結ぶことで診療の精度がアップし、心の通い合いが始まることを解説した。

第4回　赤松玉女さん　京都市立芸大学長。芸大の下京区への移転を前に、芸術が社会に対して発信することの必要性を説いた。また地域とつながるキャンパス構想にふれ、面白さやワクワク感を大切にしたいと話した。

第5回　千松信也さん　猟師。鉄砲でなく「わな」猟を選んだ理由として、動物の命と真正面から向き合い、食の意味を考えることの大切さを訴えた。京都近郊の山で食料を調達し、家族と共に生きることの本質を問い続ける。

drawing the future of Tomorrow

私たちは［日本人の忘れもの 知恵会議2019］に参画しています。

アサヒビール株式会社 京滋統括支社	株式会社 京都銀行	株式会社 ジェイアール西日本伊勢丹	株式会社 中澤ホールディングス	富士ゼロックス京都株式会社
株式会社 石田大成社	学校法人 京都産業大学	株式会社 ジェイアール西日本ホテル開発	西川株式会社	佛教大学
一澤信三郎帆布	京都信用金庫	株式会社 JTB 京都支店	西日本電信電話株式会社 京都支店	株式会社 プリンスホテル
株式会社 井筒企画	京都青果合同株式会社	香老舗 松栄堂	西日本旅客鉄道株式会社	平安神宮
石清水八幡宮	京都橘大学	株式会社 聖護院八ッ橋総本店	ニチコン株式会社	株式会社 増田医科器械
上原成商事株式会社	京都中央信用金庫	株式会社 しょうざん	NISSHA株式会社	株式会社 マツシマホールディングス
裏千家 今日庵	株式会社 京都東急ホテル	株式会社 進々堂	日新電機株式会社	三井不動産株式会社 京都支店
ANAクラウンプラザホテル京都	京都ブライトンホテル	株式会社 SCREENホールディングス	日本新薬株式会社	京懐石 美濃吉
SGホールディングス株式会社	株式会社 京都ホテル	成基コミュニティグループ	公益財団法人 日本漢字能力検定協会	村田機械株式会社
株式会社 NTTドコモ	京都薬品工業株式会社	星和電機株式会社	日本たばこ産業株式会社 北関西支社	株式会社 村田製作所
株式会社 大垣書店	清水寺	積水ハウス株式会社 京都支店	学校法人 二本松学院 京都美術工芸大学	彌榮自動車株式会社
大阪ガス株式会社	キリンビール株式会社 京滋支社	総本山 醍醐寺	総本山 仁和寺	株式会社 ヤナセ
大谷大学	株式会社 きんでん 京都支店	株式会社 大丸松坂屋百貨店	野村證券株式会社 京都支店	株式会社 ユーシン精機
オムロン株式会社	京阪ホールディングス株式会社	大和ハウス工業株式会社 京都支社	ハイアット リージェンシー 京都	学校法人 立命館
株式会社 オンリー	月桂冠株式会社	株式会社 高島屋京都店	株式会社 ハトヤ観光	学校法人 龍谷大学
柿本商事株式会社	株式会社 公益社	タキイ種苗株式会社	株式会社 PHP研究所	株式会社 ロマンライフ
北野天満宮	佐川印刷株式会社	株式会社 たけびし	株式会社 日立製作所 京都支店	株式会社 ワコールホールディングス
京セラ株式会社	株式会社 三笑堂	東京海上日動火災保険株式会社	平等院	ワタキューセイモア株式会社
京都駅ビル開発株式会社	サントリー酒類株式会社 京都支社	株式会社 トーセ	株式会社 福寿園	
学校法人 京都外国語大学	ジーク株式会社	TOWA株式会社	株式会社 フクナガ	

50音順

対談シリーズ 06（2019年12月21日掲載）

災害が頻発する時代の新しいつながり方

◎堂目卓生さん　大阪大 社会ソリューションイニシアティブ長

◎菅野　拓さん　京都経済短大専任講師／人と防災未来センターリサーチフェロー

明治、大正、昭和、平成、そして令和へ。
時代の変遷とともに、「日本人」は何を残し、何を捨て去ってしまったのか。
日本のみならず世界は、現在、新たな局面を迎えている。
ＡＩ（人工知能）やＩｏＴ、ロボティクス、自動運転、生命科学など、
最先端テクノロジーの進化はとどまることをしらない。

一方、気候変動による異常気象やエネルギー問題、
貧困、少子高齢化、人口減少、地域コミュニティーの弱体化など、
現代社会が抱える課題はいま山積している。

日本人が受け継いできた伝統や文化は、
新たな時代を生き抜く示唆を与えてくれるだろうか。

「日本人の忘れもの　知恵会議」
日本の文化に触れ、育まれた感性が、
未来を切り拓く希望となると信じて。

「令和」の「現在〜未来」へ、いま、京都から。

思い描く、未来へ

drawing the future of tomorrow

日本人の忘れもの 知恵会議 2020

悠久に繰り返される時間の大きな周期のなかの存在

青木　淳
建築家

2015年の夏、私は京都市美術館の再生のための設計者に選ばれました。80余年間にわたる、京都の方々をはじめ多くの人々の記憶がいっぱい詰まっている大事な美術館です。建築家にとっては、そんな建造物に手を入れるということほど怖いことはありません。その建築が語っていること、また語ろうとしているのにうまく言葉にできていないこと、それらに耳をよく傾け、聞き分け、望まれていることをなして、お返しする。失敗は許されません。押しつぶされそうになるくらいのプレッシャーでした。

この美術館を未来に向けて、どう再生したらいいか。それを考え始めると、心のなかの時間はどんどんと過去に遡《さかのぼ》っていきました。もともとは、京都の財界人・市民がお金を出し合って、昭和天皇即位のお祝いに建設された京都市美術館。明治時代には、第4回内国勧業博覧会が開かれて以来の祝祭空間でした。平安時代にまで遡れば、ここで白河上皇が国政を統べていました。時間の層がそんな具合に何重にも重なっているのが、京都という町です。再生とは、そこにもう一重、層を重ねることだと気づきました。

そうして、過去と未来との間で行き来していると、時間が感覚のなかで伸び縮みし始めました。揺れ動く時間のなかで、さて「いま」はどこにあるのだろう。そんな目眩《めまい》から手に取ったのが、暦でした。

日本では古くから、季節を「二十四節気」、あるいは「七十二候」で区切って、「いま」を確かめました。元日の今日は、「冬至」であり「雪下出麦《ゆきわたりてむぎいずる》」と呼ばれてきました。雪しか見えないけれど、その下にはもうしっかりと麦の芽が出ているはず、と想《おも》うには、日常のせわしない時間とは別の時間を生きなければなりません。

考えてみれば、美術館とはそもそも、いつもと違う時間が流れる空間です。時に敏感になることの楽しさを教えてくれます。私たちが、悠久に繰り返される時間の、大きな周期のなかの存在であることに気づかせてくれます。

12月のプレイベント以降、美術館のライトアップが始まりました。そのデザインをしてくれたのはアーティストの髙橋匡太さんですが、彼もまた、同じことを感じとられたのでしょう。二十四節気を刻むライトアップを提案してくれました。

ようやく、通称を京都市京セラ美術館として、リニューアルオープンするところまでこぎ着けました。開館は3月21日の「春分の日」。今、皆さんの期待に応えられたのかどうか、その判定をドキドキしながら待っています。

撮影＝来田 猛

●あおき・じゅん／1956年神奈川県生まれ。東京大修士課程建築学修了。91年、青木淳建築計画事務所を設立。2005年、芸術選奨文部科学大臣新人賞を受賞。東京藝術大建築科教授。代表作に「潟博物館」「青森県立美術館」など。京都市美術館（通称：京都市京セラ美術館）のグランドリニューアルの設計を手掛け、19年4月より同館館長に就任。

開かれた社会への心のあり方を

内田由紀子
京都大学
こころの未来
研究センター教授

私たちが過去から受け継ぎ、未来につなげていくものにはさまざまなものがありますが、「心」も過去に生きた人々から受け取り、未来に渡していくものです。とはいえ心は移り変わります。先日、母親と話をしていて、たった一世代の違いで男女の役割や子育てに関する意識が変わってきたことを実感しました。一方であまり変わらない心もあります。他者への愛情、感謝の心、あるいは幸せや悲しみの気持ちなどです。しかし、これらの感情でさえ、不変でも普遍でもありません。幸福の感じ方や愛情の表現は文化によって異なっていることが示されています。アメリカでは幸福はワクワクする感情として捉えられ、愛情は強くストレートに表現されるのに対し、日本での幸福は穏やかで平和であることを願い、愛情は控えめに表現されるものです。

現在、私はアメリカの大学に長期滞在しています。息子が通っている現地の小学校では先生が一人一人の長所をうまく引き出してくれます。また、生徒たちもお互いのことをみんなの前で褒めるということが日常的に行われていて、素敵だなと感じます。私が小学生の頃の日本では、テストで良い点数を取ったりしても、おおっぴらに言ってはいけない。しかしほかの子が悪いことをしていたらそれはみんなの前で注意するのがよい、そういう空気がありました。こうした「悪いところをみんなでなくそう」というような集団内のプレッシャーは今も根強く残っていると感じます。もちろん、日本の心性には良い面もあります。他者を気遣い、自分の行動や感情を制御するというのは、特に困難なことに直面したときには私たちを助けてくれるものです。

これからの未来を担う子どもたちに伝えたいのは、自分や他者の良いところを認め、受け入れることの素晴らしさです。自分が今持っている価値観は、自分が今生きている社会の中で育まれてきたことであり、必ずしもそれだけに縛られ続けることはありません。自分と違う考えをもった人を仲間として認めるのは難しいことでもあるでしょう。しかしこれから先の日本の社会は、きっと今よりも「開かれた」ものに変わっていくと思います。そうした時に自分たちのルールに縛られ、そこから外れた人を排除するということでは、社会が疲弊してしまいます。日本的な心性はさまざまな物事を受け入れる柔軟性も持ち合わせています。今こそ明るい未来を照らす子どもたちが、世界に向けてその力を発揮してほしいと思います。

●うちだ・ゆきこ／1975年兵庫県宝塚市生まれ。98年京都大教育学部卒業、2003年京都大大学院人間・環境学研究科博士課程修了。ミシガン大、スタンフォード大客員研究員等を経て、08年より京都大学こころの未来研究センター助教、11年准教授、19年より現職。専門は社会心理学・文化心理学。現在スタンフォード大行動科学先端研究センターフェローとして米国滞在中。

いま必要なのは「遅い」インターネット

宇野常寛
評論家

突然だが質問だ。フェイスブックやツイッターのタイムラインでニュースを目撃したとき、そのリアクションにどれだけ手間を掛けているだろうか。記事を精読し、同じニュースを扱う別の記事と比較検討しているだろうか。ニュースソースを検討し、背景知識をフォローしているだろうか。もちろん、すべての記事に対してこのような手順を踏んでいたら時間がいくらあっても足りない。しかし少なくともあなたがその記事に対して何らかのリアクションを取るのなら、最低限の手順は踏むべきだ。

かつて「Ｗｅｂ２・０」という言葉が流行語となっていた頃、インターネットは人間に発信能力を与えることで総体的には賢くする、と考えられていた。前世紀まで、人類は一部の専門家を除いて情報をただ受信するだけの存在だった。しかしこれから人間は情報を受信するだけでなく発信するようになることによってより深く、慎重に、多角的に吟味するようになるはずだ、と。しかし実際に起こったことはどうだろうか? 少なくとも今日のＳＮＳにおいては、多くの人間が発信する能力を手に入れることによってより安易に、愚かになっている。多くの人はタイムラインに流れてきた情報の内容ではなく、潮目を読んで再発信している。これはみんなで石を投げている、批判してよい案件なのかそうではないのかをまず気にしている。そしてこれは叩いて良いことなのだと判断したとき、彼／彼女は自分も石を投げることで自分は「まとも」な側だと安心する。

僕は思う。いまのインターネットは人間には「速すぎる」。技術の実現した情報の回転速度に、人間の知性が

追いついていない。そのために、人間は発信することでより愚かになっている。世の中に一石を投じる快楽に溺れることで、より拙速に、考えなくなっている。そこで個人的にはいま、自分のメディアの読者と一緒にインターネットをより「遅く」使う運動を始めようとしている。具体的にはタイムラインの潮目から意図的に距離を置いたメディアを立ち上げることと、その速度に流されず自分のペースでしっかり発信するためのワークショップだ。手探りで始めた運動で、まったく先は見えないが確かな手応えも感じている。多くの読者が、インターネットの「速さ」から自分のペースを取り戻したいと思い始め、この運動に参加してくれている。いま必要なのはもっと「遅い」インターネットだ。それが僕の結論だ。

●うの・つねひろ／1978年青森県生まれ。批評誌「PLANETS」編集長。著書に『リトル・ピープルの時代』『日本文化の論点』『母性のディストピア』、石破茂との対談『こんな日本をつくりたい』、猪子寿之との対談『人類を前に進めたい チームラボと境界のない世界』など多数。立教大社会学部兼任講師。

暮らしの基本のものを自ら作る
自然と共生して生きるための叡智を

大石尚子
龍谷大学
政策学部准教授

「俺、人間やってるな」

これは、綿の糸紡ぎ体験会で参加者の一人から飛び出した言葉である。糸車をくるくると回すと、マジックのように手の先からシューと細い糸が紡ぎ出されていく。必ず「わぁー」という歓声が上がる。うまく糸を紡ぐためには、両腕の動かすスピードを指先の感覚で微妙に調節しなければならない。糸紡ぎは、私たちが手でものを作ることを忘れてしまっていることを気付かせてくれる。私は、種から育てて布にするという活動を地域コミュニティーづくりや環境教育として行ってきた。大量生産・消費・廃棄の社会システムに対するささやかな抵抗運動として。

一からの衣づくりを始めて20年以上がたつ。京都大原で、土からのものづくりを教わった。野菜や棉《わた》や藍を栽培し、山から草木を切り出し、染め場のかまどに火を入れて炊き出す。草木は、採取した時期や場所によって同じ種類でも全く違う色になる。時期を逃すと来年まで待たねばならない。四季に移ろう色、匂い、水の冷たさ、肌触り、五感を刺激する。

衣食住は人間生存の根源的要素。いま、それを自ら作り出す術を備えている人間がどれほどいるだろうか。特に衣については、想像すらしないのではないか。いま日本の衣の自給率はほぼ0%。インドでは農民が生きる糧としていた手紡ぎの綿織物。産業革命による機械化によって農民は仕事を奪われ、農村は疲弊していく。マハトマ・ガンジーは、消滅寸前だった手紡ぎの道具や技術を見つけ出し、糸車を回すことで、農民に仕事と自立（律）の精神を取り戻そうとした。必要な食糧や衣類を自分たちで生産し、使用し、蓄えることによって農村は豊かになる。同時に人々は限界を知り、競争ではなく協力するようになり、「スワラージ（自治）」が実現すると説いた。

東日本大震災では、多くの人々が消費主義の上に築かれた価値観に疑問を持たざるを得なかったであろう。本当の豊かな暮らしとは何か。阪神淡路大震災で被災し、都市生活の危うさを経験したことが、私の今日の活動につながっているのだと思う。

日本人が忘れてしまったもの、それは、暮らしの基本のものを自ら作る、ということではないか。その行為を通して、人間は自然と共生して生きるための叡智《えいち》を見いだし、後世に伝えてきた。いま、その叡智は風前の灯火《ともしび》だ。消滅せぬように、次世代に残していくために、学生とともに農村へ赴き知足の精神を磨いていきたい。

●おおいし・なおこ／1973年生まれ。同志社大大学院総合政策科学研究科博士課程修了。専門はソーシャル・イノベーション、食農政策。一からの布作り「スロー・クローズ（Slow Clothes）」活動を展開。日常生活に「衣食の自給」を取り入れ人と自然と調和する暮らしを模索。著書に『いちからつくるワタの糸と布』（編著）、『世界の田園回帰』（共著）など。

ひとが持つ美意識と感性

「技術」「京都」「美」をテーマに、小袖や法衣、友禅染や刺繍《ししゅう》の染織品のほか、絵画作品などを通して、有形・無形の文化財の「文化」を学際的に研究し、後世に伝えていくための活動を行っています。

例えば円山応挙の絶筆として知られる「保津川図屏風《びょうぶ》」や春日大社の「若宮おん祭」で供される「千切台《ちぎりだい》」などについて、学識者の方々に千總《ちそう》と作品との関係性や歴史的背景を紐解《ひもと》いていただきながら、作品を鑑賞していただくことで、現代におけるその意義を発信しています。

加藤結理子
千總文化研究所所長

有形の文化財の調査・研究と同様に、無形文化財へのアプローチもさまざまな学術関係者、技術者の方々と進めています。感じるのは、伝統技術継承の難しさです。着物は20を越える工程があり、農学、化学、工学といった学問との関係が不可欠で、染め、織りの高度な技を持つ技術者が巧みに連携して完成します。材料や道具を含め、一つも欠くことはできません。後継者の育成も急務ですが、社会背景も複雑に絡み合い、簡単には進まないのが現状です。技術を言語化、映像化するなど、記録として残す活動も始めていますが、それだけでは本当の意味での継承にはつながらないのではという危機感があります。

人口知能（ＡＩ）が急速に発展しつつある昨今、ひとが「ものをつくる」ということを再考する時が来ているように思います。ひとの創造力、その土地の記憶とともに育まれてきた繊細な美意識や感性が、「ものづくり」には欠かせません。もし「ものづくり」を、ひとの手を介することなく、一切を機械に委ねてしまった時、ものの良しあしを理解し美しいと感じる心と、そこに存在していたはずの目に見えない大切なものは残っていくのでしょうか。

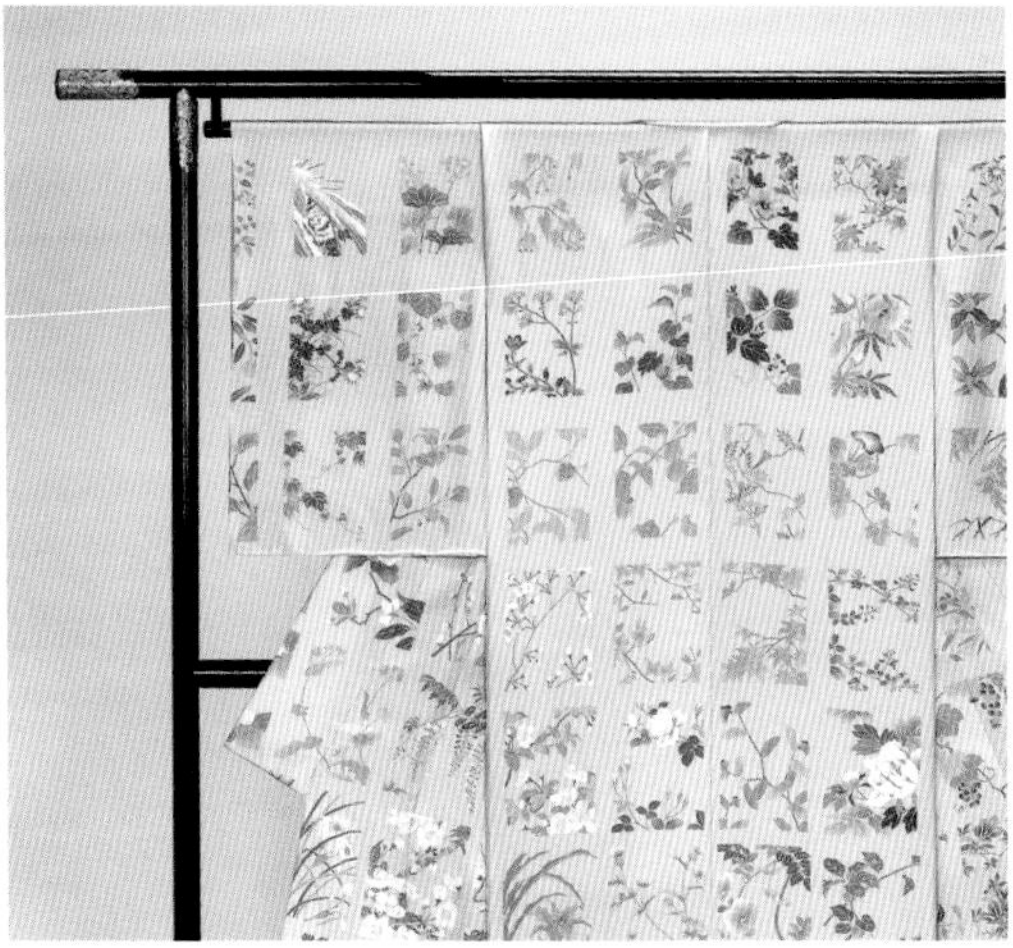
© chiso

過去から受け継いできたすべての「文化」が尊いのか、それは分かりません。しかし、例えば色彩について、先人たちは自然を愛しむ心とともに「常盤《ときわ》色」「朽葉《くちば》色」「若菜《わかな》色」「海松《みる》色」「鶸《ひわ》色」といった色を表す豊かな言葉を持っていました。翻って、現代に生きる私たちは、「緑」や「グリーン」といった言葉で簡単に一括《ひとくく》りにしてはいないでしょうか。色の背景にある文化とともに失った感性が、そこに存在しているのではないでしょうか。

過去に戻ることは誰にもできませんが、未来を築くことはできます。「技術」「京都」「美」が、これからの社会に本当の意味で必要とされる、そう信じて、多くの方々とともに連携・協力して歴史や文化、芸術活動の一端を担っていきたいと思っています。

●かとう・ゆりこ／１９８４年熊本県生まれ。同志社大文学部卒。２００７年、千總入社。千總ギャラリーのキュレーターとして、千總が所蔵する絵画や染織品の企画展示を担当。17年、一般社団法人千總文化研究所を設立、所長就任。千總の有形・無形の文化財を核とした学際的研究から、新たな創造と日本文化の継承を目指し、活動を展開している。

「自然」と交歓する

神居文彰

平等院住職

御堂の天蓋《てんがい》の漆に１００《マイクロメートル》単位の宝石が練り込まれていたことは驚きであった。見えざる浄土ともいえる意図的な技法である。平安時代の彩色文様が、０・１《ミリ》にもなる大きな顔料粒子で画《えが》かれ、浅深に盛り上げることによって影や反射など表情を変えていくことにも仰天した。とても小さく、しかもその中にさらに世界が広がり変化し続けるという華厳の宇宙観にも通ずる。

　仏教思想に大きな影響を受けた日本人初のノーベル賞を受賞した湯川秀樹は、松岡正剛に「素粒子の奥にはハンケチがたためるくらいの大きさの空間があるんや」と説明している。湯川は１９５６年原子力委員となり拙速な建設より基礎研究を勧めているが、57年鳳凰堂昭和修理が特集された『アサヒグラフ』巻頭で、着工が決まりかけた宇治川畔の千《キロワット》原子炉設置計画反対者に対し、「学者の考えがこうまで信用されないなら原子力の平和利用などとうていできない」と憤慨している。反対運動は、平時ではなく地震や洪水時の制御不能を懸念したものであり、現在では発言を鵜呑みにする方は少ないであろう。湯川は決して自然を軽視したわけではなく『目に見えないもの』では、諸行無常に物理学の共通性を見いだし、ものの本質としている。

　そういえば、ゴッホが弟テオ宛ての手紙に「あたかも己れ自身が花であるがごとく自然のなかに生き」と日本人を許し、ベルナールへの手紙には、単純な線から目まぐるしく変化する日本の色彩に憧れを記している。

湯川の19年後ノーベル文学賞を受賞した川端康成は、記念講演で「自分の死後も自然はなほ美しい」と西洋と異なる自然のなかに生きる透き通った姿勢を宣し、康成と心情を通じた東山魁夷は「風景は、いわば人間の心の祈りである」と述べ、墓碑には「自然は心の鏡」と刻まれている。科学や芸術、文学、工芸など、人はアート（あらゆる技）で自由に自然と交歓する。

１９６８年12月号『りぼん』の付録に赤塚不二夫らによる『聖ハレンチ女学院』がある。無意味な規制と差別をはねのけ自由に生き生きとした人生を求める少女たちの話である。72年『少年ジャンプ』８月14日号では、手塚治虫の発禁本『どろだらけの行進』が確認できる。自然淘汰《とうた》としての殺人や公害などを狂気として、何が正しいか読後まで尾を引く話である。

鳳凰堂に残る日本最古の大和絵風来迎図は、四季と看《み》取《と》りという結びつきのなかでの死の瞬間を描く。

社会自体はすでに自然ではないが、ありのままに生長する人が残されている、と信じたい。

「自然を括めミクロに拡張し、マクロに収斂し続ける御堂」（筆者撮影）

●かみい・もんしょう／１９６２年愛知県生まれ。10歳で多くの尼僧の手により剃髪。91年、大正大学院博士後期課程満期退学。93年より現職。現在、美術院監事、国立文化財機構運営委員、埼玉工業大理事などを務める。著書に『いのちの看取り』『臨終行儀―日本的ターミナル・ケアの原点―』『平等院物語 ああ良かったといえる瞬間』など多数。約30年、平等院のさまざまな修理に携わる。

「俳句」は、美しい国を目指すことの大切さを教えてくれる

グエン・ヴー・クイン・ニュー
国際日本文化研究センター外国人研究員

さまざまの事おもひ出す桜哉

桜を観て、「さまざまな事」に実感を込めた松尾芭蕉の句だ。言葉は平易だが忘れられない句である。どうしてだろう。芭蕉の句だと言われた途端に名句だと思ってしまったのか。「さまざまの事」をどのように連想すればよいのかを少し考え、「いま私の眼の前に、圧倒的に咲き乱れる桜がある。花がある。その花とともにあなたがある。その思い出が私を圧倒する。いま、花はあなたです。あなたが花です。私の眼の中いっぱいの桜です」という解釈に思い至った。

俳句は今や日本のみならず世界で鑑賞されている。ベトナムでは、2007年から「日越俳句コンテスト」が開催され、一般市民の間でも俳句づくりがブームになっている。日本では必須である「季語」を入れずに、素朴で時には気付かぬ周辺の美しいものを見つけ出し、時には社会問題も入れ込んで俳句を詠んでいるところに特徴がある。昨年12月10日に開催された第7回日越コンテストでは、次の俳句が第1位に選ばれた。

「Cà phê ngày tình nhân/hai màn hình hai điện thoại/chiếu sáng hai mặt người（バレンタインデーのコーヒーは2つの電話の2つの画面 2人の顔を映し出す）」（ラム・ロン・ホー作／ニュー意訳）

先端技術時代の縮小社会の中で、バレンタインデーという特別な日をカップルで過ごしているにもかかわらず、ただ無言で携帯電話の光の中でお互いが孤独に過ごしている姿が詠まれている。生活環境が激変していくと考えられている現代の社会状況の中での人間の生き方が伝わってくる句だ。

国際化する時代において、俳句はそれぞれの国における豊かな自然をも表す。在ホーチミン日本総領事館の河上淳一総領事は表彰式の挨拶で、「クーロンの恵みゆたかに春祝《テト》う」という自作の句を紹介した。ベトナム南部のメコンデルタに、自然に流れ込む雄大なメコン川は、別名クーロンと呼ばれ、春というベトナム人にとってのテト（旧正月）と馴染《なじ》んでいる。正月は日本では新暦だが、ベトナムでは旧暦で祝われる。生活の中に新暦と旧暦の行事が混在しており、それ故に多種多様な年中行事を楽しめる。一年を通して旧暦の月ごとに自然環境、生活文化、風俗習慣、人間の生き方などに変化が現れる。

このように、俳句はそれぞれの国の自然の豊かさ、心の豊かさを追求し、美しい国を目指すことの大切さを教えてくれるのである。

●グエン・ヴー・クイン・ニュー／1969年ベトナムホーチミン生まれ。ベトナム国家大ホーチミン市校人文社会科学大講師。国際日本文化研究センターで「俳句の変化」「歳時記の作成」「国際化時代の新たな日本古典学―ベトナムにおける教育実践の研究―」などを研究。著書に『古くて新しいもの―ベトナム人の俳句観から日本文化の浸透を探る―』『俳句：発祥・発展の歴史及び詩形の特徴』ほか。

「孝行」

茂山家は江戸時代初期から大蔵流狂言方として代々京都で御用を務めてきたが、１８２１（明治46）年、八世茂山久蔵の代で一度中断している。しかし、久蔵の弟子、佐々木忠三郎（千五郎正乕《まさとら》）と弟弟子の小林卯之助（初代忠三郎）が大蔵家元の弟子となり、１８２５年茂山家の再興が許されたのである。今の茂山千五郎家と茂山忠三郎家である。

そんな歴史を背景に、令和の新時代を迎えた今、自身の忘れものを考えてみた。平成の半分を学生として過ごし、残りの半分は狂言の稽古に明け暮れた。その中で私の一番の出来事は師匠でもある父との別れである。高齢の父と私との年齢差は一般家庭の祖父と孫世代くらい離れていたので、師弟としての向き合い方は間違っていなかったはずである。互いに「これだけは教えておきたい」、「これだけは教わっておきたい」という芸事上での意思疎通はできていたように思うからだ。しかしながら、師と弟子である前に父と子として考えた場合、子としての親孝行には今でも疑問と後悔の念が残っている。これといった親孝行をした記憶がないのである。今では私にも妻がおり、子どもも2人授かっているが、それは父が他界した後の話である。きっと父は孫の顔を見たかったただろうし、妻に酌もしてほしかったはずだ。父への申し訳なさが今もずっと心の中に残っている。

茂山忠三郎
能楽師大蔵流狂言方

撮影=桂 秀也

唯一の救いは父の晩年、旅先での旅館で背中を流したことくらいか。舞台上では大きな背中だと思って、後を必死についていたが、病気も相まって「ずいぶん小さくなったな」と思ったものだ。それでも父の喜んでくれたあの笑顔を忘れることはないだろう。

私の母は今も元気でいてくれている。父にできなかった親孝行を、私の「平成の忘れもの」を、新時代を共に迎えてくれた母にしてあげたいと思う。私はまだ若輩者ゆえ、人さまにどうこう言える立場ではないと自覚しているが、ただ、私の「平成の忘れもの」が、一人でも誰かの「たまには親孝行してみるか」との思いにつながってくれれば本望である。

「重厚で骨格の大きい芸。土の匂いを残しつつも泥臭くならない芸。謡・舞を鍛えて写実にかたよらない様式の美をも大事にする芸」茂山忠三郎家で大事にしてきた芸の教え。印象が後に残り、含み笑いを残すような〝含みのある狂言〟—それを亡き父に倣い、五世当主として継承していきたい。

●しげやま・ちゅうざぶろう／1982年京都市生まれ。父は四世忠三郎（倖一）。本名茂山良暢。4歳の時「以呂波」のシテで初舞台を踏み、その後「釣狐」「三番三」「花子」「狸腹鼓」など秘曲、重曲を披く。2017年、五世茂山忠三郎を襲名。海外公演やオーケストラなど他ジャンルとのコラボレーションも盛んに行い、近年ワークショップや狂言教室での指導や講演も行なっている。京都橘大客員教授。

「意識」をもって、物を大事にする日本古来の「余裕」を

SHOWKO
陶芸家

日本人は勤勉である。しかしその勤勉さは昨今、うまく機能していないように感じる。残業や過酷な労働環境は増えて生活は仕事と切り離され、その重心は逆転している。もはや豊かな生活のために仕事をしているのではなく、仕事のためになんとか生きているという状況である。生活が雑になると、なぜか物が増えていく。ちまたにも物が溢れかえっている。これほど物に翻弄《ほんろう》される時代はきっとこれまでなかったのだろう。

「断捨離」という言葉が日常的に使われるようになった。初めて世の中に出たのは、１９７０年代のことらしい。

私の仕事は、人に物語を伝える陶芸作品をつくること。自分の生活を大切にして初めてよい仕事ができると感じた去年。選び抜かれた最小限の物のある、シンプルな生活に立ち戻ることで、初めて仕事のパフォーマンスが上がる。たくさんの物を持たない方が、メーカーとして良い仕事ができるというのも面白いジレンマである。メーカーとは何を売るのか。

日本人は昔から、生活の中で工芸品を大切に用いてきた。経年劣化を楽しみ、時間をかけてその工芸品を育てていった。それは、職人がその商品を作ったことと同じくらいに心を持って接してきた。時に繕いながら、同じ

品物を子や孫の代まで受け継いだ。現代、残念ながら工芸品は大量生産品の同じ種目と価格で比較されてしまう。その後に、「何日かかったか、どれだけの材料を使っているか」ということを聞かれる。もちろんそれも価格の一つの指針ではあるが、その向こう側にある哲学を尋ねてほしいと思ってしまうのは、作り手のエゴだろうか。

一夜飾りは良くないから、お正月のしつらえは大晦日《みそか》ではなく30日にお飾りする。茶道具の陶磁器は湯通ししてから片付ける。着物も前日に色合わせをして準備し、当日に着て、明くる日に当日のことを思い出しながら丁寧に畳み、片付ける。

日本文化はとかく余裕が必要である。精神的にも、時間的にもそうだ。「余裕」という言葉を使うと、一部のゆとりのある人々だけを想像するかもしれないが、そうではない。一つの物を大事に使い、一つ一つの自分の動作、その行為に「意識」をもって接していく。そうすると物は多くなくても、物との思い出は積み上がってゆく。

日本はこれから人口が減少し、マーケットも縮小していく。だが、悲観的になることはない。戦後復興、経済成長を経験した日本。だからこそ、これから世界に唱えられることは数多くある気がしている。

●SHOWKO（しょうこ）／330年続く茶陶の窯元に生まれる。京都にて陶芸の基礎を学び、佐賀県の陶板画作家、草場一壽氏に弟子入り。2005年に京都に戻り、陶板画作家として活動を開始。自身で物語を執筆したものに沿って展開する器のブランド「SIONE（シオネ）」を立ち上げる。アートワークからもてなしの時間を創造し、国内外にて展覧会を開催。

生まれ育った町に誇りを持ち新しい未来をつくる

高御堂和華
南丹市美山観光まちづくり協会
事務局長

美山町は、日本の原風景と呼ばれる「かやぶきの里」で知られる人口3700人ほどの町である。町の東部には芦生の森が広がり、清流由良川が町の中心部を流れる。

大学進学を機に美山を離れ、20カ国以上を旅して気づいたのは、自分がいかに素晴らしい場所で生まれ育ったかということだ。何百年と続く伝統文化が暮らしに息づき、カーテンを開けると山紫水明の眺めがそこにある。

作り手の顔が見える米や野菜が食卓にあがる。地域の先輩方は地域の歴史を誇らしく語り、自らの手で地域を守ろうと何十年も地域振興、景観保全に取り組んでこられた。

そうして連綿と受け継がれた里山の暮らしや美しい景観を求め、今では国内外から年間約70万人の観光客が訪れる。海外からの注目度も高くなり台湾や香港を中心に多くの訪日外国人観光客も訪れるようになった。1、2月の宿泊者の約4割は海外のお客さまが占めるほどだ。5年前から受け入れを始めた訪日農山村教育旅行は、台湾やタイ、オーストラリアの学生が一般家庭の暮らしを体験する人気のプログラムである。1泊2日の短期滞在であっても、学生の目には涙が浮かぶこともある。

私自身、幼少期には都会から離れた田舎にこれほど多くの外国人が訪れることなど想像もできなかったが、里山の景観、それと不可分の里山の暮らしが価値あるものとしてグローバルに認められているのだと強く実感する。

かやぶき屋根には今も人が住まい、農村風景を見ることができる。そうした暮らしを求め都市部から移住する若者も増えている。

「雪灯廊」岩崎安延

美山の方言に「てんごり」（手間返しの意味）という言葉がある。かやぶき屋根は一定の年数がたつと葺き替えが必要なのだが、昔は村中の人が一つの家の葺き替え作業を手伝った。現在手間返しで葺き替えるところはほとんどないが、てんごりの精神は現在も受け継がれている。互いに助け合うことで支え、気遣い合うことでコミュニティーを維持してきた。
過疎化や人材不足など地域課題は山積しているが、共に助け合いながら、美山に暮らす仲間が増え、持続可能な地域が実現することを期待している。
自分の生まれ育った町に誇りを持ち、これからも地域に暮らす人々とともに新しい未来をつくっていきたい。

●たかみどう・わか／1993年京都府美山町（現南丹市）生まれ。神戸大卒。在学中英国シェフィールド大都市計画学部へ留学。卒業後、一般社団法人南丹市美山観光まちづくり協会に就職し、18年より同協会事務局長。南丹市景観審議会委員、南丹市地域創生会議委員も務める。英語全国通訳案内士として、訪日外国人観光客の案内も行う。

実際に手に取ることで培われる知見と学識

武田時昌
京都大学
人文科学研究所教授

日本各地には、寺社を中心に古写本、古版本が驚くほど残っている。量的にも、質的にもこれほど多くの典籍を何世紀にもわたって伝えてきた民族はない。ネットオークションで時折、流出することもあるが、多くは大切に保管されており、その文化継承の伝統は実に誇らしく思える。

最近、調査したところでは、醍醐の随心院、大津の園城寺（三井寺）などがある。随心院は、元々は仁海《にんがい》（954～1046）が創建した牛皮山曼荼羅寺《ぎゅうひさんまんだらじ》の塔頭《たっちゅう》であったが、小野小町ゆかりの梅の名所として知られる。仁海は、真言宗小野流の祖で、雨乞いの祈祷《きとう》術を心得ていたとされ、仏典の古鈔本《こしょうほん》に加えて、密教の呪法や宿曜道《すくようどう》に関する資料が残っている。

一方、園城寺には、近世天台宗の碩学《せきがく》、大宝守脱（1804～84）が所持していた一群の資料が近年になって整理された。仏教関係の手沢本《しゅたくほん》などのほかに、守脱の仏教天文学研究の草稿類があり、日用類書『事林広記《じりんこうき》』の室町写本も見つかった。人文研科学史研究班でそれらと関連する文献を会読していたので、近隣に眠っていたお宝に驚喜するばかりである。

私のフィールド調査は、自力で掘り出し物を探し出すというより、研究集会で出会った人々から得た耳寄りの情報による。随心院の場合は、北京中医薬大学の講演会に同行した藤本孝一氏（龍谷大学客員教授）の導きである。藤本氏は、写本研究の専門家で、冷泉家時雨亭文庫の調査を主導した。数カ月前には冷泉院家に持ち込まれた源氏物語の第5帖「若紫」を定家本だと鑑定して大ニュースとなった。今は関東に住んでおられるが、なんと随心院に下宿部屋があるそうだ。

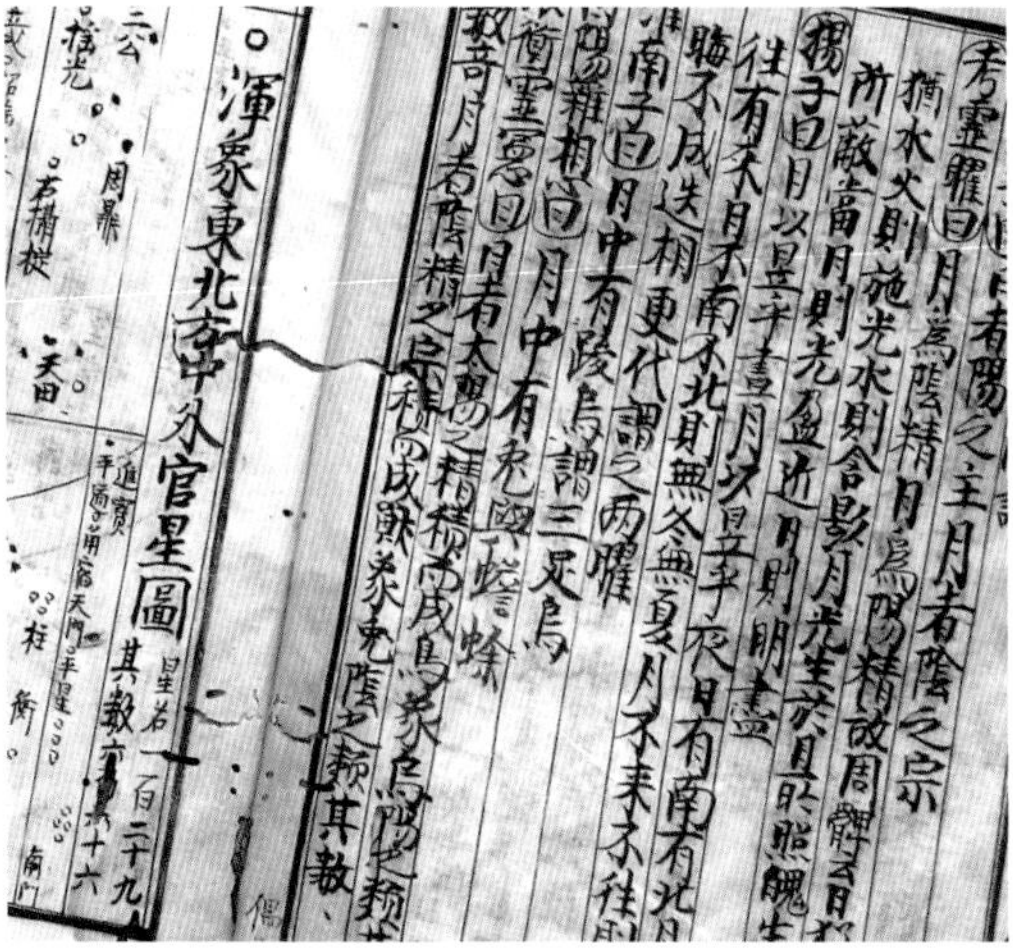
園城寺本『事林広記』

園城寺の新資料は、整理を担当する石井行雄氏（北海道教育大学准教授）から直接に教えてもらった。訓点学者の石井氏は、東京育ちで勤務先は釧路であるのにも関わらず、奈良、京都の寺院に神出鬼没であり、人文研の共同研究会にも自費参加されている。

両氏と一緒に眺めていると、現物を通してしか学べない蘊蓄《うんちく》ある高説、人とモノとが織りなす物語が拝聴できる。まさしく古写本の価値と違いの分かる方々である。デジタル化した書物の記憶はパソコンの二次元画面でしかなく、実際に手に取ることで培われる三次元、四次元の知見、学識は急速に失われつつある。文化継承の担い手は、絶滅危惧種なのである。京都が文化的な拠点であり続けるためには、学問のIT化とは逆向きにアナログ世界のプロパーを育成するのがいい。

●たけだ・ときまさ／1954年大阪府生まれ。京都大工学部を卒業後に文学部に学士入学。信州大助教授などを経て現職。専門は中国科学思想史。科学と占術の複合領域である「術数学」の研究を推進し、人文研拠点研究班「東西知識交流―汎アジア科学文化論」（班長）、「鍼灸医術の形成―近世医学史の再構築」（副班長）を主宰。近刊の著書に『術数学の思考―中国古代の科学と占術』。

日本の美を具現化する茶の湯文化

橘　重十九
北野天満宮宮司

新たな元号が日本最古の歌集『万葉集』から採られた「令和」となり、初めての新春を迎えました。新元号「令和」の考案者とされる『万葉集』研究の第一人者、中西進先生は、「和」は日本、「令」は自律性のある美しさだとおっしゃっています。つまり、「うるわしい日本」という願いが込められており、素晴らしい元号であると思っています。

「文道大祖《ぶんどうのたいそ》 風月本主《ふうげつのほんしゅ》」と崇《あが》められた菅原道真公（菅公）を祀《まつ》る北野天満宮では、日本の誇る伝統文化の数々が今も脈々と息づいています。その一つに茶文化があります。

毎年12月1日、御本殿で斎行する献茶祭は、在洛の四家元二宗匠（藪内家・表千家・裏千家・武者小路千家・堀内家・久田家）が輪番で行われるもので、昨年は表千家不審菴家元千宗左宗匠のご奉仕で執り行われました。

1878（明治11）年の再興以来の神事であり、献茶祭に先立って祭典で使用される抹茶の原料の碾茶《てんちゃ》が山城六郷の産地から茶壺《ちゃつぼ》に入れて運ばれ、御本殿で茶壺の封が切られ茶葉の検知が行われます。献茶祭に至る一連の神事は古式に則《のっと》り行われる北野天満宮独特のもので、茶壺一つにも150年の歴史の重みが感じられます。

この献茶祭、1587（天正15）年10月、豊臣秀吉公が開いた「北野大茶湯」を縁とするもの。「茶好きの者は誰でも参加せよ」とのお触れの下、豊太閤自身と利休居士が亭主となられたおよそ800の茶席が設えられた大茶会でした。

お茶は室町時代後期に隆盛しますが、実はずっと古く遣唐使によってもたらされ、菅公が編纂《へんさん》された『類聚国《るいじゅうこく》史《し》』には815（弘仁6）年、比叡山中の寺で永忠が嵯峨天皇に茶を献じたことや「畿内や大津などに茶を植えよ」との令が出された記事があり、菅公は妙薬としての茶のことをよくご存知だったと思います。「煩懣胸腸《はんまんむねはらわた》に結《むす》ぶ 起きて茶一椀を飲む」という詩もあり、薬として茶を飲まれたようです。大茶会の舞台が北野天満宮になったのは、秀吉公の菅公崇敬の表れといわれますが、自分より600年も前に茶と接していた菅公を茶の先達として仰いでいたのかもしれません。

太閤秀吉公が催した空前絶後の大茶会「北野大茶湯」（部分）

境内には「北野大茶湯」遺構の「太閤井戸」や「三斎井戸」、また、上七軒西方尼寺には「利休井戸」が現存し、明月舎・松向軒の両茶室では月釜が掛けられ、現在も茶人で賑《にぎ》わっています。「うるわしい日本」との願いが込められた令和、日本の美を具現化する代表格ともいえる茶の湯文化を守っていくことも菅公の御心に添うものだと思っています。

●たちばな・しげとく／1948年石川県生まれ。延喜式内社宮司社家25代に生まれる。会社員を経て74年より北野天満宮に奉職。禰宜、権宮司を経て、2006年から現職。その間、北野天満宮ボーイスカウトの創設に尽力。京都府神社スカウト協議会会長として青少年育成活動に努めた。全国天満宮梅風会会長代行。京都府神社庁理事。

格差を容認し始めた日本人

橘木俊詔
経済学者

戦前の日本は身分社会、あるいは格差社会であったが、戦後の民主化によって平等社会が30～40年続いた。しかも経済成長率は高く、効率性と平等性の両方を満たした世界でも稀有《けう》で誇れる時代であった。しかし、ここ20～30年ほどは格差社会が再び出現し、悪いことに経済も不況の時代となった。そこで通常では経済学で定説となっている思想、すなわち経済成長率を高めるためには平等性を犠牲にせざるをえないという主張が強くなってきた。

具体的にどのような主張があるだろうか。第一に、経済を強くするには有能で頑張る人の貢献に期待せねばならないので、これらの人の高い所得を容認する。すなわち競争の礼賛と結果の格差の容認である。第二に、有能でなく頑張らない人の低い所得は本人の責任によるので、そういう人を助ける必要はない。弱者の自己責任論である。この二つの思想の台頭により、格差は拡大し、所得再分配政策の否定につながる。過去の日本では最高所得者への所得税率が80％であったが、今は40％台に低下していることがその否定の証拠である。

私が残念に思うのは、第三に、豊かな家庭に育った子どもは良い教育を受けてよく、貧亡な家庭の子どもに税金を投入して良い教育を受ける政策への賛成論が低下したことである。教育の機会均等論への支持が失われるようになったのである。

その証拠は、国家の教育費支出の対GDP比率が先進国の中で、日本は最低水準にいることで分かる。子どもの教育は親の義務であるとの通念を日本は覆せないのである。貧しい家庭の子どもであっても良い教育を受けられる社会であれば、そういう人の資質が高まることにより、格差社会はかなり是正される。今までは教育の機

会均等の必要性はかなり高く支持されていたが、もうそういう時代ではなくなっている。

戦後の数十年間は、家庭の教育費支出が低い時代だった。例えば国立大学の授業料（私の時代では年額1万2千円であった）はとても低く抑えられていたので、貧困層の家庭の子どもでも本人が頑張れば良い教育を受けられたのである。今の国立大学の授業料は50万円強で、他の物価よりもはるかに高い上昇率である。

なぜ日本人が好ましい思想であった教育の機会均等論を否定するようになったのか、筆者はまだ解答を見つけられていない。所得格差を容認し始めた日本人の精神と関連しているかもしれないが、今後の研究課題にしたい。

●たちばなき・としあき／1943年兵庫県生まれ、小樽商科大、大阪大大学院を経てジョンズ・ホプキンス大大学院博士課程修了（Ph.D.）。その後、仏、米、英、独の大学、研究所で研究・教育を行った。京都大教授、同志社大客員教授を経て、現在、京都女子大客員教授。京都大名誉教授。専攻は労働経済学、公共経済学。編著を含めて日本語、英語の本は100冊以上。

自然への畏敬の念を思い起こし、常若の心を継承する

田中恆清
石清水八幡宮宮司

神の住まう社《やしろ》、即《すなわ》ち神社が創建される遥《はる》か昔、古代の日本人は、山や岩、樹木、海、川、滝などの人智を超えた力を持つ自然物を敬い畏《かしこ》み、神々の御神体として崇《あが》めて共同体での祭祀《さいし》を行ってきました。時代が下り、神々の宿る自然物を祀《まつ》る場所は神聖視され、周囲と区別して神域とされました。そして祭祀を行うための仮の建物が建てられるようになり、次第に神が常に鎮まる社が建てられ、現在の神社の様態へと発展していきました。

現在においても全国の神社の多くが、自然への信仰が原点である神道を護り伝え、自然物を御神体として祭祀を行っています。京都で申しますと、松尾大社には、背後の松尾山の山頂近くに巨石による磐座《いわくら》が存在し、社殿に祭神が祀られる以前より、地域に住む人々により祭祀が行われていたことが伝えられています。磐座とは、古来日本において神の宿る依代《よりしろ》として信仰されてきた大きな岩の呼称であります。

また自然の樹木に神が宿るとされる神籬《ひもろぎ》への信仰も京都には多く伝えられています。私の奉仕する石清水八幡宮では、毎年1月に青山祭と呼ばれる神事を斎行しています。大きな榊《さかき》の神籬を立て、周囲に木々の青柴垣《あおしばがき》を巡らして臨時の祭場とし、神を招き神饌《しんせん》を供え祭儀を執り

行う神籬祭祀を連綿と今に伝えています。

　神々が宿るとされる磐座や神籬のような自然物への信仰心は、日本人のみならず古くは諸民族においても行われてきた素朴な原始信仰とも言われています。然《しか》しながら諸外国では、近代以降の文明の発展とともに、自然への信仰心は急速に失われていきました。それは同時に、

自然への感謝や畏怖の心を忘れさせ、自然破壊や環境汚染など現代における憂慮すべき問題を生起させてきたのです。現代の日本においても伝統や文化の形は崩れつつあり、日本人の心は大きく揺れ動いていると感じています。今こそ私たちは、日本古来の自然への畏敬の念を思い起こし、伝統ある日本の心を取り戻す必要がありましょう。

　神道には、常若《とこわか》と呼ばれる心があります。それは、すべてのものを常に若く清らかな状態に保ち、物事を一カ所で止めたりせず、心も澱《よど》ませずに、常に循環させていく心の持ちようであります。まさに常若の心とは、四季折々の自然の循環の体現でもあり、神々の御心《みこころ》でもあります。自然に宿る神々と共に慎ましく生きる常若の心を後世へと伝えていくことが、「日本人の心」の継承であるといえましょう。

●たなか・つねきよ／1944年京都府生まれ。69年國學院大神道学専攻科修了。平安神宮権禰宜、石清水八幡宮権禰宜・禰宜・権宮司を経て、2001年石清水八幡宮宮司に就任。02年京都府神社庁長、04年神社本庁副総長を務め、10年神社本庁総長に就任。

所有できないもの、所有の先にあるもの

津村記久子
作家

Ⓒ嶋田礼奈／講談社

　自分の狭い部屋は相変わらず物だらけ本だらけで散らかっている中、それでも「もう現物所有の時代じゃないな」というようなことを考えています。音楽や映像はサブスクリプション方式のサービスが主流になり、利用者は自宅に膨大な「モノ」としてのメディアを所有しなくても、月極《つきぎめ》でお金を払って音楽や映像を所有できるようになりました。10年前にはまだ通用していた「何百枚もCDやDVDを持っている」という現物所有に基づく自慢は、完全に過去のものとなってしまいました。わたしが関わっている文章の世界にも、その波が押し寄せています。自分の文章をどういう形で、どういう支払いの感覚を持つ人々に読まれたいのか、そして自分のその希望はこの先も通用するのか、ということを常々考えなければいけない状況になりました。

　音楽や映像、もしかしたら本というものも、データ化できるものは、便宜上「お金を払いさえすれば誰もがすべて所有できるもの」になるかもしれません。それで何もかも手に入れた気分かというと、実はそうでもありません。わたしが加入しているスポーツのストリーミングサービスは、1週間で配信した試合を消去します。安く何でも見せる代わりに、こちらの都合を尊重しろということなのかもしれません。

　反対に、所有はできないけれども消えないものがあり

ます。わたしにとっては、それは日本の景色です。小説の取材を通じて、この数年でわたしは日本のいろいろなところに以前より気軽に出かけられるようになりました。もっとも好きなのは、特急「しなの」の車窓の景色です。壮大な山々と、大きな岩の間を流れる荒々しい渓流を眺めていると、このまま時間が止まってしまわないかと思います。他にも、瀬戸大橋を渡る特急「南風」から見た瀬戸内海の景色、鹿児島市内の沿岸部から見える桜島の景色など、所有は不可能だけれども誰もに開かれているすばらしい景色があるということを、わたしはこの数年で知りました。

所有の喜びを味わい尽くした後の倦怠《けんたい》と退屈、というものを、わたしは日本の人たちに感じることがあります。でも本当にそこが到達点なのでしょうか。所有できないもの、所有の先にあるものはまだ日本にはいくらでもあると思います。多く持つことを目指してもがく時代が一段落したのなら、こんなに多くを持ったのに何を持たなかったかを思い出して謙虚になる時期が来たのではないかとわたしは思います。

●つむら・きくこ／1978年大阪府生まれ。大谷大文学部国際文化学科卒。2005年『マンイーター』（『君は永遠にそいつらより若い』に改題）で太宰治賞を受賞しデビュー。09年『ポトスライムの舟』で第140回芥川賞受賞。『ミュージック・ブレス・ユー!!』（第30回野間文芸新人賞）『ワーカーズ・ダイジェスト』（第28回織田作之助賞）『給水塔と亀』（第39回川端康成賞）など受賞多数。

要は語学力にあらず真の国際人に必要な文化力

日本人は「イエス」「ノー」をはっきりさせない、とよく外国人から言われるが、今では国内、つまり同胞の人間からも同じ指摘が起こる。「グローバルに対応できる国際人として『イエス』『ノー』をはっきり主張できる人間に！」ということなのだが、どうもしっくりこない。本当にそれでいいのか。もちろん政治や経済などの分野においては中途半端な話では相手にされないし、なんでも丸め込まれてしまう。しかし、国際交流はそれだけではない。ビジネスライクにはいかない物事もたくさんある。グレイゾーンとよく呼ばれる部分だ。

東儀秀樹
雅楽師

日本人はこのグレイゾーンをとても大事にする傾向がある。文学にしても、「行間を読む」というのがあり、演技や演奏、振る舞いなどには「間《ま》」が重視され、空気を読むことが大切にされる。結果が出ても実は本当のところはどうなのか、と後ろ髪を引かれるような気持ちが残ることもある。「後ろ髪を引かれる」という表現にしても、相当独特な表現だ。

雅楽の演奏方法に「塩梅《えんばい》」というのがある。これは普段使う「あんばい」の語源とされているが、メロディーを単に直線的に表現するのではなく、音を滑らかに擦り上げて到達させたり、下げたり揺らしたりと抑揚をつける奏法をいう。直線的では味気ないから味付けをする、だから「塩」と「梅」と書く。この塩梅も音と音の間の定められない「適宜な具合」の表現である。しかし、それがあるから目的の絶対的な音が生きる。グレイゾーンがなくなると味も素っ気もなくなってしまう。

日本人は昔から優しい。戦いを望まない。だから決め事でもどこかしらに相手の意見の余地を持とうとして、折り合いをつける方向を選ぶ。平和主義なのだ。相手の反論も聞こうとする勤勉で公平な気持ちを持ち合わせている。これが日本人の個性だ。日本人はこういうものなのである。だから海外に出ても「白黒はっきりさせないといけない」という強迫観念に悩まなくてもいい。「はっきりしないな」という空気を感じたら、「だって私って優しいの」と言ってのけるのもいいじゃないか。そこで日本の文学のことや芸能のこと、習慣を例に挙げれば、それこそ有意義な国際親善に発展する。そんな時のためにも、日本人は日本の内側をよく知り、誇りに思うことが重要になってくる。互いの文化を尊重できること、それが真の国際人だ。だからこそ国際人の本当の要は、語学力にはあらず文化力なのだと思う。

●とうぎ・ひでき／1959年東京都生まれ。東儀家は、奈良時代から雅楽を伝えてきた楽家。父の仕事の関係で幼少期を海外で過ごし、ロック、クラシック、ジャズなどあらゆるジャンルの音楽を吸収。高校卒業後、宮内庁楽部に入り、篳篥（ひちりき）や歌、舞などを担当し、宮中儀式や国内外の公演に参加。96年に宮内庁を退職後はフリーの雅楽師として活躍。

人と出会い、触れ合い、感じる実体験を大事に生きていく

携帯電話やSNSの普及で、遠く離れた人や会ったことがない人とも繋《つな》がることができるようになりました。発信したことが自分の知らないところまで広がっていき、世界中で簡単に情報を共有できるようになっています。昔、夢に描いていたような未来の風景が、今では当たり前のように存在し、前進しているようにみえますが、人間本来の力は後退してしまっているようにも感じます。2人の子どもを持つ母親としても、この先どうなっていくのだろうか？ と不安になりますが、逆に捉えてみると、均一化された時代だからこそ、人間一人一人の力、個性がより際立ってくるのではないかとも思えます。

中川敦子
絵本作家

今まで意識しなかったようなことや目を向けなかったことが、今の子どもたちには新鮮に映るのではないでしょうか。メールではなく、実際に会って目と目を合わせて話すこと。インターネットの中の世界ではなく、「生」の世界に触れること。旅に出て感じる異国の空気、匂い、出会い。ライブで聴く生の音、生の声が、空気を震わせ身体中に響く感覚…。どれだけ鮮明な映像と迫力のある音響であっても、実体験で得る感動には到底及びません。

私たちが絵本を作り始めた頃から、絵本もデジタル化されていくのではないか？ という声がありましたが、ダウンロードして画面上で楽しむという動きは結局あまり広がりませんでした。一冊の本の中に込められている

小さな世界の重さを手に感じながら扉を開き、ページをめくることで話が展開していくのが絵本なのです。そして大切にされた絵本は子どもへ、孫へと受け継がれていく。愛着を持てる存在であることが絵本の魅力なのだと思います。

絵本は読み手によっても、大きくその作品が変化します。同じお話でも、おじさんが大きな声で愉快に読むのと、女性が静かにゆったり読むのとでは、受け取り方が全く違います。読み手が役者であり、演出家でもあるのです。一緒に笑ったり泣いたり、びっくりしたり、同じ時間を共有し、共感し合える。絵本は、赤ん坊からお年寄りまで、国籍も超えて老若男女が楽しめるコミュニケーションツールです。

SNS上の「いいね！」の数を気にするよりも、目と目を合わせて「いいね！」と笑い合えることの方が、人間の心を豊かにしてくれるはずです。これからの世界を生きていく子どもたち、そして自分たち大人も、安易に情報だけを取り入れて満足してしまうことなく、実際に体験し、色々な人と出会い、触れ合い、そこから感じることを大事にして生きていかなくてはいけないと思います。

●なかがわ・あつこ／1978年京都市生まれ。夫の亀山達矢さんとユニット「tupera tupera（ツペラツペラ）」として活動。絵本のほか、イラストレーション、工作など幅広く手掛ける。『しろくまのパンツ』『パンダ銭湯』など著書多数。『わくせいキャベジ動物図鑑』で第23回日本絵本賞大賞。2019年、第1回やなせたかし文化賞大賞を受賞。京都造形芸術大こども芸術学科客員教授。

「二分心」

日本人の心は「二分心」のつくりをしていた。言語でまわりの世界を意識して理解する心と、言葉によらない直観で世界をまるごと把握する心とが、一つの心の中に同居して、共同作業を行っていたのである。次の芭蕉の句が、その二分心の特徴をよく表している。

秋深き 隣は何をする人ぞ

中沢新一
人類学者

静かな秋の夜。一人小部屋にいると、壁の向こうからカサコソと人の気配がする。誰とも知らぬその人が妙に懐かしく感じられる。会ったこともないけれども、一体なにをする人なのだろう。

日本人の二分心は、ここで、意識では捉えられない世界の「響き」を直観の働きで感知しながら、同時にそこに対象を捉えようとする鋭い意識を働かせている。直観と意識という二つの異なる心の働きが、日本人の二分心の中では、巧みに同居しあっていた。

「二分心」という概念を考え出したのは、西洋の学者である。それによると、人類の心は言語的な意識を司る左脳と、見えない世界に開かれた内心のイメージや響きを直観で捉える右脳の働きが一つになって、二分心を働かせていた。ところが今から三千年ほど前から、次第に左脳の意識の働きばかりが優位となり、右脳からの響きの呼び掛けを圧倒して、ついに今日のような意識的文明が築かれるに至った。こうして人類は二分心を失ってしまった、というのである。

しかし、これは人類の脳というよりも、西洋人の脳の事情というべきであって、日本人の脳には右脳と左脳の区別もはっきりしておらず、その心はこれまで、二分心の多くの特徴を保ってきた。言語による論理だけを重視するのではなく、どこからともなくやってくる響きや、

全体を包み込むそこはかとない「情緒」を大事にした。人類の心ははじめ二分心として生まれたのだから、日本人の心は人類の原初の心の特徴を残してきたのだともいえる。その原初的な二分心の自然な働きに基づいて築かれた文明が、日本なのである。

そこでは、白黒をはっきりさせない「あいまい」な領域を残すことで、必ずしも論理的にはできていない生活の実相に適合したものの考えが尊重された。意味よりも「かたち」を重視して、意識からこぼれ落ちるものの受け皿にしてきた。

その二分心の働きが、いまの日本人の心から消え始めている、というか消され始めている。西洋世界はいち早く二分心の破壊を始めたところだが、そこに生み出された意識型の文明が、AIの発達に後押しされながら、日本人の心の改造作業に着手しているからである。

●なかざわ・しんいち／1950年山梨県生まれ。東京大大学院人文科学研究科博士課程満期退学。チベットで仏教を学び、帰国後、宗教学・人類学・民俗学・現代思想など、学問の枠を超えて人間の「こころ」を研究。中央大教授、多摩美術大芸術人類学研究所所長を経て、2011年より明治大野生の科学研究所所長。『チベットのモーツァルト』（サントリー学芸賞）など著書多数。

歴史を敬いつつ、壊して作り続ける今は過去の千年との結節点

中村伊知哉
慶應義塾大学大学院メディアデザイン研究科教授

１０４０光年かなたの星、「ＨＡＴ−Ｐ−７ｂ」には、ルビーやサファイアの雨が降るという。いま地球に届くその光は千年前に瞬いたものだ。そのころ藤原道長は東山に向かって「望月の欠けたることもなしと思へば」と詠んだ。今夜ぼくは同じ東山の月光を見上げている。

京都の学校を出て、東京、パリ、ボストン、東京と渡り住んだ。後輩の都と姉妹都市ばかりで、京都との縁は切れないが、どこに居ても落ち着かない。山が見えないからだ。東、北、西、どこに居ても京都は山が視界に入る。それが１２００年前から京都人のＤＮＡに刻まれた心のよすがなのだろう。

先ごろ広沢池にあるお寺さんで話を聞いた。「台風も地震もようけあるけど、１２００年前、嵯峨天皇のころの疫病に比べたら大したことおません」。明治、大正、昭和、平成。東京は、都が移って長いとはいえ、わずか１５０年。江戸幕府も４００年。千年単位の話が立ち上ることはない。

南に位置する羅城門が壊れたのは道長のころだという。以後、平清盛から新選組まで、京都は幾度も壊され焼かれ、その都度立ち直った。壊して作るリズムを体に刻んできた。だから、千年の文化を携えつつ、いつも新しい。ゲームやアニメの本拠地であり、世界的な先端企業が本社を置き、ノーベル賞学者を生み続ける。奇跡の都市である。

千年前、平安女性は仮名文字を生み、女流文学で世界

文化の先端を走った。平成の女性はギャル文字を生み、ケータイ文化で先端を走った。次は人工知能（ＡＩ）の時代だという。令和の女性は何を生むのだろう。デジタルやＡＩは次の千年を形作る技術。今は過去の千年との結節点にある。これからの千年も京都が真ん中に居てほしい。

ぼくが実行委員長を務める京都国際映画祭は「映画もアートもその他もぜんぶ」をテーマに掲げる。日本で初めて京都で映画が上映されたころ先端だった技術や文化は今や古典だ。大切にしよう。一方、現代アートやデジタル技術も京都にすんなり溶け込む。古くて、新しい。それを京都のまち東西南北あちこちで、集まって楽しむ。映画人もアーティストも芸人も、おばあちゃんも学生さんも外国人も子どもも参加する。京都にしかできない祭りだ。

歴史を敬いつつ、壊して作り続ける。文化庁が置かれるのは当然である。でも中には壊れたままのものもある。羅城門のように。「千年後のテクノロジーで復興して、欠けたピースを埋めるのがぼくらの宿題ですやろか」。山と光を遠くに眺めつつ、道長さんに、問いかけてみた。

●なかむら・いちや／１９６１年生まれ。京都大経済学部卒。慶應義塾大で博士号取得（政策・メディア）。84年、ロックバンド「少年ナイフ」のディレクターを経て郵政省入省。98年、ＭＩＴメディアラボ客員教授。２００２年、スタンフォード日本センター研究所長。06年より現職。内閣府知的財産戦略本部、文化審議会著作権分科会小委などの委員を務める。著書に『超ヒマ社会をつくる』など多数。

「生きとし生けるものがよむ歌」

中村桂子
生命誌研究者

「やまと歌は、人の心を種として、よろづの言の葉とぞなれりける。（中略）花に鳴くうぐいす、水に住むかはづの声を聞けば、生きとし生けるもの、いづれか歌をよまざりける」

紀貫之による『古今和歌集』仮名序の冒頭です。

私の専門である「生命誌」は、地球を38億年前の海に誕生した生命体を祖先とする、多様な生きものが棲む独特の豊かさを持つ星とみます。そして、人間を生きものの一つであり自然の一部として捉え、生きるということに幸せを求める生き方を探ろうとしています。

生きものである人間の持つ最も重要な特徴は、言葉です。私たちの祖先は決して強くはなかったのに、言葉を通して話し合い、共感し、仲間として暮らすことによって生き続けることができたとされます。その特徴が文化を生み出したのです。人間らしく生きるとは、「心を種としたよろづの言葉」を大切にして暮らすことです。しかも私たち日本人は、ウグイスやカエルの話にも耳を傾けて文化を創ってきました。

人間は、言葉によって文化を生み出すと同時に、環境に関する情報を共有し制御する能力を持ち、文明を築きます。こうして生まれた現代文明は、利便性と成長に専念し、小さな生きものの声を聞きません。こうして他の生きものたちが暮らしにくい環境になりました。人間は生きものであり自然の一部なのですから、この文明は私たち自身をも生きにくくしています。

近年、現代文明を支えている科学は、地球上のすべての生きもののつながりを次々と明らかにしつつあります。その中で、73億人といわれる人々はすべてアフリカを故郷とする仲間であることが示されました。これだけの知識を得たのですから、今や地球を故郷とする仲間として、すべての人、他の生きものと共に生きる道を探るのが当然でしょう。基本は寛容です。

それなのになぜか昨今、人を憎み、貶《おとし》める言葉を用い、共感という本来の言葉の役割を忘れているとしか思えない行為が広まっています。争いをしている暇はありません。近年の調査で身近なチョウが激減し、40%もの種が絶滅危惧種になっているという報道もあります。

小さな生きものが歌をよめなくなったら、人の心も消えます。「生きとし生けるものがよむ歌」を大切にする文化の力で、生きものとしての人間が心豊かに暮らせる文明を創ること。それが今求められていることです。平安時代の平和を思い起こし、寛容の文明を創りたいと思います。

●なかむら・けいこ／1936年東京都生まれ。理学博士。東京大理学部化学科卒、同大学院生物化学修了。三菱化成生命科学研究所人間・自然研究部長、早稲田大人間科学部教授、大阪大連携大学院教授などを歴任し、JT生命誌研究館館長を務める。『言葉の力 人間の力』『自己創出する生命』『科学者が人間であること』など著書多数。訳書に『やわらかな遺伝子』など。

変えてもよいこと、変えてはならないこと

中村宗哲
塗師

茶の湯のものづくりは使い手である茶人がどのような茶会をされるのかを考えて行う。もてなす側の亭主と客が道具を通じて心を通わせてひと時を過ごす茶室という空間で、他のさまざまな道具との取り合わせをも考えたものづくりである。

わが家の塗物づくりは、千利休が好まれた利休形の形と寸法を変えてはならない「型」として復元再制作することが大切な仕事の一つである。各時代の宗匠方の新しい作品は「好み」と呼び、意を匠《たく》み技を重ねたもう一つの仕事である。それらは茶人の共通認識として伝わっている。

制作方法も記した「寸法帳」と、寸法と型を木の板に刻んだ「切り型」、蒔絵《まきえ》の図案転写に用いる薄紙に図案が描かれた「極《き》め型」を使い、今日まで制作を続けている。その他に「憶帳《おぼえちょう》」という極め型や下絵を貼り付けた図案帳がある。五代宗哲が天明の大火（1788年）に遭い、それまでの大切な資料が焼失したこともあり、資料を残すことの大切さを感じ、その後残した図案帳である。和紙製で厚みは10㌢ほどあるが持つととても軽い。先々代の祖父も新たな憶帳を残している。それらの憶帳は今も図案を考案する時に参考にしている。美しい色付きの下絵もあり、子どもの頃から祖父や母から絵本のように見せてもらうのが楽しみであった。その絵や文字か

ら歴代の意向や人柄がメッセージとして伝わってくる。後の代の者が困らぬように作品をつくるたびに記録を書き残してくれていたのであろう。

　今も新作をつくる時には、昔と変わらぬ方法で寸法や型を必ず記録して残している。このような資料は時代の主流であるパソコンで管理した方が効率よく便利と思われることもあるが、憶帳をパラパラとめくったり、資料を机に並べてみたりすると、さまざまなアイデアが浮かんでくる。何度も手書きで図面を引き、下絵を何枚も描いている間に形ができていく。時間がかかり効率の悪い仕事であるように思われるが、この作業が依頼主の意をくみ取る大切な時間のように思う。

　今の時代は展覧会を開催することも多くなり、自分自身でさまざまな場面を思い浮かべながら、時代に必要とされるものづくりもしている。昔ながらの方法で図案を考案するが、効率よく作業ができるよう、時には新素材の便利な道具を使用することもある。

　次々と変わりゆく世の中で、変えてもよいこと、変えてはならないこと、それらを見極めることが大切である。

「花唐草蒔絵溜大棗」

●なかむら・そうてつ／1965年、父三代諏訪蘇山、母十二代中村宗哲の次女として生まれる。京都市立銅駝美術工芸高漆芸科卒。京都市伝統産業技術者研修漆器コース・デザインコースを修了。家業に従事。2006年十三代を襲名。各地にて中村宗哲展を開催。先代とともに始めた「哲公房」では伝統を踏まえつつ現代の暮らしに合う漆器を提供。18年、京都府あけぼの賞を受賞。

「忘れられた戦争」加害の歴史と構造を突き詰める

西野亮太
南太平洋大学
上級講師

「旅の恥はかき捨て」という格言がある。今日まで旅で幅広く豊かな知見を得てきたが、アジア太平洋戦争の記憶や戦跡に遭遇すると「旅の恥」を感じる。
その中で最も痛烈に恥を感じたのは、フィジー国立大学での授業だ。2011年に講師として着任した直後、太平洋諸島の近代史を任された。前任の先生の講義ノートを基に教えていたが、学期終盤の講義の準備で、当時

英国領だったフィジーの兵士たちがブーゲンビル島で日本軍と交戦したことを初めて知った。フィジーのセファナイア・スカナイヴァルは日本軍に撃たれた友軍兵士を救い、さらに、残りの兵士たちが不利な位置に立たされないように自ら日本兵の方を向き、銃口の的となり戦死した。戦後、フィジーでは自らを犠牲に戦友を救った国民的英雄として知られている。

この講義を前にして普段より一層緊張した。日本兵がフィジー兵を殺害したことをフィジーの学生に日本出身の私が話す。内容よりも、私の存在についてどう反応するのか気にしていた。講義の後、学生に意見を聞くと、自己犠牲の素晴らしさを語っていた。そして日本に対する印象を問うと、「過去は過去、今とは関係ない」「日本はフィジーに対しいろいろな援助をしているから、いい

国だ」という答えが返ってきた。
彼らは私が日本出身だということを知っていたし、講師と学生という関係から建前で通した面もあるのだろうが、こういうところにも日本の経済力の高さを感じた。その後、地域のことに詳しくなると、戦後の日本の援助や貿易に対する感謝の気持ちの底には、戦中に連合国軍と日本軍との狭間から生じたさまざまな物理的、心理的な深い傷があることを知った。

いくら国際人だと意識したり、戦争は過去のことと割り切っていても、戦争の記憶は亡霊のように現れてくる。その対処の仕方に自分の器量が問われる。政治や社会的なことは話題にしない家庭に生まれ育ち、バブル時代の日本で教育を受けた私は、文化的素養に乏しく、戦争に関して無知のまま旅をしてきた。なぜ、日本の教育制度では戦争の歴史をきちんと学べる機会がないのか、疑問や憤りを覚えた。
旅での恥を正面から受け止め、日本の加害の歴史とその構造を突き詰めて国内外への影響を確かめていくこと、それが日本の国際的信用を取り戻すことにつながるのではないかと感じている。

◉にしの・りょうた／1976年神奈川県生まれ。99年ローズ大文学部卒。2007年、西オーストラリア大歴史学科博士課程修了。クライストチャーチ工科大、フィジー国立大講師を経て現職。19年4月より国際日本文化研究センター外国人研究員を併任。専門は日本戦後史、紀行文学史。

想像力の時代。未来は静かに見つかる時を待っている

より良い未来をつくるために、私たちに何ができるのだろうか。

人類は、700万年前に森を追い出された弱い猿として歩み始めました。力では子どものチンパンジーにも劣る人間が、世界中に生存圏を広げることができたのは、石を石斧として使い、火を調理に活用するという、テクノロジーを生み出す力を持ったからでした。2019年、カリフォルニア大学のリチャード・ミュラー教授が代表を務める非営利団体「バークレー・アース」は、地球上で観測史上最高の気温を示した地点が300カ所以上、夏（5～8月）の平均気温の記録を更新したのは1200カ所以上であったことを示しました。人類の生存の基盤を築いたテクノロジーが、人類を脅かすリスクでもある時代に私たちは生きています。石斧の誕生から260万年が経ち、テクノロジーは大きな進化を遂げたと同時に、地球自体にも影響を与えるほどの力を持つようになりました。そして現在、人工冬眠や光合成触媒など、さらに新たなテクノロジーが生まれ始めています。それらは新しい未来社会を実現する可能性でもあります。

西村勇也
NPO法人ミラック
代表理事

ケインズが1930年に書いた『孫たちの経済的可能性』では、生産性が1％ずつ向上すれば100年後には労働時間が4分の1になると考えられていました。しかし、2030年を10年後に控えた今、生産性は高まった

一方で、労働時間は減少していません。生産性は、その成果の行き先として何を選ぶべきだったのでしょう。

想像力の時代が始まろうとしています。役に立つかどうか、経済に寄与するかどうかという観点は、正解に向かって収斂《しゅうれん》する世界を生み出しました。そして、世界は76億人に増えた人間同士の必要のない競争を続けています。他者と競う社会では、想像力は相手に勝つ方法に向けられます。しかし、まだ実現できていない未来を求める社会では、想像力は自分たちの可能性の探索に向けられます。

「アテナイの学堂」ラファエロ・サンティ

思想家のトマス・モアは、１５１６年に書いた『ユートピア』で、「人々は勤労の義務を有し、日頃は農業にいそしみ、空いた時間に芸術や科学研究をおこなう」ことを理想的な生活として描きました。今の社会では役に立たないとされているものの中に、社会の盲点と未来の可能性があるはずです。

この1年が千年後から見たときに、「あのとき人類は大きく方向性を変えた」と言われる年になるとしたら、それは、私たちのほんの小さなものの見方の違いが生み出す創造ではないでしょうか。未来は私たちのすぐ足元で静かに見つかる時を待っています。

●にしむら・ゆうや／１９８１年大阪府池田市生まれ。大阪大大学院にて人間科学の修士を取得。２０１１年にＮＰＯ法人ミラックを設立。大手企業・組織の新規事業開発部門を中心に、未来構想の設計、未来潮流の探索、オープンイノベーション支援ツールの開発などに取り組む。理化学研究所未来戦略室イノベーションデザイナー、大阪大ＳＳＩ特任准教授などを務める。

誠実に向き合う先に新しい景色が待っている

服部響子
声楽家

数カ月前、イタリアのある街でのコンサート。全曲イタリアオペラのプログラムの後、アンコールとして歌手が一曲ずつ披露することに。北イタリア・パルマ出身の歌手はパルマ方言の民謡を、南イタリア出身の歌手はナポリ民謡を、そして私は山田耕筰の「赤とんぼ」を歌うことに。つい先ほどまで、頭のいい女性が資産家の老人をいいようにあしらう、というコミカルなオペラの世界にいたが、「赤とんぼ」の前奏が始まった瞬間、懐かしさが湧き上がってきて、眼前に地元亀岡の田園風景が広がった。自分でも驚くくらいに。情緒ある前奏を弾いてくれたのは、ルーマニアで育ったハンガリー人のピアニスト。外国人音楽家として共にイタリアで頑張っている仲間の一人だ。彼女は全くこの曲を知らなかったが、私が伝えたかった雰囲気をすぐに理解してくれた。初めてこの曲を聴いたであろうイタリア人のお客さんたちの反応も良く、共演者たちも「赤とんぼ」を気に入ってくれた。純粋に嬉しく、「日本語の歌の魅力をもっと伝えたい」という気持ちになった。

イタリアにいると、自分が「外国人」としてオペラに取り組んでいることを自覚させられることが多い。母国語ではない言語で歌わなければならないこともその一つだ。イタリア人の歌手たちが、無意識に言葉の持つリズムに添って自然と奏でる姿から学ぶ。アクセントや発音のルールもきちんと体系的に学ばなければならない。おかげでどんな言語の歌も、言葉に対してより注意深く向き合えるようになった。

最近、「外側」の人間としての視点を持っていることが、強みにもなることをようやく実感できるようになってきた。それは、自分の「内側」にあるものも豊かにすることができる。むしろ、グローバル化の中では、内外を分けること自体がもはや意味がないのかもしれない。外側にいると思っていたら、いつの間にか内側にいるかもしれない。あるいはその逆もあり得るだろう。

音楽は私に知らない場所をたくさん見せてくれて、多くの人々と出会わせてくれた。新しい世界に入っていくときは、相手から受け入れてもらえなかったり、自分が相手を理解できなかったり、フラストレーションはつきものだ。見ないふりしてやりすごす方が楽だが、音楽にも人にも、そして自分自身にも誠実に向き合えば、大きな喜びがやってくる。これからの私たちは、未知のものを受け入れることも、未知の世界へ入っていくことも、より頻繁に経験するだろう。向き合うことは体力を必要とする。でもその向こうには新しい景色が待っていると信じている。

●はっとり・きょうこ／亀岡市生まれ。京都市立音楽高校を経て、東京藝術大音楽学部声楽科卒業後、イタリアに留学し国立パルマ音楽院3年課程卒業、最高課程を「賞賛 特別賞」付き満点で修了。2011年、当時のパルマ音楽院日本人学生有志でKIZUNAを結成、北イタリア各地で東日本大震災復興支援コンサートを行う。現在もイタリアを拠点にソプラノ歌手として音楽活動を続ける。

日々の研鑽こそが次の飛躍の大きな足掛かり

早島大祐
歴史学者

新年早々から私の浪人時代の話で恐縮だが、今から30年前、大学入試に失敗して落ち込んでいた時、北海道から祖母が城陽にある家までやってきて、「1年や2年なんて大丈夫！若いんだから」と励ましてくれた。その時は「人のことだと思って！」と憤るばかりだったが、今から約450年前にも浪人生活をかこつ人物がいた。

その人の名は明智光秀。本年度のNHK大河ドラマの主人公となる人物である。彼は1568（永禄11）年9月に足利義昭・織田信長連合軍の一員として上洛し、歴史の表舞台に登場する以前、実に10年にも及ぶ浪人生活を越前の長崎称念寺の門前で送っていた。

ではそこで彼は何をしていたのか。実は医者のようなことをして、糊口《ここう》を凌《しの》いでいたらしい。このようなことが可能になった背景としては、17世紀までの地域医療は基本的に浪人あがりなど外部から流れてきた人間により担われていたという実情があった。そのために少しでも医学の知識を有するならば浪人であっても歓迎されたのである。

そして浪人医師としての生活は、日々の生活を支えるだけでなく、転機の足掛かりともなった。1566年ごろ、足利義昭方として近江高嶋の田中城籠城戦に光秀が参陣した際に義昭の側近で、やはり同城に詰めていた沼田清長に、自身が所持していた『針薬方《しんやくほう》』という初級の医学書を教えたとの記録が残されている。一般的に籠城戦では浪人たちもかき集められたから、光秀も浪人生活から脱出するきっかけを求めて田中城に集ったと想像されるが、そこで医学書の伝授を通じて、義昭側近の知己を得ることに成功したのである。

そして1568年4月に一乗谷で義昭が元服した際に、光秀は足軽衆として正式に編入された。家臣としては末端ではあるが、ここに晴れて、光秀は浪人生活から抜け出すことができたのである。そこには籠城戦参加の軍功に加え、沼田の口添えもあったと想像される。その後、医学を学習する過程で培われた、読み・書き・計算の技能を駆使して、足利義昭・織田信長の下で頭角を現したことは周知の通りである。

旧亀山城前に建つ明智光秀の銅像（亀岡市古世町）

冒頭の私の浪人時代のエピソードに話を戻そう。振り返るとわざわざ孫の様子を見に来てくれた祖母の言った通り、色々あったものの、その後の私は確かに「大丈夫」だった。光秀も最期は謀反人として終わったが、10年にも及ぶ浪人時代に研鑽《けんさん》を続けることで、次の飛躍の大きな足掛かりとした。謀反人にまではならずとも、私もこの先どうなるかは分からないが、現在、雌伏の時を過ごされている方もおられると思う。本年が良い1年となりますように。

●はやしま・だいすけ／1971年京都府生まれ。京都大文学部卒。京都大学院文学研究科博士後期課程指導認定退学。2002年「戦国期畿内経済の構造と特質」で京大文学博士。京都大文学研究科助教や京都女子大文学部准教授などを経て、現在、関西学院大教授。専門は日本中世史。著書に『足軽の誕生』『室町幕府論』など。近著に『明智光秀 牢人医師はなぜ謀反人となったか』。

自然や人とつながる「むすひ」の暮らし

福田季生
日本画家

祖母が暮らす古い日本家屋。その離れをアトリエとして制作を続けて、早5年となる。離れで過ごし始めると、祖母の暮らしは感じていた以上に豊かな暮らしだと知った。

早朝、町内を歩き、花をもらってくる。野の花や、ご近所の方から分けてもらった花、自宅の庭の花をそっと切り取り、玄関先の大きな花瓶に生けていた。気に入った花は挿し木して、いつの間にか祖母の庭の一部になっていた。「生け花は自然を家の中に取り入れるものだ」ということは、祖母の姿から教えてもらったように思う。いただいた野菜や庭で拾った栗を、昼食に出してくれた。たくさんの実りを結ぶ秋、私の作品も自然と黄金色に染まる。私の作品の黄金色は秋の稲穂の色であり、実りの色であり、結びの色である。アトリエで過ごしていると、日本家屋は、外に広がる自然とつながるように造られたものだと実感する。ガラスの引き戸を開けると、庭と地続きになり、桜の花びらが風とともに舞い込んでくる。祖母が日々の生活の中で育んできた自然とのつながりと、人とのつながり。懐かしい思いとともに、確かに知っていたはずなのに、どうして忘れていたのだろうか。

私の制作の根底には「祈り」があり、思想の根底に「結び」という考えがある。「結び」の語源は「むすひ」であり、「くくる」「束ねる」という意味合いの他に「約束をむすぶ」「人と人とをむすぶ」など、「縁」や「心をつなぐ」という意味でも使われている。

画中には四季の花々で彩られたきものを纏《まと》う女性の姿。作品の中から外へ、外から中へと緩やかに曲線がつながっていく。衣（ころも）のような煙のような、糸のようなもの。それらは自己（内）と外をつなぐ縁（むすび）を象徴するものとして作品中に登場する。円を描き、巡り、またつながっていく。世界中につながる広がりと相反するように、現代社会に感じる閉塞感は、これらの縁の糸が、無数に絡まってしまい、互いに身動きできないほどに縛り合っている故だろうかと感じる。世界につながる「むすび」の糸。けれど、本当に大切な「むすび」が、見えづらくなってしまったのではないか。

アトリエで制作しながら、確かにここにあった「むすひ」の暮らしを、私は作品を通して取り戻し、伝えたいと思っている。私はどれだけのことを祖母の姿から教わり、この先に伝えていくことができるだろう。

薄衣で触れるように優しく。世界が美しくあるように願いを込めて。

「花とねむる」

●ふくだ・きはる／1985年奈良県桜井市生まれ。京都市立芸術大大学院絵画専攻日本画修了。故郷にアトリエを構え、暮らしに溶け込み四季の移ろいを彩る、人と風土をつなぐ衣服としての着物の今を描く。2012年、日春展入選、15年、改組新第2回日展入選、18年、第5回続「京都 日本画新展」優秀賞受賞。

身近な地域に目を向けることが平和な未来へと進む道

「未来」を考えたとき、世界平和について話したいと思いました。こう言うと「やすやすとそんなこと言うなよ」という空気が流れます。僕だっていつも考えてるわけじゃありません。基本、自己中心的に生きています。しかし「平和について」こそ、気軽に話すべきで、それが言えない空気が漂っている現状に「ヤバい」なと感じています。

馬杉雅喜
映像作家

近い未来、人は「数字」と「便利さ」から、今よりも解放されている必要があると僕は思います。そして、家族と友人、自然と故郷を思うことが、平和につながっていくと思います。

２０１７年、笠置町を舞台にした、僕が監督を務めた映画「笠置ＲＯＣＫ！」が公開されました。「過疎化が進む町を盛り上げたい」とのお話をいただき、「それなら町民全員で映画を作りましょう！」と企画しました。映画には、多くの人に見てもらう宣伝効果と、町に文化を育む力があります。何十年先も、お盆やお正月に家族が集まった時、この映画を肴《さかな》に「あの時の町はこうやった」と話が盛り上がることが、文化と誇りを次世代に紡いでいくことにつながると思ったのです。映画がきっかけで30数年ぶりに町のお祭りが復活しました。

文化に興味を持つようになったのは、学生時代に海外を一人旅したのがきっかけでした。そして地域に関わる仕事を始めたのは東日本大震災からです。3年間、被災地でドキュメンタリーを撮り続けました。自分の町が変わること、無くなること、戻れなくなることがどういうことかをそこで目の当たりにしたのです。そしてその影響を直に受けるのが子どもたちだということも。

昨今、グローバルな人材が必要だとよく言われます。言語が話せることも大事ですが、ただ、それ以上に自身のアイデンティティーを語り、そのルーツを誇れない人は世界で通用しないだろうと思います。だからこそ、人材を育む魅力ある地域が大切です。魅力とは、そこに根付く文化と風景です。都市部だけが栄えても日本は良くならない。あちらこちらで同じような都市化を図っても、京都の未来は良くならない。身近な地域に目を向け、自分ができることを今やることが、平和な未来へ進む道だと思います。

と、こんなことを仲間と飲み屋で語り合ったりします。それを妻に伝えたところ、「平和への道はまず、寄り道せず早く家に帰ってくることからや」と言われましたが……。

●ますぎ・まさよし／1983年京都市生まれ。日本写真映像専門学校卒、東映京都撮影所で現場スタッフを経験した後、2012年、シネマズギックスを設立。ミュージックビデオ、CMなどでディレクターを務め、17年映画「笠置ROCK!」で監督。20年冬、自身二作目となる、eスポーツを題材にした映画を公開予定。

先人から受け継いだ永遠の価値を持つ言葉

三好マリア
京都外国語大学
国際言語平和研究所
嘱託研究員

京都は外国人がよく訪れる町だが、日本にたどり着く道は人それぞれだ。私は母国のベラルーシの大学で東洋学科に入り、日本語そのものに興味を持ち、専門に研究してきた。

日本に留学する前にしばらく日本語教師を務めていたが、生徒たちに「ほかの外国語とこんなに違う言語を本当に習得できるの？」とよく聞かれた。確かに、日本語は文法や語順がヨーロッパ諸言語と全く違うのだが、実は生徒たちが最も悩んでいたのはそれではない。言語は、その民族そのものであって文化でもある。「言語というのは人々の生産物であり、第一に彼らの価値観の鏡である。日本人の心を理解しない限り、いくら文法的に正しい文が作れるようになったとしても日本語を十分に習得できたとは言えない」とよく説明したものだ。

2年ほどロシアのサンクトペテルブルグ市にも住んでいたことがある。エルミタージュ美術館のあるロシア帝国時代の首都で、今は政治的首都のモスクワに対し、文化的首都だと言われている。まるで東京と京都のようだ。現地の人たちと交流して実感したのが、ペテル人は上品で洗練されたロシア語を話すということ。自分の町の文化を誇りに思い、言葉も文化の一面だとペテル人は考え、そして、自分たちの言葉、母語を豊かできれいなまま保ち続けるよう努力している姿があった。

「言語は努力」なのだ。立派な翻訳家になるには、まず立派な母語話者にならなければならない。それには、努力が必要だ。最近の若い人たちの言葉は、略語や外来語など流行語が多く取り入れられ、多様化して、確かに便利で「生きた」感じにはなっているが、落とし穴が潜んでいる。流行語というのは、あくまでも一時的なもので、ある単語や表現が世に出て、大量に生産され過ぎると、逆に「言葉のインフレ」という現象が起こり、その価値が一気に下がってしまう。一方、流行に左右されない、永遠の価値を持っている言葉というのがある。それは先人たちから受け継いだもので、彼らの知恵がぎっしりと詰まっている言葉だ。そして、それこそが立派な文化遺産である。

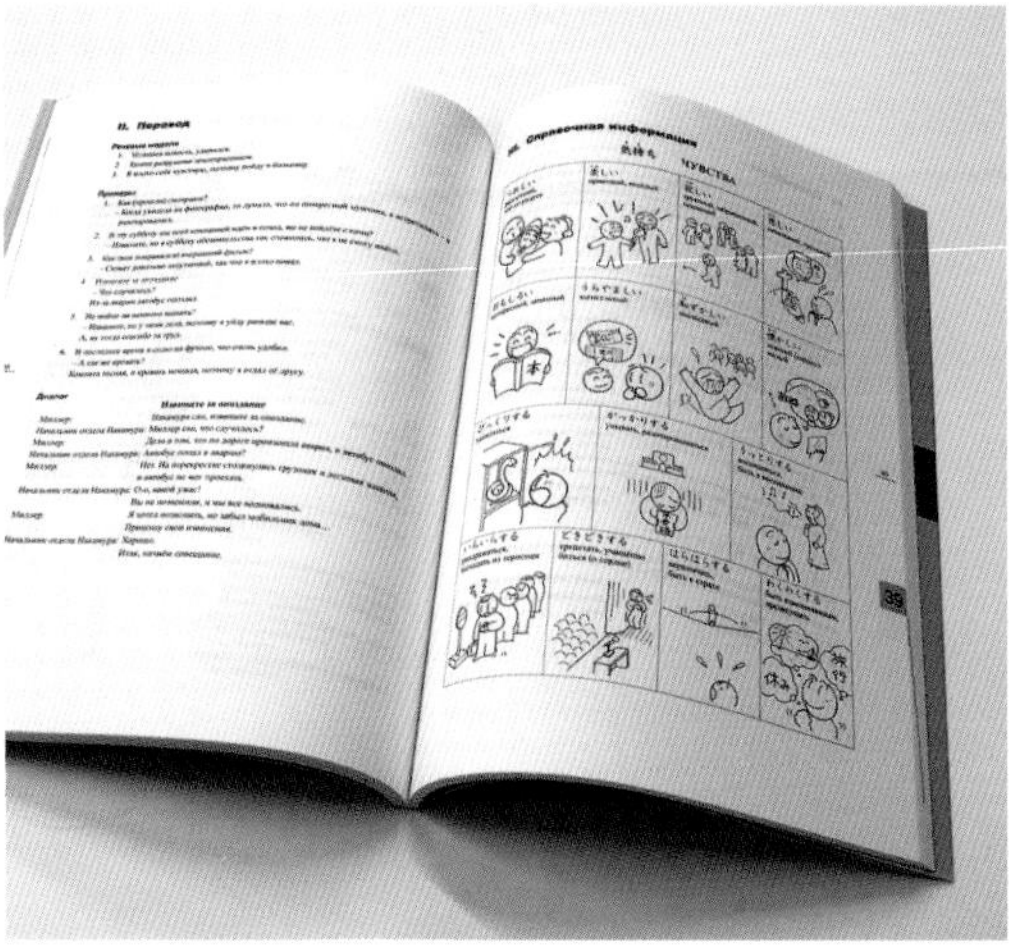

『みんなの日本語』翻訳・文法解説 ロシア語版

京都は日本の文化的首都である以上、「言語は民族、文化、そして努力だ」という観点から母語である日本語を見直し、それを忘れてはならない。建築物や芸術作品と同様に立派な文化遺産として未来につないでいってほしい。歌のように流れる民話の日本語はもちろん、美しく心を惹《ひ》かれるような上品で洗練された夏目漱石の日本語、そして、あの面白おかしい『ちびまる子ちゃん』の日本語も……。

●みよし・まりあ／ベラルーシ国立大国際関係学部東洋学科在学中、北海道大に1年留学。卒業後、在ベラルーシ日本国大使館、日本文化センター「葉隠れ」で勤務。大阪大大学院修士・博士課程を修了。大学院に在学する傍ら、翻訳の仕事に就き、8年間日露翻訳家として活動。現在、京都外国語大国際言語平和研究所の嘱託研究員を務める。2020年4月よりロシア語学科教員（予定）。

夢や目標を持つことの素晴らしさ一生懸命努力する楽しさ

柳本あまね
車いすバスケットボール選手

物心がつくころから両下肢機能障害を抱えていた私は、幼少期、自信が持てずネガティブな性格でした。できないことが多いのは仕方ないことなのに、一つ一つを人と比べ、悔しくて泣いたり落ち込んだりする毎日。でも体を動かすことだけは大好きでした。さまざまなスポーツに取り組む中で、小学校6年生の時に車いすバスケットボールに出合い、初めて全力で取り組む楽しさを知りました。車いすバスケの存在を教えてくれたのは、小さいころから私の成長をずっと見守り続けてくれたリハビリの先生でした。

「ハンディキャップを持っているのは自分だけじゃない。この世界には私と同じように障害を抱えている人がいる、むしろ私よりも障害が重い人たちもいる。みんな味方だ」といつしか思えるようになり、前向きな性格になることができました。

私の病気は原因不明、治療法も不明です。いまだに謎だらけで治ることはありません。でも世界中には私と同じように原因不明の病気で治療法も分からず苦しんでいる人たちがたくさんいます。誰も病気のせいで苦しまない世の中になってほしいという思いから、病気や障害を抱えていても、自分のやりたいことをしてもいい、そして、みんなに輝く権利はある、ということを車いすバスケを通じて日々発信しています。

医療はチームワークが大切との話を聞いたことがありますが、それは車いすバスケのチームに置き換えても同じです。重い障害者でも対等に試合に出られるようにルールが設けられており、さまざまな障害の度合いを持つチーム全員がお互いをサポートしながらプレーをしていきます。これは医療、車いすバスケだけにあてはまることではなく、人と人とのつながりの中で形成されている社会全体にもいえることだと思います。五体満足であっても悩み苦しんでいる人はたくさんいるでしょう。私にできることは少ないかもしれませんが、夢や希望を持つことは誰にでもできるはず。自分なんて……という思いは持たなくていいし、してはいけないことなどないと思っています。今後も夢や目標を持つことの素晴らしさ、それに向かって一生懸命努力する楽しさを伝えていきたいです。

いよいよ迫った「東京2020」。必ず日本代表として出場し、チーム目標である銅メダルを獲得し、輝いている自分の姿を見せたい。今まで支えてくれた家族や周りの人たちへの恩返しをしたい。そのためにもあと7カ月、さらに練習に励み大会に臨みます。

●やなぎもと・あまね／1998年京都府生まれ。同志社女子大3年生。2歳4カ月の時に原因不明の病気で両下肢機能障害となり、3歳から車いす生活。小学校5年生の時に車いすバスケットボールと出合い、高校1年生の時に初めて日本代表選手に選出。現在は強化指定選手として、今年開催される2020年東京パラリンピックに日本代表選手として出場するために日々練習に励んでいる。

先人たちの教えを糧に
アートで時代の先を照らす

ヤノベケンジ
現代美術作家

KYAP

1933（昭和8）年開館の公立として2番目の歴史を持つ京都市美術館。そのリニューアルにあたって開かれた市民との対話集会でのこと。私は、美術館の前にある「大鳥居」の横に巨大な狛犬《こまいぬ》を置き、美術館の上にルーブル美術館のようなピラミッド型の太陽光パネルを設置することを提案した。いわばピラミッドとスフィンクスの関係だ。狛犬は「美の殿堂」である美術館を守護する霊獣として、鳥居前に置くことが相応しいと考えたからだ。残念ながら、その案は採用されなかったが、日本における狛犬の起源は平安時代の御所に描かれた障子絵から始まっており、平安神宮との相性もばっちりだと思ったのだ。

その後、比叡山延暦寺で開催された「照隅祭《しょうぐうさい》」で、彫刻の奉納展示を依頼された。そこで「にない堂」を見て狛犬のイメージが蘇《よみがえ》った。「にない堂」は、常行堂《じょうぎょうどう》と法華堂という、同じ形のお堂が合わせ鏡のように二つ並んでおり、渡り廊下でつながっている。奥に釈迦堂があり、ある種の門のようにもなっている。

そこでは現在でも厳しい修行が行われており、常行堂では90日間、本尊の阿弥陀如来の周りを、修行者が不眠不休で「南無阿弥陀仏」を唱えながら歩き続ける「常行《じょうぎょう》三昧《ざんまい》」が行われている。私が調査に行った8月の末頃、お堂から修行者のその声が聴こえてきたのである。「常行三昧」のことを知り、身が引き締まる思いとなった私は、現在の地球環境の悪化や人類の分断・対立、国際紛争などから世界を守る守護獣として、祈りを込めて「狛犬」を制作することにしたのだ。3日間だけの展示であったが、自分以外のことを思いながら制作したことで、アートの原点にあらためて触れられた気がした。

撮影＝表 恒匡

昨年は、国際芸術祭「あいちトリエンナーレ」をめぐって大きな騒動が起きた。アーティストが社会でこれからどのような役割を果たすべきなのか、大きな岐路に立っているように思う。現代において、アーティストの役割は広く、多角的になる必要があると思っている。アートには時代の先を照らす力があるからだ。それが独りよがりにならず、人々の融和や深い相互理解につながってほしい。

1970年の大阪万博後、解体されゆく会場で目にした「未来の廃虚」ともいえる記憶を原点に創作してきた私であるが、これからも日々自問自答しながら、偉大な先人たちに学び、未来の時代を切り開く新たな挑戦をし続けていきたいと思っている。

●やのべ・けんじ／1965年大阪府生まれ。91年、京都市立芸術大大学院美術研究科修了。「現代社会におけるサヴァイヴァル」をテーマに放射線感知服「アトムスーツ」などを制作。2000年以降、テーマを「リヴァイヴァル」へと移行。東日本大震災後、希望のモニュメント「サン・チャイルド」を国内外で巡回。京都造形芸術大教授。ウルトラファクトリー代表。

長期的視野で問い続ける知識と技術の伝承

山科家は代々、宮廷装束の調進と着装「衣紋道《えもんどう》」を公家の家職として担ってきた。平安後期の藤原実教が当家の初代にあたり、私で30代目になる。明治維新以降も京都に残った数少ない公家の一つだ。

衣紋には山科流と高倉流の二つの流派があり、昨年秋の御大礼においても、両流派の家元で天皇陛下の御装束の着装をご奉仕させていただいた。

山科言親
衣紋道山科流
30代家元後嗣

装束の着装は、男性も女性も着用者（お方様）一人に対して、衣紋者二人が前と後ろで一組になって息を合わせて進めていく。限られた時間の中で、お方様が儀式の所作をしやすい着付けになっているか、着崩れることがないようにするにはどうすべきかなど細心の注意を払いながら行うことが必要となる。儀式の裏方として自信を持って臨むためには、試行錯誤しながら、日々の稽古を積んでいくほかにない。

あまり普段着装する機会がない特別な装束については、先祖が書き残した古文書を改めて研究する。その成果を今回の着装にも役立てた。しかし着装の技術を絵図や写真、文書で伝えるには当然限界があり、最終的には人から人へと直接伝授していかなくてはならない。着装だけではない。装束に加え、儀式に用いる品々を製作するさまざまな分野の職人の方々も同じであろう。多くの過程を経て、一つの儀式が成り立っており、どれか一つでも欠けると他に影響が出るという緊張感が存在する。

　御代替わりの間隔は近代以降長くなった。特に昭和の御代は長く、平成の御大礼の際は昭和の御大礼を経験された方がほとんどおられず、準備に大変な苦労をしたと聞く。今回は前回の儀式に携わった方がいらっしゃったことが大きかったといえるが、職人の減少や高齢化などの問題は確実に顕在化しており、知識と技術の伝承を楽観視することはできないであろう。

　宮廷装束が衣服として本来あるべき姿を考えると、単に装束の着装披露や展示をするだけではなく、実際に着用される空間や儀式を共に守ることが大切だ。例えば天皇陛下が勅使を遣わされる三勅祭、賀茂祭（上賀茂神社・下鴨神社）、石清水祭（石清水八幡宮）、春日祭（奈良・春日大社）などの年中行事という場で実際に着られることが、いきた形での装束の伝統継承につながっているといえる。

　長期的な視野を持ちながら、何をどのように後世に伝えていくのか。その問いを続けていくことが求められている。

●やましな・ときちか／1995年京都市生まれ。同志社大経済学部卒。現在、京都大大学院人間・環境学研究科在籍。宮中の衣装である「装束」の調進・着装を伝承。NHK「日曜美術館」出演や歴史番組の衣装考証を行う。「言緒卿記にみる舞楽装束・道具調進の記録」「近世公家社会の成り立ちと実情」など講演多数。また、山科家旧別邸である源鳳院での講演会の監修も手掛ける。

日本語を愛することなくして、日本を愛することはできない

鷲巣 力
立命館大学 加藤周一現代思想研究センター長

東京五輪大会と日本国憲法改定論議が同じ年に行われる予定なのは偶然ではない。二つはともに「日本」を旗印として進められる。五輪大会で日本選手の活躍に一喜一憂し、人々の間に「国を愛する」気分が昂揚《こうよう》するだろう。憲法改定論議も「日本」の在るべき姿が問われ、推進派は憲法改定を「国を愛する」ことと結びつけて考えている。そして五輪大会における「国を愛する」気分の昂揚は、憲法改定論議に大きな影響を及ぼすに違いない。だからこそ、日本国政府はこの二つを同じ年に行いたいのである。

「国を愛する」ことには二つの問題がある。一つは、愛国の情は排他的国家主義と結びつきやすく、そういう性質を政治はしばしば演出し利用してきたことである。もう一つは、「国を愛する」とは、いったい「国」の何を愛するのか、という問題である。

日本国首相が「美しい国づくり」を訴えていた頃に、加藤周一は「愛国心について」（「夕陽妄語」朝日新聞2006年3月22日付）という文を書いた。その文に、ドイツの詩人ハイネがフランスに亡命した後に詠んだ「昔僕には美しい祖国があった」と始まる詩を紹介した。ハイネが「高く伸びた樫の樹」や「優しくうなずいていたすみれの花」と並んで「ドイツ語の響き」を愛し続けたことが綴られる。加藤はフランスの『プティ・ラルース』

について語り、その辞書には「愛国心の中核としての愛国語心」があると指摘したこともある（「愛国語心の昂揚へ」『広辞苑』内容見本、岩波書店、2008年）。

なぜ母国語を愛する必要があるのか。母国語はその国の人々の意思疎通の基本であり、その国の文化の根幹を成すからである。しかも自国文化への理解がなければ、外国文化への理解は覚束《おぼつか》ない。それ故に中江兆民は仏語塾を開いたとき漢学を必修にした。今日よくいわれるように「国際化の時代」ならばこそ「愛国語心」が肝要になる。

しかし、現代日本語は変化が著しい。永井荷風は『断腸亭日乗』に、好戦を煽《あお》る勇ましい言葉が飛び交うなかで「日本語の下賤今は矯正するに道なし」（1941年4月4日）と記した。爾来《じらい》80年、過度な外国語カタカナ表記、省略語法、大仰な言い回し、珍奇な表現、曖昧な表現が流行《はや》る御時世となった。世代によって使う表現が異なり、意思疎通が図れない事態さえ生じている。われわれは日本語に対してあまりに無頓着ではなかろうか。思うに、日本語を愛することなくして、日本を愛することはできない。

●わしず・つとむ／1944年東京都生まれ。東京大法学部卒。平凡社で『林達夫著作集』『加藤周一著作集』などを編集し、『太陽』編集長、取締役を務める。92年フリージャーナリストとなる。著書に『自動販売機の文化史』『公共空間としてのコンビニ』『加藤周一を読む』『「加藤周一」という生き方』『加藤周一はいかにして「加藤周一」となったか』など。

未来に求められる人材とは

［賛同社コラム］２０２０年

祈りの心の継承

田中恆清 石清水八幡宮 宮司

石清水八幡宮は平安時代の創建以来、平安京を守護する王城鎮護の社として人々からあつく崇敬されてきました。まさに千百有余年の永きにわたり、当宮は国家の安寧と平和を祈り続けてきたのです。

神社で行われる祈りとは、古来共同体での神々への祭祀《さいし》を意味してきました。いにしえより日本人は、鎮守の杜に集まり神々への祈りを捧げ、自然の恵みに感謝して皆で助け合いながら日々の生活を慎ましやかに営んできた民族であります。日本人の祈りの心の根底には、自分以外の家族や他者をいたわり思いやる心が流れているはずです。現在でも、初宮参りや七五三参りなど、子どもの健やかな成長を祈るため、多くの人々が神社を訪れます。

共同体への帰属意識が弱まり、他者とのつながりが希薄となっている現代社会においてこそ、日本人が受け継いできた「祈りの心」を未来へ継承していっていただきたいと切に願っております。自分さえ良ければよいという考え方ではなく、思いやりや優しさなど、人と人とを結ぶ心を、次世代の人々には大切にしていただきたいと思います。そのことを伝えていくことがこれからの神社の重要な役割であると信じております。

（2020年2月29日掲載 一部加筆）

「先義」を実践し、お客さまを笑顔に

上原晋作 上原成商事株式会社 代表取締役社長

当社は「先義後利」を旨とし、お客さまに対して誠意をもって接すること、正直であること、お互い笑顔になることの三つが「先義」であると解釈しております。それを実現するために、常に現場主義に徹し、お客さまとFace to Faceでのお付き合いを心がけてまいりました。今後ともリアルな接点を大切にし、先義の実践にこだわり続け、肌で感じたお客さまのニーズの変化をチャンスと捉えて日々変革に挑戦してまいります。その積み重ねがあってこそ、当社はお客さまを笑顔にする会社であり続けることができるのだと信じております。世間を見回してみますと、ネット社会の到来は、情報の量と速度を別次元の水準にまで引き上げ、随分と私たちの知識欲を充足させてくれるようになりました。一方で情報の質という観点から見た場合に、言葉が何か記号化してしまい、言外の思いをくみ取る力が欠けてきたように感じないでしょうか。現代の情報ツールを活用しながらも美しい言葉で感情を伝え合い繊細な感受性をしっかりと育んでいくこともまた、当社が先義を果たす上で、重要な課題であると思っております。

（2020年3月5日掲載）

世界一の「アナログの都」を築く人材

福井正憲 株式会社福寿園 代表取締役会長

人間は相反するものを求めるものです。今や物質的な科学技術だけでなく精神的な文化芸術の分野までデジタル化が進んでいます。このデジタル社会の数字的、「階段的」思考の時代にこそ、アナログの連続的、「ウェーブ的」思考が必要です。

デジタルな数字で解決する仕事はAI（人工知能）やロボットで事足り、人間の仕事には、綿々と受け継がれてきた歴史の連続性に基づくアナログ思考が求められます。さらに、AIやロボットが思い付かない想定外の事態には、思考の飛躍や、逆転が必要です。そのために「百聞は百見に如かず」で常に見聞を広め、「自分の目で見、自分の足で歩き、自分の心で感じる」ことが大切です。デジタル社会は論理的な個性の組み合わせで成り立つものです。それに対し、人間は、自分だけの“物差し”をしっかり持つことが求められます。特に、1200年の都で、その中心に天皇を頂き王朝文化の華を咲かせてきた京都は、世界一の「アナログの都」となるべきだと思います。できるだけ多様なものに触れ、何でもいいから「これをやったら世界一」と胸を張れるものを一つ見つけてほしいと思います。

（2020年3月12日掲載）

自ら考え行動する人材

安元裕之 アサヒビール株式会社 理事 京滋統括支社長

アサヒグループは、2019年1月に新グループ理念「Asahi Group Philosophy」を制定しました。グループのミッションとして「期待を超えるおいしさ、楽しい生活文化の創造」を掲げ、世界のグループ社員と理念を共有し、持続的な企業価値向上を目指しています。

この理念のもとに、アサヒビールでは「お客様の最高の満足のために お酒ならではの価値と魅力を創造し続ける」を長期ビジョンに制定し、その実現に向けて全社員がお客さまの立場に立ち、高い目標に向かって挑戦し続けています。これを達成するために当社では、①自ら課題を見つけ、挑戦し、やりきる力を持ち合わせている。②組織やチームに積極的に働きかけ、影響力を与え、貢献できる。③コミュニケーションに長けていて、信頼を置かれ、周囲に刺激を与え、けん引することができる。この3点を特に重視しています。酒類事業が厳しい環境に直面する中、変化に素早く対応し、多様なニーズに応え、お客さまの満足を追求していくために、自ら考え行動する人材、個人の成長を組織の成長につなげることができる人材を育成することが重要だと考えています。

（2020年3月14日掲載）

多様性のある企業風土

栗和田榮一 SGホールディングス株式会社 代表取締役会長

当グループは1957年の創業以来、お客さまのために何ができるかを常に考える「飛脚の精神《こころ》」を原点とし、60余年にわたって物流事業を展開してまいりました。近年ではグローバル化の進展やIT技術の進歩などを背景に社会環境は大きく変化し、ステークホルダーの皆さまからの私たちへの期待も、多様化、高度化していることを実感しております。

多様化するニーズにお応えし続けるために当社グループが取り組んでいるのが、ダイバーシティの推進です。多様な価値観を認め合うことで、個々の能力や感性を生かし、新しい価値を生むことにより、お客様に満足をお届けできると考えているからです。

少子高齢化のますますの進展や働き方改革の推進により、これからは今まで以上に物流サービスの多様化が求められる時代になると理解しております。決まった日時にお届けするだけではなく、トータルロジスティクス機能の強化を軸としたソリューションという付加価値をお客さまにご提供させていただける、そんな企業を目指してまいります。

（2020年3月19日掲載）

「当たり前」を変える人

松尾一哉 大阪ガス株式会社 理事 京滋地区総支配人

企業には「不易と流行」、すなわち、「変えてはならないもの」と「変えていくべきもの」があります。創業以来113年、当社にとって不易なるものは、「サービス第一」という社是であり、「暮らしとビジネスの“さらなる進化”のお役に立つ企業グループであり続ける」という理念にほかなりません。

一方で、当社にとっての流行なるものは環境変化への対応であり、明治期にガス灯事業を始めて以来今日まで、照明用から燃料用、発電用へのガスの用途開発、工業用・業務用から家庭用までのガス機器・設備開発の連続でした。そして、現在の電気・ガス小売り全面自由化は、エネルギー業界にとってかつてない大きな変化であり、従来の前提や常識が変わる中で、当社は自由化後の「当たり前」を変えるべくチャレンジしています。新しい「当たり前」を創り出しても、すぐにまた古い「当たり前」になっていきますので、「できた」と思った瞬間から、新たな課題への挑戦が始まります。

そのため、当社が求める人物像は、不易なる理念を貫きつつ、従来の「当たり前」を変えることに挑戦し続ける人、このように言うことができます。

（2020年3月26日掲載）

時代を変化させられる人材

大垣守弘　株式会社大垣書店 代表取締役社長

弊社は、おかげさまで、ことし創業78周年を迎え、中長期経営計画のスローガンとして「百年書店」を掲げています。これは単にこれからの20年余りを永らえるということではありません。「地域に必要とされる書店でありつづけよう」という社是を常に実践するために、変わりゆく社会に対して絶えず変化し続ける決意と考えています。一方で、もはやそれで追い付いていけるのか、というくらいに、これから先に予測される時代の変化のスピードの速さには不安さえ覚えます。

そんな中にあって、弊社は社会の流れの変化に対応できる人材はもとより、変化そのものを生み出すような人材を求めたい。未来を予測し、さらにその先へ踏み込める人材といえば聞こえはいいですが、反面そこにはリスクが見え隠れします。しかし、失敗というリスクを回避して、先へ踏み込むことができるでしょうか。先人たちが、失敗を繰り返しながらも時代の先端を切り開いた例は、多くの書物をひもといても明らかです。書物を通じて先人たちの知恵を学び、「時代の変化のうねりをつくることが喜びだ」と言い切れるような人材に期待しています。

（2020年3月28日掲載）

「愚者」への目覚め

木越　康　大谷大学 学長

「もし愚者が自ら愚であると考えれば、すなわち賢者である」。「ダンマ・パダ」という経典に記録される、ゴータマ・ブッダの言葉である。世界中の人々に多大な影響を与えるブッダ。いったい何を悟り、伝えようとしたのか。真理を悟った人、縁起の道理を説いた人、さまざまに表現されるが、結局ブッダは「人間はこのままではいけない」ということに目覚め、説こうとしたのだともいえる。

望むものを手に入れようとする欲望と疎ましいものを排除したい衝動が、これまで世界の発展をけん引してきた。しかしそれによって私たちはどのような進化を遂げ、何を発展させてきたのだろう。各人・各国に個別の欲望は、世界に格差と争いをもたらし、決して平穏を与えることはなかった。そのような愚かな人間に、ブッダは「このままではいけない」と説くのである。

一つの地域の苦悩と混乱があっという間に世界中へと拡散する現代、痛みを共有して、世界は一つにならなければならない。己の幸福のみを追求することの愚かさに目覚める賢者となって、共に支え合う道を模索しなければならない。それが私たち人類にとっての、真の発展なのだろう。

（2020年4月4日掲載）

仲間と感謝

中村直樹 株式会社オンリー 代表取締役社長

当社ではお客さまや取引先さま、社員など会社に関係する全ての方を「仲間」だと考えています。この仲間であり続けるには相手に「正直」でなければなりません。

当社はスーツを中心とする紳士婦人服の製造販売を業《なりわい》としていますが、その中で大切にしていることは、価値ある良い商品を真心込めてお客さまにお届けするという、私たちが考える「正直な商売」を行うことです。そして、これを支えてもらっているのが社員など会社に集う「人」であり、この人が他の人と良好な関係を保つことで正直な商売が成り立ち、お客さまとも仲間の関係を築くことができるのだと思っています。

そのためには、何事に対しても感謝の気持ちを表現することが大切との思いから、当社では行動理念の中に「感謝」と「笑顔」を掲げています。感謝する気持ちがあれば、自然と笑顔が出てきます。

私たちは全てのお客さまの最良な仲間であり続けられるよう、常に感謝の気持ちを忘れず今後も努力を続けていきます。

（2020年4月7日掲載）

「Be」

柿本新也 柿本商事株式会社 代表取締役社長

私は、人間の一生を通して最も重要なことはその人の存在だと考えている。そしてそれはエコノミーとアイデンティティーがバランスよく調和していることだと思っている。しかし若い時はアイデンティティーにエコノミーがついてこないし、年を重ねてようやく経済にゆとりができた頃には、気力も体力も落ちている。

私としては60歳を過ぎてもまだまだ今の人生に納得できないので、２年前に友人・知人約20人に声をかけて「気まぐれ同人誌」を発刊することにした。最初は「何を書いたらいいの」と聞いてくる諸氏に「アイデンティティーだよ」と言うと「分かった、それなら書くわ」と返してくる。最初は書けるのかなぁと言っていた人が、創刊号を見ると、「次いつできるんや」と聞いてきて、連載物になっている。今回第４号を出版するから、年２回の刊行ということになる。

文章を書くことは、この世の中で一番難しいと亡き京都大教授が私に言ったことは、今でも脳裏に焼き付いている。上がってきたゲラを２回も３回も校正して、やっと校了になるところを見ると、投稿者全員のアイデンテイティーになっているのは間違いない。

（2020年4月9日掲載）

「伝統を超える革新性」

志村雅之　京都鰹節株式会社 代表取締役会長兼社長

このスローガンは伝統だけにあぐらをかかずに絶えず危機感を抱いて新機軸に挑戦する姿勢と精神をうたっています。過去や伝統だけにとらわれていた守りの企業、商店は市場から消えています。京都発の企業、家業はあらゆる分野で「進取の気性」を持ち技術革新や新製品開発などに挑み発展してきました。

昨今はデジタル思考の時代ですが、同時にアナログ思考とのバランスが大切になってきたと思います。人の心、ニーズの変化をいち早くアナログ思考で分析し手段としてデジタル機能を取り込むことが次の時代を切り開いていく要素だと確信しています。この融合が高齢化社会に優しさ、安らぎ、生きがいをもたらすことにつながると思います。京都発の企業の伝統と革新の対比はアナログとデジタルのバランスにも通じ、かなりレベルの高いアナログ思考を身に付けることでデジタルとの融合が企業の発展に寄与するものだと考えています。内外の多難な時期にこの２つの思考を組み合わせ、指針をはっきり打ち出すことが企業人に求められることと思います。

弊社はこの精神と融合を大切にし、社会の発展と企業の永続に邁進《まいしん》していく所存です。

（2020年4月18日掲載）

理念の変わらぬ実践

土井伸宏　株式会社京都銀行 頭取

私どもは創立間もない戦後復興期の資金逼迫《ひっぱく》の際、産業勃興を金融面で後押しすることで、多くの京都企業の成長に伴走しました。その後、お客さまと共に培ってきた高い健全性は、バブル崩壊後の金融変革期にいち早く広域展開を可能とし、174カ店の広域ネットワークを基盤とした高付加価値コンサルティング営業を展開する現在に至っております。私どもの歴史は一貫して「地域社会の繁栄に奉仕する」という理念に基づく経営の実践でございました。

新型コロナウイルスの拡大がわずか２カ月ほどの間に環境を激変させています。収束の時期を見通すことは難しく、たとえ収束したとしても経済の停滞がしばらく続くことも想定しておく必要があります。

このようなとき、あらためて私どもの理念に基づく経営の真価が問われます。4月からスタートした第7次中期経営計画「Phase Change 2020」は、今までの計画と異なり、４千人の全役職員が議論に参加し、一人一人の地域社会に対する熱い思いを反映させて創り上げたものです。私どもはその変わらぬ地域への思いと不断の努力により理念を体現し、お客さまの期待に応える銀行であり続けます。

（2020年4月21日掲載）

寄り添う金融・つなげる金融

榊田隆之 京都信用金庫 理事長

当金庫は1971（昭和46）年に「コミュニティ・バンク」の理念を世に提唱して以来、地域社会の発展や豊かなコミュニティーの形成を皆さんと共に考え、実践してきました。

新型コロナウイルスにより世界中が混乱し、地域の皆さまにとってもその影響が甚大であると思います。このような時にこそ「雨の日に一本でも多くの傘を貸す金融機関」でありたいとする私たちの役割はますます重要であると考えます。

すべてのお客さまに資金繰りのご相談や返済方法の見直しをお伺いしてスピーディーに対応すること。住宅ローンなどをご利用の個人のお客さまからのご相談に臨機応変に対応すること。投資信託などのリスク資産を保有するお客さまにはご連絡をすること。いずれもこの時期、最も大切にすべき「Banker（バンカー）」としての基本姿勢であり、地域の皆さまから強く求められていると思います。

地域が一日も早く安定を取り戻すために、当金庫は「寄り添う金融」、「つなげる金融」の実践に専念してまいります。

（2020年4月25日掲載）

地域社会と共に「東急グループ」

奥村浩二 株式会社京都東急ホテル 専務取締役総支配人

東急グループは交通、不動産、生活サービス、ホテル・リゾートの4領域で、多様な事業を日本全国・海外で展開しています。各事業が相乗効果を発揮しながら、地域社会と共に発展し、持続可能な生活環境の創造を目指しています。

国内外27地区で組織される「東急会」では、グループ各社社員の地域社会への貢献を目的とした活動を約半世紀にわたり行っています。清掃活動や文化・スポーツイベントなど、さまざまな活動を通じて、社員と地域の皆さまとのコミュニケーションを深めています。

京都での活動の一例としては、狂言方大蔵流能楽師茂山忠三郎氏、フレンチの巨匠三國清三氏、映画監督中島貞夫氏らによる文化講演会や、京都サンガFCさまと共に親子サッカー教室などのスポーツイベントを毎年開催しています。今年度は残念ながら新型コロナウィルス感染症拡大防止のために活動は自粛させていただいておりますが、罹患された皆さまや影響を受けられている皆さまに、心よりお見舞いを申し上げますとともに、早期終息によりイベントを再開し、地域の皆さまにまた参加いただけることを願っております。

（2020年5月12日掲載）

人事を尽くして天命を待つ

橘重十九　北野天満宮 宮司

中国武漢に端を発した新型コロナウイルス感染症は、瞬く間に全世界に広まって人類を震撼《しんかん》させており、地球の狭さを実感するばかりです。「学問の神」菅原道真公を祀《まつ》る北野天満宮でも祥月命日の2月25日の梅花祭は滞りなく斎行できましたが、その後の祭事は大勢の参拝者の参集を避け、御本殿での神事に徹し、この厄災の終息を願って祈りをささげています。

「人事を尽くして天命を待つ」という格言があります。万策を尽くした上で、後は天の計らいに任せるというのが一般的解釈ですが、私はそこに祈りがなければならないと思っています。千年以上の昔、京の都でもさまざまな疫病が流行し、鎮静を神に祈りました。近代に入ってもスペイン風邪や香港風邪など、自然と共存して生きてきた人類の歴史は、一面ではウイルスとの戦いだったともいえます。

近代文明が発達し、世界のグローバル化が進んだ今、全世界の政治家・研究者・医師らが英知を絞ってこの未知なるウイルスを撃退すべく必死で取り組まれています。この危機から乗り越えられることを確信して天（天神さま）に祈る毎日です。

（2020年5月14日掲載）

グローバル市民の養成に向けて

松田　武　京都外国語大学・京都外国語短期大学 学長

グローバル化に伴う多民族社会への備えが必ずしも十分とは言えない日本は、グローバル人材の育成が急務になっています。国家や民族などあらゆる障壁を乗り越え、普遍的な価値を見いだし、世界の諸問題を解決する人材養成のための「グローバル・シティズンシップ教育」が大学には求められます。まさに「言語を通して世界の平和を」という本学の建学の精神が具現化されるべき時であると考えます。

時代の要請に応えるべく教育の主柱である「コミュニティーエンゲージメント」は、国内外の多様な地域社会での活動を通じ、人間のグローバルな結び付きやそのあり方を学ぶ実践的教育です。学生はコミュニティーのメンバーと協働しながら、社会参加のスキルや自律性を身に付け、グローバル市民である意味を理解していきます。外国語を駆使し異民族と共生することは「思考を深める道」を見いだすことにつながるでしょう。

2018年4月に開設した国際貢献学部が先陣を切り、将来的には大学全体でこの実践的教育プログラムに取り組んでいきます。学園創立以来積み重ねてきた歴史の真価が問われる現在、私たちは困難な課題を進んで引き受け、新たな試みに果敢に挑戦します。

（2020年5月16日掲載）

強い意志で新薬創製に挑戦

北尾和彦 京都薬品工業株式会社 代表取締役社長

世界では新型肺炎で多くの人命が失われ、経済が大打撃を受けています。京都の伝統行事の都をどり、葵祭も中止になりましたが、このような中でも自然はいつものように桜や新緑の美しさで心を和ませてくれます。

今、日本をはじめ世界の製薬企業では、新型肺炎に有効な治療薬やワクチンの開発を急ぎ、一日も早い承認を目指しています。当社では、いまだ治療薬のない病気の新薬研究に注力していますが、山紫水明で伝統文化や歴史がありアカデミアが多い京都はそれにふさわしい都市だと思われます。

4月に入社した11人の新入社員には「人間は一人では成長できないので、会社という場の中で自分自身を成長させ、仕事を通して社会に報恩しなさい。“私は京都薬品の社員である”から“私が京都薬品である”に心を転換し、無限の可能性を信じ、会社を自分の夢を実現する場と考えて、自主自立の精神で仕事に邁進しなさい」と話しました。

当社の社是は「和親協力・誠実報恩」です。今こそ、治療薬を待ち望んでおられる患者さんに希望を与えられるよう、強い意志と素早い行動で新薬創製に挑戦していきたいと報恩の決意を新たにしています。

(2020年5月19日掲載)

コロナ禍、問われる大学の存在意義

森島朋三 学校法人立命館 理事長

世界で猛威を振るう新型コロナウイルス。私たち大学人がいかに行動できるかということへの責任を感じずにはいられない。14世紀にパンデミックを巻き起こしたペスト、そして第1次世界大戦下に起きたスペイン風邪、近年では重症急性呼吸器症候群(SARS)など、人類は恐怖を伴って記憶と史実を蓄積しているはずである。また、近時の経済状態は1930年代の世界大恐慌以来とも予測されている。

それにしても、人類は大切なことを「忘れ過ぎ」ではないか。歴史史料は必ずどこかに残されている。にもかかわらず、である。であれば、歴史をたどる重要性を多としつつも、先を見通す「想像力」そして「戦略性」を一層高めることが重要ではないか。新型コロナウイルスは「生存戦略」をもって生き延びようとしている。われわれ人類の「生存戦略」とどちらが優《まさ》るか、重大な瀬戸際である。人類は今、第4次産業革命の入口にあり、人工知能や生命科学分野などさまざまな研究分野で人類未踏の峰を築きつつある。問題は、誰がそれを総合し司令塔となって人類を救うのか、である。大学の存在意義が問われている。さあ、いますぐ行動しよう。

(2020年5月23日掲載)

明るい未来を自分たちで体現する

大倉治彦 月桂冠株式会社 代表取締役社長

私どもは380年以上の歴史がある非常に古い会社です。しかし、決して昔ながらの仕事をそのまま続けているわけではなく、常に新しい試みにチャレンジしてきました。伝統とは革新の積み重ねであり、それを体現してきた会社だと言えます。社員には、常に仕事を改善し、挑戦する気持ちを持ち続けるよう鼓舞しています。職場で先輩から教わり、マニュアルを読んで業務を遂行するだけでは仕事を覚えたことにはならず、覚えた仕事を自分で改善し、より良いやり方に変えることができて初めて一人前だと私どもでは捉えています。

令和の時代には大きな変化が起こる可能性があり、そのための新しいビジネスモデルを考え、会社も生まれ変わらなければなりません。どんな形に生まれ変わるかを一人一人が考える必要があり、会社は社員の考える力を支える。変化への対応で一番重要なことは、結局、人材の育成ということになります。これからの社会や会社に、何が必要かを真剣に考えることができる、そういう人材を育て、明るい未来を自分たち自身で体現していく、このような志を持って仕事を進めていきたいと思っています。

(2020年5月26日掲載)

人に寄り添うのは、人しかいない

松井　雄 株式会社公益社 代表取締役社長

新型コロナウイルスが原因の方をはじめ本年お亡くなりになったすべての皆さまに謹んでお悔やみを申し上げます。そして、日夜奮闘されている医療従事者の方々に心からの感謝をお伝えします。

今回のウイルス蔓延《まんえん》は、ご葬儀にも影響を与えています。感染防止のために参列できない。大切な人の顔を見ぬまま、お別れをしなければいけない。そんな悲しい状況の中にいます。同時に、各分野で激変が始まっています。葬儀業界も例外ではありません。終活や家族葬、人生100年時代…それらの新しい価値観以上の大きな変化が地域の慣習にまで及んでいく。変化との並走が試されています。私たちも、ご葬儀のネット配信・参列のためのシステムを準備いたしました。その鍵は、デジタルと私たちの財産である「人」との融合です。

公益社には、さまざまな人間がいます。お客さまのご葬儀で自分の親を重ね、思わず涙する者がいる。プロは泣くべきではない、と自らを律する者もいる。「一人ひとり」の社員が「一人」の人間として、ご葬儀に、お客さまに向き合ってきました。人に寄り添うのは、人しかいない。その心を決して忘れてはいけない、と強く思う毎日です。

(2020年5月28日掲載)

人の成長＝企業の成長

古田基行 サントリー酒類株式会社 京都支社 支社長

新型コロナウイルスの感染により、亡くなられた方々のご冥福と、闘病生活を余儀なくされておられる方々のご回復を心よりお祈り申し上げます。また感染者の診断や治療にあたられている医療関係の皆さまに心から敬意を表します。

当グループの理念体系に「Growing for Good」というものがあります。当社の商品やサービスを通じてお客さまの生活文化を潤い豊かなものにし、商品の源泉である自然の恵みに感謝し、自然環境をより良いものにしていく。それを実現していくために日々、企業として成長するという志です。いかなる時代にあっても企業が成長を追い求めることは当然ですが，社会との共生を前提とした成長でなければなりません。

この成長を支えるのがグループに集うわれわれ一人　・人の人間力です。さまざまな価値観を受け入れながら、失敗や反対を恐れず、常識を疑い視点を変え、常により良く、お客さまや社会にとって必要なものを生み出そうとする前向きな姿勢。当グループのDNAである「やってみなはれ」精神です。この情熱と挑戦意欲に満ちながら、誠実で人間力豊かな「Good Person」こそがサントリーグループにとって必要不可欠な人材と考えています。

（2020年6月4日掲載）

思い描く・未来へ

畑　正高 株式会社松栄堂 代表取締役社長

「三密」が悪とされてしまいました。密集・密閉・密接が感染症拡大につながるからです。経済活動に大きな支障をきたし、今後の歩みは多難なこと間違いなしです。

世捨て人、隠者、仙人・・・。能動的に人との接触を断ち切った生きざまも歴史の中には散見できます。でもやはり人間は、人と交わることで自らが人として生きていることを実感できます。放浪の旅に出た人も、やはり人との縁をいただき旅ができたのです。

人が寄り合うことに意味を見いだした歴史があります。東山文化の特質の一つは、寄り合うことで享受できる時空を、かけがえのないものとして見つめることでした。茶の湯・立花《りっか》・連歌・聞香《もんこう》といった芸道は、戦乱を避けて寄り合った人々が、座を敷き詰めた空間に立場を超えて集い、昇華していった足跡です。「一期一会」「一座建立《いちざこんりゅう》」「吾唯知足《われただたるをしる》」などの哲学を伝え、「市中山居《しちゅうのさんきょ》」という境地を教えてくれます。

人の世にあって山の中に暮らすかのような精神力を求めた人たちをおもんぱかり、デジタル技術なども駆使しながら、新しい寄り合いの境地を生むべき時が来ているのだと感じています。

（2020年6月13日掲載）

コロナウイルス禍に思う

続木　創　株式会社進々堂 代表取締役社長

ご多分にもれず私ども進々堂もコロナウイルス禍に大いに翻弄《ほんろう》されています。ありがたいのは雇用調整助成金や融資の政府特例措置。そして何より会社の実情を理解し協力してくれる従業員たち一人一人に感謝しています。営業を続けているお店にお客さまがかけてくださる「こんな時に美味《おい》しいパンをありがとう」という声にも大いに励まされ、同時にパン屋の使命を再認識させていただきました。

当たり前と思っていた「移動の自由」や「集まる自由」が、私たちの生活と経済にとっていかにかけがえのないものだったかを思い知らされました。また、地球規模の困難に世界が協働して立ち向かうことの難しさ、グローバル供給網や観光立国に潜んでいた落とし穴、わが国行政のデジタル化の遅れなども見えてしまった現実だったのではないでしょうか。

今回の教訓や反省をバネに、コロナ後の世界が、日本が、そして京都が力強く立ち直ることを信じたいと思います。私ども進々堂も8月には待望の新工場を稼働させ、これからもどんな時にも、お客さまの命と心の糧となる美味しいパンを造り続けたい、そんな思いで毎日を過ごしています。

（2020年6月18日掲載）

CSVマインドが企業成長へ

阿久津勝己　キリンビール株式会社 京滋支社 支社長

キリングループは、「世界のCSV（共有価値の創造）先進企業になる」ことをビジョンに掲げ、お客さま・社会とともに将来にわたり存続・発展するため、SDGs（持続可能な開発目標）を推し進め、特に「健康」「地域社会・コミュニティ」「環境」そして「アルコールメーカーとしての責任」を重点課題と設定し解決に取り組んでいます。

キリンビールは、グループ中核企業として、全従業員からCSVマインドがにじみ出るような組織風土醸成に取り組んでいます。「世のため人のために」そして「お客さまそして地域を一番考える会社になる」を常に意識し、CSVを全社員が自分ごととして日々の仕事に落とし込み、一人一人真剣に考え、前向きに実践することを目指しています。

「withコロナ時代」において、世の中の不確実性が続く状況であっても、そのピンチ（変化）をチャンス（機会）と捉えて、社員一人一人がCSVマインドをベースに、自己変革にチャレンジし続けていきます。こうした状況下だからこそ、キリングループ商品を通じてお客さまの「日常の幸せに貢献し、笑顔を広げる」思いを強く持ち、日々企業活動を実践していきます。

（2020年6月20日掲載）

新たな社会課題に思考展開で挑む

廣江敏朗 株式会社SCREENホールディングス 取締役社長（CEO）

SCREENは1943年に研究開発型企業として京都で誕生しました。現状に甘んじず、常に思考を巡らせ新しい事業や製品を創造し、果敢に挑む「思考展開」を創業の精神とし、独自の技術を多様化させながら製造装置ビジネスを展開してきました。その事業範囲は印刷からエレクトロニクスへと広がり、人工知能（AI）やモノのインターネット（IoT）などを活用したデジタルトランスフォーメーション（DX）時代においても、当社の技術は世界の最先端で存在感を発揮し続けています。また、1989年に新しく制定された企業理念「未来共有」「人間形成」「技術追究」は、昨今話題になっているESG（環境・社会・企業統治）経営に通じるものと考えています。

新型コロナウイルスの影響により、世界経済は大変厳しい状況を迎えています。私たちはこの難局を新たな社会課題を解決する機会と捉え、技術革新で挑む「ソリューションクリエーター」として、持続可能な未来の実現に向けて全力で取り組んでいきます。ステークホルダーの皆さまからの信頼と期待に応えるため、京都にルーツを持つ企業の強みである、伝統を重んじながらも変化に強いビジネスを展開してまいります。

（2020年6月23日掲載 一部加筆）

「withコロナ」の時代に向けて

佐々木喜一 成基コミュニティグループ 代表 兼 CEO

約3カ月間、学校は休校を余儀なくされました。その間、「オンライン授業」の導入が盛んに議論されましたが、オンラインで学習した子どもは公立・私学合わせて約5%にとどまったという調査結果があります。

今年度の政府予算には「生徒1人1台パソコン」を実現するとして、2300億円の財源が確保されています。ICT教育推進のための準備があるにも関わらず、公教育によって用意されたのはオンライン授業が「できない理由」だったのではないでしょうか。しかし、全国5万教室と言われている学習塾は、その約半数が、双方向オンライン授業の仕組みを急ピッチで整え、実施しました。なぜ、「公」の施策は進まず、私教育の取り組みは進むのでしょうか。答えは明白で、経営者や従業員が子どもたちの学びを止めないため、そして保護者の信託に応えるため、必死だからです。子どもたちが最も伸びる時期に学びの機会を奪ってはならないのです。

これからの不確実な将来において、主体的・能動的に学び、課題解決能力を育むのが真の「教育」です。われわれはこれを肝に銘じ、これからの時代に対応した事業を行ってまいります。どうぞご期待ください。

（2020年6月25日掲載）

「わが家」を世界一幸せな場所にする

久保貴義 積水ハウス株式会社 京都支店長

人々の生命や財産を守り、街並みや景観を生み出す積水ハウスグループの事業は、日本や世界における良質な住宅ストックの形成を担う非常に社会的責任が重い事業です。当社グループの従業員は、企業理念の根本哲学である「人間愛」（相手の幸せを願い、その喜びをわが喜びとする奉仕の心）の考えと「住まいを通して社会に貢献する」という気概を持ち、これを実践しながら、成長することが日々求められています。

世界的な気候変動や災害の増加、そして新型コロナウイルスの猛威など、未来が見通しにくくなっている昨今ですが、世界で一番多くの住まいを提供してきた企業グループとして、住まいを通じて、これらの社会課題を解決していくことが使命だと考えています。

積水ハウスは、本年8月に60周年を迎えます。次の30年を見据えて、「『わが家』を世界一 幸せな場所にする」というグローバルビジョンを掲げました。これまで追求してきた住まいの安全・安心・快適性をさらに高めつつ、住を基軸にハード・ソフト・サービスを融合し、お客さま、従業員、社会の「幸せ」を最大化する取り組みを推進してまいります。

（2020年6月30日掲載）

京都愛ある「人財」育成を目指して

北川公彦 株式会社大丸松坂屋百貨店 大丸京都店長 執行役員

当社グループは、時代変化のスピードにいち早く応え、新しいニーズの芽を見つけ出すため、「くらしの『あたらしい幸せ』を発明する。」というビジョンを策定しました。社員の誰もがアイデアを具現化できる仕組みを導入し発明体質を企業文化として根付かせています。

京都は世界中の人が憧れる街。大丸京都店では、「古都ごとく京都プロジェクト（KKP）」を店内に立ち上げました。京都の文化・伝統・風習を大切に思い、超個性的店舗に生まれ変わるプロジェクトです。地元京都でこの先もずっと「大丸さん」と親しみを込めて呼んでいただくために、商品や接客だけではなく、まずは京都の知識を身に付け、咀嚼し、その価値を私たちなりの方法で提供する。そんな意思、意欲、学習力ある「人財」を育成することが重要と考え、2018年より「京都・観光文化検定試験」受験という学びのきっかけをつくりました。そこから興味が高まり、必要とされる「人財」が育ち、街と共に発展できると考えています。これは京都の企業が共通して抱く理想かもしれません。そんな京都愛溢れるすてきな未来の実現を、私は日々思い描いています。

（2020年7月2日掲載）

凡事徹底できる「人財」

斎藤英男 大和ハウス工業株式会社 京都支社長

創業65周年を迎えた大和ハウス工業は、「事業を通じて人を育てること」を企業理念（社是）に掲げ、「人財」こそが当社グループの最大の財産だと考えています。さらに、当社は創業者精神の継承こそが事業の持続的成長に不可欠であるとの理念があります。創業者の「世の中の役に立ち、喜んでもらえるような事業や商品を考えるように」という教えの下、時代の先を読み、既成概念に捉われず果敢に挑戦し、当たり前のこと（凡事）を当たり前に実践（徹底）できる「人財」を求め、その育成を目指しています。

そのため、現場での実践を通じて「人財」を鍛え上げる「現場主義」を基本としつつ、社員の能力と個性を伸ばして活かす、さまざまな教育や制度を実施しています。日本の企業の多くが直面している通り、少子高齢化社会の中で「人財」の確保が難しい状況になっています。そうした中で創業100周年を念頭に置き、創業者精神を引き継ぎ強化していくことが、お客さまのお役に立つことを第一に考えられる次世代を担う「人財」の確保・育成につながり、社会に貢献できるものと信じております。

（2020年7月4日掲載）

激動の世界を生き抜く「タネ」を

瀧井傳一 タキイ種苗株式会社 代表取締役社長

当社は1835（天保5）年に京都で産声をあげ、「タネから始まる無限の創造性を活かし、世界の人々にとって新しい期待と感動にあふれる、健康的で豊かな生活の実現に寄与する」という会社のミッションのもと、農園芸界の発展に寄与すべく種苗業に取り組んでおります。

種は工場で生産できるものではなく、自然と向き合いながら地道な仕事を積み重ねることでしか生み出すことはできません。猛暑や豪雨といった世界的な異常気象や、世界人口の増加に伴い農業を取り巻く環境は大きく変化しています。国内のみならず世界の人々の要望に応えるべく夢のある優良品種を創造し、その種を安定的に供給し続けることが当社の社会的責任です。

豊かな食文化と潤いのある生活の実現のために、豊富な遺伝資源と確かな技術、そして農業への深い愛情をもって、私たちは常に時代の一歩先を見つめ、食の可能性に挑み続けます。新しい発想や意見を大切にし、歴史と伝統に縛られることなくチャレンジできる風土を目指しています。先行きが不透明な時代だからこそ、食料生産の基盤を担う企業としての役割と責任を全うするため、これからもタキイは種苗業に邁進してまいります。

（2020年7月7日掲載）

心を開いて

武田道子　武田病院グループ 副理事長

現代人の忘れ物、それは「人の心」ではないでしょうか。

昔、隣組は本当に家族ぐるみのものでした。「とんとん とんからりと 隣組 格子《こうし》を開ければ 顔馴染《なじ》み 廻して頂戴《ちょうだい》 回覧板」と口ずさんでくださる方がどのくらいおられますでしょうか。今だったらお巡りさんに通報されてしまいますね。ご近所の子どもたちは、自分の子どもと同じように育てる時代でした。今、近所のお子さんを、怒ったりしましたら大変です。

先日事故にあって倒れた人を通りがかりの男性がすぐ抱き起こしたというテレビを見ました。現在は、そっと眺めて行き去る人が大多数でしょう。マンション暮らしが多くなった今、隣は何をする人ぞの時代です。昔は人情が厚かったですね。

私はプランターにいろいろな花やハーブを植えておりますが、朝水をやるとき、首を震わせてくれるように感じ心が癒やされます。応えてくれるように感じるのは私一人でしょうか。ご近所さんとお話しをし、散歩した日が懐かしく思い出されます。人が近づいてきたら身構える時代ですが、心を開いてお話しができる日が来てほしいと思う今日この頃でございます。

（2020年7月9日掲載）

忘れてはならないこと

林　恵子　京都ブライトンホテル 総支配人

まず、行政機関、医療関係の方々ほか、この地で生きる方々の命と向き合い、今なおご尽力くださっている全ての皆さまに、心より感謝申し上げます。当ホテルも2カ月の休館を経て先月15日より再開させていただき、本日、32年目の開業記念日をお客さまと共に迎えることができました。重ねて御礼申し上げます。

開業以来「パーソナルシティホテル」と銘打ち、一人一人のお客さまに寄り添うことを信条としてまいりましたが、今回のことで、この「寄り添う」ということを改めて考える機会を得たと思っています。京都は「寄り添うこと」を、求められる町。多くの神社仏閣の存在、目や手に触れるものの深さや重み、それらは全て人の手によるもの。だからこそ、何度もこの町に訪れたくなる。私たちは、これら財産と人との「寄り添い方の最良の方法」を見つけ提供する、という役割があるのではないか。再開を待っていた、とおっしゃってくださるお客さまの生命と財産を守ること、そしてその次に、心の交流が大切な今、この役割こそが京都に育てていただいたブライトンならば、決して忘れてはならない使命なのだと、改めて思い至りました。

（2020年7月11日掲載）

これからも地域とともに

白波瀬　誠　京都中央信用金庫 理事長

皆さまのおかげをもちまして、当金庫は創立80周年を迎えることができました。当金庫の社是「地域社会の発展に寄与する」は、地域金融機関の一員である私たちの原点です。

今年は、新型コロナウイルス感染症の拡大により、社会、経済そして人々の生活は大きな影響を受けました。これからはウイルスと共存する新常態の社会において、私たちを取り巻く経済環境も急速に変化し、地域金融機関のビジネスモデルにも変革が求められています。

そのような中でも、地域の皆さまからの資金繰りや返済のご相談に、スピーディーかつ柔軟に対応することは私たちの責務です。同時に、新たなビジネスへのチャレンジを目指すお客さまへの本業支援も、必要不可欠と考えています。今後、社会の変化を受け入れ共存する適応力や臨機応変な発想の転換がますます重要となりますが、地域の皆さまと共に成長発展するという私たちの原点は変わることはありません。

創立80周年を迎え、これまで支えていただいた皆さまに感謝申し上げ、昭和から平成へと激動の時代を乗り越えてきた先人たちの志に習い、輝かしい未来に向かって地域とともにその発展に寄与してまいります。

（2020年7月14日掲載）

「京都発 最強の技術商社」を目指して

小倉　勇　株式会社たけびし 代表取締役社長

当社は1926（大正15）年の創業以来、京都・滋賀地区を主力地盤に、三菱電機製品を中心とした産業用電機・電子機器を取り扱う技術商社として、多くのお客さまに支えられながら今日の経営基盤を築いてまいりました。

現在当社は、FA機器などの基幹ビジネスの拡大に加え、今後のさらなる成長に向け「CT・MRIなどの病院向け診断装置ビジネス」、「大手家電メーカ向けODMビジネス」、「製造業向けAI関連ビジネス」などの“NEWビジネス”の創造に注力しております。

また、本年4月1日には基板受託開発に強みをもつ技術商社「梅沢無線電機」が当社グループの一員となりました。同社とは、デバイス事業における基板ビジネスをはじめとして、5G関連ビジネスなどの幅広い分野において高いシナジー効果を発揮することができると考えております。

私たちは、現在世界が直面する大きな環境の変化の中で、お客さまが抱えられているさまざまな「お困りごと」の解決に真摯《しんし》に取り組み、「京都発 最強の技術商社」を目指して、これからも進化を続けてまいります。

（2020年7月16日掲載）

困難な時を超えて

杉田　洋　株式会社京都ホテル 常務取締役

新型コロナウイルス感染症に罹患《りかん》された方およびご家族・関係者の皆さまに心よりお見舞い申し上げます。また、医療従事者はじめ感染拡大防止にご尽力されている皆さまに深く感謝申し上げます。

さて、新型コロナウイルス禍により難局が続いておりますが、京都は感染症に限らず、幾度となく危機を乗り越えてきた都市といえましょう。明治維新を経て静かになった京都では、蓄積された歴史や文化を礎にして、新しい文化を取り入れ―当ホテルもその一つで伊藤博文や渋沢栄一の助けを受けて1888年に創業―伝統と革新を兼ね備えることで困難を克服し、新たな魅力を生み出しました。

困難な時こそ、知恵を絞り、力を合わせ、進化を遂げるチャンスでもあります。それぞれのスタッフが力を発揮しやすいよう、当社では女性活躍推進などの取り組みを進め、より安心で快適な新常態のホテルづくりを目指しております。

京都ホテルグループでは、お客さまと従業員の安全を守るため、ガイドラインを策定し、ご宿泊、ご宴会、レストランでのご会食の際に、今後も安らぎの時間をお過ごしいただけるよう努めてまいります。

(2020年7月21日掲載)

発想を変えて仕事に臨む人材

岡田博和　TOWA株式会社 代表取締役社長

当社は半導体製造装置メーカーとして「世界のモールドプロセスをTOWAに！」を目標に日々業務に邁進しております。この目標を達成するためにはわれわれ一人一人がこれまでとは発想を変えて仕事に臨むことが必要です。当社は昨年「禁句三原則」を定めました。これは、困難に直面したとき「難しい」「できない」「時間がない」と言うのではなく、「楽しそう」「やってみよう」「調整して時間をつくろう」と見方を変えて臨めば道は拓けるという考えに基づくものです。

また、4月からスタートした第3次中期経営計画では「パラダイムシフト」をテーマとして掲げ、モノの販売から付加価値の販売へと発想の転換を目指しています。これは、当社製品を使用いただいたお客さまに作業効率改善や品質向上の点で期待を超える満足を実感していただけるためには、品質のみならず、お客さまが抱える課題を正確に読み取る力や納品後のフォローはどうしたら良いかという点に目を向けることが重要になってきているためです。

変化の速い現代において多様なニーズに応えるために、従来とは異なる発想ができる人材の育成に努めております。

(2020年7月23日掲載)

新型コロナウイルスに思う

福山隆夫 京都駅ビル開発株式会社 代表取締役社長

新型コロナウイルスは、この間さまざまな社会的環境の変化を生み出しました。デジタル社会のさらなる進展、接触から非接触への転換などが言われ、テレワーク、オンライン会議などの急速な浸透、さらには「巣ごもり消費」など消費行動の変容も惹起《じゃっき》せしめました。既存システム、秩序が揺らぎ、新しい落ち着き場所を求めている様とも言えます。この機会を生かし今後の環境変化を模索する中で、普段は見えないものが見えてくる可能性も高くなります。予測や予想という言葉が立ち向かえないほどの劇的な変化、場合によってはパラダイム（思考の枠組み）の転換が世界中で生起したと後世に語られるかもしれない状況の中、ささやかなことですが当社でも新たにプロジェクトチームを発足させ多面的にさまざまなことを模索していくことにしました。

わが京都も未曽有の危機的状況に陥っていると認識しています。今まさに厳しい環境を耐え抜く耐久力と新しい環境に適応できる適応力が問われています。チャーチルの「凧《たこ》は風に向かっているときに一番高く上がる」という名言のごとく、必ずやこの難局を打開していきたいと考えています。

（2020年7月28日掲載）

強さとしなやかさ

大野　敬 西日本電信電話株式会社 京都支店長

NTT西日本は、「ソーシャルICTパイオニア」として、地域や社会が抱えるさまざまな課題に対し、ICT（情報通信技術）の先進的な技術を用い、解決に向けた取り組みを進めています。同時に、大規模な自然災害による被災時であっても、多くの先達から受け継いできた「つなぐ」という使命を果たせるよう全力を挙げて取り組んでいます。

今後の「ウィズコロナ」「アフターコロナ」の時代においても、人々のコミュニケーション手段としての通信を確実に「つなぐ」とともに、「新しい日常」での働き方や学校教育についても、ICTなどを活用した新たなご提案を継続できるよう努めてまいります。

私たちの「つなぐ」という使命感は、どんな時代にも変わらぬ「強さ」であり、「ソーシャルICTパイオニア」としての活動は、世の中の変化に対応する「しなやかさ」を体現します。こうした「強さとしなやかさ」は、京都に存在する多くの長寿企業が有するものであり、また、京都に受け継がれてきた「不易流行」の精神に通ずるものと感じています。

私たちは、こうした精神を保持しながら、情報通信サービスを提供することを通じて、地域の活性化に貢献してまいりたいと考えています。

（2020年7月30日掲載）

「誠心誠意」ベストを尽くす人

武田一平 ニチコン株式会社 代表取締役会長

本年8月1日をもって当社は創立70周年を迎えました。その歴史は、創業者をはじめ諸先輩方の不断の努力なくして語ることはできません。今を一つの通過点と捉え、さらなる発展につなげることが、私たちに課せられた使命であることをしっかりと肝に銘じ、諸先輩方への感謝とともに、明るい未来社会づくりに貢献するため「誠心誠意」取り組んでまいります。

当社の経営理念にも記される「誠心誠意」は、日本国内に限らず世界に通じるビジネスの基本であります。私自身が、世界30カ国以上をまわり、海外で営業を続けてきた経験の中で、「誠心誠意」の熱意が通じない国はありませんでした。

これまでさまざまな難局、困難な壁に直面してきましたが、どんな時も絶対に諦めず、常に全力を尽くすことで乗り越えてくることができました。むやみに明日を心配したり昨日の失敗を悔いてくよくよするより、今、この時を全力で生きる人、そして相手のことを真摯に思い、「誠心誠意」常にベストを尽くし挑戦し続けることができる人こそ、未来を切り開くために必要な人材だと確信しています。

（2020年8月6日掲載）

自分の価値を大胆にアピール

鈴木順也 NISSHA株式会社 代表取締役社長

私の大学院時代の恩師は事あるごとに「君たち、出る杭《くい》はもっと出ろ」と教えておられた。目立ち過ぎるとたたかれるのは世の常だが、それでは社会に貢献できる個性豊かな人材は育たないという信念だった。学生だった私は言葉の意味は理解できたが、現実的にどういう状況を指すのかは社会で経験を積んでから知った。確かに無難な調和を重んじることが行き過ぎると、自らが出る杭とならないよう、あるいは杭が出ないよう周囲が抑え込むことがある。このような風習に社会が埋もれると公正な評価とならず、イノベーションは起きない。

今や新型コロナウイルスと共存する時代といわれる。オフィスに行くこと自体が仕事だった人々は、今日からは自宅や他の場所からでも仕事し成果を見せるよう求められる。上司、部下、同僚とのコミュニケーションは以前に増して回転数が上がる。しかし現在の技術では、テレワークで相手の様子はまだ正確に見えにくい。どうか察してくれというのも通用しない。新しい時代では自らの仕事ぶりを大胆過ぎるくらいアピールしてちょうどいいのではないか。当社ではそのように組織文化を変えていく。

（2020年8月8日掲載）

美の価値観を追求

浅田龍一　株式会社ジェイアール西日本伊勢丹 代表取締役社長

ジェイアール京都伊勢丹の目指すビジョンは、お客さまの豊かな日常生活と思い出に残るハレの日の創造です。

私たちは今、この厳しい状況を好機と捉え、伊勢丹の強みである「話題性と革新性のある提案力」と、JR西日本グループの一員として「お客さまの安全・安心を最優先に考え行動する姿勢」で、新しい時代に対応し変化していくことを使命と捉えています。

このような先が見えない今だからこそ、未来に向け、前を向いて、自信を持って進んでいくことが重要であり、そのために私たちは一人一人の個性を尊重した「美の価値観」を追求してまいります。それは、外面と内面の両面の美を大切にすることで気力が高まり、その人の持つ潜在力が最大限発揮され、大きな力になると考えるからです。衣・食・住全ての領域において新鮮で、高感度で、季節感のあるファッションを掛け合わせたマーチャンダイジングの提案と、一期一会のサービスに大きな力を注ぎ、私たちはこれからも革新してまいります。

（2020年8月18日掲載）

持続的な成長に向けて

前川重信　日本新薬株式会社 代表取締役社長

新型コロナウイルスに罹患された皆さまに心よりお見舞い申し上げます。また、感染拡大防止にご尽力されている医療従事者の皆さまに深く感謝申し上げます。

この世界的な感染拡大により、私たちの日常生活は一変し、これまでにない大きな変革が求められるようになりました。企業が持続的に成長するための原動力は、「人材」です。当社では、従業員の幸福感がより一層高まることを目指して、独自の新しい働き方の基本方針を策定しました。テレワークをはじめ、フレックスタイム制度や時差出勤などを活用して従業員がイキイキと働ける環境を整備しています。

製薬企業においては、医薬品の安定供給はもちろんのこと、新型コロナウイルスのワクチンや治療薬の開発が求められています。当社におきましても、本年5月に発売しました国産初の核酸医薬品の開発技術を応用し、新型コロナウイルス治療薬の開発に着手しました。この世界的な難局において、長年培ってきた当社の核酸技術を生かし一日も早く治療薬を提供し社会に貢献していきたいと思っております。日本新薬は、「withコロナ」社会での持続的な成長に向けて挑戦を続けます。

（2020年8月22日掲載）

「withコロナ」時代の人材育成

日比野英子 京都橘大学 学長

このたびの新型コロナウイルス感染症の世界的な蔓延につき、罹患された方に心よりお見舞い申し上げます。また、医療従事者の皆さまに深く感謝申し上げます。

さて、今年は本学でも感染予防と大学教育継続の両立を大きな課題として、全学挙げて取り組んでまいりました。遠隔授業の質の担保、経済的に困窮する学生への支援といった対策と並んで、学生自身がウイルスの感染に対して自律的に対応できる知識や態度を身に付ける教育が重要な課題です。「自立・共生・臨床の知」という理念に基づく大学教育によって、自他ともに互いの心身の健康を尊重し、適切な行動を取れる成人に育成したいと考えています。

コロナ禍を契機に、今後一挙に情報社会が進展し、IoT（モノのインターネット）やAI（人工知能）の利活用の能力、新しい価値を創造する力を求められる時代となることが予想されます。本学では2021年に工学部（情報工学科・建築デザイン学科）・経済学部・経営学部を開設し、自らの専門性を磨くとともに、多様な視点から社会的課題を俯瞰《ふかん》できる幅広い教養も備え、「withコロナ」時代にも活躍できる人材の育成を目指します。

（2020年8月25日掲載 一部加筆）

漢字と道徳

髙坂節三 公益財団法人日本漢字能力検定協会代表理事 会長兼理事長

在宅の日が続いている。「散歩と読書」が日課となった。朝夕近くの公園を散歩する。夕方の公園は子どもたちでいっぱいである。砂場でお山を作りトンネルを作っている幼児、ボール遊びに興じる子ども、その周りでお母さん方はスマホに熱中している。

翌朝早く散歩する。砂場には小さなバケツやスコップが放置され、周りの草叢《くさむら》の中にボールが顔をのぞかせている。戦時中の集団疎開をしていた頃を思い出す。日本は豊かになり、「物を粗末にしない」とか「後片付けをする」という言葉はなくなったのだろうか。

年末の「今年の漢字」でお世話になっている清水寺の森貫主は、「勿体《もったい》ない」とは、「体をなくすこと勿《なか》れ」で、「体」とは「物」であり、物には形と命がある。物を粗末にしたら、そこに生きている命がもったいない、とおっしゃっている。

また、「しつけ」は日本で作られた国字で「躾《しつけ》」と書き、身を美しくするという漢字だ。

戦後75年を経て、ようやく、小学校は2018年度、中学校では19年度から道徳科の授業が実現された。

私どもは、漢字と正しい日本語の普及を通して道徳科の授業のお手伝いができればと思っている。

（2020年8月27日掲載）

常に自身を「UPDATE」する

彦野大輔 日本たばこ産業株式会社 北関西支社長

新型コロナウイルスの影響で以前のような、人に会い、どこかへ出かけ、食事をするといった生活が遠い昔のような感覚になりつつあります。今では極力出歩かず、家で過ごすなどの「新しい生活様式」が求められており、そうした環境の変化に戸惑いを隠せません。

このような社会環境、ビジネス環境どちらも想定できない程の変化が起こり得る未来を見据えて、今われわれに必要なことは、常に自身を鼓舞し続け、自身を「UPDATE」することだと考えています。

これまでよく語られた「成長」という言葉は、今を土台に伸びてゆくイメージですが、今後は目まぐるしい環境の変化により、過去に培ってきたことが意味を成さなくなる可能性もあります。そうした境遇の中でも、社会で生きていく意味を明確に持ち、自身を奮い立たせ、常に自身を「UPDATE」して新しい環境に適応することで新たな道が切り開けると思っています。

JTを取り巻く環境も日々変化を続けていますが、社会の変化を受け入れ、私を含めそれぞれが自分自身を「UPDATE」し、たばこを吸う方・吸われない方双方が心地よく共存できる社会の実現に向け活動してまいります。 (2020年8月29日掲載)

「AI時代」でも描く力は造る力

新谷裕久 学校法人二本松学院 京都美術工芸大学 学長

本学は建築からインテリア、そして多岐にわたる美術工芸分野の創造性を学ぶ実学の大学です。

建築図面に限らず、アニメなどもコンピューターグラフィックスで描ける時代。本学では開学以来、学生にはパソコンを一人一台持ってもらい、1年次からIT授業で多様なコンピュータースキルを身に着けてきました。この度の新型コロナウイルス感染拡大ではすぐにオンライン授業に取り組み、成果を上げることができています。

しかし、アイデアや構想を練る創造的な仕事の領域は手描きスケッチが基本です。自分の手を動かして自由な線を引く。伸びやかに形を描く。思いつくまま、どんどん頭に浮かんだアイデアを人に伝わるイメージにしていく。京都美術工芸大学では描く力は皆さんの将来の職場で役立つ武器と考え、建築学科でも美術工芸学科でも、スケッチやデッサンを学ぶ時間を設けています。

お客さまとの商談や仲間とアイデアを出し合う際に、自分のイメージを相手に生き生きと伝える力を身に付けていただきます。

「AI時代」になっても描く力は造る力となるでしょう。 (2020年9月1日掲載)

優しい心を未来に伝える

瀬川大秀 総本山仁和寺51世門跡

仁和寺は、第59代宇多天皇が888（仁和4）年に創建されたことに始まり、天皇自ら弘法大師を尊崇、出家得度され法皇として住持、門跡寺院として今日まで、脈々と法灯が継承されてきました。では、法皇さまはどのようなお気持ちで、出家されたのでしょうか…。

はっきりとした記録は残っていませんが、お気持ちを少し垣間見られる資料があります。伽藍《がらん》に建てられた円堂の願文の中で「出家して仏子となって善を修し、人々の幸せ（利他）を祈りたい」とお誓いをお立てになられています。法皇が願われた「利他」の心、相手を思いやる優しいご慈悲の心は、脈々と受け継がれ、仁和寺の精神といっても過言ではありません。

今、私たちは、新しい生活様式が発表され、「withコロナ」の中で生活をしています。最近は特に、今まで何でもないと思っていたことがこんなにも有り難かったのかと気付かせてくれます。地域や家庭の中でこんにちは、ありがとうと感謝して声を掛け合い、心が通じ合う人間関係が求められています。お互いが仲良く、いたわり助け合う優しい心を育み、宇多法皇の御心を未来に伝えることが願いであり、謙虚に精進したく存じます。

（2020年9月3日掲載）

目指すのは、「今」以上の「未来」

小野敬彦 野村證券株式会社 京都支店 支店長

野村グループは、企業理念として、「金融資本市場を通じて、真に豊かな社会の創造に貢献する」という社会的使命（ミッション）と、「最も信頼できるパートナーとしてお客さまに選ばれる金融サービスグループ」になるというあるべき姿（ビジョン）を掲げております。

これらミッション・ビジョンの実現に向けて私たちは「挑戦」、「協働」、「誠実」という野村グループ共通の価値観で行動してまいります。

コロナ禍や地球温暖化など環境問題や社会の諸問題が顕在化し、グローバル経済に大きな変化が起こっています。この変化は今までの価値観では測ることのできない、経験したことがないような勢いで増していく可能性があります。このような環境下、私たちはグローバルに展開する野村グループのリサーチ力を中心にすべての国や地域における文化と慣習を尊重し各地の社会および経済の発展に向け貢献してまいります。

この京都の地におきましても地域の皆さまに貢献すべく、新しい金融サービス創造に挑戦しながらこれからも「今」以上の「未来」を目指して「真に豊かな社会」の実現に向けて取り組み続けます。

（2020年9月5日掲載）

多様な価値を「むすぶ人」

岩井一路　株式会社ハトヤ観光 代表取締役社長

伝統文化を育む古都であるとともに、新しいものを生かした最先端の技術集積地でもある京都。千年の都がこれまで発展し得たのは、先人が古さを大切にしつつ、絶えず新しいものを取り入れてきたバランス感覚の賜物《たまもの》であります。

一方、近年京都の観光産業では、海外の人・物・金に頼らざるを得ない流れにあり、今回のコロナ禍では、安心・安全を守るための「規制」の強化とインバウンド増加に向けた「緩和」のバランスを再考する必要性を強く感じます。

昨今の環境変化が加速度的に進む世の中において、当社が営む宿泊・飲食・製菓事業でも、「新」と「古」、和と多様性などバランス感覚が大切であると考えます。例えば昭和世代と平成・令和世代との協働、ネットとリアルの融合、コンピューターと人間の連携などの場面におけるバランス感覚、換言すると、これらを二項対立にするのではなく、むしろこれらを「むすぶ人」、そのためのバランス感覚・調整能力を持ち合わせることがさらに必要と考え、その人材を育む環境整備と教育の充実を図ってまいります。

むすびに、医療従事者・行政の皆さまへ感謝を申し上げるとともにコロナ禍の早期収束を祈念いたします。

（2020年9月8日掲載）

日立のDNAを持つフロント人財が鍵

藤井秀也　株式会社日立製作所 京都支店長

新型コロナウイルス感染症に罹患された皆さまとご家族、関係者の皆さまにお見舞い申し上げます。また、感染拡大防止にご尽力されている皆さまに深く感謝申し上げます。

日立はさまざまなお客さまと協創することで世の中の3つの価値（社会価値、環境価値、経済価値）を向上させ、より良い社会を実現することを目指しています。協創を進めていくためにはお客さま自身や取り巻く環境を深く理解することが重要であり、実際にお客さまに接する営業や技術者、いわゆる「フロント人財」の育成に力を入れています。

この「人財」育成でベースとなるのは、100年を越える歴史の中で大切に育んできた「和・誠・開拓者精神」という創業の精神です。「和」とは、他人の意見を尊重してオープンに議論し、結論に向かって一致協力すること。「誠」とは、他者に責任を転嫁せず常に当事者意識を持つこと。「開拓者精神」とは、未知の領域に独創的に取り組むこと。

この創業の精神を受け継いだ日立の「フロント人財」が中心となって、さまざまなお客さまと共に、より良い「ニューノーマル」な社会の実現に取り組んでいきたいと考えています。

（2020年9月10日掲載）

「憎むな、殺すな、赦しましょう」

神居文彰 平等院 住職

僕らは多くのことを忘れてしまっている。ドキュメンタリー映画「日本人の忘れもの」は、たった75年前から続くフィリピンでのことを描いています。過去は振り返らないのではなく、感傷に浸らず功罪を吟味する対象であってほしい。未来への希望は、過去と現在の連続によって成立しているはずです。

交際のコツに「媚《こ》びない、謙虚である」ということがいわれますが、今日の日本では「忖度《そんたく》」や「空気を読む」や「気遣い」などが曲解されて、自分が正しいという「自粛警察」が跋扈《ばっこ》する環境が作られてしまいました。承認欲求と自己中心的な正義と同調圧力。共通するのはいずれもお金で買えないもの。買えないからマウンティングする。

故川内康範氏は、「月光仮面」の執筆中、月光菩薩《ぼさつ》の化身である彼が正義そのものでなく、一番大事なことは「人間が人間を信じること」「助ける存在になること」と言っています。合言葉が「憎むな、殺すな、赦《ゆる》しましょう」。

未来のため、勇気を持って真っすぐに生きてゆこう。

(2020年9月12日掲載)

リアル体験での感性磨き

山内成治 株式会社NTTドコモ関西支社 京都支店長

弊社の企業理念は「私たちは『新しいコミュニケーション文化の世界の創造』に向けて、個人の能力を最大限に生かし、お客様に心から満足していただける、よりパーソナルなコミュニケーションの確立をめざします」です。

「新しいコミュニケーション文化の世界」の一例としては「テクノロジーの進化によって人と人がバーチャルで簡単につながる世界」が挙げられますが、そのような世界をより魅力的なものに創造するためにも、社員にはリアルな体験を大切にしてほしいと考えています。さまざまな実体験から自らの感性を磨くことで物事をより深く考える力を身に付ける、その結果、バーチャルの世界により現実感を持たせた魅力のある世界の創造ができると私は考えています。

京都支店では京都という日本の歴史的文化・芸術が集まった土地柄を生かし、社員自身がそれらの文化・芸術などの実体験を積み上げ、感性を磨いています。これらの経験によりリアルとバーチャルを意識させない「新しいコミュニケーション文化の世界」を創造できる人材に成長することを期待しています。

(2020年9月15日掲載)

「メタルスタイリスト」としての使命

園田修三　福田金属箔粉工業株式会社 代表取締役社長

弊社は1700（元禄13）年に創業し、かつては主に伝統的な工芸品の装飾用途の金箔《きんぱく》・金粉を商っておりましたが、現在は、銅を中心とした各種非鉄金属の箔《はく》と粉を、自動車、エレクトロニクス、情報機器などの部品の材料として提供しております。

「金属の箔と粉」というところは同じですが、その用途は時代によって様変わりしました。求められる品質もまた変化し、技術的課題は尽きません。弊社はその時々の変化に対して、お客さまと共に全力で対応してきたからこそ、今年で320年目を迎えることができたのだと思います。金属の箔と粉の可能性をトータルに提案する専門家「メタルスタイリスト」たるべく、「われわれは常に創意工夫をこらして仕事の改善を図りわれわれの生活の向上とよりよい社会の建設につとめよう」という社是を掲げています。

「ニューノーマル」というように、新型コロナウイルスの流行はわれわれの生活に大きな変化をもたらしました。この変化を受け止めて、よりよい社会を思い描いて、金属の箔と粉から何ができるか創意工夫し続けることこそ、「メタルスタイリスト」の使命であると信じています。

（2020年９月17日掲載）

心を豊かにする食文化を

福永晃三　株式会社フクナガ 代表取締役会長

「飲食店の仕事は、うまいもん出す以外に何がある？」40年前、私に問い掛けられたワコールの創業者・故塚本幸一氏の言葉は、飲食業界の原点であり、普遍の目標です。フクナガは「おいしい幸せ」のために、ごちそうさまの笑顔に毎日励まされて90年を歩んでまいりました。

その節目である2020年は、コロナ禍が世界の観光産業や飲食産業を直撃し、私たち日本人の暮らしも一気に変わりました。在宅勤務は従来の働き方を変え、ステイホームで家族だんらんの大切さや、新たな食生活のアイデアや楽しさに気付かされました。「本当にしたいことは何か?今できることは何か?」を考えるチャンスと捉えています。この日本人の心と社会の大きな転換期にこそ、おもてなしの心を軸に、社内ワンチームで新発想を駆使し、一分一秒を惜しまず、新しい飲食スタイルの提供と可能性に全力で取り組んでいきます。とらわれのない視点と思いやり、スピーディーな企画実行力ある人材が要です。

８月１日で日本初のリプトン本社直轄喫茶部として開店から90年、いつでも「本日開店のこころ」と長年頂戴した信頼と歴史、培った食文化に自信と誇りを持って、次の10年に向かって歩んでまいります。

（2020年９月19日掲載）

進取果敢に行動する人材集団へ

齋藤成雄 日新電機株式会社 代表取締役社長

弊社は1917年に京都で創立した電気機器メーカーです。電気という重要な社会インフラに関わる製品は半世紀以上ご使用いただくこともあり、長寿命・高信頼性が求められます。そのような製品に携わる私たちは正直に真面目に行動をすることが、社会からの信頼を得る基本と考え「誠実・信頼・永いお付き合い」を行動の原点として活動しています。

信頼できる製品を世に出し続けるためには、科学に裏打ちされた技術開発力とそれを製品に具現化する設計・製造・施工力を社員一人一人が事業の精神「社名に込めた『日日新《ひびにあらたに》』の精神」（日々新しいことを目指し、努力を怠らない精神）で磨いていくことが大切です。併せて「異なった文化や異なった技術への寛容さと咀嚼《そしゃく》力」（異なるものを受け入れ、自らのものにしていく精神）を念頭に、世の中のありさまが大きく変化しても新しい様式や新技術を積極的に取り入れ、社会的要請に応えるために進取果敢に行動する人材集団となることを期待しています。

（2020年9月24日掲載）

コロナ禍から次の時代へ

加藤俊治 富士ゼロックス京都株式会社 代表取締役社長

依然としてコロナ感染が続いております。既に世界で2500万人、死者は85万人を超え、日本でも累計で7万人以上の感染が確認されました（20年9月現在）。ワクチンや有効な治療薬がないために、私たちの日常生活や働き方に大きな変化をもたらしています。富士フイルムグループでは、「アビガン」や除菌関連品などを通じ感染拡大防止に貢献していきたいと考えております。

当社では従来から新しい働き方を支援、提案していますが、これまでも活用を推進してきたテレワークが、コロナ禍で一気に定着しました。非対面営業が増え、セミナーもオンラインが中心となり、紙の電子化や電子サインも加速しております。この変化は逆戻りしないでしょう。私たちは社員一丸となって「withコロナ」の時代に合った環境構築をご支援し続けていきます。

一方で、変わらないものもあります。以前から取り組む古文書や文化財の複製事業では、間近で触れることのできる教材として教育、研究に寄与するだけでなく、売上の一部は文化財保護のため所有者さまに還元しております。今後、デジタルアーカイブも活用し、さらに取り組みを強化してまいります。

（2020年9月26日掲載）

良識ある行動を

田中典彦 佛教大学 学長

私たちは日常会話の中で「常識」という言葉を使うことがある。常識は英語ではコモンセンスである。それは「共通の知識」を意味していて、ある時代ある地域に生きる人々に共通に持たれている知識のことである。その時代その地域に生きてゆくためには有用な知識であり、人々の中で円滑に生活するためには必要なものであるとされている。しかしそれは、慣習などに基づいていて、その根拠が明らかでないものが多い。

この常識に真実を求める知を加え、社会に生きる人間としての健全な判断力をもって捉えられるのが「良識」である。自由や平等などの人権は良識の内にあるものである。この「識」は、もはや時代や地域に限定されるものではない。「人は生まれによって評価されるものではない、行動によってこそ評価される」という仏教の教えも良識にあたるであろう。私たちは、常識をいったん差し置いて、良識を新たな常識へと転換すべきなのである。

今私たちに必要なのは、「転識得智《てんじきとくち》」（学んだ知識を生きる力へ転換する智慧《ちえ》を持つこと）であると思う。新しい日常の共有には「智慧」がいる。（2020年9月29日掲載）

地域の皆さまと共に

滝沢政志 ザ・プリンス 京都宝ヶ池 総支配人

1986年の開業以来、多くのお客さまにご愛顧いただいておりますグランドプリンスホテル京都は、10月9日㈮に「ザ・プリンス 京都宝ヶ池」へと名称を変更し、ラグジュアリーホテルとしてのサービスをさらに充実させてまいります。京都・洛北に立地するホテルとして、社員一人一人が地域の皆さまとの連携を強化し、京都の食文化の発信や特別な京都体験の提供、伝統工芸品の展示などを通じて京都のさまざまな品物の良さ、技術の高さをお伝えし、観光だけに留まらない京都の文化を知っていただける旅を提案してまいります。

またホテルブランドの変更に合わせ、マリオット・インターナショナルの「オートグラフ コレクション」に加盟いたします。「オートグラフ コレクション」は、唯一無二をコンセプトとするホテルのコレクションで、国内で3番目、西日本としては唯一の加盟となります。ザ・プリンス 京都宝ヶ池は、日本を代表する観光地である京都でこのコレクションに加盟することで、地域の皆さまのお力添えをいただきながら、国内外のラグジュアリー層へ京都の素晴らしさ・魅力を伝えてまいります。今後とも、より一層のご愛顧を賜りますようお願い申し上げます。（2020年10月1日掲載）

悠久の時間軸で発想する恩返し

玉置敏浩 三井不動産株式会社 京都支店長

未曽有のコロナ禍により社会が大きく変わろうとしている現在、「アフターコロナ」の世界を思い描くために必要なのは、京都の都市としての長い歴史を振り返ることではないだろうか。

昨今、企業は時価主義や四半期決算など、物事を評価する時間軸がどんどん短くなっているが、京都の老舗店は、伝統と革新の均衡の中で環境変化を乗り越えて生き残ってきた。10年単位で過去を振り返っても10年先の未来しか思い描けないが、百年の時間軸でパースペクティブ（視野）を持てば、100年先も生き残れるしなやかさが生まれるのではないか。

財閥としての三井家は約350年前、京都で呉服卸・両替商として商売を始めたが、「現金掛け値なし」の呉服販売や「大元方《おおもとかた》」という、今でいうホールディングカンパニー制によるグループ経営など画期的なビジネスモデルで繁栄を持続してきた。創業80年の三井不動産の社員も、京都の町衆と文化に育まれてきた三井家の歴史を飲み込んだ上で、京都の経済・文化に350年分の恩返しをする気持ちで、地域と共生する持続可能なビジネスを創造してもらいたい。

（2020年10月6日掲載）

300年経ても残る食文化を創る

佐竹力總 株式会社美濃吉 代表取締役社長

コロナ禍、お客さまの行動変容で企業の存在価値（企業理念）が問われます。美濃吉の企業理念は「食を通じて日本文化を創造していく」です。「経済は文化のしもべである」という言葉があります。その文化の礎が食文化です。そして、「食」は人を良くすると書き、人間の生命の源です。

美濃吉は300年にわたり京料理店を営んでまいりました。伝統とは革新の連続です。革新のない伝統は滅びていきます。また伝統を軽視する革新からは、本物は生まれてこないでしょう。美濃吉もこれからも、伝統と革新を大切に、本物だけにこだわっていきます。

おかげさまで「和食;日本人の伝統的な食文化」が、2013年12月ユネスコ無形文化遺産に登録されました。健康食である和食のビジネスチャンスは全世界に広がりつつあり、無限の可能性を秘めています。まさに私たちの前に黄金の宝の山々があるのです。食べることが好きな人、人と接することがもっと好きな人、そして他人の喜びを自分の喜びにできる「人財」を求めます。美濃吉で働くことは、美しい心豊かな世界に誇る日本の食文化の「パイオニア」たる資格を得る第一歩なのです。

（2020年10月8日掲載）

京都の底力－伝統創造の積み重ね

粂田佳幸 彌榮自動車株式会社 取締役社長

コロナ禍で自由に移動して気兼ねなく人と会うことが自制され、大路小路から人の姿が消えるという極限の状態を経験しました。旅客運送事業の人と人を結ぶ役割の大切さ、そして原点に立ち返って新しい価値観を見極める重要性を感じずにはいられません。本年は京都の伝統行事も形式を変えて行われています。まさに原点に立ち返って新たな伝統を創造する取り組みがスタートしています。

「相変わりませず」という言葉がありますが、本質は不変であることを申し合わせるせりふといえます。相変わりませずと言いながら、京都の伝統行事では復元や新調など新たな創意工夫が絶えることなく重ねられていることは周知のとおりです。本質を追求する創意工夫の積み重ねこそが、伝統を受け継ぐ取り組みそのものであることを、現代の私たちに教えています。

ヤサカの「三つ葉のクローバー」には、創業以来、幾多の困難を乗り越えてきた先人たちから受け継いできた安全・快適・信頼の意味が込められています。新しい価値観を見極め、地道に創意工夫を重ねて、新たな伝統を織り成す人こそが、京都の底力となる人材であると確信しています。

（2020年10月10日掲載）

新しい価値の創造に挑戦

小谷眞由美 株式会社ユーシン精機 代表取締役社長

当社は取り出しロボットを中心に、射出成形工場の自動化を推進するシステムの開発、製造、販売を手掛けております。技術者であった創業者の「出来ない、無理だ、は出発点」という言葉に表されるように、常に業界の常識に縛られることなく、お客さまのご要望にお応えするために新しい技術に挑戦してまいりました。

世界のものづくりの現場では、人手不足や感染症の拡大などにより、ますます自動化が進むと考えられます。省エネルギーで労働安全性と生産性の高い工場の実現をサポートするために、これからも新しい価値の創造に挑戦してまいります。そのために多面的な見方とポジティブな思考法、粘り強さで物事に取り組むことを大切にしたいと考えております。また持続的成長を実現するために「部門を越えた全体最適化を目指すチームワーク」づくりも重要です。個人個人の力は微力なものでも「ひたむきに努力ができる」「チャレンジができる」「チームワークで仕事ができる」仲間とともに進むことで、ロボットを通じてお客さまの「想い」に届き、より豊かな社会づくりに貢献できると考えます。

（2020年10月13日掲載）

人間性を深める

藤井健志 株式会社藤井大丸 代表取締役社長

おかげさまで藤井大丸は2020年に創業150周年を迎えました。創業以来京都で皆さんの身近にあるファッションを中心に、よりおしゃれで楽しく快適な生活を提案してまいりました。これまで支えていただいた皆さまに感謝するとともに、これからも皆さまとともに歩んでいくことに心躍らせています。

京都は排他的に見られがちですがしっかりと観察・吟味し異なるものや新しいものを受け入れる、認める包容力のある街です。これからは世界中でも人間も動植物も自然もウイルスも互いに認め合い共生していく時代になるはずです。

そのためには、違いを楽しむ、不便や不自由も楽しむ、あそびを楽しむ、無駄も楽しむといった余裕や包容力が大切です。過度な情報に溺れて小難しく考えず、感覚的に、本能的にシンプルな幸せを追求し、人間性を磨いていくことが必要です。

着たい、持ちたい、食べたい、誰かの役に立ちたい、愛されたいといったシンプルな欲求にしっかりと向き合い、応えて、人間性を深めていく事業活動を継続することで京都に社会に貢献していきたいと考えています。

（2020年10月15日掲載 一部加筆）

「おたがいさま」「おかげさま」

入澤　崇 龍谷大学 学長

先日、静岡県島田市で医療活動をされているアフガン人のレシャード・カレッド先生とお目にかかる機会を得ました。新型コロナウイルス感染症への対応やコロナ後の世界について、意見交換をすることができました。話し合いの終わりかけに、レシャード先生が「私は日本語の『おたがいさま』と『おかげさま』という言葉が大好きです」と言われ、意表を突かれました。私もあなたも同じ立ち位置ですよとの「おたがいさま」、今の自分は自分一人の力では存在し得ていないとの「おかげさま」。

コロナ禍にあって、日本人が失いかけている大事な心を、異国生まれの方から指摘されて思わず襟を正した次第です。感染した人への誹謗《ひぼう》中傷がSNS上で飛び交う一方で、日本人よりも深く日本の精神的鉱脈を感じ取っているアフガン人の医師がおられるのです。日本語の「もったいない」を環境問題に関連づけた元ケニア環境副大臣の故ワンガリ・マータイさんのことも思い出します。日本人は深い精神性を宿す「珠玉の言葉」を持ちながら、その価値にまだ気づいていないのかもしれません。未来を思い描くとき、足元を見つめ直すところから始めたい。

（2020年10月17日掲載）

忘れられない母の日

河内　誠　株式会社ロマンライフ 代表取締役社長

母の日当日、マールブランシュ京都北山本店前に一定の間隔を空けてお客さまが並んでお見えになりました。未曽有の事態の中でも、母に感謝の思いを届けたいというお気持ちが伝わってきて胸が熱くなりました。優しさを贈る場面で当店を選んでくださったことに感謝して、より一層お客さまに喜んでいただけるお菓子作りに邁進し、ご恩返しがしたいと強く思いました。私は今年の母の日の光景は、感動で一生忘れられません。

今月初旬に山科東野にて「ロマンの森」が誕生しました。行動制限や閉塞感のある今だからこそ、近場で少しでも自然を感じていただきたい！お子さまからご年配まで、安心して飲食やお買い物を楽しんでいただきたい！…そんな思いの詰まったお菓子の森です。

私どもはお客さまの笑顔が溢れる景色に思いをはせ、洋菓子で日々の生活に喜びを感じていただけるような“幸せ必需品”作りの信念をこれからの未来、若い社員へと思いのバトンをつなげてまいります。

ロマンの森の新緑が、地域の皆さまに末永く愛される森になりますようにと願いを込めて、お菓子の妖精たちと共に心よりお待ちしております。

（2020年10月20日掲載）

安心・安全の医療への貢献

戸島耕二　株式会社増田医科器械 代表取締役社長

医療機器・理化学機器の総合商社である増田医科器械は、おかげさまで本年創業92周年を迎えました。創業者の「お客様が必要とされるものは全て提供させていただく」という理念を継承した「すべてはお客様のために」の社是のもと、日々医療の現場でお客さまが必要とする商品とサービスの供給をさせていただいております。

本年は新型コロナウイルス感染症の拡大により、治療に命懸けで取り組む医療機関、医療従事者の様子が数多く報道されました。私たちにとって医療機関は単なる商売上のお取引先ではなく、「安心・安全の医療を担う同志」であると強く感じた次第です。

個人も国家も「利己主義」が横行する現代社会にあって、「人のために火を灯せば自分の前も明るくなる」という言葉が示すように、お客さまや周囲との共存共栄を目指す「利他の精神」を持った人材が大事になってくると思います。また、特に20代、30代の青年世代の方には、礼儀を大切にする心、人や自然を敬う心を忘れないでほしいと願っています。当社はこうした人材を育成し、安心・安全の医療に貢献してまいります。

（2020年10月24日掲載）

未来のコミュニケーション企業へ

木下宗昭 佐川印刷株式会社 代表取締役会長CEO

弊社は今年創業50周年を迎えることができました。これも常日頃のお客さまからのご支援あってのもので、大変感謝しております。

印刷業が生み出す製品は、その時にお客さまが必要とされているものを共同で作り上げていく「作品」が大半です。そのためには、お客さまとの意思の疎通を図り、お客さまが望んでおられるものを把握しなければなりません。そうしたことから、これからの未来に求められる人とは、コミュニケーションをしっかり取れる人ではないかと思います。対面はもちろん、ネットワークや通信を駆使して、垣根を越えて全世界へコミュニケーションを取っていくことが必要ではないでしょうか。特に今、コロナ禍で直接人と触れ合えないからこそ、新しいつながりが求められていると思います。

われわれが主に取り扱う紙の印刷物は、ネットとはまた違った特長を持ったコミュニケーションツールであり、さらなる可能性を秘めていると、われわれは固く信じております。今後も皆さまのコミュニケーション拡大の助力となれるよう、また、われわれの生活は常にお客さまに支えられているという感謝の気持ちを忘れず、信頼される製品づくりを目指してまいります。

（2020年10月29日掲載）

感謝と決意

湊　和則 株式会社ジェイアール西日本ホテル開発 代表取締役社長

新型コロナウイルス感染症は、社会や経済に大変な影響を与え、私たちの日常、個々人の行動様式や価値観を大きく変えました。感染拡大期にはご予約やご宴席が次々キャンセルとなる日々に、これまでの日常がいかにかけがえのないものであったのかを痛感しました。このような時期においても、弊社グランヴィア京都にご宿泊いただき、「営業していて助かったよ」と温かいお声をいただけることに感謝するとともに、京都駅の玄関口のホテルとしての使命・役割を再認識しました。また、厳しい環境の中、頑張ってくれている従業員にも深く感謝しています。

弊社では、新しい衛生基準「Clean & Safety」を策定し、コロナ禍の生活様式でも、より快適に安心してご滞在いただけるよう、妥協のない衛生的な環境作りに努めています。また、デジタル化の進展など著しく変化する社会環境に柔軟に対応し、従業員一人一人がお客さまへのおもてなしの品質を高める努力を進めております。新型コロナウイルス感染症に伴う危機はすぐに終わるものではないと覚悟し、この難局を乗り越え、地域の皆さまと共にさらに発展できるよう汗してまいります。

（2020年11月5日掲載）

変革と挑戦

若菜真丈 西日本旅客鉄道株式会社 執行役員近畿統括本部京都支社長

当社グループは、鉄道を基軸に社会インフラを担う企業として、社会、経済の発展に寄与し、目指す未来である「安全で豊かな社会」作りの貢献に取り組んできました。中期経営計画では、安全性向上に引き続き取り組むとともに、目指す未来として「人々が出会い、笑顔が生まれる、安全で豊かな社会」を掲げています。

新型コロナウイルスの感染拡大は、あっという間にリアルな人と人との出会いを奪ってしまいました。また、新しい生活様式や働き方により、人の移動は構造的に減少が見込まれます。当社の経営はその影響を受け、会社発足以来の経営危機に直面しています。

しかし、こんな時だからこそ、当社は社会インフラ企業としての責任を果たしていかなければなりません。さらにこの危機を乗り越えるために、会社は大きく変革をしていかなければなりません。地域の皆さま並びに当社グループと一体となって、この危機を乗り越えるべく、自ら能動的に「考動」できる、そして新たな価値創造に向けて失敗を恐れず挑戦できる「人財」が求められています。今こそ「安全なくして成長なし」「挑戦なくして成功なし」です。

（2020年11月7日掲載）

情緒的なつながりを深める

松島正昭 株式会社マツシマホールディングス 代表取締役社長

自動車産業は「100年度に一度の大変革期の時代」といわれています。通信機能を備えたコネクテッドカー、自動運転、電気自動車などの技術革新から、次世代交通サービスMaaS（マース）のような従来の移動手段の概念を根底から覆すものまで、私たちを取り巻く環境は目まぐるしく変化しています。利便性や快適さが向上すればするほど、人と人とのつながりや人間の感情が、より価値のあるものになっていくでしょう。社会が不安に覆われているいま、ますます会社とお客さまの「情緒的なつながり」を強固にしていかなければならない時代になっています。それがなければ企業としても生き残れませんし、個人としても欠いてはいけない部分だと考えています。

どんな方なのだろう、どういうことが好きなのだろう、どういうことを大切にされているのだろうということをしっかり考えて、お客さまが望むものを提供できる存在になること。この会社が好きとか、ここで働いている人が好きとか、お客さまからどんなふうに思っていただけるかも常に意識しなければなりません。私たちが大切にしてきた「人間対人間」でコミュニケーションすることが、これまで以上に大事になってきます。

（2020年11月10日掲載）

オールマイティーな能力を涵養する

黒坂　光 京都産業大学 学長

科学が高度に発展し、学問分野も細分化された今日、大学教育のあり方が問われている。大学はともすれば企業で即戦力となる人材育成を求められ、学生からも「この勉強は何の役に立つのか」と問われる。

会社で役に立つ人材とは一体何だろうか。そもそも優秀な人材の定義は企業や業種、さらに時代によって変わってくる。目先の知識の習得に心を奪われていては、やるべきことは星の数ほどあり、インターネット検索でたちどころに得られるような底の浅い教養・知識は役に立たない。本当に必要なのは初めての仕事に直面した時に、自らの力で分析し、局面を開拓していけるたくましい力である。そのために求められるのは昔風にいうと、読み、書き、そろばん、これを現代風に言い換えると、情報収集能力（読解力と聞く力）、表現力（書く力とコミュニケーション力）、論理的思考力であろう。大学の学びは表層的には専門知識の習得であるが、本質はこれらの三つの力を身につけることである。青年期における知的鍛錬は、将来の自分に向けての投資である。京都産業大学は建学の精神にのっとり「将来の社会を担って立つ人材」を育成する。

（2020年11月12日掲載）

「今」にかなう姿

千　宗室 裏千家家元

茶の湯は東山から桃山へと時代が移る中で発展しました。しかし、近代にあっては明治維新や大正デモクラシー、第二次世界大戦、バブル崩壊、リーマンショックなど多くの苦難に直面しました。先人たちはそのたびに利休居士が示された「和敬清寂」の精神を守りつつ、「今」にかなう茶の湯の姿を模索しながら困難を乗り越えてきました。

新型コロナウイルスが世界中で猛威を振るい、収束の見通しが立たない状況が続いています。茶道界ではこれまで当たり前であった濃茶の飲み回しや、大人数が集う茶会を行うことが難しくなりました。そこでめいめいに濃茶を練ってお出しする作法として、当家13代家元圓能斎《えんのうさい》が約100年前に考案した「各服点」を再興。さらには若い世代の間ではインターネットを利用した「リモート茶会」も浸透してきました。

先行きの見えづらい「withコロナ」の時代には、少人数の集まりの中から新たな喜びを見いだす努力をしていくことが求められるでしょう。文化はどのような時代でも必ず私たちとともにある、ある意味で「したたか」なもの。常に前向きな気持ちと謙虚さを忘れずに、この道の歩みを進めてまいりたいと存じます。

確かな技術、人間力で未来を創造

伊藤敏彦 株式会社きんでん京都支店 常務執行役員支店長

激動する社会環境を変改と創造の好機と捉え、確かな技術と人間力で社会に貢献する新次元の事業展開を行うべく研鑚《けんさん》に努めております。激動の中スタートする中期経営計画（2021～26年度）では、社会インフラを支え明るく豊かな未来の実現に向けて「人財力」こそ企業発展の根幹であるという考えの下、自立力、多様性ある「人財」作りに取り組みます。また、お客さまの信頼・信用に応えるとともに、活力みなぎり進化する未来の創造と、人が、技術が集まり、社会貢献を深める魅力のある企業を目指し「先義後利」を胸に、歩みを進めてまいります。

社会とともに歩む総合設備エンジニアリング企業として、利他の心が宿る悠久の歴史の地において創業以来75年間、地域社会に貢献させていただきました。これからも伝統と文化の息づく「世界の京都」の一企業として皆さまとともに歩み続けることを第一義に地域創生に微力ながら貢献してまいります。

昨今の世の中で利己主義的思考・行動が蔓延する中、「和」と「道理」を尊び誠実な心を取り戻すとともに、社会の災いとなる新型コロナウイルス感染症が一日も早く終息することを願っております。

「日本の心」

増山晃章 星和電機株式会社 代表取締役社長

戦後教育を受けたわれわれは、日本が世界最古の国であるということをあまり知らない。中国やエジプトは数千年の歴史というがそれは地域の文明であって、中華人民共和国は建国70年、エジプトはイギリスから独立して97年の若い国である。アメリカは240年余り、フランスの建国は1789年である。日本はというと古事記や日本書紀に、初代である神武天皇が即位した紀元前660年が建国と記されている。聖徳太子が十七条の憲法を作ったのが西暦604年、それですら1400年以上前のことなのである。

建国以来、終戦後のアメリカによる一時的な占領はあったものの日本という国は滅ぼされず生き延びてきた。その長い歴史の中で培われてきた精神文化がある。それは森羅万象すべてのものに感謝し、人を大切にして生きるという「おかげさま」の心である。それはやがて「おもてなし」の心となり、その食やサービスは世界の人々を魅了し、職人のこだわりは高品質の製品を生み出している。「自分さえ良ければいい」という昨今の世の中、自国第一や拝金主義の対極にある日本の心を忘れてはならない。人は支え合い生きなければやがて滅びてしまうのである。

覚悟

伊東知康 株式会社ワコール 代表取締役社長 執行役員

昨年来の新型コロナウイルス感染症の拡大により、私たちの社会活動や生活様式は大きく変化しました。地域差はあるものの、2度にわたり「緊急事態宣言」が発出され、経済活動においても大きな影響が及んでおります。

創業以来の大きな環境変化の中、直面する危機に対応し、再成長を成し遂げるためには、従業員一人一人が、原点である経営理念に立ち返り、自身の「存在意義」や「使命」を改めて理解するとともに、それぞれが認識している課題を、「意欲」と「スピード」を持って解決する必要があります。

まさしく「新たな時代」、言い換えれば「今までとは違う時代」を認識した行動をし、働き方を含めて大きく変化させなければなりません。

そういう意味では、既成概念に捉われず、大きな変化にも恐れず立ち向かう人物が、今後求められる人材となります。

すなわち、わが社の社是にもうたわれている「相互信頼」を基調としながら「覚悟」を持って行動し、お客さまをはじめとする全てのステークホルダーとより深い信頼関係を築くことが重要であると考えます。

ポストコロナを生き抜く知恵

［オンラインフォーラム］２０２０年４月

逆境の世界　融通が生む共生

（2020年5月14日掲載）

［基調講演］

小川さやか氏　文化人類学者

回復力としての迂回路

世界中で猛威を振るう新型コロナウイルス災禍は、先進国が解決を先送りにしてきた脆弱《ぜいじゃく》な部分を特に突くものでした。さまざまな社会矛盾が噴出する中で今回の危機を乗り越えるには、世界で育まれてきた地域の知恵を再度引き出して活性化させ、共有する作業が大事ではないでしょうか。

近年、アフリカ社会ではスマホを使った「モバイルキャッシュレス決済」の急速な普及をはじめ、一部の最新技術は、先進国より積極的に受容されています。ルワンダでは、コロナ感染拡大の前から医療物資をドローンで運ぶ輸送システムが整備されていました。感染拡大後にはケニアでオンライン診療アプリが開発され、南アフリカで感染者の追跡機能を搭載した携帯電話の無償配布が始まったりもしています。

アフリカ諸国で先端技術の受容が進む背景には、既存の制度や仕組みとの調整の必要性がなかったり、国家に対する信頼度が低く、民間での技術開発が求められていたりすることも関係するでしょう。例えば、個人が単発の仕事をネット経由で請け負うギグ・エコノミーは自由度の高い働き方ですが、先進諸国では、企業に雇用された場合のような保障や保護が得られない不安定さが問題になります。しかしアフリカの都市部では政府の雇用統計に載らない零細自営業者が多く、そうした不安定さは議論になりにくいです。

しかし先進技術によって既存制度の欠点をいかに補う

かよりも、アフリカの人々が先進技術の受容を、「それまで制度の外で育んできた社会慣行や実践といかに調整しながら組み込んでいるか」を問うことのほうが重要です。そこにこそ、コロナ危機から脱出する「回復力＝レジリエンス」の源があるのではないでしょうか。

かつてタンザニアでコレラが流行した時にも、都市の路上に広がる総菜店営業が全面禁止になったことがあります。その際、店主は早速、常連客の「つけ」を回収し、それを元手に他の事業を展開して危機を切り抜けました。現在のコロナ流行によって中国との貿易が困難になった商人の中には、出身農村へ戻って農作業や畜産業に稼ぎ方を切り替える人々が増えています。

ただし、危機下で商売の柔軟な転換が可能なのは、一つの職業にこだわらない「生計多様化」を日頃から採っているだけでなく、客の窮地に「つけ」を認めたり、稼ぎの一部を故郷での井戸や農地の整備に投資したり、後続の出稼ぎ者に商売を気前よく教えたりすることで育んできた社会関係があるからです。銀行預金がなくても、彼らの貯金は「つけ」や「農地」などにかたちを変えながら社会の中に存在しています。それはいざとなったら食べられる農畜産物という利子を生み出しているだけでなく、危機の時に支援を引き出す根拠にもなるのです。

アフリカ諸国はしばしば恩顧主義や汚職がはびこっていると非難されています。正規の窓口で手続きしても全くラチが明かないことが、別ルートを通すとたちまち解決することは確かによくあります。しかし口利きや融通をするのは、行政者や企業の権力者だけではありません。零細商人やタクシー運転手のような市井の人々も、友人や知人が困った時にはそれぞれがもつ資源や情報への特別なアクセスを認めたりします。

こうしたインフォーマルな迂回路は、近代国家が「不透明」「不正」なものだとして、閉じてきたものです。しかし迂回路は、政府による再分配が適切に機能しない時には、社会の中で財やサービスを循環させる自前の仕組みとして機能します。誰もが誰かの迂回路になれると認め合うことは、個人が自律的・分散的に異なる利益を追求することを是認しながら、その時々の個々の事情に応じてシェアを成し遂げる知恵です。ネットを活用したシェアリング経済もその縦横無尽な回路を可視化したものではないかと思います。

インフォーマルな回路は、私たちの社会にも潜在しています。京都の花街文化にも「つけ」の習慣が残っている、と聞きます。回路を新たに創造することも可能でしょう。例えば、オンライン授業によって空いたキャンパスを地域に開いて大学制度とは異なる使い方を検討してもいいのではないかと考えています。

緊急事態の今だからこそ融通にあふれた社会のあり方を考えてみたいのです。ささやかな地域社会の知恵や迂回路について、登壇者の皆さんからお話をお聞きできれば幸いです。

［ディスカッション］①
—感染の一定収束後、「ポストコロナ」の暮らしをどうイメージするか考えたい。

服部◉感染が特に拡大したイタリア北部エミリア＝ロマーニャ州に2009年から在住です。小川さんの「融通を利かせる社会」という事例に共感しました。正面から解決できない時、イタリアでも「迂回路」に助けられることがよくあります。大小さまざまな国家が興亡してきた歴史背景のせいなのか国民は基本的に国を信用せず、家族を第一に考えているようです。不透明さに困る時もありますが、柔軟な社会ならではの生きやすさも感じます。

3月から全ての劇場が閉鎖され、当面の仕事がキャンセル。給料制ではないフリーランスの私は収入源が断たれています。コロナ長期化を覚悟し、生きていくために経済的な多様化戦略が重要になってくると思います。音楽家には演奏の動画配信やオンラインレッスンの提供を始めたり、違う分野の勉強を始める人も出てきました。

音楽の持つ豊かな情感が観客に届き、それぞれの心の中で感情を味わって欲しい—これが私の芸術活動の目的です。そのために何ができるのか。ポストコロナの時代には、音楽に向き合う姿勢が従来と違うものになるのではないでしょうか。

一世代前の技術も使おう
小川さやか氏
文化人類学者

教育テクノロジー整備を
川村　匡氏
文化庁地域文化創生本部総括・政策研究グループリーダー

音楽家も多様な戦略いる
服部響子氏
声楽家

解決導くマサイの力強さ
山根裕美氏
京都大特任研究員

※イタリア
感染者が21万人を超え、医師150人以上が犠牲になったイタリアでは5月4日、製造業や建設業、卸売業が再開した。ただ、政府は世界的大流行が続いているとの認識で、衛生高等研究所は「試しながら進む」とする。

山根◉2006年からケニア在住です。首都ナイロビにも国立公園があり、ライオンやサイがビル群を背景に見えるほどです。野生動物に近い生活環境の中で暮らす先住民マサイの人々の多くは、マサイマラ国立保護区などで多かれ少なかれ、観光業に携わっています。彼らは、観光客が少なくなるとすぐ農業や畜産など別の仕事に生活の比重をシフトし、観光客が来ればまた戻ります。

私は、主にヒョウを調査しています。パートナーはケニア北部のトゥルカナ出身です。40年以上のベテランで、現代の先端機器を一切使わず、人の力と技だけで猛獣を捕まえられる驚異的な能力の持ち主です。「昔はロープ1本を小脇に抱え、走ってキリンを捕まえた」と聞きました。

一緒にヒョウを探してサバンナを歩く際、ライフルを持つことはありません。最先端技術でも野生動物を前にトラブルがあれば一巻の終わりです。自分の力を信じるマサイの人々のような、一見、アナログでオールドファッションに見えても、自身で解決に導ける真の力強さが今後は求められるのではないかと考えます。

※山根裕美さん
ケニアの首都ナイロビ中心部から7キロの国立公園で、ヒョウにGPSを付けて野生動物と都市化、観光のバランスを研究中。ヒョウは夜に公園を抜け出して近隣の住宅地を徘徊《はいかい》するが、住民とは長く共存関係にあった。近年はバイパス建設で野生動物の生態に変化が生じているという。伝統と観光の関係は、京都にも示唆的である。

川村◉文化庁は、東京・霞が関から京都への全面的移転が決まっています。2022年8月の京都府庁内の新庁舎完成後に速やかに移転予定で、地域文化創生本部は移転の先行組織として東山区で業務を始めています。文化庁の京都移転は、東京一極集中を是正するための中央省庁の地方移転の一環で、小川さんの「迂回路」と共通する「分散化」の取り組みのひとつと考えられます。

妻は長らく京都で働いており、私もこの4月に東京から異動し、5年ぶりの京都勤務です。文化庁は、文化財保護や世界遺産登録などを行っており、文化庁職員とし

研究対象の都市で働くタンザニア商人の里帰りに同行した小川さやかさん（左）。商人たちは、農繁期などには帰郷している（2013年9月）＝小川さん提供

今年4月から、ゆかりの京都で勤務する川村匡さん（京都市東山区・文化庁地域文化創生本部）＝撮影・辰己直史

イタリアの音楽祭で熱唱する服部響子さん（2016年8月31日）＝服部さん提供 ©Monica Ramaccioni

ナイロビの動物孤児院で、育てたヒョウの13回目の誕生日を祝う山根裕美さん（2018年9月7日）＝山根さん提供

て歴史とともに育まれた京都の文化的深さを感じます。

私の勤務する地域文化創生本部では、コロナ対策のテレワークが職員の約7割に達しています。霞が関の本庁との遠隔でのやりとりを積み重ねてきた経験が生きていると感じています。通勤時間や残業が減る傾向にあり、何より職場の滞在時間ではなく、成果で評価される働き方に変わっていくことを多くの人が認識するきっかけになるのではないでしょうか。

小川◉服部さんのお話は、聴衆とご自身が共感し合う部分を、芸術を通じてどう伝えていくか――この根本的な課題を模索されていると理解しました。高度な技術に頼り過ぎると、身体的な部分を含めた生活力がもろくなる恐れがあり、人間力が大切――との山根さんのお話には同感です。

社会は、共助機能、高度な技術、あるいは国家施策だけでは回らない側面があり、本質的・多面的な戦略が不可欠です。どれか一つに依存し過ぎると、個人や社会を縛るしがらみも大きくなるので、取り組むバランスには気を配る必要があるでしょう。

服部◉近年はスマホで簡単に世界の情報を収集でき、動画や音楽を楽しめるようになったことで、興味のなかった分野の情報、音楽に触れるチャンスも増えたのではないでしょうか。このこと自体はとても便利で、有効だと感じます。

一方で歌のオンラインレッスンの場合、特に発声を教えるのが難しいと気付きました。音質の限界や、映像だけでは具体的な口の動きと連動した発声方法が伝わりにくいのが原因ではないかと考えます。目の前で行われる生演奏とネット映像を比べた場合、体で感じる迫力や臨場感が全く違うのと同じですね。対面と同じことをオンラインで実現しようとするのではなく、オンラインに適した別のアプローチがあるのではないでしょうか。

川村◉日本ではコロナ対応の休校中、子どもたちと双方向でつながるオンラインシステムを通じた学習や連絡の実施率がわずか5%です。携帯電話やスマホの普及拡大と共に歩んできた私たちの世代こそが、リーダーシップを発揮してテクノロジー整備を進める責務があるのではないかとの思いは強くあります。

経済的困難を抱える家庭の子どもまでがオンライン教育の恩恵に広くあずかれるようなセーフティーネットを築くのは当然必要で、誰もが教育を受けられる公平さは担保しなければなりません。一方、全員に全く同一のオンラインなどの環境を提供することにこだわるあまり、全体が一歩も前に進めないというのも柔軟さに欠けるのではないでしょうか。

山根◉ケニアでは、スマホは全員に行き渡っていませんが、いわゆる「ガラケー」を含む携帯電話は普及率100%とされています。ガラケー利用を前提に、テキストメールで金銭授受から農作業に関わる行政支援までを受けられる「小規模農家向けアプリ」を通信会社と大学が共同開発しました。最新ネットワークは、どうしてもコストや機能の面から普及が限定的になり、一世代前、一歩手前の技術を使って誰もが使えるように配慮する仕組みも必要ですね。

小川◉社会課題の解決を目指す教育ツール「シリアスゲーム」はリハビリ、啓発、脳トレなどさまざま内容を網羅していますが、実はアフリカでも活用されているのです。

デジタルツールは人によって扱い方が異なりますので、川村さんがおっしゃるように、全員が同じようなテクノロジー環境でなくてもよいのです。いま急速に広がりつつあるテレワークには本来、育児・介護負担を軽減する目的もあります。テレワーク普及に連動して、結果的にオンラインによるフォローを得られるようになって喜ぶ障害者もいます。最新技術開発は必要ですが、一世代前の技術も活用するなど、使い方には工夫の余地があります。

※技術

「枯れた技術の水平思考」―任天堂で商品開発に携わった横井軍平さん（１９４１～97年）は、先端技術がさまざまに用いられて値下がり後、玩具作りに転用した。コストダウンした技術を別の用途に使った結果、ウルトラハンドやウルトラマシン、光線銃ＳＰ、ゲーム＆ウオッチ、ゲームボーイなどが次々にヒットした。

［ディスカッション］②

―感染症や戦乱、水害に再三襲われた千年の都・京は、廃都にならず続いてきました。

小川◉私の元院生が、花街のお茶屋さんを調査研究していました。院生の博士論文によると、何気ない会話にも、さりげなく店の歴史が盛り込まれていました。現在のような危機の際はいったん伝統に回帰し、私たちの人間力でカバーするから大丈夫、との固い信念があるようにも感じました。時代の最先端を突っ走るのでもなく、さりとて昔に戻るのでもなく、最新のものと古きよきものをうまく組み合わせて共存させることに関し、京都人は実に巧みだと感じますね。

服部◉京都は、長く朝廷が置かれたことで育まれた伝統文化をずっと継承しながら、一方では、外国からも含めて新しいものも積極的に受け入れて生活を営んできました。大事にするもの、あるいは変えたくないものをしっかり自分たちの中に持ち、その上で価値のありそうなもの、自分たちにもうまく生かせそうなものを取り入れる。それを可能にするのは、小川さんがお話されたように、優れた適応力を持ち合わせた京都の人たちの人間力ではないでしょうか。

山根◉いち早くスマホで電子マネーを取り入れながらも伝統的な生活様式を崩さず、伝統に寄り添うマサイの人たちの生活を思い浮かべました。今も牛糞《ぎゅうふん》と土を混ぜた壁の家に住み、生活しやすいと彼らは主張します。肉食の野生動物が生息する地域に隣接して住み続けるのは「死んだ家畜を肉食獣が食べに来ないと、マサイに疫病が流行する」との長老の教えを信じているからです。先進技術も活用する柔軟さの一方、手製の槍《やり》など簡素な道具一つで野獣に向かう強靭さと精神力の強さをも備え、自分たちが信じるものを守り続ける点は、京都が持つ生活の知恵、例えば幾多の疫病禍に耐えてきたところと共通するように思えます。

川村◉東京から京都に来ると時間の流れの違いを感じます。長い視点で捉える歴史的風土でしょうか。先斗町で「無電柱化の工事がなかなか終わりませんね」と水を向けると、「千年の歴史では大したことではない」と。幾度も疫病をくぐり抜けたからこそ、今回もうまく災禍と付き合っていくような知恵、心の持ちようがあるのではないでしょうか。「クーラーが壊れたら風鈴の音で涼みましょう」との考え方が京都にはあるように思えます。私たちは、リーマン・ショック、東日本大震災等で社会がダメージを受け続けた世代でもあります。今回も大きな逆境に置かれました。従来の常識を捨てて新しい社会を考える格好の契機かもしれません。当面、足元の現実を少しでもよくするための行動を続けたいと考えています。

◎小川さやか（おがわ・さやか）
1978年生まれ。タンザニアで零細商人の経済動向を実地調査。国立民族学博物館などを経て立命館大先端総合学術研究科教授。「都市を生き抜くための狡知」でサントリー学芸賞。

◎川村　匡（かわむら・ただし）
1978年生まれ。2003年文部科学省入省。大学課、広報室、京都工芸繊維大総務企画課長、私学行政課など歴任。新しい働き方を提唱し、09年から1年間育児休業。今年4月から現職。

◎服部響子（はっとり・きょうこ）
1985年亀岡市生まれ。京都市立音楽高在学時、甲子園の選抜高校野球大会の閉会式で君が代独唱。東京芸術大を経て国立パルマ音楽院へ。イタリア人の夫とイタリア北部モデナ市在住。

◎山根裕美（やまね・ゆみ）
1974年生まれ。保全生態学。タンザニアに留学し、ケニアでヒョウの生態と観光のバランス、人との共生を調査研究。ナイロビで2人の子どもと暮らす。4月から一時帰国中。

未来へ受け継ぐ

［２０２０対談シリーズ］

未来へ受け継ぐ　Things to inherit to the future

日本人の忘れもの 知恵会議
未来を拓く京都の集い

①

対談

文化人類学者 小川さやかさん
造園家 佐野　友亮さん

京都の伝統に学び、次世代に暮らしのメッセージを発信する企画「日本人の忘れもの知恵会議」。本年度対談シリーズのホストは、文化人類学者の小川さやかさん。アフリカの零細商人の行動調査から、新しい価値体系を求めている。初回ゲストは造園家・佐野友亮さん。桜の季節に、自然との付き合い方を語り合った。コーディネーターは、京都新聞総合研究所所長の内田孝が務めた。

おがわ・さやか　1978年生まれ。文化人類学。国立民族学博物館研究員などを経て立命館大先端総合学術研究科教授。「都市を生き抜くための狡知（こうち）　タンザニアの零細商人マチンガの民族誌」（世界思想社）でサントリー学芸賞。

さの・ともあき　1986年生まれ。実家は1832（天保3）年創業で、御室仁和寺の造園に携わってきた植藤造園。祖父は桜守として知られる16代目・佐野藤右衛門さん。プロスノーボーダーを目指して海外を転戦後、造園業へ。

造園業、人と自然仲介
先人の技術を学び継承
小川さん　佐野さん

小川　現在は造園家として国内外で活動されていますが、学生時代はスノーボードに打ち込んだそうですね。

佐野　カナダやニュージーランドで練習を積み、競技大会にも出場していました。遠征資金を稼ぐためアルバイトで家業の造園業を手伝った時期もありました。海外出身の選手としのぎを削る中、痛感したのは、子どもの頃から毎日のように雪山で遊び、生活の一部としてスノーボードに親しんできた彼らに対し、「大きくなってから競技を始めた自分では、到底太刀打ちできない」ということでした。

改めて自分の生い立ちや家庭環境を振り返って職業を考えると、よりどころや強みの源泉になるのは、幼い頃から身近で親しんだ造園業です。それを極めることで道は開けるのではないか、と考えました。大学卒業後、横浜の造園会社で4年間働いた後、祖父や父が経営する植藤造園に入社しました。

小川　植藤造園は1832年創業ですね。代々、京都・仁和寺にある御室御所の造園工事を請け負ってきました。祖父で16代・佐野藤右衛門さんは「桜守」として東日本大震災の被災地や京都をはじめ、全国各地の桜の保存活動も続けてこられました。

佐野　これまで祖父や父から、造園業の技術上の指示やアドバイスを受けたことはありません。社内は現場たたき上げの職人ばかりで、昔から「仕事は見て覚えろ」が鉄則です。技術、ノウハウは先輩に食らいついて必死に仕事をこなす中で吸収し、身に付けてきました。

現在、庭造りに携わっていますが、まだまだ一人前ではありません。草刈りや水やり、街路樹の剪定もやります。

小川　愛知県の私の実家にも小さな庭がありました。祖父が「自分自身の葬式の前に庭を整えておかないと」と言い出し、造園業者さんに頼んで庭を造り直した思い出があります。

佐野　「庭は造って終わりではない」が祖父の口癖です。私も3年、5年、10年と長いスパンを意識して庭造りに取り組んでいます。一般家庭の庭を長くメンテナンスさせてもらうことも大事な仕事と考えています。

お客さまの日々の暮らしや人生に寄り添い、庭も変化していくのが理想だと思います。最も素晴らしい、と感じるのは龍安寺の石庭ですね。何も足さなくとも、また何も引かなくとも完成しています。

小川　フィールドワークで長期滞在した東アフリカのタンザニアにも日本と同じように鎮守の森があり、精霊が宿ると信じられている木もあります。

愛でる庭とは異なりますが、自然を扱う造園業は、薬草を扱う医師、雨乞いをしたり豊穣を祈る呪術師に近い存在かもしれません。自然と人とを仲介する仕事といえるでしょう。

対談前、佐野さんから「今年の桜の花はあまりよくない」と伺いました。日常生活で、自然とはどのように向き合っているのでしょうか。

佐野　今年の桜に限らず、昨年のモミジも色づきがよくありませんでした。花の判断基準は、目に見える変化や手がかりではなく、感覚的なものです。

自然を相手にした場合、人にできることはそんなに多くありません。猛暑などの異常気象や自然災害も増えていますが、対策としては水やりくらいです。植え替え、樹木のケアに適した時季は、樹種ごとに決まっています。無理してやると絶対うまくいきません。

小川　ままならない自然のささいな変化を感得し、手をかけすぎることなく守りをするといった繊細な仕事は、AI（人工知能）などのテクノロジーに置き換えることが難しい領域ですね。ずっと残っていくスキルや能力のような気がします。昨今の新型コロナウイルスの影響で、私が勤める大学では授業や教職員の会議がオンラインで実施されています。

そうした中で改めて対面のコミュニケーションの意義を再考したり、大学という場の新しい価値を模索したりする動きもあります。テクノロジーが臨界点に達すると、揺り戻しが起きるようにも思います。

佐野　最新技術を活用して便利になるのは良いことですが、慣れ過ぎると本当に必要なものや大事なものが分からなくなるような気がします。

造園業は伝統や古き良きものを残すことを習慣としてきたので、いまだにアナログが主流の職場。先人たちが長い時間をかけて完成させてきた作法や技術を継承し、自分たちで学び直しながら仕事に生かしています。

小川　タンザニアでも家具職人など伝統産業の技術継承はいまでも弟子入りが基本的なスタイルです。親方のような職人になろうと日々頑張っているうちに、気がつけば、心意気や振る舞いまで職人らしくなっていくのかもしれません。技術継承や安定した企業経営にとって、人材育成は重要なテーマではないでしょうか。

佐野　造園業では、若い人材がなかなか定着しないのが悩みです。近年は昔ながらの「見て覚えろ」ではなく、手取り足取り丁寧に教え、仕事の楽しさを伝えようとしています。

仕事上、言われたことをこなすだけならできて当たり前。加えてプラスアルファの価値で品質をもう一段引き上げる努力を続けていけば、一流の職人として認められるでしょう。

小川　資本主義社会がグローバル化するのに伴い、人の交流や移動も盛んになり、土地や地域に根を下ろした生活スタイルも変化しつつあります。人々はできるだけ簡便に物資を調達し、即時的に完成させて、飽きたらすぐに手放して新しいものを手に入れる。そのようなあまり辛抱のない暮らしに向かっているように見えます。こうした時代の流れの中で、造園業をどう展開していきますか。

佐野　造園業が発展するか、先細るか。現在は岐路に差しかかっています。庭を造ったはいいが手入れが必要で、コストもかかるとなれば、顧客にとっては煩わしい。庭を持つ家庭も減っています。庭を持っても手がかからないような工夫が必要です。成長の遅い植物を選び、石造品を中心に構成するなど新しい庭を提案していきたいです。

小川　顧客の要望を出発点に伝統的な作法や技術、職人のひらめきやアイデア、そして庭に配置する樹木や石の個性など、すべての要素を調和させて一つの庭をつくり上げていくのは非常に高度な作業だと思います。造園業は、自然と人と社会をつなぐ仕事と言えそうですね。

佐野　造園家は、人と自然を結び付ける立場です。自然を相手にするのが難しいところであり、また楽しいところでもあります。お客さまの要望に応えるのはもちろん、造り手のこだわりや考え方を反映させられた時は、大きな達成感を感じます。

＝次回は6月下旬掲載予定

「日本人の忘れもの知恵会議」サイトは、このQRコードでアクセスできます。

満開の頃の植藤造園のシダレザクラ。遠方に広沢池が見える（3月30日、京都市右京区）＝小型無人機から　撮影・増山達

キリマンジャロの麓に住むチャガ族の家屋は、屋敷畑に囲まれている。バナナなどの作物が混作される畑は独特の景観をつくり出し、庭の機能も果たす（2010年12月、タンザニア）＝横内克之さん提供

佐野藤右衛門　京都市右京区山越中町の造園業・植藤造園の当主は「藤右衛門」を代々継承する。天皇家とゆかりの深い仁和寺の寺領で農作業に従事し、次第に庭仕事を本業にするようになった。16代の現当主＝写真＝は、京都迎賓館やイサム・ノグチを通じたパリの国連教育科学文化機関（ユネスコ）本部の作庭を手掛けた。瀬戸内寂聴、志村ふくみさんらとの交流でも知られている。

対談シリーズ 01（2020年4月28日掲載）

自然との付き合い方

◎小川さやかさん　文化人類学者

◎佐野友亮さん　造園家

第3種郵便物認可　京都新聞　2020年（令和2年）6月29日　月曜日　企画特集 10

未来へ受け継ぐ　Things to inherit to the future

日本人の忘れもの 知恵会議
未来を拓く京都の集い ②

オンライン対談

文化人類学者　小川さやかさん
石山寺 責任役員　鷲尾　龍華さん

少子高齢化や宗教観の変化などで、地域の寺社の役割が変わってきている。文化人類学者・小川さやかさんがホストを務める「日本人の忘れもの知恵会議」対談2回目は、石山寺の鷲尾龍華さんをオンラインで招き、宗教から文化財保護までを語り合ってもらった。コーディネーターは京都新聞総合研究所所長の内田孝が務めた。

心の支え、宗教の役割の一つ　小川さん

鷲尾　私は石山寺で生まれ育ち、同志社大で西洋美術を専攻しました。一般企業に3年間勤めた後、真言宗の種智院大で仏法を学びました。東日本大震災後、東北大で臨床宗教師の研修を受けて宮城県石巻市に入り、さまざまな宗教者の人たちとともに祈りをささげました。現在は石山寺で、塔頭・法輪院の住職を務めています。

小川　仏門へ入ろうと決めた時、「人々のストレスや息苦しさに対し、何かできることがあるのでは」と考えられたと伺いました。仏教の役割をどう考えておられますか。

鷲尾　同じ言葉に対しても人によって良く受け止めたり、逆に悪く取ったりと違いがあるのは、受ける側の要因が大きいのではないか。そんな時、人間の内面を冷静に見つめることが仏教の基本にあると思ったのです。話題のマインドフルネスは「宗教性を排除した瞑想」とされますが、実践内容は仏教の基本的作法そのものです。

被災地を巡りながら一人一人に耳を傾ける臨床宗教師の仕事が腑に落ちました。説法を授けるだけでなく、相手や状況で語り口を自在に選ぶ釈尊（お釈迦様）の「対機説法」という仏教の原点に戻れるように思えたからです。

小川　まず相手の話を聞く、相手を受け入れることが肝要との考え方は素晴らしい。心の支えになることが宗教の役割の一つですね。人口減で地方都市では寺の維持も難しく、仏教が地域コミュニティーの軸となりうる接点をいかに見いだすかが重要でしょう。動画サイト「ユーチューブ」の『デジタル縁起絵巻』のように、石山寺はITツールにも積極的ですね。

鷲尾　新型コロナ禍で一時閉門など拝観制限したこともあり、ネット画像は好意的に受け入れてくださっているようです。

小川　仏教の現代的展開に対し、否定的な方も一定数いらっしゃると思います。伝統と新しい試みのはざまで葛藤はありませんか。

鷲尾　やはりお寺の伝統的作法と、イベントや観光面のバランスが大事でしょう。お堂で手を合わせず桜だけ見て帰る方は、私も少し残念に思います。

おがわ・さやか　1978年生まれ。立命館大先端総合学術研究科教授。「チョンキンマンションのボスは知っている」（春秋社）で河合隼雄学芸賞、大宅壮一ノンフィクション賞。共著に「思想としての〈新型コロナウイルス禍〉」（河出書房新社）。

鷲尾さん　優しい心、怒りの力で救済も

小川　私が長く暮らしたアフリカ・タンザニアでは、キリスト教やイスラム教のほかに地域信仰に基づいた呪術師が今も活躍しています。なぜ私だけが事業に失敗したのか、なぜ最愛の人がマラリアに冒されたか、そんな個人の悩み、恨み、不満を聞いてくれます。

まじないや薬草の処方とともに、先祖代々の墓を掃除していないのではないか、自身に妬みを持つ者に親切にしたらどうだろうなどと解決策を示されるうち、当人たちは不条理なことに対するやりきれない気持ちを整理することもある。私もたびたび訪ねました。宗教者には、どのような役割が期待されていると思いますか。

鷲尾　生老病死の苦しみは誰にでもある、と釈尊はおっしゃいます。宗教者は絶対にそこから目をそらしてはいけない。やみくもに祈るのではなく、本人が不安や悩みの中でこうしていくのだという「誓い」を立てられるように寄り添うのが役割であると。生きていくための「良い選択」ができるように伝え続けるということです。

例えば、私は寺に隣接するこども園の子どもたちに「人を傷付けない」「物を盗まない」「うそをつかない」の三つを守ってねと語り掛けます。仏教の五戒の一部で、難しい言葉を使わなくともよく覚えてくれます。

不動明王は、優しい心だけでは救えない人を怒りの力で無理やりでも安全な場へ連れていくと言われます。密教たる真言宗には個性豊かな仏様がたくさんおられます。救済の方法が数え切れないほどあると、対機説法のありようを表していると考えます。

5月のお祭りに「青鬼まつり」があります。平安時代の学僧・朗澄律師が経典類の編纂に尽力され、死後も鬼となって寺を守護すると誓われた遺徳を称えるお祭りです。大きな鬼の像を寺の入り口である東大門の横に造ります。

無病息災の御利益も受けるために像に手を合わせる方が多くいらっしゃいました。世情に合わせて、宗教者はこういった工夫もしていく必要があると思います。

小川　祈りや慈悲の心だけでなく、怒りの力で救うこともある、ときには鬼となって守護するという仏教の両義的な側面に目を向けることは、危機の時代に重要な意味を持っている気がします。ところで僧侶としても鷲尾さんは物腰が柔らかくとても話しやすい印象です。次世代の仏教家として女性だからできること、女性だから困ったことについて考えをお聞かせください。

鷲尾　僧侶はほぼ男性の世界です。先日も100人ほどの研修で女性は3人。女性が極端に少ないと「女性代表」になってしまいます。個人的に話したつもりでも「女性全般の意見」と受け止められる傾向がありますね。

私は僧侶ですが剃髪していないからか、気軽に話し掛けられます。僧侶は威厳があった方がいいと言う人もいますが、お寺や仏教について知識を深めてもらうきっかけとして、女性は適任なのかもしれません。

わしお・りゅうげ　1987年生まれ。鷲尾遍隆・石山寺第52世座主の長女。東レ勤務などを経て現職。滋賀県立近代美術館での企画展「石山寺縁起絵巻の全観」、米メトロポリタン美術館「源氏物語展」など寺からの発信に尽力。

完全状態で文化財保存を　鷲尾さん
先端技術で幅広く活用も　小川さん

小川　威厳ある剃髪僧侶に厳しい言葉をかけてもらうこと、穏やかで身近な雰囲気の僧侶に言葉にしにくい漠然とした感情を受けとめてもらうことは、異なる意味を持つのでしょう。2019年3月からの米国メトロポリタン美術館「源氏物語展」にも尽力されたそうですね。

鷲尾　石山寺は「源氏」に関わる作品を中心に、多くの寺宝を所蔵しています。メトロポリタン美術館には、重要文化財を含む11点を貸し出しました。ニューヨークの書店で「源氏」と出合ったドナルド・キーンさんにご覧いただきたかったです。石山寺は西洋美術ともご縁を築きつつあり、2015年には京都の洋画塾・関西美術院の土地建物の寄付を受け、芸術家育成の支援を行っています。

毎年、春と秋の「紫式部展」では学芸員さんと企画を練ります。お寺の資料は膨大で、すべてを把握できていません。1971年、先代座主鷲尾隆輝師が「石山寺文化財総合調査団」を発足させて約半世紀。大学や奈良文化財研究所などに参画いただき、年2回の調査があります。

修復必要なものも多く、現在は「聖教」の巻物に取り組んでいます。巻物全体に大きな梵字が書かれており、文字を切り抜こうとしたような跡を僧侶が見た時は、文字の部分が仏像の光背の装飾に使われたことがわかりました。文化財の保存と活用の両立は難しいですね。完全な状態で残すことが最優先で、見てもらうのは次と考えています。

小川　まさに研究ですね。貴重な文化財のアーカイブ事業は、大きく変化しています。宗教者と研究者が連携を強めて伝統を大事にすると同時に、先端技術ツールも用いれば幅広く活用できるのではないでしょうか。

＝次回は8月下旬掲載予定

㊤石山寺門前に設置された巨大な青鬼像。邪気を払うとされる（2020年5月）㊦タンザニアのモスクで語り合うイスラム教の信者ら。外務省によると、同国ではイスラム教4割、キリスト教4割、土着の宗教2割とされる（2017年2月）

メトロポリタン美術館「源氏物語」展は、源氏物語の構想が練られたという石山寺をイメージした展示から始まっていた（2019年6月）

議論の完全版は、近く「日本人の忘れもの知恵会議」サイトにアップします。このQRコードでアクセスできます。

対談シリーズ 02（2020年6月29日掲載）

宗教から文化財保護まで
◎小川さやかさん　文化人類学者
◎鷲尾龍華さん　石山寺 責任役員

未来へ受け継ぐ　Things to inherit to the future

日本人の忘れもの 知恵会議　未来を拓く京都の集い ③

新しい観光

外国人を含む観光客急増が暮らしに大きな影響を与えていた京都でも、コロナ禍で情勢が一変した。文化人類学者・小川さやかさんがホストの「日本人の忘れもの知恵会議」対談3回目は、北海道大教授の西山徳明さんとオンラインで「新しい観光」をテーマにディスカッションした。コーディネーターは京都新聞総合研究所所長の内田孝が務めた。

オンライン対談
文化人類学者　小川さやかさん
北海道大教授　西山　徳明さん

（撮影・三木千絵）

文化人類学とDMOに共通点　小川さん

小川　新型コロナウイルス感染拡大は、人の移動や旅をあらためて考える機会になりました。この状況をどのように見ていますか。

西山　なぜ人は旅に出るか。文化や気候風土、経済環境などの違いが関心を呼び起こし、人を旅行や観光に駆り立ててきました。旅に出れば人は必ず文化や習慣の違いに驚き、自分たちの暮らしも見直そうとします。結果として国家体制や民族、宗教などの相互理解につながり、国家間の安全保障の基盤を生み出すーと考えています。

20世紀後半、国内旅行業界は、安全・安心で安価なパッケージツアーを開発し、誰もが気軽に旅に出かけられる薄利多売のビジネスモデルを構築しました。近年の格安航空会社（LCC）の登場は、旅をさらに気軽なものにしています。

コロナ禍を経験した今、広告やチラシのお決まりキーワードに乗る企画ツアーに参加し、見ず知らずの人たちと飛行機やバスで3密の団体行動をするマスツーリズム（大衆化された観光）にもう一度戻るべきかどうか、再考の必要があるでしょう。今、問題提起しなければ、市場原理は、小手先の3密対策を掲げながら、マスツーリズムの復活を志向していくと考えて間違いないでしょう。

小川　今、大きな分かれ目ですね。

おがわ・さやか　1978年生まれ。立命館大先端総合学術研究科教授。「チョンキンマンションのボスは知っている」（春秋社）で河合隼雄学芸賞、大宅壮一ノンフィクション賞。京都府新型コロナウイルス感染症対策専門家会議観光戦略部会に出席している。

西山　2017年の観光客総数と観光収入の伸びを地域別で見ると、アジア発ではそれぞれ6％増、3％増。明らかに、価格の安い観光への需要の傾斜が分かります。一方、中東発は客数が5％増だったのに対し、金額が13％増と大きく伸び、富裕層を中心に単価の高い旅行を志向しています。今後は多少コストが上がっても、自分たちで情報を集めて準備し、気心の知れた仲間とゆっくり過ごす旅へと質的な転換が進むことを期待します。

そのためには、旅行者側が安易な旅に見切りをつけ、旅行に対するコスト意識や旅の質に対する意識を転換させることが必要であると同時に、観光業界がそうした観光形態から収益をあげるモデルを積極的に開発することが重要だと思います。

（撮影・薄田和彦）

西山さん　自ら情報集め旅の質的転換を

小川　ここ数年の訪日観光客の増加により、大きな経済効果がもたらされる一方、観光客の過度な集中が地域住民の生活に悪影響を及ぼすオーバー・ツーリズムの問題も顕在化していました。コロナ禍の影響で観光客が消えた京都市内では「正直、生活がしやすくなった」などという地元の声も聞かれるようです。

西山　30年ほど前、学生時代の13年を京都で過ごしました。当時からこの街は、さまざまな意味でしたたかだと感じていました。歴史があり、格式の高い祇園は接待や社交のほか、ハイクラスの観光客をもてなす。お茶屋や料亭、レストランが混在する先斗町は幅広い顧客層に対応し、新京極は修学旅行生を受け入れるといった具合です。エリアごとに客層も異なり、歓待やサービスの仕方も異なっていました。

にしやま・のりあき　1961年生まれ。京都大で学び専門は建築・都市計画学、ツーリズム、文化遺産マネジメント。文化庁文化審議会委員などを歴任。九州大、国立民族学博物館などを経て北海道大観光学高等研究センター教授。本年度は京都で調査研究中。

向こう三軒両隣の親密さを基本に、地域や学校区、職域、業界団体などが主体性を持って運営されているのが京都の特徴です。住民一人一人が互いに持っている緊張感や警戒心が街全体の行動規範や美意識にまで昇華され、うまく機能していました。ただ、最近はどうでしょうか。観光客のレンタル着物の着こなしや歩き方、マナーが指摘されています。観光客数が落ち着き、地域の人が着付けを手伝ったり、基本を教えるなどが可能なら、状況も変わるでしょう。

猛暑でもマスク着用の観光客が目立つ嵐電嵐山駅付近。新しい観光のあり方が問われている（京都市右京区）＝撮影・水沢圭介

小川　京都市はほぼ毎年、NHK大河ドラマの舞台となり、地元の誘致活動への関わりはほとんどありません。京都市以外の京都府は地元が舞台の大河ドラマを熱望し続け、実現したのが今年の「麒麟がくる」です。明智光秀とは、丹後や丹波の多くの自治体が関わります。京都府内の大半の地域のように、観光を活性化させたい地域は全国に多いのではないでしょうか。

西山　昨今、観光分野では、地域の観光を通してまちづくりを担う組織のDMOが脚光を浴びています。一昨年、地方創生という国の政策に沿って文化財保護法が改正され、文化財を観光やまちづくりなどに総合的に活用して経済効果を目指す方針が打ち出されました。国は地方創生の旗を振るだけでなく、自治体や地域が自立できるような施策や予算措置を講じることも必要でしょう。

小川　観光戦略立案や、地域間の格差解消の司令塔として期待されるのがDMOですね。

西山　DMOは官民一体で設置するケースが多く、全国で約160団体が観光庁に登録されています。多くのDMOは外を向いた市場調査やPR活動に力点を置いており、外から内を見て地域をどうマネジメントするかという客観的な視点に欠けるのが問題だと感じます。外部からどう見えているのかを意識し、地域の個性や文化に価値を見いだして自ら磨いていかなければ、観光資源の魅力を持続させることはできません。

DMO　観光による地方創生の推進母体。国が支援し、官民一体で透明性の高い運営を進めて収益を目指す仕組み。今年4月には観光庁が、DMO登録制度のガイドラインを作成した。海外先進地の事例も参考に、DMOの役割や取り組み内容の明確化などを求めている。京都府内では、「海」「森」「お茶」などを軸とする組織が発足している。

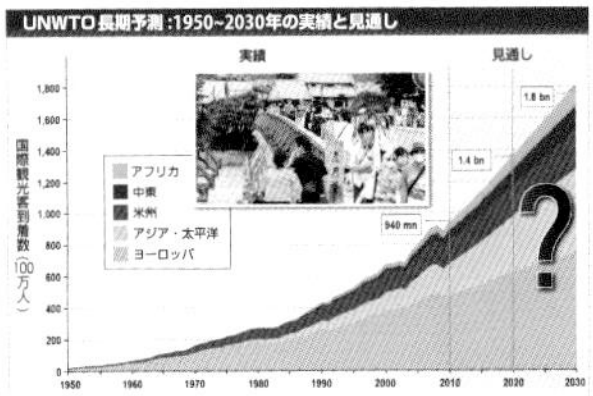

出典：「国連世界観光機関（UNWTO）ツーリズムハイライト2015　日本語版」

小川　文化人類学のフィールドワークは地域に愛情をもって入り込み、内側から地域の魅力や暮らしを発見する作業。その意味では、DMOの実践と共通点がありますね。

北海道大では社会人を対象にDMOで働く専門職「ディスティネーション・マネジャー」の育成にも取り組み、観光戦略のプランを立てる際にストーリーを大事にすることを強調されていますね。

西山　ある地域の環境全体を一つの屋根のない博物館と見立てて、まちづくりや地域おこしを行うことをエコミュージアムと呼び、全国各地で事業化も進んでいます。自然や文化、生活様式など、地域内に点在するものをつないで保存や展示、活用していく際、ストーリーが重要な役割を果たします。

お年寄りに話を聞いたり、古い地図を見ながら歩いたりして、地域が持つ記憶の水脈をたどり、ストーリーを探し当てると、何となく昔からあった石塊や樹木、お地蔵さんなどにも意味が与えられ、地域の人の誇りや自慢にもなっていきます。

京都に移転する文化庁との連携も、さらに重要になってきますね。

小川　昨今、観光地やリゾート地で休暇を取りながら働くワーケーションが注目を集めています。旅行のニーズが多様化し、今後はライフスタイルの転換に深く関わるような新しい旅も出てきそうです。

西山　欧州ではいち早く産業革命が起こり、メトロポリタンが出現し、ルーラルツーリズムという独特の旅行形態を生み出しました。根無し草で、ふるさとを失った彼ら都市民が、自分なりのふるさとを見つけに農村や田舎へ行くという旅です。

日本でも単なる物見遊山の観光にとどまらず、訪れた地域に移住することで活性化に関わる人たちを生み出すというところにまで観光の概念を考え直す必要があります。エコミュージアムを展開する地域が、その受け皿になる可能性は大いにあるでしょう。

＝次回は10月下旬掲載予定

議論は、近く「日本人の忘れもの知恵会議」サイトにもアップします。第1、2回分もこのQRコードでアクセスできます。

drawing the future of Tomorrow

私たちは［日本人の忘れもの 知恵会議2020］に参画しています。

アサヒビール株式会社 京滋統括支社	学校法人 京都産業大学	ジーク株式会社	TOWA株式会社	株式会社 フクナガ
石清水八幡宮	京都信用金庫	株式会社 ジェイアール西日本伊勢丹	西日本電信電話株式会社 京都支店	株式会社 藤井大丸
上原成商事株式会社	京都橘大学	株式会社 ジェイアール西日本ホテル開発	西日本旅客鉄道株式会社	富士ゼロックス京都株式会社
裏千家 今日庵	京都中央信用金庫	香老舗 松栄堂	ニチコン株式会社	佛教大学
ANAクラウンプラザホテル京都	株式会社 京都東急ホテル	株式会社 しょうざん	NISSHA株式会社	株式会社 増田医科器械
SGホールディングス株式会社	京都ブライトンホテル	株式会社 進々堂	日新電機株式会社	株式会社 マツシマホールディングス
株式会社 NTTドコモ	株式会社 京都ホテル	株式会社 SCREENホールディングス	日本新薬株式会社	三井不動産株式会社 京都支店
株式会社 大垣書店	京都薬品工業株式会社	成基コミュニティグループ	公益財団法人 日本漢字能力検定協会	京佛石 美濃吉
大阪ガス株式会社	清水寺	星和電機株式会社	日本たばこ産業株式会社 北関西支社	播磨自動車株式会社
大谷大学	キリンビール株式会社 京滋支社	積水ハウス株式会社 京都支店	学校法人 二本松学院 京都美術工芸大学	株式会社 ユーシン精機
株式会社 オンリー	株式会社 きんでん 京都支店	株式会社 大丸松坂屋百貨店	総本山 仁和寺	学校法人 立命館
柿本商事株式会社	グランドプリンスホテル京都	大和ハウス工業株式会社 京都支社	野村證券株式会社 京都支店	学校法人 龍谷大学
北野天満宮	月桂冠株式会社	株式会社 高島屋京都店	株式会社 ハトヤ観光	株式会社 ロマンライフ
京都駅ビル開発株式会社	株式会社 公益社	タキイ種苗株式会社	株式会社 日立製作所 京都支店	株式会社 ワコールホールディングス
学校法人 京都外国語大学	佐川印刷株式会社	武田病院グループ	平等院	
京都鰹節株式会社	株式会社 三笑堂	株式会社 たけびし	株式会社 福寿園	
株式会社 京都銀行	サントリー酒類株式会社 京都支社	東京海上日動火災保険株式会社	福田金属箔粉工業株式会社	

50音順

対談シリーズ 03（2020年8月25日掲載）

新しい観光

◎小川さやかさん　文化人類学者
◎西山徳明さん　北海道大教授

未来へ受け継ぐ　Things to inherit to the future

日本人の忘れもの 知恵会議 ④

未来を拓く京都の集い

オンライン対談

文化人類学者 小川さやかさん

認定NPO法人WANウィメンズアクションネットワーク理事長 上野千鶴子さん

コロナ禍の向こうに見える暮らし

京都から新しい暮らしと文化を考えるキャンペーン企画「日本人の忘れもの知恵会議」。文化人類学者小川さやかさんがホストのオンライン連続対談最終回のテーマは「コロナ禍の向こうに見える暮らし」。旧知の上野千鶴子さんと人間関係のあり方などを自由に語り合ってもらった。コーディネーターは、京都新聞総合研究所所長の内田孝が務めた。

（撮影・三木千絵）

多様な縁で持ちつ持たれつ　小川さん

上野さん　人や社会との関係に投資・貯金

小川　新型コロナウイルス感染拡大という危機を受け、すでに平時に起きていた矛盾や問題が鮮明化し、より拡大する傾向にあります。私たちの生活も大きく変わってきていますね。アフリカのタンザニアの事例も基に、問題解決のカギを考えてみたいと思います。

上野　小川さんが『思想としての〈新型コロナウイルス禍〉』（河出書房新社）に寄稿したエッセーを読んで、タンザニアの人たちのビジネススタイルで面白いと感じたのは、輸入が途絶えるとか、対面販売が難しくなるとか、危機が訪れると直ちに投資先を変えて生き延びているところです。

危機のなかで生き延びるのはサブシステンスエコノミー（生存を支える経済）ですね。今、日本では農業分野のベンチャー企業で多くの女性が活躍しています。コロナ禍の厳しい経営環境の中で、飲食店や学校給食向けに食材を生産していた業者は苦戦を強いられていますが、彼女たちは2割増しで業績を伸ばしているといいます。

末端消費者と直接取引をして、産地から新鮮な野菜を届けるという事業スタイルで、外出を控え、自宅で食事を楽しむ人の需要に応えています。

小川　生活や暮らしに関わる分野への投資は今後、さらに重要になると私は見ています。タンザニアではお金にあまり信用がないので、現金が手元にあればすぐに食べ物と交換します。さらにお金に余裕があれば家畜や農地を購入します。貯金もしますが、銀行に預けている間、ずっと同じ価値であるかどうか分からないと多くの人は考えています。

上野　私は働く女性のサバイバル戦術として「ゴー・バック・トゥ・ザ・百姓ライフ」という考え方を提案してきました。百姓は「百（くさぐさ）の姓（かばね）」とも読み、稲作や畑作だけではなく、さまざまな職業の組み合わせを意味します。昔から農閑期には出稼ぎに行ったり、炭焼きや機織りで現金収入を得たりしていました。近年は従業員に副業を認める企業も増えていますし、複数の仕事を持つことが以前よりも容易になってきました。

小川　タンザニアの人たちは事業規模が大きくないため、何かあった時にはすぐに転換できるということもありますが、そもそも付き合っている人が多様であったことが変化に柔軟に対応できている理由でしょう。また彼らの多くは、日本人のように貯蓄に励む代わりに、多様な小商いに投資します。そこからも人間関係が広がります。

お金の貸し借りは頻繁に行われますが、特に返済期限はなく、お金に困ると自分がお金を貸した相手から取り立てるよりも、余裕のある別の相手に借金を申し込みます。余裕がある人から余裕がない人へ何となくお金や物が回っていくセーフティーネットのようなものがあり、そこから脱落しない限り生きていくことができます。ビジネスでは事業の秘訣を教えたり、取引先を紹介したりして、商売仲間と緩やかなつながりを持つことで、失敗しても誰かが助けてくれ、再挑戦もできる仕組みがあります。

上野　個人や集団間で、金品やサービスが互いに行き来することを互酬性といいますが、金品を貸し与えても返ってくる保証はなく、賭けやばくちの要素があります。当たり外れはありますが、長い目で見れば帳尻が合い、自分の生存を維持することができます。そのための狡知を「ウジャンジャ」と小川さんは著書の中で紹介していますね。

小川　タンザニアの人たちは「ウジャンジャ」という言葉を「ずる賢さ」というニュアンスですごく誇らしげに使っています。行商人たちは巧みな話術で顧客を「嘘かもしれないけど、なんだか憎めない。ここはだまされてあげるか」という気持ちにさせながら、商品やサービスを売るのがウジャンジャの真骨頂だと語ります。

ウジャンジャは相手の心を動かす知恵であり、時に相手の経済的、精神的な余裕を見極めながら、ある人からは多くの利益を得たり、別の人には原価割れでも取引をしたりします。そのようなずる賢さによって厳密な互酬性を柔軟に無化できることが大事なのだと思います。

上野　この交渉力は日本ではコミュニケーション力とも言われます。コンピテンシー（能力）がない人でも、能力がある人を連れてきたり、相手から能力を引き出すことができれば、コミュニケーション力があるといえます。それは子どもや障害のある人にも当てはまりますので、その意味では弱さも最強の資源になりますね。

小川　ウジャンジャには弱さも含まれます。日がな一日、ぼうっとしているおじいちゃんもウジャンジャを持っています。

「この人、大丈夫かな」と周囲の人が思わず手助けする。そうした積極的ではない交渉力も現地では「ずる賢さ」と捉えられています。

上野　菅義偉首相の新政権が掲げる「自助、共助、公助」のキャッチフレーズで、自助が最初に来ることにあきれはてました。コロナ禍の今、自助では限界の来た人たちが悲鳴をあげている時に政治家が言うことばとは思えません。

小川　私の意見はそれほど上野先生とはずれていないと思います。たしかに私は、公的な保護や保障が得られない世界を研究対象としており、各社会で自発的になされる自助や共助の力を信じていますが、だからといって公助が必要ないとは全く思っていません。実践としてのアナキズムに共感しますが、主義としてのアナキズムは支持していないのです（笑）。

公助は公助としてありながら、そして必要な時に当たり前に公助を受けながら、それとは別の次元として誰しもが与えたり受け取ったり返したり、あるいは与えなかったり返さなかったりといった贈与や分配を通して人と人との個別の関係性の中に生まれる豊かさを味わえる仕組みがあること、あるいは「与える―与えられる」をそれほど意識しないで回していけるような社会ができ、制度やルールよりも総体としての人間社会を信頼できるようになることを願っているのです。

上野　社会学では人間関係や信頼、ネットワークのことを社会関係資本と呼びます。社会関係資本を構成するのは同質の人たちの集まりよりも、異質の人たちの集まりの方が生存にはより役立つとされています。

私は特定非営利活動法人（NPO）を運営していますが、企業と違ってNPO法人の活動に参加する人たちに地位や報酬を提供することができません。相手の自発性に頼るしか手はありません。長年の活動を通して人の無理を聞いたり、お返しに無理を聞いてもらったりする信頼関係が、NPO活動の大きな財産になっているのだと、今日の小川さんとの対話であらためて感じました。

小川　地縁や血縁、会社を基盤とする社縁以外の縁をいかに確保するかが非常に大事で、その縁を結んでいくには持ちつ持たれつの関係をつくっていく必要があります。生涯にわたって自分自身の人生をマネジメントし続けるのは大変なことです。でも、多様な縁があればどこかで誰かが助けてくれます。

自分のために投資をすれば自己責任で運用しなければなりませんが、自分以外のものに投資をすれば、その人たちが勝手に運用しているので、うまくいけば運用益が将来、縁とともに戻ってくるかもしれません。

上野　私はそれを選択縁と呼んでいます。先を見通すことが難しい時代に、危機を乗り越えて生きていくには、人や社会との関係に投資し、貯金しておくといいということですね。

小川　そのとおりだと思います。今から「縁」を貯金しておかないと、もっと大きな危機がやってくるかもしれませんので。

◇

小川さんによる対談シリーズはこれで終わります。バックナンバーも「日本人の忘れもの知恵会議」サイトで読むことができます。

おがわ・さやか　1978年生まれ。立命館大先端総合学術研究科教授。「チョンキンマンションのボスは知っている」（春秋社）で河合隼雄学芸賞、大宅壮一ノンフィクション賞。共著に「思想としての〈新型コロナウイルス禍〉」（河出書房新社）。

うえの・ちづこ　1948年生まれ。平安女学院短大、京都精華大などの教壇に立つ。東京大名誉教授。東大では2019年度入学式の祝辞が話題に。著書に「セクシィ・ギャルの大研究」（岩波現代文庫）「おひとりさまの老後」（文春文庫）ほか多数。

対談の完全版を掲載

対談の完全版は、QRコードで「日本人の忘れもの知恵会議」のサイトにアクセスしてお読みください。過去の対談、フォーラムも収録しています。

著書紹介

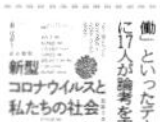

上野千鶴子さんの新型コロナ禍に対する考え方はしばしば催されるオンラインでの講演会のほか、森達也編著『定点観測 新型コロナウイルスと私たちの社会』（論創社）＝写真㊤＝などで触れることができる。同書は「医療」「貧困」「労働」といったテーマごとに17人が論考を寄せており、上野さんは「ジェンダー」を担当。コロナ禍が社会的弱者を直撃する現実を指摘し、今回の対談でも語られたように行政のケアが及ばない部分を、人間関係の力などでしのぐ方法を伝えている。

小川さやかさんは、京都新聞「日本人の忘れもの知恵会議」のオンラインフォーラム「ポストコロナを生き抜く知恵」（2020年4月）に登壇（発言内容は、このページに掲載のQRコードでアクセスして読めます）。このほか対談でも触れられた『思想としての〈新型コロナウイルス禍〉』（河出書房新社）へ寄稿。香港で商売するタンザニア人に密着した『チョンキンマンションのボスは知っている』（春秋社）＝写真㊦＝は、対談に登場するアフリカ経済の一端を紹介している。

drawing the future of Tomorrow

私たちは［日本人の忘れもの 知恵会議2020］に参画しています。

アサヒビール株式会社 京滋統括支社	学校法人 京都産業大学	ジーク株式会社	TOWA株式会社	株式会社 フクナガ
石清水八幡宮	京都信用金庫	株式会社 ジェイアール西日本伊勢丹	西日本電信電話株式会社 京都支店	株式会社 藤井大丸
上原成商事株式会社	京都橘大学	株式会社 ジェイアール西日本ホテル開発	西日本旅客鉄道株式会社	富士ゼロックス京都株式会社
裏千家 今日庵	京都中央信用金庫	香老舗 松栄堂	ニチコン株式会社	佛教大学
ANAクラウンプラザホテル京都	株式会社 京都東急ホテル	株式会社 しょうざん	NISSHA株式会社	株式会社 増田医科器械
SGホールディングス株式会社	京都ブライトンホテル	株式会社 進々堂	日新電機株式会社	株式会社 マツシマホールディングス
株式会社 NTTドコモ	株式会社 京都ホテル	株式会社 SCREENホールディングス	日本新薬株式会社	三井不動産株式会社 京都支店
株式会社 大垣書店	京都薬品工業株式会社	成基コミュニティグループ	公益財団法人 日本漢字能力検定協会	京懐石 美濃吉
大阪ガス株式会社	清水寺	星和電機株式会社	日本たばこ産業株式会社 北関西支社	彌榮自動車株式会社
大谷大学	キリンビール株式会社 京滋支社	積水ハウス株式会社 京都支店	学校法人 二本松学院 京都美術工芸大学	株式会社 ユーシン精機
株式会社 オンリー	株式会社 きんでん 京都支店	株式会社 大丸松坂屋百貨店	総本山 仁和寺	学校法人 立命館
柿本商事株式会社	月桂冠株式会社	大和ハウス工業株式会社 京都支社	野村證券株式会社 京都支店	学校法人 龍谷大学
北野天満宮	株式会社 公益社	株式会社 髙島屋京都店	株式会社 ハトヤ観光	株式会社 ロマンライフ
京都駅ビル開発株式会社	佐川印刷株式会社	タキイ種苗株式会社	株式会社 日立製作所 京都支店	株式会社 ワコールホールディングス
学校法人 京都外国語大学	ザ・プリンス 京都宝ヶ池	武田病院グループ	平等院	
京都鰹節株式会社	株式会社 三笑堂	株式会社 たけびし	株式会社 福寿園	
株式会社 京都銀行	サントリー酒類株式会社 京都支社	東京海上日動火災保険株式会社	福田金属箔粉工業株式会社	

50音順

対談シリーズ04（2020年10月23日掲載）

コロナ禍の向こうに見える暮らし

◎小川さやかさん　文化人類学者

◎上野千鶴子さん　認定NPO法人WANウィメンズアクションネットワーク理事長

あとがき

２０１１年3月11日に大震災が日本列島を襲い、４月14日に「東日本大震災復興会議」が首相官邸で開かれた。冒頭、菅直人首相らを前に特別顧問の梅原猛さんが強く訴えたのは、人類の文明の行き詰まりと変革の必要性だった。ウェブサイトで議事録を読み返すと、哲学者として晩年を迎えた梅原さんが、力を振り絞って語る姿がくっきりと目に浮かぶ。

「日本人の忘れもの 知恵会議」は、文化を軸に同年7月に始まったキャンペーン企画だ。多忙を極める日々に梅原さんは企画の趣旨に耳を傾けられ、賛同いただいた。文化と文明。人類史を考える際、まったく方向性の異なる概念にもかかわらず、賛同された梅原さんに感謝したい。

本書は、京都ゆかりの文化人のみなさんらが京都新聞紙上とサイトから発信しているメッセージ集だ。寄稿、対談、フォーラムなど形式はさまざまで、コロナ禍以降はオンライン収録も日常化している。２０２０年4月、緊急事態宣言中にＺｏｏｍ収録したフォーラム「ポストコロナを生き抜く知恵」には、海外で活動する京都ゆかりの人たちの声が響く。

恒例となった元旦付「忘れもの」特集紙面には、全国の文化人に加え、梅原さんが初代所長を務めた国際日本文化研究センター（京都市西京区）

の外国人研究員も寄稿を寄せる。「京都」をパワーキーワードとしながらも、視野を大きく広げて目を凝らす。扱いきれないほどの文化遺産を抱える「京都」を相対化し、他との比較の視点を持つ。「忘れもの」探しは、10年前から着実に次のステージに進んできている。

企画立案と紙面化担当者として、いずれの企画にも知恵を絞った。「京都の弱点」がテーマのフォーラムは2017年4月17日。文化庁の京都への全面的移転に伴う地域文化創生本部（東山区）発足に合わせて開いた。1200年を超える歴史で、京都は繰り返し震災や水害、疫病に見舞われても廃都にはならなかった。なぜか。容易には答えに行き着かない問いを設定し、分野を超えたディスカッションは「忘れもの」企画ならではの楽しみだ。

2021年現在も、「忘れもの」探しは続いている。巻頭言の山折哲雄さんをはじめ、若い世代を含めて知恵をお借りしたい方々は京都にまだまだ多い。寄稿、登壇を快諾された方々、細やかな心持ちでサポートを担う白石真古人、佐藤寛之、三浦隆弘の各氏をはじめとする京都新聞COMのみなさん、日商社の谷川隆氏に感謝の気持ちをささげる。

2021年6月

京都新聞総合研究所所長　内田　孝

［日本人の忘れもの 知恵会議 2020］協賛社（50音順）

アサヒビール株式会社 京滋統括支社
石清水八幡宮
上原成商事株式会社
裏千家 今日庵
ANAクラウンプラザホテル京都
SGホールディングス株式会社
株式会社 NTTドコモ
株式会社 大垣書店
大阪ガス株式会社
大谷大学
株式会社 オンリー
柿本商事株式会社
全国天満宮総本社 北野天満宮
京都駅ビル開発株式会社
学校法人 京都外国語大学
京都鰹節株式会社
株式会社 京都銀行
学校法人 京都産業大学
京都信用金庫
京都橘大学
京都中央信用金庫
株式会社 京都東急ホテル
京都ブライトンホテル
株式会社 京都ホテル
京都薬品工業株式会社
清水寺
キリンビール株式会社 京滋支社
株式会社 きんでん 京都支店
月桂冠株式会社
株式会社 公益社
佐川印刷株式会社
ザ・プリンス 京都宝ヶ池
株式会社 三笑堂
サントリー酒類株式会社 京都支社
ジーク株式会社
株式会社 ジェイアール西日本伊勢丹
株式会社 ジェイアール西日本ホテル開発
香老舗 松栄堂

株式会社 しょうざん
株式会社 進々堂
株式会社 SCREENホールディングス
成基コミュニティグループ
星和電機株式会社
積水ハウス株式会社 京都支店
株式会社 大丸松坂屋百貨店
大和ハウス工業株式会社 京都支社
株式会社 髙島屋京都店
タキイ種苗株式会社
武田病院グループ
株式会社 たけびし
東京海上日動火災保険株式会社
TOWA株式会社
西日本電信電話株式会社 京都支店
西日本旅客鉄道株式会社
ニチコン株式会社
NISSHA株式会社
日新電機株式会社
日本新薬株式会社
公益財団法人 日本漢字能力検定協会
日本たばこ産業株式会社

学校法人 二本松学院 京都美術工芸大学
総本山 仁和寺
野村證券株式会社 京都支店
株式会社 ハトヤ観光
株式会社 日立製作所 京都支店
平等院
株式会社 福寿園
福田金属箔粉工業株式会社
株式会社 フクナガ
株式会社 藤井大丸
富士フイルムビジネスイノベーションジャパン株式会社 京都支社
佛教大学
株式会社 増田医科器械
株式会社 マツシマホールディングス
三井不動産株式会社 京都支店
京懐石 美濃吉
彌榮自動車株式会社
株式会社 ユーシン精機
学校法人 立命館
学校法人 龍谷大学
株式会社 ロマンライフ
株式会社 ワコールホールディングス

日本人の忘れもの。

この美しい国ではぐくまれた
宝ものがあります。
遠い祖先が積みあげてきた技。
磨きをかけた暮らしの知恵と作法。
花と語らい
鳥と遊び
風をたのしみ
月と戯れ

その花鳥風月に命を見つけ
神が宿ると信じて
草木国土悉皆成仏のこころで
畏怖と親しみを自然に抱いた日本人。

自然をともに感じ合うための
もてなしや遊び心など
ゆたかな文化を創造してきた
ここ、京都から
日本に伝えたいことがあります。

日本人の忘れもの
未来を拓く京都の集い
知恵会議

日本人の忘れもの 知恵会議

2021年 6月28日 初版発行

写 真（扉） 中田 昭
編 者 京都新聞
発行者 前畑知之
発行所 京都新聞出版センター
〒604-8578 京都市中京区烏丸通夷川上ル
Tel.075-241-6192／Fax.075-222-1956
http://www.kyoto-pd.co.jp/book/

印刷／製本 佐川印刷株式会社

ISBN978-4-7638-0752-6 C0095 ¥2545E